FLEISHMAN
A DES
ENNUIS

Taffy Brodesser-Akner

FLEISHMAN A DES ENNUIS

Traduit de l'anglais (États-Unis)
par Diniz Galhos

CALMANN
LEVY

C A L M A N N
L E V Y

Titre original :
FLEISHMAN IS IN TROUBLE
Première publication : Random House, une division de Penguin
Random House, LLC, New York, 2019

© Taffy Brodesser-Akner, 2019

Pour la traduction française :
© Calmann-Lévy, 2020

COUVERTURE
Maquette : Kelly Blair
Adaptation : Olo.éditions
Illustration : © Keith Hayes

ISBN 978-2-7021-6913-1

À Claude

Faites paraître vos témoins.

ESCHYLE

FLEISHMAN A DES ENNUIS

PREMIÈRE PARTIE

FLEISHMAN A DES ENNUIS

Toby Fleishman se réveilla un jour dans la ville où il avait vécu toute sa vie d'adulte, et qui soudain, sans qu'il puisse l'expliquer, grouillait de femmes qui le désiraient. Pas n'importe quel type de femmes : des femmes épanouies et indépendantes, qui savaient ce qu'elles voulaient. Des femmes qui n'étaient rongées ni par le besoin d'attention, ni par le manque d'assurance, ni par l'autodépréciation, comme ses partenaires potentielles au temps révolu de sa jeunesse – plus précisément, les jeunes femmes qu'il avait considérées comme des partenaires potentielles, et qui ne lui avaient jamais accordé ne serait-ce qu'un seul coup d'œil. Non, ces femmes-ci étaient volontaires, disponibles, intéressantes et intéressées, excitantes et excitées. C'étaient des femmes moins enclines à attendre que vous les rappeliez au bout d'un délai socialement acceptable d'un, deux ou trois jours après la première rencontre, qu'à vous envoyer des photos de leurs parties génitales la veille du rendez-vous. Des femmes sans tabous, ouvertes à tout, qui exprimaient clairement leurs désirs et leurs besoins et disaient des choses telles que « cartes sur table », « sans engagement » et « on a dix minutes pour finir, je dois aller chercher Bella à son cours de danse classique ». Des femmes qui baisaient avec vous comme si elles vous devaient de l'argent, pour reprendre la formule de notre bon vieux Seth.

C'est vrai, qui aurait cru qu'à l'âge de quarante et un ans, il verrait son téléphone s'illuminer du lever au coucher du soleil (la nuit, la lueur était encore plus vive), au rythme de messages qui incluaient des strings, des sillons interfessiers, des seins dépassant du bas du tee-shirt, des seins dépassant des bords du tee-shirt, ou tout simplement des seins, ainsi que toutes les autres parties de l'anatomie que jadis, même dans ses rêves les plus fous, il n'aurait jamais espéré contempler chez une vraie femme, c'est-à-dire une femme qui ne se trouvait ni sur une page de magazine ni sur un écran d'ordinateur ? Et tout ça après une jeunesse entière de rejets amoureux ! Tout ça après avoir misé son existence sur une seule femme ! Qui l'aurait cru ? Qui aurait pu prédire qu'il était encore si plein de vie ?

Pourtant, comme il me le confia, c'était perturbant. Rachel n'était plus là, mais son absence paraissait toujours aussi incongrue au regard du projet de vie qui avait été le sien. Ce n'était pas une question de désir : il ne voulait *absolument plus du tout* d'elle. Il ne regrettait *absolument pas du tout* sa présence. Seulement, il avait passé tellement de temps dans les relents toxiques de son mariage, à s'acquitter des formalités nécessaires pour s'en extirper – l'expliquer aux enfants, déménager, l'expliquer à ses collègues –, qu'il ne s'était pas demandé à quoi ressemblerait sa vie au bout du tunnel. Il comprenait le divorce dans sa globalité, bien entendu. Mais il ne s'était pas encore fait aux détails : la moitié de lit toujours vacante, plus personne pour vous dire que vous êtes en retard, ne plus appartenir à personne. Quand pourrait-il regarder franchement les photos de ces femmes sur son téléphone (photos qu'elles lui envoyaient *avec empressement* et *de leur plein gré*), et plus timidement du coin de l'œil ? Plus tôt qu'il le pensait, soit, mais ce

14

n'était pas pour tout de suite. Vraiment pas pour tout de suite.

Il ne s'était jamais intéressé à d'autres femmes durant tout leur mariage tant il aimait Rachel – tant il aimait chaque forme d'institution et de système. Consciencieusement, solennellement, il s'était efforcé de sauver leur relation, même au stade où il aurait été clair aux yeux de tout individu raisonnable que leur malheur n'était pas qu'une mauvaise passe. Ces efforts avaient quelque chose de noble, pensait-il. Ces *souffrances* avaient quelque chose de noble. Et même lorsqu'il comprit que tout était terminé entre eux, même pendant *ces* années, je souligne le pluriel, durant lesquelles il tâcha de la convaincre que ça n'allait pas, qu'ils étaient trop malheureux, qu'ils étaient encore jeunes et qu'ils pouvaient espérer avoir une belle vie, chacun de son côté, même à cette époque, il ne laissa jamais son regard s'égarer. Surtout, disait-il, parce que sa tristesse l'occupait assez comme ça. Surtout, parce qu'il avait constamment l'impression d'être un déchet humain, et que ce n'était pas un état d'esprit souhaitable. Ou plutôt, il n'était pas souhaitable d'être émoustillé quand on avait l'impression d'être un déchet. La conjonction entre excitation sexuelle et manque d'estime de soi, selon ses propres mots, ne semblait se prêter qu'à la consommation de pornographie.

Mais à présent, il n'avait plus à être fidèle à qui que ce soit. Rachel n'était pas là. Elle n'était pas dans son lit. Elle n'était pas dans la salle de bains, en train d'appliquer de l'eye-liner sur la zone comprise entre ses paupières et ses cils avec la précision d'un robot chirurgical. Elle n'était pas à la salle de gym, ni de retour de la salle de gym, d'humeur moins massacrante que d'habitude, pas de beaucoup, mais tout de même. Elle ne se plaignait pas de ses insomnies sans fin, les yeux grands ouverts au beau milieu de la nuit. Elle n'était pas à la réunion de début d'année de l'école des gamins, assise sur une petite chaise, à prendre connaissance des nouvelles exigences imposées à leurs pauvres enfants, beaucoup plus lourdes que celles de l'année précédente. (Cela dit, elle s'y rendait très rarement. Ces soirs-là, comme tous les autres soirs, elle les passait sur son lieu de travail, ou à dîner avec un client, ce qu'elle appelait « faire sa part » quand elle voulait être agréable, et « être une vache à lait » quand elle ne l'était pas.) Et donc, non, elle n'était pas là. Elle était dans une tout autre maison, celle qui avait aussi été celle de Fleishman. Chaque matin, cette pensée le submergeait l'espace d'un instant : elle le paniquait au point que la première chose qui lui passait par la tête au réveil était : *Quelque chose ne va pas. Il y a un problème. J'ai des ennuis.* Chaque matin, il écartait cette pensée. Il se forçait à se rappeler que c'était la situation la plus *saine*, la plus *convenable*, que c'était dans l'*ordre naturel des choses.* Il était *naturel* qu'elle ne soit plus à ses côtés. Il était *naturel* qu'elle se trouve dans sa maison à elle, distincte de la sienne, et plus jolie.

Pourtant, ce matin-là, elle ne s'y trouvait pas non plus. C'est ce qu'il apprit lorsqu'il se pencha vers sa nouvelle table de chevet Ikea pour attraper son téléphone, dont il avait perçu les vibrations dans la poignée de minutes précédant l'ouverture officielle de ses paupières. Il avait reçu sept ou huit messages, pour la plupart envoyés par des femmes pendant la nuit, mais son regard se fixa directement sur celui de Rachel, perdu quelque part au milieu. Il semblait briller différemment de ceux qui contenaient des parties anatomiques et des bouts de sous-vêtements à dentelle. Sans qu'il sache pourquoi, ce message se distinguait des autres. À cinq heures du matin, elle avait écrit : « Je vais passer le week-end à Kripalu ; j'ai déposé les gamins chez toi, pour info. »

Il lui fallut relire ce message pour comprendre enfin ce que ça impliquait et, ignorant l'érection qu'il avait laissée florir à l'idée des nouveaux supports masturbatoires qui l'attendaient sur son téléphone, Toby bondit de son lit. Il traversa le couloir en courant et constata que ses deux enfants étaient dans leurs chambres, endormis. « Pour info » les enfants étaient chez lui ? *« Pour info »* ? « Pour info » venait toujours trop tard. « Pour info », c'était de l'additionnel. Pas de l'essentiel. Cette « info », ses enfants déposés chez lui à la faveur de l'obscurité, sans prévenir et à l'aide d'un double des clefs confié à Rachel en cas d'absolue et urgente nécessité, semblait essentielle. Il retourna dans sa chambre et l'appela.

« Mais qu'est-ce qui t'est passé par la tête ? » siffla-t-il à voix basse. Le fait de siffler à voix basse n'était pas quelque chose qui lui venait naturellement, mais il s'améliorait de jour en jour. « Et si j'étais sorti sans m'apercevoir qu'ils étaient là ?

— C'est *pour ça* que je t'ai envoyé un message », répliqua-t-elle. Sa réponse aux sifflements à voix basse : la désinvolture condescendante.

« Tu les as amenés ici après minuit ? C'est l'heure à laquelle je me suis couché !

— Je les ai déposés à quatre heures du matin. J'essayais de me greffer sur le week-end, et quelqu'un s'est décommandé. Le programme commence à neuf heures. Allez, quoi, Toby. C'est difficile en ce moment. J'ai vraiment besoin de prendre du temps pour moi. »

Comme si la totalité de son temps n'était pas déjà complètement et absolument dédié à elle-même.

« Tu ne peux pas me faire un truc pareil, Rachel. » À présent, il ne prononçait plus son prénom qu'à la fin de ses phrases, Rachel.

« Pourquoi ça ? C'était à toi de les garder ce week-end, de toute façon.

— Mais pas avant demain matin ! » Toby se pinça la base du nez. « Les week-ends débutent le *samedi*. C'est toi qui as fixé cette règle, pas moi.

17

— Tu avais quelque chose de prévu ?

— Mais ce n'est pas la question ! Et si un incendie s'était déclaré, Rachel ? Si j'avais eu une urgence avec un de mes patients, et que j'étais sorti en catastrophe sans me rendre compte de leur présence ?

— Mais rien de tout ça n'est arrivé. Je suis désolée, j'aurais dû te réveiller pour te dire qu'ils étaient chez toi. » Il s'imagina la scène : ça aurait complètement remis en question le processus d'acceptation qu'elle ne participait plus du tout à ses réveils.

« Absolument pas, répliqua-t-il.

— Eh bien, si ce que tu as dit hier soir est vrai, tu aurais pu prévoir que cela arriverait. »

Fleishman fouilla dans les recoins brumeux de son cerveau à la recherche de leur dernier échange haineux, et le souvenir lui revint soudainement, brutalement, associé à un profond sentiment de peur. Rachel avait divagué, elle avait parlé d'ouvrir un bureau sur la côte Ouest pour son agence, parce qu'elle n'était pas assez occupée et pas assez surmenée comme ça. En toute honnêteté, tout cela était très flou. Elle avait mis fin à la conversation, il s'en souvenait à présent, en lui criant dessus entre deux sanglots afin qu'il ne puisse rien saisir, jusqu'à ce que la communication soit interrompue, et qu'il comprenne qu'elle lui avait raccroché au nez. C'était ainsi que leurs conversations se terminaient à présent, bien loin de l'inertie des excuses de couple de jadis. Toute sa vie, Toby avait entendu dire qu'aimer, c'était ne jamais avoir à dire *je suis désolé*. En vérité, c'était le divorce qui permettait cela.

« Ce n'est vraiment pas facile pour moi, Toby, lui dit-elle. D'accord, je te les ai amenés en avance. Mais tout ce que tu as à faire, c'est de les déposer au centre de loisirs. Si tu as des choses de prévues, tu n'as qu'à dire à Mona de s'en occuper. À quoi bon discuter encore de ça ? »

Pourquoi n'arrivait-elle pas à comprendre que c'était grave ? Il se trouvait qu'il avait un rendez-vous ce soir. Il n'avait aucune envie de laisser les enfants à Mona : pour Rachel, c'était la solution à tout, mais pas pour lui. Il avait l'impression de ne pas réussir à lui faire entendre qu'il était un véritable être humain, qu'il était plus qu'un curseur qui clignotait en attendant ses instructions, qu'il existait encore lorsqu'elle quittait la pièce où il se trouvait. À quoi bon avoir pris la peine de se mettre d'accord sur tant de points, si elle n'avait pas même l'intention de faire semblant de suivre ces résolutions, ni de s'excuser lorsqu'elle les enfreignait ? Il ne lui avait pas donné un double des clefs de son nouvel appartement pour qu'elle lui fasse ce genre de plans à la con, mais pour que tout puisse se faire à l'amiable. À l'amiable à l'amiable à l'amiable. Vous avez remarqué qu'on utilise ce terme principalement dans le cadre d'un divorce ? Est-ce pour cette raison qu'on évite d'empoisonner tout autre sujet avec cette locution ? Un peu comme pour « maligne », qu'on hésite toujours à utiliser pour parler d'autre chose que d'une tumeur ?

Son érection avait disparu, et c'était tout aussi bien puisque les enfants commençaient à se réveiller.

* * *

Solly, son benjamin âgé de neuf ans, se leva, mais Hannah, onze ans, voulait rester au lit. « Désolé, ma petite, hors de question, lui dit Toby. Il faut qu'on soit partis d'ici à vingt minutes. » Tous trois titubèrent jusque dans la cuisine, les yeux encore mi-clos, et Toby dut mettre leurs sacs sens dessus dessous pour trouver les habits prévus pour cette journée au centre de loisirs. Hannah grogna qu'il s'était trompé, que les leggings étaient prévus pour le lendemain, et il lui tendit alors son minuscule short rouge qu'elle lui arracha des mains avec la mine dégoûtée d'une personne qui ne serait tenue à aucune forme de modération dans l'expression de ses émotions. Puis elle expira fortement par les narines, pinça les lèvres, et parvint à lui dire sans desserrer la mâchoire qu'elle aurait voulu qu'il lui achète des corn *flakes*, pas des corn *chex*, sous-entendu : de quelle espèce de sale con avait-elle écopé en guise de père ?

De son côté, Solly savourait joyeusement ses corn chex. Il ferma les yeux de plaisir, et hocha la tête. « Hannah, fit-il. Il *faut* que tu goûtes ça. »

Toby accepta bien volontiers ce pauvre petit signe de solidarité de son fils. Solly comprenait. Solly savait. Solly était si pleinement son fils qu'il ne s'était jamais demandé si tout cela en valait vraiment la peine. Il avait le même besoin vital que tout aille bien. Solly aspirait à la paix, tout comme son père. Ils se ressemblaient même physiquement. Les mêmes cheveux bruns, les mêmes yeux marron (à ceci près que ceux de Solly étaient légèrement plus grands que ceux de Toby, ce qui donnait une impression d'effroi constant), le même nez en forme de virgule, le même aspect miniature – ce qui ne signifiait pas qu'ils étaient petits, mais qu'ils étaient petits et bien proportionnés. Ils n'étaient ni menus ni rabougris, ce qui faisait que si on les voyait sans le moindre repère de taille, on ne pouvait s'imaginer à quel point ils étaient petits. C'était heureux, parce que le simple fait d'être petit était assez compliqué en soi. C'était malheureux, parce que ça suscitait la déception systématique de quiconque les avait vus sans repère de taille, et s'était attendu à ce qu'ils soient plus grands.

Hannah aussi était pleinement sa fille, certes, mais elle avait les cheveux blonds et lisses de Rachel, ses yeux bleus en meurtrières et son nez acéré : tout son visage était une accusation, comme celui de sa mère. Mais elle possédait une forme de sarcasme très spécifique, propre aux Fleishman. Par le passé, du moins. La séparation de ses parents paraissait avoir déclenché en elle une absence d'humour et une fureur qui couvaient déjà auparavant, soit parce que ses parents se disputaient trop souvent et trop fort, soit parce que son adolescence avait déjà débuté, et que ses hormones éveillaient cette colère en elle. Ou parce qu'elle n'avait pas de téléphone et que Lexi Leffer en avait un. Ou parce qu'elle avait un compte Facebook auquel elle n'avait le droit d'accéder que sur l'ordinateur du salon et qu'elle n'avait même pas envie d'avoir de compte Facebook parce que Facebook c'était un truc de vieux. Ou parce que Toby avait suggéré que les baskets qui ressemblaient comme deux gouttes d'eau à des Keds mais coûtaient 12 dollars de moins étaient préférables aux Keds justement parce qu'elles étaient absolument identiques à l'exception de l'étiquette bleue de derrière, et qu'il serait peut-être sympa de ne pas se montrer trop ostensiblement comme d'impuissantes victimes du consumérisme. Ou parce qu'une chanson triste super connue à propos d'un ancien amour était passée à la radio, une chanson qui avait une grande importance pour elle, et qu'il lui avait demandé de baisser le son parce qu'il était au téléphone avec l'hôpital. Ou parce que plus tard, lorsqu'elle avait voulu lui faire écouter et lui expliquer pourquoi cette chanson triste super connue était si importante à ses yeux, elle lui en avait terriblement voulu de ne pas avoir compris comme par magie pourquoi cette chanson suscitait en elle une nostalgie qu'elle n'avait jamais éprouvée, puisqu'elle n'avait jamais eu de petit copain. Ou parce qu'il lui demandait si sa jupe n'était pas trop courte pour s'asseoir. Ou parce qu'il lui demandait si son short n'était pas trop court, sous prétexte qu'il dévoilait le pli sous ses fesses et remontait sur ses cuisses jusqu'aux poches dépassant de l'ourlet. Ou parce qu'il lui avait demandé où était sa brosse à cheveux, ce qui sous-entendait clairement, selon elle, qu'il trouvait qu'elle était coiffée n'importe comment. Ou parce qu'elle.

Ne. Vou. Lait. Pas. Regarder *Princess Bride*, ni aucun de ses films de vieux. Ou parce qu'un jour il avait passé une main affectueuse dans ses cheveux, fichant complètement en l'air la parfaite raie au milieu qu'elle avait passé dix minutes à se faire. Ou parce que non. Elle. Ne. Vou. Lait. Pas. Lire *Princess Bride* non plus, ni aucun de ses bouquins de vieux. C'était un fait, le dédain qu'elle vouait à ses parents, encore gérable à l'époque où Rachel et Toby en étaient les cibles simultanées, était absolument dévastateur à présent qu'il se concentrait exclusivement sur lui. Toby ignorait si sa fille en gardait un peu pour Rachel. Tout ce qu'il savait, c'était qu'Hannah avait le plus grand mal à le regarder sans que ses yeux d'un bleu lacustre se rétrécissent encore davantage, sans que son nez se fasse, curieusement, encore plus pointu, sans que ses lèvres blanchissent à force de se pincer.

Ils se traînèrent jusqu'au centre de loisirs, agacés et distraits parce qu'ils étaient fatigués. (Tu vois, Rachel ? Tu vois ?)

« Je *déteste* le centre, dit Hannah. Je peux pas rester à la *maison* ? » Elle aurait voulu passer tout l'été en colonie de vacances, mais sa *bat mitsvah* aurait lieu début octobre, et elle avait dû passer les mois de juin et juillet à apprendre sa *haftarah*.

« Tu pars dans une petite semaine. Plus qu'un seul cours.

— J'ai envie de partir *maintenant*.

— Je devrais peut-être te louer un appartement d'ici-là », déclara Toby. Solly éclata de rire : c'était déjà ça.

Ils entrèrent au centre culturel et communautaire 92nd Street Y, entourés de mères de famille vêtues de leggings aux motifs tape-à-l'œil, et de tee-shirts estampillés YOGA ET VODKA OU MANGER DORMIR PÉDALER RECOMMENCER. Les journées dans ce centre coûtaient presque aussi cher qu'une colonie de vacances, et Hannah ne cessait de demander à son père si plutôt que d'y aller en tant qu'enfant, elle ne pouvait pas devenir animatrice stagiaire – bien qu'il faille au minimum être en seconde pour prétendre à ce genre de poste.

« Et même ainsi, ça reste payant », avait observé Toby après avoir consulté le site de 92nd Street Y, au printemps. « Pourquoi est-ce que je devrais les payer pour qu'ils t'apprennent à être encadrante, alors que dans les faits ils te feront travailler comme une animatrice à part entière ?

— Pourquoi est-ce que tu as dû payer tes études de médecine alors qu'on te faisait travailler comme un docteur à part entière ? » avait-elle répondu. Pertinente remarque. Sa vivacité d'esprit impressionnait Toby, qui aurait tellement voulu qu'elle ne soit pas exclusivement dirigée contre lui. À ses yeux, elle était en train de devenir le genre de filles qu'il était éreintant d'être.

Ils avaient environ six minutes d'avance. Le centre les emmenait tous les jours sur une base d'activités près des falaises des Palisades, et en cas de retard, les enfants devaient passer toute la journée dans une classe avec les plus petits. Hannah déclina l'offre de son père de l'escorter jusqu'à sa salle, aussi décida-t-il d'accompagner Solly dans la sienne. Toby le regarda participer à la toute fin de l'atelier *slime*, et était sur le point de sortir du hall lorsqu'il entendit quelqu'un l'appeler.

« Toby », fit une voix féminine, grave et rauque.

Toby se retourna pour faire face à Cyndi Leffer, une amie proche de Rachel dont la fille avait l'âge d'Hannah. Elle l'observa un moment. Ah, d'accord. Il savait ce qui l'attendait : la tête penchée à vingt degrés, la moue exagérée, les sourcils à la fois haussés et froncés.

« *Toby*. Je n'arrête *pas* de me dire qu'il faut que je t'appelle, reprit Cyndi. On ne se voit plus du tout. » Elle portait un legging en élasthanne turquoise avec des motifs « griffes » sur le haut des cuisses, comme si une meute de tigres violets grimpait le long de ses quadriceps pour mettre la patte sur son entrejambe. Elle arborait un débardeur où l'on pouvait lire SPIRITUAL GANGSTER. Toby se souvint de la remarque de Rachel, selon qui remplacer les « i » par des « y » au début du prénom de sa fille et vice versa à la fin, c'était infliger à sa progéniture un sérieux handicap dans la vie. « Comment vas-*tu* ? Comment vont les *enfants* ?

— Ça va », répondit-il. Il aurait voulu ne pas calquer l'inclinaison de sa tête sur celle de Cyndi, mais ses neurones miroirs étaient bien trop développés, et il échoua lamentablement. « On avance à notre rythme. C'est un sacré changement au quotidien, c'est sûr. »

Elle s'était fait la teinture à la mode : ses cheveux noirs s'éclaircissaient sur toute leur longueur jusqu'aux pointes blondes. Mais les racines étaient bien trop noires – d'un noir de femme plus jeune – et ne faisaient qu'accentuer l'aspect abîmé de la peau de son front. Il se souvint d'une kinésithérapeute avec qui il avait couché quelques semaines auparavant : elle avait la même teinture, mais le noir de ses racines était plus doux, et ne contrastait pas aussi violemment avec sa peau, pourtant du même âge que celle de Cyndi.

« Ça faisait longtemps que ça couvait ? » demanda-t-elle.

Jenny. La kiné s'appelait Jenny.

« Ça ne s'est pas fait sur un coup de tête, si c'est ce que tu veux dire. »

Toby et Rachel s'étaient séparés au tout début du mois de juin, juste après la fin de l'année scolaire, conclusion d'un processus de presque un an, ou peut-être d'un processus qui avait commencé peu après leur mariage, quatorze ans auparavant : tout dépend de la personne à qui on pose la question, et de notre propre façon d'envisager les choses. Un mariage qui sombre est-il condamné dès le début ? Un mariage s'achève-t-il dès la première apparition des problèmes insolubles, ou lorsque les deux époux

24

considèrent que ces problèmes ne pourront jamais être résolus, ou encore quand d'autres personnes finissent par l'apprendre ?

Rien d'étonnant à ce que Cyndi Leffer cherche à se renseigner. Tout le monde voulait savoir. Les conversations étaient toujours innocentes et indélicates, et elles se ressemblaient toutes. La première chose que les gens cherchaient à savoir, c'était depuis combien de temps les choses n'allaient pas au sein du couple : « Vous étiez déjà malheureux au gala de fin d'année, cette soirée où tu avais fait étalage de ta maîtrise du swing ? Vous étiez déjà malheureux à cette *bat mitsvah*, quand tu as pris sa main, que tu embrassais, la tête ailleurs, pendant les discours ? Aux réunions de parents d'élèves, quand tu te tenais à côté des Thermos de café et qu'elle se tenait du côté du bureau, j'ai toujours interprété ça comme le signe d'une dispute, j'avais raison ? » Le trouble profond des gens lorsqu'ils voyaient quelqu'un s'extirper d'une situation désastreuse. Le sans-gêne avec lequel ils posaient les questions les plus indiscrètes qu'on pouvait imaginer. Cherry, la cousine de Toby, encline à lancer de longs regards de déception à son mari Ron : « Vous avez essayé une thérapie de couple ? » Son supérieur, Donald Bartuck, dont la deuxième femme était une ancienne infirmière du service d'hépatologie : « Vous l'avez trompée ? » Le directeur du centre 92nd Street Y, quand Toby lui a expliqué que ses enfants pourraient être un peu à fleur de peau parce que Rachel et lui s'étaient séparés au tout début de l'été : « Vous vous ménagiez régulièrement des soirées en amoureux ? »

En vérité, ces questions ne concernaient pas Toby, non, elles concernaient plutôt les interrogateurs, il s'agissait de déterminer à quel point ils étaient perspicaces, à quel point certaines choses leur échappaient ; l'enjeu était de deviner qui d'autre était sur le point d'annoncer son divorce, et de déterminer si la tension sous-jacente dans leur couple les conduirait au même échec. *Est-ce que la dispute que j'ai eue avec ma femme le jour de notre anniversaire de mariage, une dispute particulièrement âpre, est le signe que nous allons bientôt nous séparer ? Est-ce qu'on s'engueule trop ? Est-ce qu'on fait assez l'amour ? Est-ce que tous les autres couples font assez l'amour ? Est-ce qu'on peut être confronté au divorce six mois après un baiser sur la main, la tête ailleurs, lors d'une* bat mitsvah *? À quel moment passe-t-on de « malheureux » à « trop malheureux » ?*

À quel moment passe-t-on de « malheureux » à « trop malheureux » ?

Un jour, Toby ne serait plus « fraîchement divorcé », mais jamais il n'oubliera ces questions, cette façon qu'avaient les gens de faire mine de se soucier de son sort, alors qu'ils ne s'intéressaient qu'au leur.

Durant ce début d'été nébuleux, il s'était efforcé de reprendre pied dans ce monde étrange où le moindre aspect de sa vie était à peine différent de ce qu'il avait été, et en même temps, à l'opposé de son ancienne normalité : il dormait toujours la nuit, mais seul, et dans un autre lit ; il mangeait avec ses enfants comme il l'avait toujours fait – depuis des années, Rachel ne rentrait plus avant vingt ou vingt et une heures durant la semaine – mais, après le dîner, il allait les déposer à son ancien appartement, et parcourait à pied les dix-neuf pâtés de maisons pour retrouver son nouveau chez-lui. Cette sale anguille de Donald Bartuck lui avait dit qu'il (Bartuck) allait être nommé à la tête de la médecine interne, et qu'il allait présenter Toby comme son seul candidat à la direction du service d'hépatologie au sein du service gastro-entérologie, étant donné que son actuelle cheffe, Phillipa London, lâchait son poste pour remplacer Bartuck. Toby n'était plus en mesure de confier tout cela à sa moitié. Il songea à nous appeler, Seth ou moi, mais il lui parut pitoyable de n'avoir personne de plus intime à qui en parler. Il faillit appeler ses parents qui vivaient à Los Angeles, mais à cause du décalage horaire, il les aurait réveillés à cinq heures du matin. Puis il se tortura les méninges afin de savoir s'il était convenable ou judicieux d'en informer Rachel. (Il finit par le lui dire, plus tard, lorsqu'il déposa les enfants, et elle répondit en souriant avec la bouche, mais pas avec les yeux. Plus rien ne l'obligeait à faire semblant de s'intéresser à sa carrière.)

Mais à présent que le mois de juillet touchait à sa fin, il éprouvait à nouveau un sentiment de stabilité, fort des récentes habitudes qu'il avait prises. Il allait de l'avant. Il s'adaptait. Il cuisinait pour une personne en moins. Il apprenait à dire « je » au lieu de « nous » pour répondre aux invitations à des barbecues ou à des cocktails – lorsqu'on l'y invitait, ce qui était peu fréquent. Il renouait avec les longues promenades, et apprenait à écarter ce réflexe qui le poussait à vouloir informer quelqu'un de son absence. Oui, il allait joliment de l'avant, sauf lors de conversations comme celle-ci, avec Cyndi. Avant cela, il avait toujours fait tapisserie aux yeux des Cyndi Leffer de cette planète : il passait pour une sorte de maladie comorbide à sa propre famille. Il était le mari de la brillante Rachel, ou le père d'Hannah l'extravertie, ou le père de cet amour de Solly, ou encore, « hé, tu es médecin, pas vrai, tu peux jeter un coup d'œil à cette petite boule, ça fait une semaine que je l'ai ? » À présent, il était quelqu'un à qui l'on voulait parler. D'une certaine façon, son divorce lui avait donné une âme.

Cyndi attendait une réponse. Elle le dévisageait comme se dévisagent les acteurs de feuilletons durant les quelques secondes qui précèdent la page de pub. Il savait ce qu'elle attendait de lui. Il apprenait à réprimer le besoin de remplir ce genre de pause ; il apprenait à rejeter l'inconfort de ces silences sur la personne qui essayait de lui soutirer des infos croustillantes. Sa psy, Carla, l'encourageait à un gros travail sur l'acception des sentiments inconfortables. De son côté, Toby tâchait d'enseigner à celles et ceux qui

27

le harcelaient de questions intimes comment accepter leur propre gêne et leur propre honte.

Mais ce n'était pas tout : il était impossible de parler d'un divorce sans susciter d'horribles sous-entendus sur son ex, et il s'y refusait tout net. Curieusement, l'heure était pour lui à la diplomatie. L'école représentait un front décisif, et il savait pertinemment qu'il lui aurait été très facile de rallier les autres parents à son camp. Il savait pertinemment qu'il pouvait évoquer la folie de Rachel, son caractère colérique, ses sautes d'humeur, son refus de s'impliquer dans la vie de ses enfants – il pouvait sortir des phrases telles que : « Enfin quoi, vous avez bien dû remarquer qu'elle n'a jamais participé aux soirées Sciences et Technologie ? » – mais il n'en avait aucune envie. Il n'avait aucune envie de rabaisser Rachel aux yeux des autres parents, à cause d'un réflexe protecteur dont il n'arrivait pas à se défaire. Rachel était un monstre, soit, mais elle l'avait toujours été, et elle était encore son monstre à lui, parce qu'elle n'était toujours pas le monstre d'un autre, parce qu'il n'en avait pas encore fini avec elle d'un point de vue juridique, et parce qu'elle continuait de le hanter.

Cyndi fit un pas en avant. Il ne mesurait qu'un mètre soixante-cinq, elle le dépassait d'une bonne tête, et elle était plus maigre que de raison. Ses traits étaient grossiers, injectés d'acide hyaluronique et de toxine botulique. Son empathie, essentiellement exprimée par un lent hochement de tête et une moue exagérée des lèvres, était corrodée par la fossilisation complète du bas de son front qu'il lui avait toujours connu. Et c'était la même expression qu'elle affichait lorsqu'elle était heureuse. « Ça nous a tellement attristés, quand on a su, Todd et moi, lâcha-t-elle. Si on peut faire quoi que ce soit… On est aussi *tes* amis à *toi*. »

Puis elle s'approcha d'un pas *de plus*, ce qui représentait deux pas de trop pour un simple échange dans la réception du centre 92nd Street Y avec une femme mariée amie de son ex-épouse. Le téléphone de Toby sonna. Il baissa les yeux sur l'écran. C'était Tess, une femme qu'il était censé rencontrer pour la première fois le soir même. Il plissa les yeux pour considérer un gros plan du croissant fertile où ses cuisses et sa petite culotte de dentelle noire formaient un delta.

« Le boulot, dit Toby à Cyndi. J'ai une biopsie qui m'attend.

— Tu es toujours à l'hôpital ?

— Euh, oui, répondit-il. Tant que les gens continueront d'être malades. La loi de l'offre et de la demande. »

Cyndi émit un rire monosyllabique mais le dévisagea avec, quoi ?, de la compassion ? Tous les autres parents le regardaient ainsi. Médecin, ce n'était plus une vocation en vue. Pas plus tard que l'année précédente, Todd, le mari de Cyndi, l'avait regardé très franchement, droit dans les yeux, en pleine soirée de réunion parents-professeurs, alors qu'ils attendaient dans le couloir qu'on les appelle (pas de Rachel en vue, elle avait un dîner avec un client, et il lui aurait été impossible d'arriver à l'heure), et Todd lui avait demandé : « Si tes enfants te disaient qu'ils aimeraient devenir médecin, que leur conseillerais-tu ? » Toby n'avait pas vraiment compris la question sur le moment. Ce n'était qu'en rentrant chez lui à pied qu'il avait saisi : ce type qui bossait dans la finance avait pitié d'un docteur en médecine ! D'un médecin ! Toute sa vie, on l'avait convaincu qu'être médecin était un métier respectable. *C'était* un métier respectable ! Quand Rachel était rentrée chez eux cette nuit-là, il lui avait raconté ce que ce sale con de Todd lui avait dit, et elle lui avait sorti : « Et donc, tu leur conseillerais quoi ? » Ils s'étaient tous ligués contre lui.

« Je ne te retiens pas dans ce cas, fit Cyndi. On reçoit Hannah demain soir, c'est bien ça ? » Elle se pencha pour le gratifier d'une embrassade à trois points de contact, tête, poitrine, hanches. L'étreinte se prolongea une milliseconde de plus que tous les précédents contacts physiques qu'il avait eus avec Cyndi Leffer, et dont le nombre s'élevait à zéro.

Il s'éloigna du centre 92nd Street Y en se demandant si l'impression que lui avait donnée Cyndi – l'impression qu'elle tenait à le consoler, soit, mais aussi à baiser avec lui – correspondait à la réalité. Impossible. Et pourtant. Et pourtant. Et pourtant et pourtant et pourtant et pourtant et pourtant elle voulait manifestement savoir ce qu'il valait au lit.

Non, c'était impossible. Il repensa à l'alignement parfait de ses mamelons, au garde-à-vous sous son stupide débardeur. C'était lui qui s'emballait, rien de plus naturel quand votre téléphone déborde de luxure féminine, de messages de femmes qui, clairement, explicitement, déclarent vouloir vous baiser, vous baiser à fond, vous baiser à fond toute la nuit.

La moindre touche – le moindre [émoji clin d'œil] ou [émoji diable violet] ou selfie en soutien-gorge ou gros plan du haut du cul – l'obligeait à revoir les questions existentielles de sa jeunesse sous un tout nouveau jour : se pouvait-il qu'il ne soit pas aussi repoussant que l'avait amené à croire la myriade de refus infligés par à peu près toutes les filles dont il avait jadis croisé le regard ? Se pouvait-il qu'il soit, qui sait, *séduisant* ? Était-ce non pas son apparence ou son physique, mais bien le désespoir inhérent à son incapacité d'avoir une vie sexuelle riche et variée, ou n'importe quel type de vie sexuelle du reste, qui l'avait alors rendu moins séduisant qu'il ne l'était en vérité ? Ou peut-être y avait-il quelque chose dans sa nouvelle condition de jeune divorcé, un peu abîmé par la vie, qui le rendait plus charmant. Ou peut-être qu'en l'absence de neurones miroirs, de phéromones et d'autres trucs auxquels les écrans de téléphone étaient imperméables, tout ce qui restait était un aperçu de l'intersection de votre désir et de votre disponibilité, et qu'à l'instant précis où le désir et la disponibilité d'une autre correspondaient aux vôtres, *voilà*, boum, et bim. Ça ne lui plaisait pas, de penser que les relations sexuelles n'étaient plus une question d'attirance, mais il lui était impossible d'écarter cette possibilité : après tout, Toby était un scientifique.

Il avait rencontré Rachel durant sa première année de médecine. Il repensait à présent quasi constamment à cette époque. Il se souvenait des décisions qu'il avait prises et se demandait s'il aurait pu voir les signes avant-coureurs. Elle, à cette fête, dans cette bibliothèque, son regard qui transpirait le sexe, ses cheveux blonds coiffés à la Cléopâtre, comme ils n'avaient cessé de l'être depuis. Ses yeux à lui, éblouis par tant de brillance et de géométrie. Le bleu de ses yeux à elle, à la fois froid et brûlant. L'arc de Cupidon sous son nez qui dessinait un minuscule ravin à explorer, et rappelait la fossette de son menton avec une symétrie qui selon la science, éveillait chez l'homme la pulsion sexuelle, en lui prodiguant plaisir visuel et sensation de bien-être induite par la sécrétion d'hormones. Ses traits aiguisés qui semblaient effacer les courbes des visages des filles sémites qu'il avait été conditionné à désirer. Le père de Rachel n'était pas juif, et à en croire sa grand-mère et les quelques photos qui restaient de lui, elle lui ressemblait comme deux gouttes d'eau : cela aussi avait un parfum de danger, le fait que quelqu'un qui avait été élevé de façon aussi traditionnelle que Toby puisse aimer une femme qui ressemblait à un père absent et non juif. Les vertiges qui le saisissaient, sa dissolution dans la plus absolue des concupiscences quand elle inclinait ses hanches de cette façon si particulière, chaque fois qu'elle pesait le pour et le contre pour prendre une décision. Le fait qu'ils ne se connaissaient que depuis quatre semaines quand elle l'avait accompagné en Californie pour les funérailles de sa grand-mère ; le fait qu'elle soit restée au fond de la salle durant

31

la cérémonie, l'air attristé pour lui, puis qu'elle l'ait aidé à préparer les plateaux pour le buffet. La façon dont elle l'avait déshabillé – non, il ne pouvait plus penser à cela. Cela aurait lésé son processus de guérison.

Le point le plus important était qu'elle l'avait *désiré*. Quelqu'un avait *voulu* de Toby Fleishman. À l'époque, nous le voyions regarder le monde lui passer sous le nez : nous le voyions stupéfait de sa propre incapacité à attirer qui que ce soit. Il n'avait eu jusque-là qu'une seule petite amie à proprement parler et, à côté de cette première histoire, n'avait connu qu'une poignée de filles saoules avec qui il s'était roulé par terre en fin de soirée. Avant Rachel, il n'avait fait l'amour qu'avec deux jeunes femmes. En médecine, toutes les filles étaient en couple avec un type qu'elles avaient connu avant. Et puis il y avait eu Rachel, qui ne le considérait pas comme s'il était trop petit ou trop pitoyable, quand bien même il l'était, parce que oui, il l'était. À cette fête, dans cette bibliothèque, il l'avait observée depuis l'autre bout de la salle, elle lui avait rendu son regard et lui avait souri. Le temps avait passé, tant de choses étaient arrivées, et pourtant, à ses yeux, c'était cela, Rachel. Il avait voué des années à tâcher de retrouver cette Rachel dans la Rachel qu'elle s'était avérée être. Mais même à présent, cette version de Rachel était toujours la première qui lui venait à l'esprit quand il pensait à elle. Et il se disait que tout serait incroyablement plus facile si ce n'était pas le cas.

* * *

Toby devait réellement pratiquer une biopsie dans quarante-cinq minutes, mais la vérité était qu'il voulait passer un peu de temps sur son appli. En sortant du centre, il l'ouvrit en dirigeant ses pas vers l'ouest. Il faisait déjà trop chaud, pas loin des trente-quatre degrés orageux prévus par

la météo, mais rien de franchement dangereux ou mena-
çant dans l'immédiat.

Dans Central Park, de beaux jeunes gens – tous les
jeunes sont beaux, même ceux qui ne le sont pas – étaient
allongés sur des couvertures malgré l'heure matinale, le
visage tourné vers le soleil. Certains dormaient. Les fois
où Rachel consentait à faire de longues promenades avec
lui, ils se moquaient des personnes qui dormaient dans le
parc. Pas des sans-abri, ni de ceux qui étaient vraiment
crevés. Uniquement de ceux qui avaient fait le chemin en
bas de jogging jusqu'au parc, avaient étalé leur couverture,
et s'étaient allongés dessus comme si le monde était un
lieu parfaitement sûr qui n'existait que pour leur repos.
Ni Rachel ni Toby ne pouvaient s'imaginer assez déten-
dus pour s'endormir au milieu d'un parc à Manhattan :
l'anxiété était un des points communs qu'ils partagèrent
jusqu'à la fin. « Je n'arrive même pas à m'imaginer avec un
bas de jogging en public », disait Rachel. Elle portait les
mêmes leggings que les autres mères de famille enfilaient
pour leur cours de remise en forme, des débardeurs aussi
(MAIS AVANT TOUT, CAFÉ, lisait-on sur l'un d'eux. Et sur
un autre : BRUNCH À MORT), mais ses tenues n'étaient
pas dénuées d'une certaine classe. Elle avait la conviction
que pour une femme, avec toute la gamme de pantalons
disponibles à notre époque (pantalons de yoga, leggings,
etc.), le bas de jogging était devenu l'expression délibé-
rée, quoique passive par définition, d'un état d'esprit bien
particulier. « Un bas de jogging, affirmait-elle, c'est juste
synonyme de défaite. »

Tout en marchant, il appuya sur le bouton recherche,
et trouva un assortiment de femmes disponibles dans ce
coin de la ville pour des insertions digitales, stimulations
mamelonnaires, masturbation du pénis et autres activités
pour adultes, un vendredi matin à huit heures et demie :
une femme indienne, la cinquantaine, un nourrisson dans

les bras ; une femme blanche d'une quarantaine d'années, aux paupières tombantes et aux ongles vernis de noir, en train de sucer une sucette ; une autre au bronzage orange, aux cheveux violet pastel et aux lunettes à monture écaille de tortue ; une femme très pâle d'âge indéterminé (mais adulte), une tétine à la bouche ; le décolleté d'une femme à taches de rousseur (rien que le décolleté) ; la raie des fesses d'une femme à la peau pâle (rien que sa raie) ; une femme au regard terrorisé, son visage grêlé recouvert d'une épaisse couche de fond de teint qui évoquait un mur mal enduit, sa chemise déboutonnée en haut, la bouche pincée qui trahissait sa nervosité à la simple idée d'être photographiée ; une brune tenant une de ses deux grosses nattes sous son nez en guise de moustache ; une femme aux cheveux blancs qui semblait avoir le même âge que la mère de Toby, un verre de Martini à la main, avec un bout d'épaule masculine qui avait survécu au recadrage de la photo. Il y avait également la cohorte de femmes tenant dans leurs bras nièces et neveux pour signifier de façon fortuite leur fibre maternelle, au cas où celui qui consulterait leur profil aspirerait, consciemment ou non, à quelque chose de plus pérenne que les insertions digitales, stimulations mamelonnaires, etc., précédemment citées. Il tomba sur une femme qui s'était photographiée en contre-plongée, la moitié du corps dépassant de son lit plus ou moins au niveau de la sixième vertèbre thoracique (milieu du rachis dorsal), la vallée entre ses seins sans doute gonflés de solution saline évoquant une route perdue au fond d'un canyon.

Quelque chose en lui aimait l'image que son application de rencontre donnait du monde, quelque chose qui se plaisait à envisager New York comme une ville peuplée de personnes qui passaient leur temps à avoir des relations sexuelles. Des gens qui arpentaient ces rues avec un seul impératif : baiser, ou bien toucher/lécher/sucer/pénétrer le premier corps chaud et consentant, des gens pleins de fougue et de luxure, des gens qui étaient encore vivants, peut-être après quelques années de mort, comme lui, et qui ressemblaient au voisin d'à côté, mais qui en réalité parvenaient tout juste à se retenir de se frotter contre la jambe du premier passant lorsqu'ils allaient faire des courses, se rendaient à un dîner ou à leur cours de yoga. C'était agréable de savoir que cette énergie existait toujours, alors qu'il avait la sensation d'avoir atteint un âge relativement avancé. Cela l'emplissait de paix et d'espoir, de savoir que tout ce à côté de quoi il était probablement passé en se mariant si jeune avec Rachel était encore là, et l'attendait. Savoir que d'autres personnes s'étaient plantées, elles aussi, et repartaient de zéro. Savoir qu'il avait encore l'âge de prendre part à une activité que jusque-là, il avait exclusivement associée aux plus jeunes : consacrer une grosse partie de son temps à trouver quelqu'un avec qui baiser. Oui, il tirait de la joie, de la paix et du réconfort à découvrir cette strate de la vie new-yorkaise qui se trouvait sous celle qu'il avait toujours connue, un monde qu'il pouvait voir à travers le prisme de son appli (le prisme de la liberté), un monde qui avait tout d'une apocalypse zombie, mais où les zombies auraient été remplacés par des vulves.

Toutes ses journées débutaient à présent par l'ouverture de Hr, le nom de son appli de rencontre préférée. Elle avait supplanté Facebook, où à chaque connexion, la masse de personnes à qui il n'avait pas encore fait part de son divorce le déprimait et l'oppressait. En outre, Facebook était un monde de chemins qu'il n'avait pas suivis et de moments de plaisir partagés, véritables ou mis en scène, et il ne pouvait plus le supporter. Les couples en apparence banals et les publications qui semblaient relever le plus de l'anodin et du spontané, parce qu'elles ne faisaient pas écho à une existence agressivement géniale, mais juste à une chouette vie, c'était cela en particulier qui lui brisait le cœur. Toby n'avait rien espéré de phénoménal ni de transcendant lorsqu'il s'était marié. Il avait vécu avec ses parents, et il n'était pas un imbécile. Il n'attendait de la vie que des choses idiotes et normales, telles que de la stabilité, du soutien moral et un contentement classique. Pourquoi ces choses idiotes et normales lui étaient-elles refusées ? Sari, une de ses anciennes internes, avait posté une photo d'elle avec son mari, en plein championnat de bowling organisé dans le cadre d'une collecte de fonds pour l'école. Apparemment, elle avait fait trois strikes. « Quelle soirée ! » avait-elle commenté. Toby avait longuement fixé cette publication, saisi par l'envie impérieuse de lui écrire « Profites-en tant qu'il est encore temps » ou « Tout désir est synonyme de mort ». Mieux valait se tenir loin de Facebook.

Moins de Facebook, cela signifiait plus de temps à consacrer aux applis de rencontre. Il en avait téléchargé quatre : Hr ; Choose, destinée en principe aux juifs, mais on y trouvait également des Asiatiques et quelques catholiques ; Forage, un vieux site reconverti en appli pour smartphones mais presque exclusivement utilisé par des technophobes, auxquels il s'apparentait peut-être ; et Reach, où c'était les femmes qui décidaient de la prise de contact, ce qui lui allait parfaitement au début, car à ce stade précis de sa vie, il en était encore à essayer d'évaluer son potentiel de séduction : toujours un mètre soixante-cinq, toujours tous ses cheveux, quelques rides autour de la bouche, quelques cernes sous les yeux, mais toujours mince, et n'oublions pas, toujours tous ses cheveux.

Hr s'imposa comme son appli préférée. Pendant le chargement, elle le gratifiait d'une phrase de motivation, quelque chose d'enthousiasmant, comme *« Eye of the tiger ! »* ou « Sans peur et sans reproche ! » L'une de ses internes en hépatologie, Joanie, la lui avait téléchargée. Il était furieux après un message de Rachel à propos des frais des enfants (qu'elle appelait « pension alimentaire », sans faire exprès disait-elle, mais il n'était pas dupe). De mauvaise humeur, Toby avait sèchement réprimandé Logan, un autre interne, sur une erreur d'interprétation d'IRM que n'importe qui aurait pu faire – ce qui aurait été une occasion de lui enseigner un peu plus leur métier plutôt que de le réprimander. Logan avait été surpris par sa réaction, et Toby s'était senti obligé de tout leur avouer : Rachel et lui s'étaient séparés, et la procédure de divorce était en cours. Il était désolé, mais il était à cran. S'ensuivirent dix secondes de silence au bout desquelles Logan avait demandé : « Vous tenez le coup ? » Toby avait répondu : « Oui, j'ai eu pas mal de temps pour m'y préparer. » Et Joanie, avec son nez peu orthodoxe dirons-nous, et ses cheveux incolores avec lesquels elle dissimulait sciemment une bonne partie de son visage, lui avait alors lancé dans un demi-sourire : « Parfait, vous allez pouvoir vous amuser maintenant. »

Il essaya de ne pas sourire pendant qu'elle lui parlait. Il essaya de froncer les sourcils d'un air sérieux comme s'il avait affaire à un patient, mais ça lui était impossible. Il n'avait jamais envisagé que son divorce puisse être perçu comme autre chose qu'une nouvelle tragique. Il était convaincu qu'il lui fallait systématiquement fixer ses chaussures quand le sujet était abordé, par pur respect d'on-ne-sait quelle convenance. Mais il avait assez souffert comme ça. Des années durant, il avait souffert dans les limbes du sentiment d'échec et d'auto-immolation qui avait entraîné la mort de son mariage – qui entraînait la mort de n'importe quel mariage. Oui ! Il allait pouvoir s'amuser ! Il regarda alors par la fenêtre et s'aperçut que c'était l'été. C'était l'été !

Il reporta son attention sur son téléphone, à l'endroit précis que Joanie lui indiquait. Il s'agissait d'un nombre dans un coin de l'écran, qui permettait aux femmes de communiquer leur niveau de disponibilité à n'importe quel moment.

« Genre, si elle est libre, c'est ça ? demanda Toby, considérant l'écran d'un air incrédule.

— Genre à quel point elle est opé ! répondit Logan.

— Opé ? » fit Toby.

Les internes éclatèrent de rire. « À quel point elles sont chaudes ! » dit carrément Logan. Toby observa son beau visage, sa large mâchoire. De son temps, ceux qui prononçaient ce genre de phrases étaient tous des détraqués libidineux. Toby lança un coup d'œil à Joanie pour voir si elle était scandalisée ou gênée, mais elle riait. Les conversations d'ordre sexuel se faisaient désormais au grand jour, à l'instar de cette appli gratuite que sans trop savoir comment, il était en train de télécharger. *À quel point elles sont chaudes*, se répétait Toby dans sa tête, et bien conscient de sa présence physique en tant que praticien dans un hôpital, il traita ces informations comme s'il s'agissait de données médicales, opina du chef et pensa à des autopsies afin de prévenir toute érection.

Plus tard, dans la salle de garde, il fit semblant de consulter sa boîte e-mail pour faire le tour de cette nouvelle appli. Très vite, il eut le sentiment que c'était trop pour lui. La somme d'informations nécessaires pour remplir son profil le paralysa : les questions étaient ineptes, et les réponses sincères qu'il avait à fournir étaient soit trop banales soit trop tristes pour être révélées, aussi resta-t-il assis sans bouger, à fixer ces questions, convaincu que la vérité était un écueil à éviter. Que serait-il s'il n'était pas ce qu'il était (Critique littéraire, c'est à la fois une réponse sincère et un bon choix, non ?), quel était son animal totem (Hein ? C'est-à-dire ?), son plat préféré (Le houmous ? C'était vrai, mais existe-t-il nourriture moins sexy que le houmous ? Non, définitivement), son film préféré (Il aurait voulu répondre *Annie Hall* mais pas sûr que ce soit encore socialement acceptable), à quoi aimait-il consacrer ses journées pluvieuses (Lire, visiter des sites pornos et se masturber).

Toby était coincé. Ce n'était pas qu'il était incapable de remplir un formulaire ; ce n'était pas non plus qu'il n'était pas prêt à sortir avec quelqu'un – en vérité, lorsqu'un mariage meurt et que la séparation est consommée, toute personne est plus que prête à vivre de nouvelles aventures. Mais quelle *paperasse.* Comme si la seule perspective de passer New York au peigne fin à la recherche d'une partenaire amoureuse n'était pas précisément son cauchemar existentiel à lui. Il avait déjà donné quand il était plus jeune, non ? N'avait-il pas déjà résolu le problème ? N'avait-il pas déjà mis un terme à ces conneries en se mariant ?

* * *

Et puis un samedi matin, deux semaines après avoir quitté ce qui n'était à présent plus que l'appartement de Rachel, Toby se réveilla avec la conscience aiguë qu'il était seul. Son nouveau logement ressemblait à un décor de pièce de théâtre déprimante, quasi nu, avec pour seul semblant de décoration des objets qu'il n'avait pas achetés par nécessité, mais uniquement pour remplir le vide. Rien ne traînait nulle part, contrairement à son ancien appartement auquel l'affairement familial donnait vie, avec les préparatifs pour aller au concert de flûte, au spectacle de danse, les copains copines qu'on recevait ou chez qui on allait, les anniversaires. À présent, il n'y avait plus qu'un canapé marron en microfibres, un fauteuil gris convertible, un tapis à la con, trop léger, orange, et dont les bords brunissaient déjà, une télé dont les câbles étaient complètement emmêlés et impossibles à cacher, et une bibliothèque merdique en aggloméré, et, d'un jour à l'autre, rien ne changeait jamais. Rien ne bougeait. Les enfants venaient, repartaient mais c'était à présent des invités, et rien ne bougeait. La lumière qui entrait dans l'appartement était bleue, puis jaune, puis blanche, puis de nouveau bleue, et rien ne bougeait. Les enfants rentraient de l'école, dînaient et faisaient leurs devoirs, mais il les raccompagnait chez eux pour rentrer ensuite seul et c'était comme s'ils n'avaient jamais franchi ce seuil. On aurait dit une vie en trompe-l'œil.

Et tout était tellement, tellement silencieux. Il aimait le silence, du temps où celui-ci était intermittent. « Tu entends ça ? » demandait-il à Rachel quand les enfants étaient à l'école ou au centre ou chez des amis. Le rien du tout avait quasiment son propre son. À présent le rien n'était plus l'exception : c'était la condition. À présent, il avait le rien pour coloc.

Aussi s'assit-il sur le pouf qu'il avait acheté pour Solly, et, triturant les poils de sa poitrine de la main droite, il se mit enfin de la main gauche à remplir le questionnaire Hr avec des réponses catégoriques, presque scientifiques (métier : critique littéraire ; animal totem : schnauzer ; plat : salade César au poulet ; film : *Rocky II* ; journée pluvieuse : mots fléchés, musée, promenade – « Pourquoi la pluie devrait-elle nous interdire de sortir ? »). Tout n'était pas complètement faux, sauf pour la salade César. Toby observait ce vœu tout personnel de ne jamais consommer de matières grasses ajoutées aussi rigoureusement que s'il s'agissait d'un principe patriotique ou religieux.

Il cliqua sur « Envoi », attendit la mise à jour de son profil, et au bout de ce qui lui parut une milliseconde, des femmes le bombardaient déjà de messages.

Salut toi.

Salut !

40

Yo !

[émoji langue tirée]

[émoji diable violet]

Ceci est mon poke ironique.

[émoji yeux ouverts]

[émoji tête rigolote]

[émoji aubergine]

[double émoji diable violet]

[émoji détective]

[émoji femme qui danse probablement la samba en robe de soirée]

On baise ?

Eh bien mes amis, ce week-end-là, il dut perdre une journée entière de sa vie. Peut-être même plus, peut-être un jour et demi, qui sait ? Voire deux ? Notre ami Seth l'avait appelé deux fois à ce moment-là, et il n'avait pas eu droit au traitement « envoi direct sur la boîte vocale », mais plutôt « constat qu'il s'agit de Seth puis renvoi sur la boîte vocale ». Le soleil parcourut le ciel, le soleil se coucha, Toby prit conscience que ça faisait une heure qu'il avait envie de pisser, et à un certain moment il eut la présence d'esprit de commander du chinois (poulet vapeur aux légumes, sans châtaigne d'eau s'il vous plaît), même s'il planait toujours autant sur son petit nuage, porté par le vent des messages qu'il recevait, ceux de femmes qui voulaient répondre LOL à chacune de ses blagues, lui envoyer des clins d'œil, des photos, et enflammer par leurs sous-entendus son pauvre cœur meurtri. Certaines envoyaient des émojis tels que [visage souriant] ou [visage clin d'œil]. D'autres envoyaient de véritables opéras d'émojis, comme par exemple : [émoji femme levant la main] plus [émoji homme du BTP] plus [émoji homme et femme] plus [émoji baignoire], qui provoquaient chez lui une excitation qu'il aurait été incapable de décrire. Il swipait et swipait encore, scotché par la masse de messages qu'il recevait. Visage, visage, visage, visage, corps de pied en cap, visage, visage, clavicule, visage, visage, visage, fesses, visage, langue, sein dépassant du tee-shirt, wow rien que les lèvres, visage. Il faisait déjà sombre, le deuxième jour, lorsqu'il se dit qu'il lui fallait envisager de donner une véritable suite à certaines de ces conversations. Cette prise de conscience survint quand l'une de ses correspondantes lui écrivit, *Alors est-ce que je pourrais très bientôt voir en vrai ce joli minois, ou pas ?* Il se rendit compte que ce qui se passait sur son téléphone, à présent maculé de traînées de doigts et très chaud dans sa main, était également en train d'arriver dans la vraie vie. Il releva brièvement la tête, et ses yeux se réadaptèrent au décor dans un effort désagréable. Cela faisait maintenant des heures qu'il affichait le même sourire, mais il regarda tout autour de lui, la pièce était plongée dans l'obscurité, ce qui le fit un peu paniquer, et soudainement, il se rappela que peu de choses au monde restent à tout jamais immobiles, que cette force qui pousse tout en avant finissait toujours par vous rattraper, pour vous tirer de votre état de stase gélatineuse.

Au début, il avait fait preuve d'une grande mansuétude dans ses paramètres de recherche quant à l'âge de ses potentielles partenaires. Toute femme de plus de vingt-cinq ans qui n'était pas encore décédée méritait qu'on s'intéresse à elle, telle était sa vision des choses, mais les portraits des plus jeunes ne mirent pas longtemps à le lasser. Ce n'était pas parce qu'il était douloureux de contempler leur jeunesse, leur peau brillante et ferme, leur ravissement face au pli impeccable qui séparait leurs fesses du haut de leurs cuisses, même si tout cela, évidemment, était extrêmement douloureux. Ce n'était pas leur profonde conviction qu'il en serait toujours ainsi, ni même le fait que, sachant toutes ces choses passagères, elles avaient fait le choix d'en profiter au maximum : en fait, si elles avaient profité de leur jeunesse justement parce qu'elles savaient qu'elle ne durerait pas, ça aurait été encore pire, car qui était capable d'une telle lucidité à cet âge ? Non, ce qu'il ne pouvait plus supporter, c'était de se retrouver avec quelqu'un qui ne comprenait pas encore profondément la notion de conséquence, qui ne savait pas en son for intérieur que peu importait le soin avec lequel on planifiait sa vie, le monde finissait par l'emporter. Il était impossible d'apprendre cette leçon sans l'avoir vécue. Qui que nous soyons, la seule façon de le comprendre, c'est de le vivre.

Toby savait le poids des conséquences. Il le vivait au quotidien. Avant et après ces aventures, il y avait quelque chose qui ressemblait plus ou moins à une conversation. Il comprit très vite que ce genre de conversation était susceptible de lui donner vaguement envie de mourir. Les femmes de moins de quarante ans étaient optimistes. Optimistes quant à ce que leur réservait l'avenir : elles n'acceptaient pas que leur futur puisse être le reflet sinistre et parfait de leur présent. Elles étaient portées par la même force cinétique. Et à cet instant de sa vie, cette force cinétique lui était insupportable.

Et puis, dans les faits, l'écrasante majorité voulait des enfants, même celles qui le niaient, contraintes par une injonction stupide à paraître cool, ou cinglée, ou différente, ou invulnérable, ou masculine, comme si les hommes ne souhaitaient pas avoir d'enfants. Ces jeunes femmes se laissaient facilement dévoyer par la gentillesse, et Toby n'avait aucune envie de vivre dans la peur que sa courtoisie puisse entraîner la moindre attente, le moindre espoir de suivre à deux une même trajectoire ascendante. Il n'était pas en mesure de s'imaginer suivre quelque trajectoire que ce soit, encore moins ascendante. Il avait bien conscience que c'était là une opinion très impopulaire pour un homme de son statut. S'il l'avait confessée, notre ami Seth aurait eu du mal à le croire. Celui-ci avait fixé ses paramètres entre vingt et vingt-sept ans, alors que, tout comme nous, il en avait quarante et un.

« Et pourquoi pas dix-neuf ? avait demandé Toby. Ou même dix-huit ? Ça reste légal.

— Je ne suis pas un pervers », avait répondu Seth, en dépit du fait que des centaines de femmes (littéralement) n'auraient pas hésité une seconde à le classer dans cette catégorie.

Aussi Toby modifia-t-il ses paramètres, passant à une fourchette trente-huit-quarante et un ans, puis, allez quoi ! quarante-cinquante, et c'est là qu'il tomba sur son filon d'or : une succession sans fin de femmes débridées et curieuses du sexe, qui savaient ce qu'elles valaient, lancées comme lui dans une toute nouvelle aventure, et dont les visages ne l'obligeaient pas à se poser des questions existentielles sur la jeunesse et la responsabilité. C'est là qu'il trouva des femmes majoritairement divorcées, et qui, soulagées du poids de leurs responsabilités conjugales, avaient trouvé un second et puissant souffle, la lymphe allégée par la perspective d'une seconde chance, ce parfum de possibles qu'il reniflait à travers son téléphone comme une phéromone.

Il y avait d'autres avantages à fréquenter des femmes de son âge. La pose qu'elles prenaient sur leur photo de profil n'avait rien de porno, contrairement à celles des plus jeunes. Seules des représentantes de cette curieuse génération des millenials pouvaient croire que se mordre la lèvre, ouvrir la bouche, garder les yeux mi-clos ou se pencher complètement en arrière (où étaient donc leurs mains ?) avait quelque chose d'attirant, que seule une soumission quasi absolue et pseudo-extatique pouvait exciter un homme. Et peut-être était-ce vrai pour certains – peut-être était-ce vrai pour ces jeunes hommes qui s'étaient éveillés à la sexualité devant du porno –, mais ça ne l'était pas pour lui. Les femmes qui souriaient sur leur photo, qui regardaient droit dans l'objectif, sans artifice, c'était celles-là qui lui paraissaient intéressantes. C'était celles-là qui repartaient de zéro, comme lui, qui s'éveillaient tels des oisillons dans leur nid, les yeux à peine ouverts, là encore, tout comme lui. Lentement, doucement, il commençait à voir à travers ces photos et ces profils un moyen d'aller de l'avant. « C'est comme si elles m'indiquaient le chemin à suivre, me disait Toby. Comme si elles me guidaient vers une nouvelle version de moi-même. » Grâce à ces femmes, grâce à leur assurance, il commençait à comprendre comment il pouvait retrouver une place dans notre monde.

La leçon à retenir ? Remplissez le formulaire, même si ça vous remplit d'effroi. L'autre leçon à retenir ? Visez ce que vous désirez et pas ce que vous êtes censé désirer. Toby était cerné par les consignes à suivre au mitan de sa vie : la voiture qu'il était censé vouloir conduire, la serveuse de bar à cocktails qu'il était censé vouloir baiser. Il éprouvait de plus en plus le besoin d'écarter toutes ces choses de son esprit pour se demander ce que sa nouvelle situation requérait. Et ce n'était jamais une voiture de sport, et rarement une serveuse de bar à cocktails.

Ce matin-là, alors qu'il entrait dans le parc, fort de cette certitude récemment acquise que l'ensemble des New-Yorkais n'était qu'une armée d'obsédés sexuels incapables d'attendre l'heure du déjeuner pour avoir leur premier orgasme, son téléphone sonna, et cela le déconcerta un instant. C'était Joanie, comme l'indiquait la photo de profil qui s'affichait sur son écran, via l'appli de messagerie interne de l'hôpital. La photo remplaça celle d'une coach personnelle en bikini, court-circuitant ses réseaux neuronaux jusqu'alors tendus vers la luxure.

« On a une patiente aux urgences, inconsciente, dit Joanie.

— Très bien, j'arrive dans une vingtaine de minutes. J'ai dû m'occuper des enfants ce matin, ce n'était pas prévu. »

Il raccrocha et aperçut un message. De Tess.

C'est toujours OK pour ce soir ?

Il n'aimait pas laisser les enfants seuls à la maison, surtout un vendredi soir. Mais plus encore, il détestait Rachel. Son week-end de garde parentale aurait dû débuter le lendemain. *Rien à foutre*, pensa-t-il.

Bien sûr. Vraiment très hâte.

* * *

Honnêtement, ni Seth ni moi n'aurions su prédire que les choses tourneraient ainsi pour Toby. Nous avions vingt ans quand nous avons fait connaissance en Israël, où nous avions décidé de passer notre troisième année de fac. Nous ne savions pas encore que le manque de confiance en soi englobait tout un éventail de nuances. Nous pensions que notre manque d'assurance avait atteint son stade maximal, et même si ces doutes prenaient des formes différentes, tout naturellement, chacun d'entre nous en souffrait. En revanche, nous étions persuadés que nous finirions par dépasser ce stade. Nous ignorions qu'aucun futur radieux ne nous était dû, qu'il ne s'agissait pas d'un droit inaliénable. Mais concernant plus particulièrement Toby, nous ignorions que le fait d'avoir été petit et gros dans son enfance l'avait rendu inacceptable à ses propres yeux – d'abord aux yeux de sa mère, puis aux siens, et enfin, prophétie autoréalisatrice, aux yeux de tout le monde. Nous ignorions encore qu'il avait totalement cessé de grandir – il avait lu quelque part que certaines personnes gagnaient quelques centimètres supplémentaires au tout début de leur vingtaine. Mais plus important encore, nous ignorions la gravité de ses blessures, celles d'une personne qui avait des désirs, qui aspirait à être désiré en retour, et qui ne l'était pas.

Le soir de notre rencontre, il y a vingt ans de ça, il était assis par terre, dans un piège à touristes du nom de *Hous of Elixir* [faute d'orthographe incluse], où l'on servait des verres de vin chaud au bord recouvert de sucre, ce qui semble tout à fait répugnant à présent, mais qui à l'époque était délicieusement exotique. Toby était assis dos au mur, la tête tournée vers la gauche, en train de regarder Seth s'attaquer à l'une des serveuses. Seth était grand, sportif, avec une coupe savamment négligée qui sentait les classes préparatoires. Les cheveux de Toby ne tombaient pas quand il les laissait pousser : ils gagnaient en volume tout autour de sa tête. Seth et lui partageaient une chambre depuis peu. Ils avaient fait connaissance trois jours auparavant, étaient sortis toutes les nuits depuis, et chaque fois, Toby avait assisté à une scène similaire. Dès la deuxième, il cessa de se demander si le fait de partager une chambre avec Seth était un incroyable cadeau du ciel ou la pire chose qui pouvait arriver à l'image qu'il se faisait de lui-même, déjà en lambeaux.

La serveuse avait passé l'heure qui venait de s'écouler à ignorer Seth, sans doute habituée à l'effet hypnotique qu'elle avait sur les étudiants américains à leur arrivée. Mais elle ne connaissait pas Seth. Il ne cessait de lui demander le mot hébreu correspondant à divers plats sur le menu en anglais, et puis ce n'était que des questions purement informatives, après tout, pourquoi ne pas y répondre ? « Allez, insistait-il, dis-moi. Je viens d'arriver dans ce pays. S'il te plaît, nous sommes *compadres*, camarades, nous sommes concitoyens. » Toby la vit céder peu à peu, aussi sûrement que la mer est attirée par la lune. Son attitude se fit plus chaleureuse, elle se penchait de plus en plus vers Seth pour lire les mots qu'il indiquait, et le regardait dans les yeux lorsqu'il répétait après elle. C'était incroyable, la façon dont Seth faisait fondre les gens – la façon dont tous les Seth de cette planète faisaient fondre les femmes. Cela faisait alors deux ans que Toby était à la fac, bien assez de temps pour comprendre que ce qu'il avait vécu au lycée n'était pas une anomalie. Il avait compris qu'il serait systématiquement relégué au rôle de faire-valoir de mecs comme Seth. C'était à cause de sa taille, ou de l'idée qu'il se faisait de sa taille, ou peut-être manquait-il vraiment de charme, de beauté naturelle et de charisme. Dans tous les cas, il était condamné à regarder les Seth de ce monde enchaîner les parades sexuelles, sachant qu'il n'aurait jamais le courage de les imiter.

J'avais pris un bus au départ de Tel Aviv avec ma camarade de chambre, Lori, une rouquine aux dents de lapin qui venait de quelque part dans le Missouri, mais pas Saint-Louis – c'était la première soirée festive que nous passions ensemble en Israël, et ce fut sans doute la seule. Nous nous sommes assises à côté de Toby, par terre, et tandis que Lori regardait autour d'elle, je regardais Toby qui regardait Seth qui regardait la serveuse, un peu comme dans un documentaire sur la chaîne alimentaire de la savane produit par National Geographic. La serveuse était à présent assise près de Seth. Je gardais les bras fermement croisés. Toby se retourna pour avaler une gorgée de vin, et s'aperçut que je l'observais.

« Moi qui croyais que les Israéliennes apprenaient à se défendre à l'armée », remarqua-t-il.

Originaire de Los Angeles, il étudiait la bio à Princeton. Issu d'une famille de docteurs, il avait toujours voulu faire médecine. Je venais de Brooklyn, d'une famille pleine de filles destinées à passer de leur chambre d'enfant à la chambre de leur mari, sans étape intermédiaire. Je prenais le métro pour suivre mes cours à la New York University, et cette troisième année dans un pays approuvé par ma mère était le seul moyen que j'avais de sortir de chez moi. On parlait, Toby et moi, tout en regardant Seth séduire la serveuse, on échangeait nos remarques comme deux commentateurs sportifs. Il a suffi que nous échangions cinq mots chacun pour que je sache qu'on se comprenait. Nos techniques de défense étaient les mêmes : le sarcasme, la mesquinerie, la propension à étaler notre culture, dans l'espoir de nous distinguer des autres. Il me plaisait bien. Il aurait même pu me plaire *vraiment* bien.

Mais, deux heures plus tard, Lori m'a annoncé que le dernier bus pour Tel Aviv partait dans quinze minutes. Toby m'a dit qu'il m'accompagnerait jusqu'à l'arrêt, j'ai commencé à me lever, lui aussi, mais quand il s'est arrêté, j'ai continué, trois centimètres, cinq centimètres, sept centimètres. Toby avait l'habitude d'être petit : je n'avais pas l'habitude d'être très grande. Je ne faisais qu'un mètre soixante-douze, ce qui était assez grand, mais pas gigantesque, enfin, tout dépend de qui se tient à côté. Le peu de considération que j'avais pour mon propre corps n'aurait pas survécu à l'effort nécessaire pour entretenir une relation amoureuse avec Toby. Je ne pouvais pas être plus costaude qu'un homme ni au lit, ni au cinéma, ni à un dîner. Honnêtement, ni même au téléphone. Je ne voulais pas avoir l'impression d'être énorme et sans grâce, ni passer à mes propres yeux pour cinq cents kilos de brutalité bûcheronne. Je n'avais pas envie d'être confrontée à ce sentiment chaque fois que sa main s'aventurerait sous ma chemise. J'avais déjà assez à faire avec moi-même. Je lui ai aussitôt dit : « Je crois que tu t'entendrais bien avec une des filles de ma résidence. » Soit dans le but de dévier l'intérêt qu'il me portait peut-être, soit pour me faire pardonner de refuser avant même que le sujet ait été abordé. Il a fourré ses mains dans ses poches, et n'a souri que des lèvres. En sortant, nous avons surpris Seth en train d'embrasser la serveuse dans un coin sombre et l'avons ignoré pour parler de nos cours, de peur d'en venir à parler de sexe. Je n'avais pas brisé le cœur de Toby, lui non plus ne s'intéressait pas à moi, même si tous les deux, nous aspirions à la même chose : trouver quelqu'un.

Après cette nuit, Toby et moi nous sommes revus à l'occasion à Jérusalem, d'abord en nous retrouvant à la *Hous of Elixir* dès la semaine suivante, tout heureux, puis en planifiant nos rendez-vous grâce aux téléphones de nos résidences. Seth accompagnait Toby à Tel Aviv, où il pourchassait toutes les filles maigrichonnes un tant soit peu portées sur le flirt. Toby et moi nous contentions de les observer, les réduisant à des caricatures, même si nous ne pouvions nous empêcher de hocher la tête de consternation en constatant à quel point elles semblaient faciles à aborder. Je me suis trouvé un mec en cours d'année (Marc) qui adorait chanter les chansons des *Misérables* sur la plage à Tel Aviv, en écartant bien grand les bras, et m'accompagner au centre commercial Dizengoff pour acheter de la crème hydratante et peut-être que vous imaginez déjà le tour que ça a pris. Il m'a jetée du jour au lendemain, sans ménagement, parce que je n'avais jamais rompu avec quiconque : j'étais convaincue que plus personne ne voudrait de moi. Toby me disait qu'à son avis, Marc avait préféré me quitter parce que je méritais mieux qu'un petit ami qui n'était pas attiré par moi, mais j'ai surpris Marc collé à une autre fille dans une autre chambre de la résidence estudiantine, et je suis allée à Jérusalem voir Toby et pleurer un coup.

« Pourquoi est-ce que je suis aussi conne ? » lui ai-je demandé.

Toby n'avait jamais compris ce que je trouvais à ce type. « J'en sais rien, a-t-il dit. Tu es tellement spéciale, et Marc est tellement stupide et conventionnel. »

C'était sympa à entendre, mais j'ai quand même descendu deux shots de Goldschläger, c'est-à-dire un shot et demi de trop pour moi, même à cette époque. On était assis sur le bord du trottoir de la rue Ben Yehuda, interdite à la circulation. J'avais la tête posée sur son épaule, au prix d'une courbure extrême de ma colonne vertébrale du coccyx aux cervicales, son épaule se trouvant bien en deçà de ma tempe, ce qui m'obligeait à décrire un *C* avec mon torse, mon cou et ma tête. Il me tapotait gentiment le crâne en se demandant à quel point on avait l'air ridicule aux yeux des passants.

Et puis tout à coup, Seth a jailli de la foule d'étudiants américains bien trop saouls qui peuplaient la rue Ben Yehuda. Il était seul. Il nous a vus, et il est venu s'asseoir à côté de moi.

« Alors quoi de neuf ? a-t-il demandé.

— Marc m'a larguée. Il m'a dit que je ne lui avais jamais vraiment plu.

— C'est parce que tu n'as pas de pénis, répondit Seth. Tu es trop mignonne pour limiter le champ des possibles si tôt dans ta vie. » J'ai souri malgré la morve qui recouvrait mon visage, et je suis passée de l'épaule de Toby à celle de Seth. Celle-ci était plus haute que la mienne quand nous étions assis : cette position était nettement plus digne.

Nous étions au mois de novembre, juste avant Thanksgiving, et c'est à cet instant précis que nous avons formé un véritable trio d'inséparables. On a commencé à se voir tous les jeudis soir, puis tous les samedis soir également, et tous les jours des vacances. Pendant Pessah, tandis que la moitié de nos petits camarades repartaient aux États-Unis pour passer du temps avec leur famille, nous avons préféré partir en randonnée en Galilée, avec un groupe d'inconnus qui avaient organisé l'expédition en laissant des affiches dans tous les repaires d'expat'. On a traversé des chutes d'eau au lever du soleil, et on a mangé au crépuscule du pigeon qu'on nous a présenté comme du poulet. Une nuit, on s'est assis au bord de la mer pour écouter un pasteur chrétien qui se convertissait au judaïsme nous raconter toute sa vie. C'est durant ces vacances que Seth m'a initiée aux cigarettes, puis aux joints, et mon Dieu, j'ai eu l'impression de découvrir un remède à moi-même. Nous avons passé ensemble notre dernière nuit en Israël, défoncés et surexcités, et dès le lendemain, chacun a pris son vol pour rentrer au pays. Aux États-Unis, nous sommes restés tous les trois très proches, même après la fac, même à la fin des études de médecine de Toby, même après mon tout premier article dans un magazine pour pom-pom girls, même après la première anicroche de Seth avec le SEC[1]. Ce n'est qu'après le mariage de Toby que nous avons commencé à nous perdre de vue.

Il y a environ douze ans, j'ai épousé un avocat, j'ai eu des enfants et j'ai déménagé en banlieue. Cela faisait déjà longtemps que je ne faisais plus partie de la vie de Toby : on s'était à peine parlé depuis son mariage. Je repensais parfois à lui, avec une certaine tristesse. D'autres fois, il pouvait se passer des mois sans que je pense à lui.

* * *

---

1. Securities and Exchange Commission, gendarme de la Bourse aux États-Unis. (*Toutes les notes sont du traducteur.*)

Et puis, en juin dernier, mon téléphone a sonné. J'étais dans la cuisine, en train de tout nettoyer après dîner. Mon mari, Adam, couchait les enfants. Le numéro de Toby était le même que des années auparavant. Son nom est apparu sur l'écran de façon tout à fait anodine, comme s'il s'agissait d'un appel comme un autre.

« Toby Fleishman. » J'ai vidé l'évier, me suis séché les mains et me suis retournée pour m'appuyer contre le plan de travail.

« Elizabeth Epstein, a-t-il dit.

— Je crains que vous vous soyez trompé de numéro, monsieur, j'ai répondu. Cela fait déjà un certain temps que j'ai pris le nom de Slater.

— Vraiment ? Dans ton magazine, les articles sont toujours signés Epstein.

— Je crains que vous vous soyez trompé de numéro, monsieur, j'ai répété. Cela fait déjà un certain temps que je n'ai rien écrit dans un magazine.

— Vraiment ?

— *Toby*, ai-je dit. Toby, qu'est-ce qu'il y a ? »

Il m'a raconté qu'il était en instance de divorce, et que sa thérapeute l'avait encouragé à reprendre contact avec les amis qui lui manquaient le plus, en lui expliquant que c'était l'une des étapes dans le processus de « réappropriation de sa propre vie ». « Ce sont ses mots à elle, pas les miens, promis. » Non, ça ne lui était pas tombé dessus d'un jour à l'autre. Oui, c'était en germe depuis pas mal de temps. Oui, les blessures étaient nombreuses, profondes, et loin d'être guéries. Oui, elle avait récupéré l'appartement, la voiture et la maison dans les Hamptons.

« Mais comment vous en êtes arrivés *là* ? ai-je demandé.

— Il s'est juste avéré qu'elle est folle. J'ai fait tout ce qui était en mon pouvoir pour trouver une femme qui n'était pas folle, et j'ai fini par épouser quelqu'un de complètement timbré. On est allés voir un thérapeute de couple. Il lui a dit qu'elle avait trop de mépris en elle. Il racontait que le mépris était l'un des quatre cavaliers de l'apocalypse conjugale.

— C'est quoi, les trois autres ? ai-je demandé.

— Je crois qu'il y a le silence. Oh, et puis le fait d'être sur la défensive. Le quatrième, très franchement, je ne m'en souviens pas.

— Être une sale conne, peut-être ? » De la chambre de notre fils, Adam m'a adressé un « chut » réprobateur. À quoi bon avoir une énorme baraque en banlieue résidentielle si on ne pouvait même pas rigoler un coup dans sa cuisine ? J'ai repris en baissant d'un ton : « Ma main à couper que le fait d'être une sale conne figure dans la liste. »

La dernière fois que je l'avais vu remontait à des années, il nous avait invités à dîner chez eux, Adam et moi, et ç'avait été un vrai cauchemar. Adam, doux et affable, essayait de faire la conversation à Rachel en s'intéressant à son métier d'agente artistique, et elle lui soumettait des réponses de candidate au titre de Miss Amérique, de longues phrases qui lui coupaient l'herbe sous le pied, tout en passant aussi vite qu'elle le pouvait d'un plat au suivant. À la fin du dîner, Adam avait salué nos hôtes en les remerciant, et je n'avais rien dit. J'avais simplement regardé Toby, et j'étais partie.

Mais bref : cette nuit-là, après sa séparation, Toby avait préparé un long discours larmoyant sur toutes les épreuves qu'il avait traversées, afin d'étouffer chez moi toute colère (colère tout à fait justifiée), et qu'il puisse ainsi retrouver pleinement son amie. « Passe-moi un savon plus tard, aurait-il dit. Je l'ai mérité. Mais là, tout de suite, j'ai vraiment besoin d'une vraie amie. » Sa voix se serait peut-être brisée en fin de phrase, et j'aurais compris qu'il était sincère.

54

Mais quelque chose d'inattendu est arrivé quand j'ai vu son nom apparaître sur l'écran de mon téléphone. J'ai été propulsée dans le passé, à l'endroit et au moment où il avait commencé à prendre ses distances. J'ai entendu l'anxiété percer dans sa voix, un sentiment d'amour et de soulagement m'a submergée, et j'ai décidé de mettre de côté mon catalogue de griefs pour plus tard.

Je traversais moi aussi une passe délicate. J'avais lâché mon poste de journaliste dans un magazine masculin environ deux ans auparavant. J'étais à présent ce qu'on appelait une mère au foyer, activité temporaire dénuée de toute perspective de promotion qui se distinguait tellement d'un véritable boulot qu'elle s'apparentait dans les faits à une résidence surveillée, même si, bien évidemment, j'avais encore le droit de faire du covoiturage et les courses. Quand je disais ce que je faisais, on me répondait : « Être mère, c'est le boulot le plus difficile au monde. » Mais c'était faux. Le boulot le plus difficile au monde, c'était d'être mère *et* d'avoir un vrai job, avec un pantalon, un passe ferroviaire grande banlieue, des stylos et du rouge à lèvres. Quand j'avais encore un vrai boulot, personne ne m'a jamais dit, « Avoir un travail et être mère, c'est le boulot le plus difficile au monde ». Il s'agissait de ne pas prononcer ces paroles, afin d'escamoter discrètement les sentiments d'inadaptation sociale que nous projetions sur les mères au foyer : en fait, on ne pouvait même pas se permettre de demander ce qu'elle faisait à une femme qu'on soupçonnait d'au-foyerisme, parce que c'était le genre de questions impossibles à formuler avec délicatesse. (« Vous travaillez ? avais-je un jour demandé à une femme, du temps où j'avais un job. – Bien sûr que je travaille, avait-elle répondu. Je suis mère. » Seulement moi aussi j'étais mère, alors quel nom pouvait-on bien donner à ce que je faisais dans la vie ?) En outre, personne n'a eu besoin de me dire qu'il était plus difficile d'avoir un boulot et d'être mère. C'est *évident*. Ça représente deux occupations *à plein-temps*. C'est *mathématique*. Parce que le fait d'avoir un métier ne vous rend pas moins mère : vous devez quand même vous acquitter de toutes les conneries associées à ce statut. Prendre soin de vos enfants à distance, ce n'est pas plus facile. Remettre leurs existences entre les mains d'une inconnue disponible pour les garder, du simple fait qu'elle soit incapable de faire quoi que ce soit d'autre, ce n'est pas le genre de choses qui vous comble d'optimisme et de tranquillité. Maintenant que je connais la vie professionnelle et la vie à domicile, je suis en mesure de confirmer tout cela. Maintenant que je suis cantonnée au foyer, je peux le dire haut et fort. Mais maintenant que je ne travaille plus, plus personne ne m'écoute. Personne n'écoute les mères au foyer, raison pour laquelle, sans doute, on prend autant de soins à ne pas les froisser.

Enfin bref.

Ce n'était pas comme si je n'avais rien à faire de mes journées. J'étais membre actif de l'association de parents d'élèves de l'école de mes gamins. Je possédais une voiture qui privilégiait bien plus mon confort que l'avenir et la pérennité de la planète. J'avais un compte individuel retraite et un plan épargne-retraite défiscalisé, je partais en vacances, nageais avec les dauphins et apprenais à mes enfants à faire du ski. Je contribuais au fonds annuel de l'école. J'utilisais du fil dentaire deux fois par jour : j'allais chez le dentiste deux fois par an. Régulièrement, je me faisais faire un frottis et laissais à un docteur le soin de contrôler mes grains de beauté. Je lisais des ouvrages traitant de minorités opprimées dans le cadre de mon club de lecture. J'étais suivie par un kiné pour une vieille blessure au genou, et j'avais renoncé à un certain nombre d'activités qui me plaisaient afin de limiter le traumatisme. Je préparais le petit déjeuner. Je participais aux soirées sans fin entre mères de famille, enfilant pour l'occasion un jean moulant, un chemisier à la mode et des talons hauts, comme si cela avait la moindre importance, avant de me rendre dans le restaurant qui se trouvait juste à côté de celui où nous allions en famille. (Pas de soirée entre pères de famille pour mon mari, parce que tout le monde partait du principe que les hommes ne cessaient jamais d'avoir une vie, et que nous autres femmes étions de pauvres animaux en cage, que l'on autorisait parfois à partir en chasse dans le pub du coin et à sucer le sang d'êtres humains dignes de ce nom.) J'effectuais des sondages afin de déterminer qui du YMCA ou du JCC proposait les meilleurs cours de natation. Je me chargeais de l'inscription des enfants au club de foot avant la fin de la saison, c'est-à-dire des mois avant même d'envisager d'y mettre un rejeton, et organisais le transport des petits sportifs jusqu'au terrain. Je planifiais les invitations des uns chez les autres, les barbecues, les visites de routine chez le dentiste des enfants, les visites de routine chez le dentiste pour mon mari et moi, les visites chez le bon vieux généraliste et les visites chez le bon vieux pédiatre, les rendez-vous chez le coiffeur, les évaluations du niveau scolaire, l'achat des crampons, l'assiduité au cours d'arts plastiques, les visites chez l'ophtalmologue pour enfant et chez l'ophtalmologue pour adulte et maintenant, grande nouveauté, les mammographies. Je préparais le déjeuner. Je préparais le dîner. Je préparais le petit déjeuner. Je préparais le déjeuner. Je préparais le dîner. Je préparais le petit déjeuner. Je préparais le déjeuner. Je préparais le dîner.

« Pourquoi tu ne m'as plus jamais appelée ? ai-je demandé à Toby.

— On se disputait en public, Rachel et moi, a-t-il répondu. C'était vraiment trop gênant. Elle se moquait complètement de qui pouvait nous voir ou nous entendre.

— Et moi qui pensais que c'était ma faute ! lui ai-je rétorqué. Tout ce temps, je me disais que c'était peut-être une personne parfaitement normale, tout à fait gentille, qui, simplement, me trouvait insupportable, et qui t'avait retourné contre moi. » J'avais soudainement le plus grand mal à croire que j'avais pensé cela un jour. « C'était quelqu'un d'horrible, vraiment. Je l'ai détestée dès le premier regard. »

Cette nuit-là, au téléphone, Toby m'était plus que reconnaissant de ne pas lui faire payer le fait de m'avoir abandonnée, et de ne pas le traiter non plus comme un pauvre chaton blessé. Si reconnaissant que la tête lui tourna, qu'il se mit à rire de plus en plus, et j'en fis autant. Et dans nos rires nous entendions notre jeunesse, et il n'est jamais sans danger de se retrouver au seuil de la maturité, au fond d'une impasse dans sa vie, et d'entendre soudain les échos de sa jeunesse.

* * *

Après cette première conversation, nous avons déjeuné ensemble à Greenwich Village, dans un restaurant qui avait remplacé le *diner* où nous avions nos habitudes, à l'époque où Toby était encore en médecine. Il était très difficile de le regarder en face et de remarquer les changements qui étaient survenus : j'avais l'impression que son visage s'était figé exactement comme Han Solo dans *L'Empire contre-attaque*, pétrifié à l'instant où il m'avait adressé cet au revoir plein de tristesse et de panique, la dernière fois où je l'avais vu.

« Elle était constamment en colère », me confia-t-il.

Je lui posai ces questions qu'il avait en horreur : « Alors qu'est-ce qui s'est passé ? Mettre un terme à son mariage, c'est si dur, si définitif. Il s'est forcément passé quelque chose. Est-ce qu'elle t'a trompé ? Est-ce que tu l'as trompée ? Est-ce que tu détestais ses amis ? Est-ce que le fait d'avoir des enfants a tué sa libido ? » Mais le mariage est

58

un vaste domaine, mystérieux et intime. On ne peut comparer scientifiquement deux mariages à cause de la très forte variabilité des facteurs, plus particulièrement en ce qui concerne ce que deux personnes distinctes sont prêtes à tolérer. J'affichais une expression de curiosité tranquille, comme je le faisais jadis quand j'interviewais quelqu'un, donnant l'impression que les enjeux de l'échange étaient parfaitement anodins, alors qu'en réalité tout reposait sur les réponses.

« Tu ne me demandes rien sur ce qui se passe *maintenant* », dit-il. Il sortit son téléphone, l'alluma, et, mon Dieu. « Regarde-moi ça. » Toutes ces femmes qui défilaient (on pouvait littéralement les passer en revue), quémandant l'attention de Toby Fleishman. Toby Fleishman ! J'étais comme hypnotisée.

« Alors ça se passe comme ça, maintenant ? demandai-je.

— Oui. Plus la peine de sortir de chez soi pour se faire humilier. Plus même besoin de se faire humilier. Tout repose sur le consentement mutuel et explicite. Toutes celles et ceux qui se retrouvent là-dessus sont là pour participer. »

L'enfilade de femmes désireuses d'interagir sexuellement avec Toby ne semblait pas avoir de fin. Ces photos, ces messages. Toby Fleishman !

« C'est exactement comme dans "Le Découplage", tu ne trouves pas ? dit-il. Qui aurait cru à l'époque qu'il s'agissait d'un mode d'emploi ? »

Il y a fort longtemps, en 1979, le magazine masculin pour lequel je devais plus tard travailler avait publié un article sur le divorce intitulé « Le Découplage », et qui avait fait beaucoup de bruit. Son auteur, Archer Sylvan, était une véritable légende vivante de notre rédaction. Il incarnait le magazine mieux qu'aucun logo. Je suis devenue une lectrice assidue d'Archer à un très jeune âge (sans doute un *trop* jeune âge), et en Israël, plusieurs de ses bouquins reposaient sur ma table de chevet. Toby m'en emprunta un, puis un autre, puis encore un autre. À la maison, j'avais l'interdiction de lire les romans pour jeunes adultes que lisaient mes copines, avec leurs histoires de baby-sitters et de jolis jumeaux blonds. Ma mère considérait que la littérature pour jeunes adultes était un tas d'immondices réservé à des dégénérés, le terreau parfait pour les grossesses non désirées et la toxicomanie. Aussi lisais-je les ouvrages d'Archer Sylvan que ma studieuse sœur aînée ramenait à la maison – *Le Découplage et autres articles, Une ville sens dessus dessous* et *Tout le monde dans la piscine.* Les couvertures des livres d'Archer étaient recouvertes de massives majuscules Helvetica qui leur donnaient un air d'importance, un air littéraire. À l'intérieur, c'étaient les bouquins les plus sales et les plus sombres que j'aurais pu imaginer à l'époque, et peut-être que la sixième, c'est un peu tôt pour une première plongée dans le sale et le sombre. Il y était question de colonies de nudistes, d'orgies sexuelles, de zapatistes, de communistes, de politiciens appartenant à des clubs ésotériques secrets, de scientifiques polyamoureux. On avait du mal à croire ce qu'il arrivait à dénicher. On avait du mal à croire ce que cachait ce monde qui était le nôtre. Un jour qu'il se trouvait au Chili, un grand chef qui préparait toujours un plat différent en vertu d'un curieux principe philosophique bouddhiste dont personne n'avait jamais entendu parler, trancha la tête d'une chèvre vivante et plongea directement la main dans son crâne à travers sa mâchoire brisée pour manger sa cervelle *crue.* Il en proposa à Archer, qui, sans hésiter une seconde, l'aida à finir, là, à mains nues lui aussi.

Quand je devins journaliste, je m'efforçai d'écrire comme Archer, d'imiter cette façon qu'il avait d'ouvrir la valve de sa colère, cette lenteur, cette tension croissante, jusqu'à ce que le vortex de son empathie, projeté à travers le prisme de sa colère, engendre un dégoût général quant à l'état de notre monde, dégoût qui semblait être la seule conclusion à laquelle pouvait aboutir toute personne intelligente et réfléchie. Le dégoût, je connaissais. La colère aussi. Mais je ne finissais jamais mes articles sur la colère, et c'est peut-être en cela que je n'ai jamais réussi à égaler Archer. Mon empathie n'engendrait que de l'empathie, ce qui peut paraître positif, soit, à ceci près que c'était avant tout par profonde lâcheté. J'avais trop peur de terminer sur de la colère. J'avais trop peur d'être complètement dégoûtée de mes sujets, en l'occurrence, tout simplement, des personnes qui m'avaient fait don de leur temps et de leur confiance et qui de plus avaient mon numéro de téléphone. Dans le fond, je me fichais qu'ils me détestent ou pas : je ne les reverrais plus jamais. Mais j'avais peur de rester en colère, de laisser tout en plan, sans solution ni résolution. J'avais peur de paraître trop pleine de haine : je préférais me haïr moi-même pour ces scrupules et ces craintes excessifs. Je n'étais pas nulle pour autant. J'avais une bonne plume, j'étais appréciée, et on disait de moi que j'étais pleine de compassion, et que ça faisait plaisir de lire des choses positives. J'étais la seule à savoir que si j'étais aussi pleine de compassion, c'était parce que je manquais cruellement de courage et de volonté.

Mais j'étais différente d'Archer Sylvan sur d'autres points : on ne m'a jamais donné l'occasion d'y aller à fond. Archer dormait avec des groupes de musique dans leur bus de tournée, campait dans le désert avec un acteur, prenait de l'ayahuasca avec un politicien et se rendait soudain compte qu'il lui fallait divorcer d'avec sa femme et épouser son assistante, qu'il avait connue, il le savait à présent, douze vies auparavant. Il se perdit pendant des jours alors qu'il attendait une rock star qui vivait en ermite. Une fois, il dépensa 7 000 dollars en pourboires dans des boîtes de strip-tease, fit passer ça en frais professionnels, sans reçus (bien évidemment), et fut intégralement remboursé alors que *l'article final ne faisait pas la moindre mention de strip-teaseuse.* Un jour, j'ai dû enregistrer un deuxième bagage sur un vol à destination de l'Europe où j'allais interviewer une actrice, j'ai reçu un appel enragé de mon rédacteur en chef, et je ne l'ai plus jamais refait.

Archer avait écrit la version article du *Découplage* en 1979, quatorze mille mots où l'on suivait un homme qu'il avait renommé Mark – il poussait le travail éditorial jusque dans les noms – dans son parcours de divorcé. Le papier fit scandale : il accusait les femmes d'avoir changé les règles au détriment des hommes, sans prévenir, guidées par leur libido profondément futile et leur stupide éveil sexuel qui, en principe, n'aurait pas dû dépasser le stade de simple amélioration du plaisir masculin.

Pour autant, l'article était indéniablement excellent. Électrique, incisif. Les observations se muaient en extrapolations audacieuses, comme jamais auparavant dans un essai. Ce texte devint vite un argument d'autorité qu'on sortait dès que l'on voulait jauger un nouveau reportage ou un nouvel article. « En gros, c'est du *Découplage* », ou bien, « Bon, ce n'est quand même pas du *Découplage* ». Alors que je continuais de scroller sur le téléphone de Toby, je tombai soudain sur une quinquagénaire en bikini sur un cheval qui souhaitait savoir si Toby était branché mamelons, et une citation de *Découplage* me revint aussitôt en tête : « Son malheur était une brume qui lui cachait, mais pas complètement, tout un nouveau champ de possibilités. Il n'avait pas conscience que ce champ de possibilités lui cachait lui-même quelque chose d'encore plus formidable. »

Je relevai les yeux. « Je n'ai jamais compris pourquoi tu l'avais épousée. »

Il s'adossa à son siège et se mit à se triturer les poils de sa poitrine. « Je me suis marié parce que je suis tombé amoureux. »

Après ce déjeuner, nous nous sommes vus tous les deux ou trois jours. Je roulais à bord de mon gros SUV à la con jusqu'à l'Upper West Side et l'attendais dans le *diner* à côté de l'hôpital où il travaillait, ou alors je prenais le train jusqu'à Penn Station, et nous trouvions un restaurant pour parler de tout ça, encore et toujours.

Notre deuxième déjeuner :

« À moins que lorsqu'on se marie, on soit dans l'incapacité de savoir combien de temps pourra durer notre "pour toujours et à jamais", dit-il en mangeant une omelette blanche. Pense un peu à tous ces moments dans la vie qui paraissent ne jamais vouloir finir. On a l'impression que le lycée n'en finit pas, et pourtant ça ne dure que quatre ans : seulement, ça ne fait que douze ans qu'on est sur Terre, et quatre ans, c'est un sacré bout de notre vie : un tiers, tout simplement. Quand on fait ce choix, celui de s'accrocher à quelqu'un pour le reste de nos jours, on a quoi ? Vingt-cinq, trente ans ? On n'est encore que des bébés. On ne sait même pas ce que ça représente. À ces âges, comment pourrait-on s'imaginer ce que ça représente de faire des efforts au quotidien pendant si longtemps ? Comment deviner ce qui, parmi les choses qui nous semblent marrantes et charmantes, nous deviendra intolérable à l'avenir ? Comment prévoir quels seront nos vrais besoins ? À cet âge, même nos goûts en matière de télé n'ont pas encore eu le temps de changer. J'adorais *Friends* quand j'étais ado, et j'adorais voir des redifs de *Friends* quand j'avais la vingtaine, mais maintenant, il suffit que j'entende le début du générique pour avoir envie de mourir.

— Tu dis ça simplement parce que ton mariage n'a pas marché, répondis-je en mangeant un blini. Si ça s'était bien passé, tu n'aurais rien trouvé à redire.

— Et toi tu dis ça parce que ton mariage se passe bien.

— Tu ne sais rien du tout de mon mariage, répliquai-je.

— Je sais qu'il est encore d'actualité. Et même si les mariages qui tiennent ne sont pas heureux, ils sont quand même considérés comme tels. »

Notre troisième déjeuner :

« Le mariage, c'est comme le plateau de ce vieux jeu, Othello, dit-il en mangeant son suprême de poulet, grillé à sec, sans matière grasse ajoutée, s'il vous plaît. Le plateau est recouvert de pions blancs jusqu'au moment où quelqu'un arrive à poser assez de pions noirs à suffisamment d'emplacements stratégiques pour pouvoir retourner tous ces pions blancs et les transformer en pions noirs. Au début du mariage, il n'y a que des pions blancs. Même s'il y en a quelques noirs par-ci par-là, c'est un plateau à dominante blanche. Une dispute ? Elle se résout, et on finit même par en rire, parce que le plateau est toujours blanc. Mais lorsque les pions noirs prennent le dessus – la relation extraconjugale, le problème financier, l'ennui, la crise de la quarantaine, en gros, ce qui met fin à un mariage –, tout le plateau devient noir. Et quand on se penche alors sur sa vie conjugale, même ce qui était considéré jusque-là comme de bons souvenirs apparaît comme foutu et pourri dès le début : cette adorable prise de bec en pleine lune de miel était en fait un mauvais présage ; la bataille autour du prénom d'Hannah était ma façon de nier à Rachel tout droit d'avoir sa famille à elle. Même les souvenirs les plus purs et les plus beaux sont dorénavant ternis par le sentiment que j'ai été assez con pour croire que la vie pouvait être belle et que je méritais de vivre dans un tel paradis. » (Je lui dis que je comprenais la comparaison, mais que ce n'était pas comme ça qu'on jouait à Othello.)

Notre quatrième déjeuner :

« C'est comme une thérapie de groupe, dit-il en avalant une cuiller de fromage blanc, tout en me parlant de ces inconnues avec qui il était sorti, et qui pour beaucoup avaient vécu la même chose que lui. C'est comme une thérapie de groupe, sauf qu'à la fin de la séance, la psy met ton pénis dans sa bouche. »

Notre cinquième déjeuner :

« Je n'étais pas la bonne personne, voilà tout, dit-il en mangeant quatre tranches de dinde avec de la moutarde, sans pain. Nous sommes trop nombreux à vouloir ce qu'il y a de mieux pour nos enfants et nos partenaires. Des fois, on finit par épouser une personne qui n'a pas encore compris qu'elle ne désirait pas se marier. Enfin quoi, regarde ça. »

Il fit apparaître une photo sur son portable. Une femme adorable avec d'adorables fossettes, vêtue d'un maillot de bain, plissant les yeux sous le soleil. J'aimais bien regarder ces photos sur son téléphone, ces photos où je voyais des choses que je n'aurais pas même pu imaginer, et j'aimais bien qu'il me raconte tout par le détail, afin que je puisse lui demander pourquoi il avait dit telle ou telle chose et le temps qu'il lui avait fallu pour finir par coucher avec une telle ou une telle. (J'aimais aussi voir apparaître des messages de Rachel pendant que je regardais les photos. J'étais stupéfaite par son ton de ptérodactyle : quand je voulais, je pouvais être méchante, moi aussi, mais jamais à ce point.)

« Comment peut-on regarder cette femme et se dire que c'est une ratée ? demanda Toby en pointant la photo. Parfois, c'est juste que ça ne peut pas marcher. On ne peut pas appréhender cela de façon binaire. Si notre mariage ne fonctionne pas, ce n'est pas toujours notre faute. Si notre vie ne fonctionne pas, ce n'est pas toujours notre faute. Parfois, c'est la vie, rien de plus. »

Il arborait à présent un joli bronzage à force de se promener en ville. Depuis quelque temps, il était galvanisé par la conviction qu'il était encore plein de vie. Il se sentait plus jeune, et d'une certaine façon, cela me donnait l'impression d'être encore plus vieille. L'impression d'avoir laissé filer les années sans m'en rendre compte. J'ai une fois de plus cherché son regard, mais tout à son portable, il répondait à un nouveau message.

* * *

St. Thaddeus avait jadis été un hôpital psychiatrique de la Ville de New York, qui l'avait vendu à l'université Columbia, qui voulut en faire un hôpital normal, mais les travaux de rénovation furent si bâclés qu'au milieu des années 1980, tout dans ce bâtiment, l'aspect, l'atmosphère, l'odeur (malgré tous leurs efforts, impossible d'éradiquer cette odeur) évoquait encore l'asile. Même s'il ne s'agissait pas d'un hôpital public, personne ne voulait s'y faire opérer, d'autant que le Lenox Hill et le Mount Sinai étaient tout proches. En 1988, un groupe financier racheta l'édifice à Columbia, injecta cent millions de dollars et en fit une merveille de modernité : du verre, du métal, de l'acier inoxydable, tout à la pointe du progrès, et surtout, plus une trace de l'ancienne odeur. Se retrouver dans cet hôpital, c'était comme de se retrouver dans le futur, mais le futur tel qu'il apparaissait dans les films de science-fiction de la fin du XXe siècle, pas le futur dont nous avons écopé, où tout est simplement plus petit et plus fragile qu'auparavant.

Une femme inconsciente attendait Toby aux urgences. « Karen Cooper, quarante-quatre ans. Non réactive depuis sa prise en charge, une forme de délire précédant son arrivée, selon son mari. Rapport ASAT/ALAT élevé », déclara Clay. Clay était le vilain petit canard du groupe d'internes. Il avait un œil qui louchait légèrement et partait résolument aux fraises quand Clay vous fixait trop longtemps, comme si son œil finissait par se lasser de la conversation et tentait de faire comprendre au reste de sa personne qu'il était l'heure d'y aller. Nul n'aurait su dire s'il avait conscience d'avoir un sérieux problème de points noirs.

La patiente, une blonde dont le nez avait été refait à un âge si tendre que la cloison nasale dépassait très franchement des narines, exposant les faces internes des fosses, était complètement éteinte. Elle portait une de ces tenues en satin qui peuvent autant passer pour une nuisette que pour une robe de soirée extrêmement affriolante, et ses cheveux étaient étalés sur l'oreiller dans un style très Belle au bois dormant. Un bref instant, Toby se demanda qui les avait disposés ainsi.

Derrière elle, assis dans un fauteuil, se trouvait un homme à peu près du même âge que Toby, les mains jointes sur le dessus de la tête. Il se leva à l'approche de Toby et tendit la main. Il s'appelait David Cooper : c'était le mari. Son crâne était rasé à blanc, et il devait bien mesurer un mètre quatre-vingts. Peut-être un mètre quatre-vingt-cinq. De toute façon quelle importance, passé la limite du mètre quatre-vingt ? Il était grand, point.

« Je suis le docteur Fleishman, fit Toby. Vous pouvez me raconter ce qui est arrivé ? »

Karen Cooper avait passé un week-end à Las Vegas avec sa meilleure amie. Elle avait beaucoup fait la fête, à l'occasion d'un anniversaire ou d'un truc du genre, et à son retour, elle lui avait paru un peu à l'ouest. Ça remontait à présent à une semaine. « Elle était beaucoup plus maladroite que d'habitude », dit David. Elle trébuchait, tombait, et même lorsqu'elle se tenait debout et immobile, elle ne pouvait s'empêcher de pencher d'un côté. Par plaisanterie, elle avait dit qu'apparemment, elle n'avait pas encore fini de dessaouler. Et puis la veille au matin, elle s'était mise à articuler très mal, « là aussi, encore plus que d'habitude, poursuivait David, et puis elle a commencé à raconter des trucs totalement cinglés.

— Comme quoi, par exemple ? demanda Toby.

— Des trucs qui sortaient de nulle part, qui n'avaient aucun sens : qu'elle allait s'arranger pour qu'une voiture vienne me chercher au travail, et que je ne devrais pas oublier de dire merci à la maman qui me ramènerait. Nos gamins ne vont même pas à l'école par covoiturage scolaire. Ils ont leur chauffeur. Elle parlait aussi de notre ligue de bowling, et je peux vous assurer qu'en vingt ans, on a dû faire deux fois du bowling ensemble, tout au plus.

— Suit-elle des traitements ?

— Elle est sous Zoloft. Elle est allée voir un médecin, il y a environ un an, elle disait qu'elle ne se sentait vraiment pas dans son assiette, le docteur lui a dit qu'elle était déprimée, et il lui a prescrit du Zoloft. Dites, elle ne vous semble pas un peu jaune ? »

Elle était jaune comme un Stabilo. « C'est une jaunisse, répondit Toby. C'est pour cette raison qu'on a fait appel à moi. Je suis spécialiste du foie. Mais revenons un instant à ce matin. Quand a-t-elle cessé tout à fait de vous répondre ?

— Je me suis réveillé et au début je l'ai trouvée pâle, puis jaunâtre, et elle paraissait groggy, alors je l'ai mise dans la voiture et je l'ai emmenée aux urgences, et à l'instant où on l'a couchée sur ce lit, elle s'est endormie, seulement maintenant je me demande si... » Il jeta un regard à sa femme. « Je ne sais pas trop si elle dort ou si elle a perdu connaissance. On m'a dit qu'elle était inconsciente, mais on aurait vraiment dit qu'elle était juste crevée et qu'elle s'est assoupie. Ça n'est pas arrivé au beau milieu d'une phrase, vous voyez. » Il était à présent saisi de panique. « Alors qu'est-ce qui lui arrive ? Elle a perdu connaissance, ou elle est en train de dormir ?

— Eh bien c'est justement ce que nous allons chercher à déterminer, répondit Toby. Elle est entre de bonnes mains, maintenant. Sans vous commander, le docteur Clifton que voici va à présent vous accompagner jusqu'à la salle réservée aux proches, nous allons examiner votre femme et nous allons découvrir ce qui a bien pu lui arriver.

— Je ne peux pas rester ?

— Il vaut mieux que nous procédions à nos examens tranquillement et que nous tentions de comprendre ce qui est train d'arriver à votre femme. Et puis j'ai l'impression qu'un café vous ferait le plus grand bien. »

Clay l'escorta hors des urgences.

« Est-ce que quelqu'un peut me dire ce qui se passe ? » demanda Toby.

Logan fut le premier à répondre. « C'est une cirrhose alcoolique, pas vrai ? Elle y est allée trop fort à Vegas, et son foie était déjà trop endommagé. Ça doit faire des années qu'elle cache sa dépendance à l'alcool.

— Vous en êtes sûr ? » demanda Toby.

Joanie murmura quelque chose que personne n'entendit.

« Pardon ? » fit Toby. Clay les rejoignit et les dévisagea afin de deviner ce qu'il avait raté.

« Je vois mal ce que ça pourrait être d'autre », dit Joanie. Elle avait prononcé ces mots d'un ton rêveur, presque comme si elle s'adressait à elle-même, son stylo délicatement pressé contre ses lèvres. Joanie adorait vraiment ça. La passion qu'elle vouait à l'établissement d'un diagnostic balayait tout ce qui d'habitude prévalait à ces instants : le jeu des apparences, les conflits d'ego, la peur de l'échec, les questions de réputation. Clay voulait vite aboutir à une conclusion et souffler un coup. Logan voulait se la jouer et arriver à temps pour sa partie de tennis à vingt heures. Joanie, elle, voulait comprendre et vénérer le miracle de ce processus. Elle voulait être ébahie.

Elle se tenait dos au mur. Ses cheveux avaient une couleur vaguement sépia, une sorte de brun paille qui s'illuminait de rouge selon l'éclairage. Elle s'habillait en petite fille : socquettes, jupe et cardigan d'école paroissiale, un style magasin de l'Armée du Salut qui aurait presque séduit Toby. Elle battait très lentement des paupières derrière ses lunettes quand elle essayait de comprendre quelque chose :

elle articulait ses mots en silence, d'un air inquiet, quand elle s'efforçait de se rappeler quelque chose.

« Qu'est-ce que le mari a dit, *très précisément* ? » leur demanda Toby. Il s'approcha de Karen Cooper et se pencha pour lui prendre le pouls. Il lui ouvrit les paupières.

« Il a dit qu'elle était maladroite et qu'elle avait du mal à articuler, autant de symptômes d'un traumatisme neurologique, fit Clay. Son foie est en train de lâcher. »

Toby se redressa pour les observer. « Que disait notre cher ami Sir William Osler ?

— Écoutez votre patient. Il vous donne son diagnostic, répondit Logan.

— Alors que nous dit Mme Cooper ? »

Clay jeta un coup d'œil à Karen Cooper. « La patiente ne réagit pas, docteur Fleishman. »

Toby inspira lentement, et répondit en expirant. « Que nous a dit son *mari* ? Que nous dit son *comportement* avant qu'elle perde connaissance ?

— Qu'elle était maladroite et qu'elle articulait difficilement, ce qui correspond à…

— Soit, Clay, personne ne nie ici les symptômes neurologiques. Personne ne nie ici qu'elle soit inconsciente. Mais qu'est-ce que son mari a dit, *exactement* ? Il a dit qu'elle était plus maladroite *que d'habitude*. Ce qui signifie que nous avons affaire à quelque chose qui remonte à bien plus longtemps qu'une semaine. A-t-elle des enfants ? »

Clay consulta son dossier. « Des jumeaux, deux garçons de dix ans.

— Très bien, dit Toby. Ce qui veut dire que rien ne clochait dans son sang à l'époque où elle a accouché, accouchement qui a dû se passer par… » Il écarta la couverture et remonta un peu sa robe de soirée. « Exactement, par césarienne. Très bien, ce qui nous indique que si elle avait eu un problème de coagulation, elle l'aurait su.

— D'accord, fit Joanie. Ça a donc commencé il y a moins de dix ans.

— Voyons voir si son médecin a relevé chez elle des rapports ASAT/ALAT élevés par le passé. » Il consulta son dossier. « Elle est sous Zoloft depuis un an. Vous savez comment ça se passe : quand une femme vient se plaindre de quoi que ce soit, on la renvoie avec une prescription d'antidépresseurs. Le généraliste a dû négliger les signes avant-coureurs à une époque où il aurait encore pu faire quelque chose, avant que surviennent les problèmes neuro-logiques. L'assurance a beau ne plus vous payer au-delà des quinze minutes de consultation, il faut continuer d'écouter votre patient. Il faut éliminer les zones d'ombre. Il faut poser des questions. À présent, ouvrez-lui les yeux. »

Joanie tira sur les paupières de Karen. Puis elle releva la tête, surprise, ravie. « Wilson ! » Clay et Logan l'imitèrent, examinant un moment les yeux de la patiente. Joanie dévi-sageait Toby, comme si elle venait de voir un ciel étoilé pour la première fois de sa vie.

Toby s'approcha à nouveau de Karen. La maladie de Wilson empêchait le foie d'éliminer le cuivre. Le cuivre agissait sur le cerveau comme une toxine. Le symptôme le plus visible et le plus éloquent était un anneau couleur de cuivre autour des iris.

« Très bien, déclara Toby. Logan, appelez son méde-cin. » Toby retira ses gants. « Vous voyez ? Écoutez votre patient. Écoutez-le toujours. Même quand il n'est pas en mesure de parler, la plupart du temps, la solution est juste là, sous votre nez. »

* * *

Toby fit sa ronde. Il alla voir une pédiatre hépatologue dont il suivait à présent l'un des patients adolescents. Il se rendit aux urgences pour une consultation avec un lycéen qui avait contracté une hépatite C dans un salon de tatouage miteux. Il vit une femme de son âge atteinte d'un cancer du foie.

Il réalisa une échographie sur un employé du métro new-yorkais chez qui il avait diagnostiqué une hémochromatose un an auparavant. Le foie du patient présentait quelques cicatrices, mais il allait mieux. Il se régénérait. Il était presque comme neuf. Toby passa la sonde tout autour du foie du patient. Il adorait cette partie de son boulot : à chaque écho, chaque biopsie, c'était toujours comme la première fois. On n'imaginait pas ce dont le foie était capable. Toby ne s'en lassait pas, depuis ce jour où encore étudiant en médecine, il avait vu dans l'un de ses livres les images d'une guérison du foie. Les foies réagissaient de façon souvent inattendue, soit, à l'instar de tous les organes. Mais le foie avait ceci d'unique qu'il guérissait. Il était pétri de pardon. Il comprenait que vous aviez besoin qu'on vous laisse deux ou trois chances pour remettre de l'ordre dans votre vie. Et non seulement le foie vous pardonnait, mais il oubliait presque totalement. Il vous permettait de repartir de zéro avec une simplicité qu'on ne trouvait dans aucun autre domaine de l'existence. Nous devrions tous prendre exemple sur le foie, pensait Toby. Nous devrions tous nous régénérer ainsi quand nous sommes blessés. Durant les heures les plus sombres de son mariage, Toby s'acquittait de ses devoirs de médecin avec tout au fond de sa conscience, toujours présent, le foie qui lui murmurait qu'un jour, il ne subsisterait quasiment rien de toutes ces blessures, de tous ces dégâts. Un jour, lui aussi se régénérerait.

Toby sentit une main se poser sur son épaule, derrière lui. C'était Joanie. À travers sa blouse, la main de Joanie était chaude, délicate, féminine. Il se retourna. Elle lui murmura à l'oreille que Karen Cooper avait été transférée dans une chambre privative. Il se releva. Ce chuchotement avait quelque chose d'étrange, de trop intime. Cette main sur son épaule également. Tout cela avait quelque chose de postcoïtal. Lorsqu'elle écarta sa main, Toby pouvait encore la sentir.

Plus tard, ils passèrent la voir. Joanie s'approcha de Karen et souleva de nouveau ses paupières. « Je n'arrive pas à croire qu'on a une maladie de Wilson, dit-elle.

— C'est la deuxième fois seulement que je tombe sur ce genre de cas, répondit Toby. C'est terriblement rare.

— Ces anneaux embellissent tellement ses yeux, remarqua Joanie.

— Oui », acquiesça Toby. Par-dessus l'épaule de Joanie, il contempla les yeux inertes de Karen Cooper. « C'est vrai que pour une maladie potentiellement mortelle, elle est franchement jolie. »

* * *

Ce fut également le jour de nos retrouvailles. J'avais calé un déjeuner avec Toby, et avais invité Seth par message Facebook. Il avait changé de numéro de téléphone, et mon SMS s'était perdu. Il avait perdu son ancien numéro lorsqu'il s'était installé à Singapour, quelques années auparavant, et les premiers chiffres du nouveau indiquaient clairement qu'il était tout récent, à son plus grand embarras. J'étais si déconnectée de ma jeunesse que l'une de ses figures les plus importantes avait un nouveau numéro qui m'était inconnu. J'étais si loin de ma vie new-yorkaise que j'avais l'impression d'avoir été envoyée sur une autre planète pour m'y reproduire et la coloniser.

Seth et moi arrivâmes dix minutes avant Toby. Seth était resté mince, son autobronzant faisait presque illusion, et ses fausses dents ultrablanches mettaient bien en valeur ses yeux léonins, couleur noisette, qui reflétaient toutes les nuances de marron de ce qui subsistait de ses cheveux. Il arborait le genre de barbe de trois jours que l'on recommandait de cultiver aux stars que nous mettions en une de notre magazine, le genre de pilosité faciale qui évoque une négligence bohème, mais est en réalité si uniforme et régulière qu'elle ne saurait être que le fruit d'une préparation méticuleuse. Punaise, de la tête aux pieds, il était encore tellement beau que j'avais du mal à le regarder en face.

Ce qui ne veut pas dire qu'il n'avait pas changé. Il avait perdu une bonne partie de sa chevelure, mais de la meilleure façon qui soit : une implantation en V avec deux puissants golfes frontaux qui se finissaient en angles aigus. Ses yeux me semblaient chargés de foudre, j'aurais voulu détourner le regard, mais il ne le lâchait pas. Nous finîmes par nous embrasser, et lorsque ma joue se pressa contre la sienne, un flot de sérotonine m'envahit. Posant les mains sur mes épaules, il m'écarta pour me regarder. «Vous êtes très belle, madame Epstein», commenta-t-il. Il mentait. J'étais de retour au même point qu'à l'époque où on s'était connus en Israël, avant que je perde pas mal de poids. C'était à cause de ma deuxième grossesse, les kilos étaient revenus en force, et j'avais beau essayer de les chasser par tous les moyens, ils semblaient décidés à ne plus jamais repartir.

Nous nous assîmes. Il me dit qu'il s'était abonné au magazine, mais que ça faisait un bout de temps qu'il n'avait plus lu d'articles de moi. «J'étais tellement fier de voir ton nom dedans. Je le montrais à tous les gens que je connaissais en fanfaronnant : "Et bim. C'est ma meilleure copine qui a écrit ça !" »

Je lui expliquai que j'avais quitté le magazine deux ans auparavant, que j'essayais d'écrire un roman d'apprentissage sur ma jeunesse. Ce que je ne lui racontai pas, c'est que ce projet ne retenait jamais assez longtemps mon attention pour qu'il y ait le moindre progrès. Je gardais le fichier texte toujours ouvert sur mon ordinateur, mais en en réduisant la fenêtre, et je ne me penchais dessus que toutes les deux ou trois semaines, pour me sentir très vite dépassée par l'ampleur de mon entreprise. Un livre doit communiquer votre souffrance ; un livre doit parler à ce qui gronde en vous. Je m'étais dit que je pourrais parvenir à ça en écrivant un bon roman pour jeunes adultes, mais ces derniers temps, ce genre de romans était truffé de fantastique, des loups-garous, des créatures marines, des sang-mêlé et des hybrides. Mon histoire était toute petite et toute sotte. Il ne s'y passait rien, en vérité.

« Ah, avec les gamins, c'est pas facile », fit Seth. Sa chemise était si immaculée, si parfaitement repassée qu'on aurait cru qu'il venait tout juste de l'enfiler. Je ne portais plus que des vêtements qu'on n'avait pas à repasser.

Toby apparut à côté de moi. « Alors qu'est-ce qui se passe ici ? » demanda-t-il. De l'autre côté de l'allée, deux femmes en pantalon de yoga étaient assises à une table. L'une d'elles nourrissait avec enthousiasme un bébé dans sa poussette, les yeux écarquillés, la bouche grande ouverte et poussant toute une gamme de bruits à chaque bouchée, tentative désespérée pour faire taire les voix qui dans sa tête lui rappelaient ses choix de vie. La serveuse vint nous voir. Toby commanda une salade César poulet sans fromage ni sauce.

« Genre juste du poulet et de la laitue ? demanda-t-elle.

— C'est ça, oui.

— À tout hasard, vous n'auriez pas de la laitue light pour lui ? » lança Seth. La serveuse parut perplexe, et Seth éclata de rire, ce qui la rendit encore plus perplexe. Elle préféra laisser tomber, et repartit.

Seth nous regarda tous les deux et son visage s'empourpra. « Bon sang, ça fait tellement plaisir de vous revoir, dit-il. J'aurais dû emmener Vanessa. Je suis sûr que vous l'adoreriez.

« — Tu as enfin trouvé la femme de ta vie ? s'enquit Toby.

— Peut-être bien, répondit Seth. Elles le sont peut-être toutes.

— Tu croyais déjà que Jennifer Alkon l'était, fis-je.

— Et qui te dit que je n'aimerais pas revoir Jennifer Alkon ? » Il regarda ses ongles comme s'il s'apprêtait à les limer, puis haussa les sourcils. « Qui te dit que je ne l'ai pas revue ? »

C'est moi qui les avais présentés. Elle habitait dans la même résidence estudiantine que moi. Seth était fou d'elle, il avait passé le mois de février à la noyer d'invitations, de fleurs, de petits mots. À leur dernier rendez-vous, ils avaient fricoté dans les toilettes du bas, au Musée d'Israël – le Musée d'Israël ! Avec tous ses objets religieux et les Manuscrits de la mer Morte ! Comme Seth ne parvenait pas à rejoindre la terre promise, Jennifer Alkon s'était agenouillée et avait tout donné, en vain. Seth, pris d'un désir effréné – élevé par des parents orthodoxes, il ne connaissait qu'une forme de désir : le désir effréné –, se finit tout seul pendant qu'elle matait. En quelques heures à peine, Seth raconta l'histoire à tout le monde. Plus tard cette même nuit, de retour à la résidence, Jennifer voulut l'appeler pour mettre fin à leur relation, mais il ne décrocha pas, et il était clair aux yeux de toutes les filles qu'il ne répondait pas car il ne voulait pas se faire jeter, tandis que tous les garçons considéraient qu'à présent que Seth avait éjaculé devant elle, il était logique qu'il ne s'intéresse plus à un territoire déjà conquis.

« C'est vrai ? demanda Toby.

— Ouaip. Et c'était génial. Quinte flush royale ! » Seth leva la main pour que Toby lui fasse un *high five*.

« C'est quoi, la quinte flush royale ? demandai-je.

— Sodomie », répondit Toby.

Mais il était trop déstabilisé pour faire un *high five*. « Attends, c'est arrivé quand ? lança-t-il. Elle est mariée depuis des siècles.

— Le mariage est une construction sociale, Tobin.

— C'est ce que tu lui as dit ? C'est ce que tu comptes dire à Vanessa ? »

Le regard de Seth se radoucit à l'évocation de Vanessa. « Il faut vraiment que vous la rencontriez. Vous faites quoi ce soir ?

— Je rentre chez moi m'occuper des enfants, répondis-je.

— J'ai un rendez-vous *et* les gamins, fit Toby. Rachel me les a déposés au beau milieu de la nuit. Avec un jour d'avance. Parce que c'est aussi ça, la coparentalité en harmonie.

— Un sale coup de sa part, observa Seth.

— Que veux-tu, elle est comme ça. Et ça me va. J'aime bien être avec mes enfants. »

La conversation prenait un tour sinistre pour Seth, qui n'avait pas son pareil pour organiser des soirées et capter l'instant où l'ambiance générale requérait quelque ajustement, en changeant la programmation musicale par exemple, ou en sortant le dessert. « Je sais, dit-il. On va lui concocter une malédiction. »

Toby éclata de rire. « Une malédiction ! »

Une malédiction. Nous avions rencontré la Mendiante en novembre, durant notre année en Israël, lorsque je m'étais rendue dans leur résidence pour fêter Thanksgiving. Après le dîner, nous avions fait une longue balade éméchée qui nous avait menés dans la vieille ville de Jérusalem. Nous errions par les ruelles, et juste avant que le Mur des Lamentations apparaisse, nous croisâmes une vieille femme assise sur une caisse à lait, les mains et le visage ridés, tannés, burinés par le soleil. À notre passage, elle se mit à nous beugler dessus en hébreu pour de la monnaie. Toby fouilla dans sa poche et trouva une pièce de cinq shekels. Seth avait deux agorot, ce qui équivalait à moins d'un *cent* américain. Je n'avais qu'un billet de cent shekels que je venais d'obtenir au bureau de change.

Toby s'approcha de la femme et lui donna la pièce. Elle hocha vigoureusement la tête, avant de pousser une sorte de sanglot pathétique, levant les mains aux cieux pour prendre Dieu à témoin : « Béni sois-Tu, Toi qui me maintiens en vie et en sécurité ! Bénis soient ceux qui croient vraiment en Toi, et qui me donnent les moyens de Te servir ! Béni soit ce petit homme, dont la bonté guérira le monde ! Qu'il se dresse au-dessus de ceux qui l'entourent, au-dessus de sa jalousie ! »

Toby lui fit une semi-révérence avant de nous rejoindre. Seth voulait aussi sa part de mélodrame : il s'avança pour lui donner les deux agorot. La vieille femme scruta avec dégoût les misérables piécettes qu'il avait déposées dans sa paume. Seth, qui n'avait pas remarqué sa réaction, attendait qu'elle le bénisse, qu'elle remercie Dieu de son existence. Mais quand elle releva la tête, sourcils froncés, yeux plissés, ce fut pour lui siffler, « Puisses-tu ne jamais te marier. Que tous tes cheveux tombent avant que tu trouves une femme capable de supporter tes ronflements et tes pets. Qu'à tout jamais ton moi profond ne soit qu'un mensonge.

— Beurk », riposta Seth.

Toby et moi allâmes chercher Seth afin de reprendre notre promenade, et la vieille femme, comprenant que je ne lui donnerais rien (je pouvais pas ! je n'avais qu'un gros billet !), me lança : « Puisses-tu ne jamais danser au mariage de ta fille, dont la promiscuité aura tant terni son nom que lorsqu'elle osera quitter son foyer pour acheter au marché des produits frais en vue du shabbat, les chefs spirituels de sa communauté afflueront pour lui jeter des fruits pourris à la tête. Puisses-tu ne jamais connaître la satisfaction. Que le Seigneur qui te surveille t'accorde une longue vie sans contentement. Puisses-tu boire et boire encore sans jamais étancher ta soif. » Nous partîmes à toutes jambes, glissant sur les pavés, attirant les regards de travers des pèlerins qui malgré l'heure tardive allaient prier au pied du Mur des Lamentations.

Par la suite, nous racontâmes cette histoire à tout le monde, et comme personne ne la trouvait drôle, nous continuâmes à nous la raconter entre nous. Et nous nous mîmes à inventer des malédictions. Des malédictions pour nos profs. Des malédictions pour nos ex et nos camarades de résidence. Des malédictions pour toute personne qui ne nous comprenait pas ou qui ne nous aimait pas à hauteur de ce que nous pensions mériter.

Dans le restaurant où nous nous étions réunis, Seth s'éclaircit la voix. « OK, preums. Puisse-t-elle constater lors de son prochain passage aux toilettes que ses poils pubiens sont devenus poussière. Que cette poussière fasse éternuer si fort le prochain homme à visiter son cellier qu'une bulle d'air emplira son abdomen et déclenchera chez lui une embolie.

— Ce n'est pas comme ça que ça arrive, les embolies, commenta Toby.

— Je ne t'ai pas demandé de confirmation technique, répliqua Seth, avant de me regarder. À toi.

— Mon Dieu, fis-je. D'accord. Qu'elle découvre, après une longue journée où elle rentrera chez elle en métro, que la pustule qu'elle prenait pour un simple petit bouton s'est considérablement infectée en heurtant le tourniquet de sortie.

— Attends, où est localisé le bouton ? demanda Toby.

— Sur sa hanche, par exemple, répondis-je.

— On peut avoir des boutons à la hanche ?

— On peut en avoir partout où on a de la peau !

— C'est tellement ignoble, commenta Seth.

— Trop ignoble, renchérit Toby. Et trop alambiqué. Elle s'en rendra compte chez elle ou au moment de l'impact ? » Mais il riait.

J'allai prendre mon train du retour toute seule. Les deux derniers acteurs dont j'avais fait le portrait avant de quitter le magazine venaient de dépasser le cap des cinquante ans. Plus jeunes, ils s'étaient mariés avec des actrices, avaient eu des enfants avec elles avant de divorcer. Les carrières des actrices étaient ruinées. Leur corps avait changé, elles étaient lestées par leur nouvelle responsabilité parentale, contraintes de faire des choix difficiles quant à leurs contrats, étant donné qu'au cinéma, comme dans d'autres professions, les femmes ont une date de péremption. De leur côté, les deux acteurs ont continué de mener la vie de débauche qui avait entraîné leur divorce, et dix ans plus tard ont convolé respectivement avec leur partenaire à l'écran et leur maquilleuse, toutes deux beaucoup plus jeunes, avec qui ils ont eu deux autres enfants. Ils repartaient de zéro avec une toute nouvelle famille, à présent bien conscients du fait qu'on finissait toujours par regretter le temps qu'on n'accordait pas à ses gamins. Une nouvelle chance. Une nouvelle chance dans la vie. Une nouvelle jeunesse. Une méthode en or pour annihiler tout remords. Seth quant à lui continuerait de baiser n'importe qui n'importe comment par tous les orifices, jusqu'au jour où il s'en lasserait (à supposer que ce jour vienne) : il se trouverait alors une fille plus jeune et lui volerait sa vie en lui faisant des enfants.

Je ne suis jamais tombée dans les extrêmes. Je n'ai jamais fait de vraie nuit blanche, et je n'ai été extrêmement saoule que cinq ou six fois dans toute ma vie. Je n'ai jamais couché à droite à gauche. Mes désirs ont toujours été très conservateurs. J'aimais les dernières séances au cinéma – n'importe quel film, même les plus mauvais, même ceux que j'avais déjà vus. J'aimais trop manger. J'aimais fumer des joints et des cigarettes, seule dans mon appartement. C'est sans doute là la pire insulte de la vie d'adulte, le fait que même vos petits plaisirs idiots et innocents se fassent évincer pour de bon de votre existence par la routine du quotidien et la maturité. Arrivée à Penn Station, je passai sans m'arrêter : je continuai de marcher jusqu'au cinéma Angelika, et j'envoyai un message à la baby-sitter pour lui dire que je rentrerais très tard.

Ce soir-là, Toby emmena ses enfants à la synagogue comme il le faisait tous les vendredis soir avant la séparation. Le problème avec Rachel quand elle les gardait le vendredi soir, c'était qu'elle ne les emmenait jamais à la synagogue, de sorte que peu à peu, dans leurs petites têtes, avait germé l'idée que la pratique hebdomadaire de leur religion, le dîner et même la soirée en famille étaient peut-être facultatifs, de simples lubies de leur père, sujettes à débat. Les enfants n'avaient jamais aimé aller à la syna (personne n'aime aller à la syna), mais cette obligation leur déplaisait encore plus après une journée au centre de loisirs, lorsqu'ils devaient se changer pour accompagner leur père, piétiner son *talis* ou se cacher dans ses pans tandis qu'il écoutait et priait, plus par automatisme que par véritable foi, mais enfin. Ce soir-là, précisément, Hannah passa le temps assise, à lire un livre qu'elle ne posa pas sur ses genoux mais maintint belliqueusement devant son visage. Solly se contenta de courir tous azimuts dans les allées avec les autres enfants de neuf ans qu'il put trouver.

La première fois que Toby emmena Rachel chez ses parents pour les présentations d'usage, leur avion atterrit à Los Angeles en fin d'après-midi, et ils arrivèrent à Sherman Oaks juste à l'heure du dîner du vendredi soir. Toby avait grandi dans une famille juive franchement traditionnelle, et les vendredis soir, quoi qu'il arrive, tout le monde était à la maison. Tout le monde se retrouvait. Tout le monde prit place à la table. Sa sœur, exténuée, s'assit avec ses deux enfants, la tête couverte d'une écharpe. Son beau-frère anémique resta debout, attendant que le silence se fasse pour consacrer le vin et la hallah, à laquelle Toby ne touchait plus depuis son adolescence. (« Prends un peu de hallah, disait sa mère. Tout le monde en mange. » Mais Toby s'y refusait, afin de la châtier encore et encore pour toutes ces fois où elle lui avait dit de ne pas en manger, du temps où il était encore un gamin grassouillet.) La tante et l'oncle de Toby étaient venus, accompagnés du chantre de la synagogue et de son épouse. Rachel assista au dîner bouche bée : la grâce avec laquelle ils se passaient le poulet, les blagues moqueuses qu'ils s'envoyaient les uns les autres, le passage en revue de la semaine écoulée. Leur façon de se retrouver, de s'asseoir, le naturel et l'harmonie qui rythmaient leurs gestes. Cela faisait si longtemps qu'ils se réunissaient pour shabbat qu'ils savaient d'instinct quoi faire : Rachel dirait par la suite qu'il y avait presque de l'arrogance dans leur assurance et leur aisance.

« Ils savent exactement s'asseoir et *être* eux-mêmes, commenta-t-elle. Comme si leur seule présence suffisait à shabbat.

— Mais en quoi ça te gêne ? » demanda Toby.

Elle était incapable de l'expliquer. Il ne comprit que plus tard que lorsque quelque chose l'agaçait de la sorte, c'était le signe qu'elle convoitait cette chose. Rachel avait grandi à peine consciente de sa religion : ses parents avaient divorcé, son père était parti avant qu'elle soit en mesure de garder un souvenir cohérent de lui, et elle avait trois ans lorsque sa mère était morte. Elle avait alors été élevée par la mère de sa mère, qui la traitait comme une invitée, et la poussait surtout à devenir autonome. La grand-mère de Rachel n'avait ni rite ni tradition à lui offrir, rien d'autre que de la pitié, et l'agacement de se retrouver avec l'orpheline de sa propre fille sur les bras, le tout dans une ambiance qui rappelait méchamment un roman de Dickens.

« Et ça se passait comme ça *tous* les vendredis ? demanda Rachel à Toby.

— Sans faute, répondit-il.

— Et quand vous n'étiez pas là ?

— Où aurions-nous pu être ?

— Et si ton père était pris par le boulot ? S'il avait une urgence avec un de ses patients ?

— Il laissait à quelqu'un d'autre le soin de s'en occuper. » Rachel n'en revenait pas. « Je veux faire pareil.

— Moi aussi », répondit-il. Cela faisait alors huit mois qu'ils sortaient ensemble. Ce n'est que quatre mois plus tard qu'il lui fit sa demande en mariage, mais Toby considéra toujours que ce soir-là, c'était elle qui lui avait demandé sa main.

Au tout début de leur mariage, lorsqu'elle rentrait du travail les vendredis soir, parfois tôt parfois tard, Rachel mettait un point d'honneur à faire ce que Toby avait toujours fait chez ses parents : allumer les bougies, bénir le vin et la hallah. Mais à la naissance des enfants, elle était déjà lancée sur ce qu'elle appelait sa « trajectoire », et les vendredis soir se transformèrent en conflit larvé. Elle était soudain disponible lorsque les Rothberg, les Leffer ou les Hertz les invitaient à dîner ce soir-là. Dans tous les autres cas, elle appelait pour dire qu'elle « devait » rester au boulot parce qu'elle « devait » régler certaines choses, alors qu'elle savait (forcément, elle ne pouvait pas ne pas s'en rendre compte) que le choix de ce verbe était évidemment malhonnête, que c'était en réalité ses réticences à passer du temps avec ses enfants et à assumer un rôle de mère relativement traditionnel qui la poussaient à *vouloir* travailler autant. Rachel savait travailler. Elle aimait travailler. Le travail était un concept qui avait un sens à ses yeux. Un concept qui se pliait à sa volonté et à sa logique. La maternité, c'était trop difficile. Les gamins ne lui témoignaient pas le même respect que ses employés. Ils ne toléraient pas ses colères avec le désespoir et la passivité de, mettons, Simone, son assistante. C'était la grande différence entre eux deux, Rachel. Lui ne considérait pas leurs enfants comme des fardeaux, Rachel. Lui ne voyait pas en eux des sangsues assoiffées d'attentions et de soins, Rachel. Lui les *appréciait*, Rachel.

En juin, le premier vendredi soir où Rachel se retrouva seule avec eux, il l'avait appelée au boulot pour suggérer de dîner tous ensemble, afin de montrer aux enfants qu'ils demeuraient une famille, malgré tout. Elle lui avait répondu qu'elle allait les laisser en compagnie de Mona, leur nounou, parce qu'une de ses plus grosses clientes, la dramaturge Alejandra Lopez, avait un problème sur une négo et que Rachel avait dû caler un dîner d'urgence pour la rassurer. « Par pitié, avait-elle dit. Avant que tu me reproches une énième fois de travailler, je suis en train de tout faire pour que ça marche. Je n'ai jamais eu autant de frais. Tu sais combien ça me coûte, la médiation ? » Sous-texte : espèce d'abruti. Tu ne sais pas lire ou quoi ? Nous ne sommes plus une famille. À ton avis, à quoi ça sert, toute cette paperasse, si ce n'est à démanteler notre famille en bonne et due forme ?

Il se mit à pleuvoir quand ils sortirent de la synagogue, ce soir-là. Toby n'avait pas de parapluie, et ce n'était pas si grave parce qu'il ne tombait pas à verse, pas de quoi attraper la mort en vérité, mais c'était compter sans ce connard équipé d'un parapluie de golf (parce que imaginez un peu le drame si la plus petite goutte maculait son costume Tom Ford de tocard), qui avait été à deux doigts de le pousser au milieu de la chaussée.

« Je pourrai passer tout l'été en colo, l'année prochaine ? demanda Hannah.

— Bien sûr. »

Solly demeura silencieux. Il n'aimait pas parler des colonies de vacances. Rachel avait passé le plus clair du printemps à tenter de le convaincre de partir en colo durant un mois, « comme tous tes amis, Solly », mais il n'avait cessé de répéter qu'il aimait bien être avec sa famille – « Vous aussi, vous êtes mes amis » –, phrase qui avait failli faire éclater Toby en sanglots.

« L'année prochaine, dit Solly, j'aimerais retourner au 92nd Street Y, mais j'aimerais bien partir en camp golf, aussi.

— On va organiser ça », répondit Toby, se demandant pourtant si son fils aspirait à devenir un sale con de golfeur. Sa mère lui avait toujours dit de regarder ses voisins et de se demander si c'était à ça qu'il voulait que ses enfants ressemblent, parce que immanquablement, c'était ce qui finissait par arriver. Les voisins, disait-elle, étaient des modèles bien plus puissants que les parents. Les voisins, c'était le reflet de l'avenir qu'on donnerait à ses gamins. Mais Toby n'avait pas pris au sérieux cette mise en garde : comment ses enfants pourraient-ils ressembler à ses voisins, alors que ceux-ci, en plus d'être tous des Blancs américains protestants aux gènes immaculés et au pedigree irréprochable, étaient de parfaits inconnus, et que les voix de ses enfants étaient des échos de la sienne ?

De retour chez eux, ils dînèrent. Toby avait acheté de la soupe et du poulet au deli, même s'il détestait faire ça : il savait que leur mère les nourrissait presque exclusivement de plats à emporter. Durant le repas, Toby écouta le rapport de Solly sur la journée écoulée, qui soulignait le fait que beaucoup de gamins partiraient en colo dans une semaine. Il les autorisa à sortir de table pour se réfugier dans leurs chambres respectives et y faire ce qu'ils voulaient jusqu'à l'arrivée de Mona. Il débarrassa la table, prit une douche et commença à se préparer physiquement et mentalement pour cette femme dont l'entrejambe lui était à présent tout à fait familier. Il s'assit sur son lit, une serviette autour des reins, consultant son téléphone afin de savoir à quoi ressemblait au juste son visage, grâce à sa photo de profil Hr, et lui attribuer même brièvement le statut de personne.

Au début, il disait à ses enfants qu'il avait des « rendez-vous professionnels » lorsque ses rencards coïncidaient avec les nuits où il les gardait. Mais Hannah n'avait pas mis longtemps à lui demander quel genre de rendez-vous professionnels avait lieu les samedis soir, et pourquoi il lui fallait se changer pour s'y rendre.

« Tu vas te remarier ?

— Je ne pense pas, avait-il répondu. Une fois me semble suffisant. »

Il avait alors pris l'habitude de leur dire toujours la même chose : « Je vais parfois chez des amies qui m'invitent, tout comme vous. Si un jour j'en rencontre une qui mérite que vous fassiez sa connaissance, je vous le dirai. Cette personne sera quelqu'un qui vous plaira. Je suis seul, maintenant, je me fais de nouvelles amies, et toutes ne deviendront pas des petites amies.

« Votre mère aussi aura un jour des rendez-vous, poursuivait-il.

— Avec des docteurs ? demandait Solly.

— Non, avec des gens qui ne me ressembleront pas. Avec un homme du nom de Brad qui aura une Porsche, portera des chaussures bateau et tiendra absolument à assister à vos matches de foot. » Les gamins riaient. « Alors résumons : avec qui je sortirai ? »

Et ils répondaient à l'unisson, ainsi qu'il les y avait entraînés les nombreuses fois où cette question était abordée : « Avec quelqu'un qui nous plaira !

— Et avec qui maman sortira ? »

De nouveau, en chœur : « Avec un homme du nom de Brad qui aura une Porsche, portera des chaussures bateau et tiendra absolument à assister à nos matches de foot. » Solly n'arrivait jamais à prononcer la fin de la phrase tant il riait. Ce petit sketch parvenait même à arracher un sourire à Hannah.

« Et lui aussi, vous l'aimerez bien », ajoutait Toby, même s'il était convaincu du contraire. En toute franchise, il n'était pas même sûr que Rachel noue un jour une nouvelle relation, tant le carcan de la vie conjugale l'avait écœurée, ces compromis avec une autre personne qui tentait d'avoir voix au chapitre, voire simplement d'exprimer son opinion.

* * *

La tenue de rendez-vous de Toby consistait ordinairement en un pantalon de serge, droit et gris, et une chemise sur mesure bleu clair, déboutonnée au col. Il portait encore les habits quasi imposés par Rachel, taillés dans des tissus autrement plus raffinés que ce qu'on trouvait au Banana Republic de la Troisième Avenue où il faisait jadis ses emplettes. Elle aimait qu'il ait l'air de quelqu'un de riche. (« Tu *es* quelqu'un de riche », lui disais-je. « Ouais, mais plus pour longtemps », répondait-il. J'entendais par là qu'il était plus riche que la majorité de la population de cette planète : lui sous-entendait qu'il gagnait 285 000 dollars par an, ce qui le plaçait tout en bas du classement des revenus de son quartier.) Or il avait remarqué que ses chemises commençaient à s'élimer. Il était temps d'en acheter de nouvelles, mais il ne cessait de reporter sa décision. Comment retourner à Banana Republic, après toutes ces années à se faire prendre ses mesures par un tailleur italien de la 65ᵉ Rue qui réalisait des chemises rien que pour vous ? Il pouvait se le permettre, en vérité : peut-être continuerait-il à aller chez le tailleur, mais ce serait à présent un choix. Il voudrait peut-être partir avec les enfants pour les vacances d'hiver, ou envisagerait un jour d'acheter un appartement. Il faudrait faire des choix entre toutes ces choses. « J'ai laissé beaucoup d'argent sur la table », aimait-il dire aux personnes qui connaissaient la situation, afin de leur signifier que la paix familiale était à ses yeux plus importante que l'argent.

Il était fin prêt à retrouver Tess au Dorrian's, un bar de la Deuxième Avenue où il n'était jamais allé, et qui dans son esprit restait le repaire pour gosses de riches qu'il avait été dans les années 1980, jusqu'à ce que l'un de ces gosses de riches en tue un autre. C'était Tess qui avait choisi le Dorrian's. Ce rendez-vous avait comme un parfum de polar, cette femme au comptoir en robe portefeuille méga décolletée, teinture blonde et chignon banane, déjà servie – un Martini avec *six* olives – en train de jouer du bout des lèvres avec sa paille, surprenant tout de même pour un Martini, mais il s'efforça de ne pas juger.

Il attendit de voir si elle le trouvait acceptable, et ce tout premier instant parut durer des mois. Il n'y avait rien chez Toby qui eût poussé une femme à le fuir de prime abord : sa seule anormalité flagrante était sa taille (« et ta colère », aurait dit Rachel). Il regarda Tess droit dans les yeux afin de voir quelle serait sa réaction en constatant à quel point c'était petit, un mètre soixante-cinq. Y surprendrait-il un éclat de surprise ? D'inquiétude ? De répulsion ? Rien de tout cela, et cela le soulagea. Il commençait à exceller dans l'art de deviner chez qui cela constituait un tue-l'amour, cette façon dont les yeux devenaient ternes lorsqu'ils reflétaient la déception, la politesse qui cherchait à dissiper la déception : la même muraille que j'avais dressée entre lui et moi la nuit de notre rencontre, lorsque j'avais pris conscience que sa petitesse m'était insupportable. Il détestait faire perdre son temps à qui que ce soit, mais plus encore, il n'aimait pas gaspiller son propre temps, et son argent en baby-sittings.

Il commanda un scotch et elle lui raconta son histoire. Elle avait trois enfants, ils étaient à la Dwight School, son mari était un banquier qui, trois ans auparavant, était parti en week-end survie coaché. C'était Tess qui lui avait offert ce week-end à 10 000 dollars pour son anniversaire. La coach de vie/guérisseuse était des plus renommées, elle avait récemment décroché le statut de shaman : peut-être saurait-elle l'aider à comprendre pourquoi il était constamment aussi déprimé. Il racontait que dans son jet privé, il avait envie de sauter dans le vide. Il racontait qu'il avait envie de faire des choses de ses propres mains, du pain, ou des nichoirs pour oiseaux. « Bien, bien, répondait Tess. Vas-y, et reviens-moi heureux et épanoui, comme avant. » Il partit donc en week-end survie, et à son retour, son regard avait recouvré sa chaleur. Il était souriant, ouvert. Elle lui demanda ce qu'il avait appris sur lui-même pendant ces quelques jours, et il lui expliqua que depuis un certain temps, il avait l'impression que leur vie l'étouffait, et qu'il souhaitait pratiquer le triolisme afin de se sentir moins acculé. Elle accueillit impassiblement cette suggestion, parfois il faut bien se soumettre à ce que notre mariage exige, même si on ne s'y est pas préparé. C'était bien le pire dans toute cette histoire, disait-elle. Le fait qu'elle était à deux doigts d'y consentir. Mais son mari avait alors ajouté : « Mais pas avec toi.

— Comment ça ? avait-elle demandé.

— Ce que je veux dire, c'est que j'ai compris que j'aspirais à la liberté sexuelle inhérente au fait d'avoir des partenaires multiples, avait-il répondu. Je veux explorer ma créativité avec d'autres femmes. Je crois que ce que je suis en train de vivre vient en grande partie du refoulement sexuel de ma jeunesse. » Première nouvelle, avait-elle songé. De son point de vue, il était tout le contraire du refoulé sexuel. Il avait besoin de ses cinq fois hebdomadaires grand minimum, il fallait parfois que ça tombe un peu dans le bizarre, et elle s'y était toujours conformée. Peut-être le problème était-il là ? Peut-être aurait-elle dû se laisser plus désirer ?

« Et la coach t'a dit que c'était une bonne idée ? »

10 000 dollars.

« Elle m'a aidé à en prendre conscience, oui.

— Prendre conscience que le triolisme t'aiderait à te sentir mieux.

— Oui. C'était une zone de non-jugement. »

Au début, elle pensait que c'était juste une toquade, mais il remettait ces conneries sur le tapis tous les soirs, et elle fut bien obligée d'accepter le fait que son mari lui demandait non seulement de le laisser coucher avec une autre femme, mais avec *deux* autres femmes, n'importe lesquelles du moment qu'elle-même n'était pas du nombre, et si elle pouvait s'occuper de son côté pendant ce temps-là ce serait génial. La toute dernière once de dignité qui lui restait la poussa à demander le divorce, mais son contrat de mariage était une vraie prison : elle ne pouvait obtenir quelque chose que s'il suggérait de divorcer, et non seulement il n'y consentait pas, mais il s'y opposait ! Incroyable, non ? Il disait qu'il ne voulait pas la tromper. Il voulait *élargir* leur mariage, c'était le mot qu'il utilisait. « Ouais, afin d'y inclure tout le monde sauf moi », rétorquait-elle. Elle en était tout simplement incapable. Le peu d'amour-propre qui subsistait en elle le lui interdisait. Il lui répliqua que ça voulait sûrement dire qu'elle ne l'aimait plus tant que ça. Elle regarda Toby droit dans les yeux. « Tu n'imagines pas ce que ça fait de se faire posséder par quelqu'un. » Toby avala une longue gorgée de scotch.

Il l'observait pendant qu'elle parlait. Elle dissimulait avec un épais anticernes une ombre sous ses yeux qui ne devait pas lui plaire, mais elle était bronzée, et elle avait peut-être acheté cet anticerne l'hiver dernier : cela donnait l'impression qu'elle avait fait des séances d'UV avec de grosses lunettes de soleil. Elle avait de longs ongles vernis noirs et taillés en pointes, comme des griffes. Ses mains arboraient de larges taches. Il était quasiment certain qu'elle n'avait pas quarante et un ans.

Elle remuait en rond sa paille minuscule dans son Martini, tête baissée, relevant les yeux sans la redresser. Elle était dans la séduction, et pour la millionième fois, mais la première avec cette femme, Toby se dit qu'il était étrange qu'ils se parlent d'eux-mêmes alors qu'il avait déjà vu son entrejambe. Non qu'il fût partisan de se précipiter d'emblée sous les draps. Seulement, il se disait que puisqu'il l'avait déjà vue en sous-vêtements transparents, il serait plus logique de débuter à mi-chemin. À moins que cela – les histoires, les confessions, les tu arrives à croire qu'il m'ait fait ça ? – constituât bel et bien le mi-chemin.

Tess et son mari avaient essayé la thérapie de couple. « J'étais convaincue que lorsqu'il s'entendrait tenir ces propos en présence d'une tierce personne, il se rendrait compte de leur absurdité. Faire éclater une crise pareille après dix-huit ans de mariage pour quoi, dans le fond ? Parce qu'il voulait faire du triolisme ? Avec d'*autres* femmes, sans moi ? J'ai demandé au thérapeute : « Vous trouvez ça *normal* ? Vous trouvez normal qu'un homme dise clairement qu'il a envie de tromper sa femme, et pas avec une autre, mais avec deux autres ? Et qu'il veuille en plus que sa femme trouve ça génial ? Seulement qui payait pour les séances ? Lui. Et le thérapeute en avait bien conscience. »

Elle garda la paille lorsque le barman fit disparaître son verre vide, et elle en commanda un autre. Elle plongea la paille dans le nouveau Martini, en sortit le cure-dent et tenta de faire glisser les olives hors du verre. Les olives refusant de céder, elle dut y planter ses ongles affûtés comme des couteaux pour les en retirer.

Toby hocha la tête, compatissant. « Parfois les gens changent. »

Tess releva la tête. « Non, en fait, il n'a pas vraiment changé. Il a toujours été porté sur le triolisme. C'est comme ça qu'on s'est connus.

— Tu as fait sa connaissance en ayant un plan à trois avec lui ?

— Oui. En master. Fin de soirée. Avec ma camarade de chambre. Le lendemain matin, on est allés prendre le petit déjeuner ensemble. De la façon la plus civilisée qui soit. À l'époque, il avait une petite amie, et elle nous a rejoints au resto. Ma copine et moi, on était estomaquées. Mais plus tard il m'a appelée pour me dire qu'il avait rompu avec sa nana et qu'il voulait me revoir. » Tess haussa les épaules et se saisit à nouveau de sa paille. « Qui aurait pu imaginer comment ça finirait ? »

Était-ce toujours ainsi que se passaient les rendez-vous galants ? Y avait-il toujours autant d'histoires ? Il ne se souvenait pas de ce genre de récits, mais sans doute était-ce parce que, quand il était jeune, personne n'avait encore d'histoires à raconter : les choses intéressantes étaient en train d'arriver, elles n'appartenaient pas au passé. Les histoires que lui rapportaient les divorcées se ressemblaient toutes, pas dans les détails, mais dans les thématiques. Ce truc que je prenais pour une simple manie était en vérité une part importante de l'identité de mon époux, et pourtant je n'en reviens pas. Ce truc qu'il avait toujours fait, il continuait de le faire, et pourtant je n'en reviens pas. Voilà l'étendue de ma naïveté, et voilà l'étendue de sa cruauté.

Toby se demanda si son angle de vision s'apparentait à cela. Il se demanda s'il existait une version de cette histoire dans laquelle c'était lui le méchant. Peut-être Rachel était-elle en ce moment même dans un ashram, en train de raconter à qui voulait l'entendre à quel point elle avait été une pauvre victime. Une pauvre victime. Victime d'un mari qui avait mis sa carrière de côté pour élever leurs enfants de façon un tant soit peu cohérente, ces enfants

92

qu'ils avaient voulu avoir tous les deux ! Un mari qui l'avait soutenue et encouragée à chaque étape de son ascension vers la réussite. Qu'aurait-elle pu dire contre lui ? Qu'il n'avait pas d'ambition ? Il avait l'ambition qu'elle avait bien daigné lui laisser. Dans un couple marié, il n'y a pas la place pour deux individus qui cherchent à accaparer tout l'oxygène. L'un des deux époux doit décrocher quand l'école appelle. L'un des deux doit savoir où est le carnet de vaccination. L'un des deux doit faire cette putain de vaisselle. Mais certainement que la seule version de ce genre d'histoires est rapportée par celui ou celle qui a fait la plupart des sacrifices, et croit que ces sacrifices lui donnent l'ascendant sur sa moitié, ce qui est absolument faux. Ce genre d'abnégation ne fait que conforter l'autre dans sa conviction que ces sacrifices sont un dû. À tous les coups, le mari de Tess devait être quelque part en ce moment même, une femme assise sur son visage et une autre occupée à le sucer, et il ne parlait probablement pas de toutes les fois où Tess l'avait déçue.

« Enfin bref, dit-elle. Et toi, qu'est-ce qui t'es arrivé ? »

Plus tard, dans l'appartement de Tess, alors qu'elle chevauchait son pénis, rebondissant encore et encore, les mains dans ses propres cheveux comme dans une pub pour shampooing, faisant rouler sa tête dans ce qui était nécessairement une jouissance un peu surjouée – c'était pas mal, mais quand même pas à ce point –, Toby eut le même sentiment qu'il éprouvait huit fois sur dix quand il couchait avec une femme grâce à une appli de rencontre : celui que sa partenaire se fichait pas mal de lui. Il n'était qu'un corps. S'imaginer que la relation sexuelle avait quoi que ce soit à voir avec lui, c'était passer complètement à côté de ce dont il retournait. Mais le plus important, c'était que le défilé de femmes souhaitant avoir des relations sexuelles avec lui était constant et bien fourni. Et il

en profitait à fond. Avait-il seulement besoin de le dire ?
Il en profitait à fond.

* * *

Voici une liste quasi exhaustive des femmes que Toby
connut, bibliquement ou non, depuis son départ du foyer
conjugal pour cet appartement de la 94e Rue où, assis sur le
pouf qu'il avait acheté pour Solly, il comprit la toute nouvelle fonction de son téléphone dans sa toute nouvelle vie.

La première fut une femme divorcée de Long Island,
mère de trois enfants, rendez-vous arrangé par sa cousine
Cherry qui habitait le Queens. Laurette était jolie et gentille, elle hochait la tête en rythme et fronçait les sourcils
tandis qu'il lui expliquait qui il était, ce qu'il faisait et
à quoi ressemblait son existence. Après dîner, il traversa
le parc pour la raccompagner jusqu'à sa voiture, et reçut
tous les signes possibles et imaginables lui indiquant qu'un
baiser serait plus que bienvenu : elle se tenait près de lui,
en attente, sans manipuler ses clefs ni rien. Aussi passa-
t-il le pas, et pour la première fois depuis 1998, un autre
siècle, un autre millénaire même, il posa ses lèvres sur celles
d'une femme qui n'était pas la sienne, et elle répondit à
son baiser.

Embrasser une autre bouche, c'était quelque chose.
Rachel et lui ne s'embrassaient plus ainsi depuis très longtemps. Même aux meilleurs moments, Rachel allait droit au
but quand il était question de sexe : pas le temps pour les
fioritures. À peine pour les préliminaires. Ce baiser, c'était
tout à fait différent, et pas seulement parce que ce n'était
pas du sexe. C'était comme de retirer ses patins à glace
après des heures de patinage, et de marcher à nouveau sur
un sol sûr et régulier : on sait comment s'y prendre, mais
c'est différent. C'était vraiment quelque chose. Laurette et
lui se roulèrent des pelles pendant cinq minutes gluantes,

Toby lui dévorant le bas du visage, sans considération pour les limites de sa bouche. Après quoi il était rentré en métro. Punaise de punaise, songea-t-il. Comme quoi on pouvait se retirer de la vie pendant quinze ans, se laisser rabaisser jusqu'au statut de semi-être humain, et une chose pareille pouvait toujours vous attendre au bout du tunnel, en récompense de tout ce que vous aviez enduré.

Laurette et lui se revirent une autre fois, puis encore une autre. Au troisième rendez-vous, lorsque le dessert fut servi, elle se pencha au-dessus de la table du restaurant-grill où ils dînaient et lui dit : « Tu sais, je cherche à me remarier, et toi tu viens juste d'en sortir. On est à des étapes très différentes. » Il ne fut pas ravagé de douleur, simplement étonné. Étonné par cette idée, toute nouvelle pour lui, qu'une relation qui se nouait ne devait pas nécessairement aboutir à quelque chose : l'idée qu'il n'était pas même nécessaire de nouer de relation. Et ce fut pour lui une révélation de comprendre qu'il n'était pas dans l'obligation morale d'épouser une femme qu'il embrassait. Il éprouva alors une telle liberté qu'il eut le sentiment d'être à deux doigts de la combustion spontanée. Toutes ces opportunités qui s'offraient à lui ! Il n'y avait pas assez d'heures dans une journée !

La première femme qu'il rencontra grâce à une appli fut Lisa, trente-six ans, enseignante dans une école publique de Harlem, qui se faisait un point d'honneur à répéter à quel point elle était fière de son travail – « Oui, bien sûr, c'est très important », ne cessait-il d'acquiescer – et à justifier le fait qu'elle n'avait jamais été mariée, alors qu'il ne lui avait pas même posé la question. Ils avaient dîné dans un restaurant italien de Greenwich Village, parce qu'au début il lui aurait paru bizarre et irrespectueux d'être vu avec une autre femme dans son quartier, où il croisait régulièrement et sans le vouloir d'anciens amis, à Rachel et à lui, ainsi que des parents de camarades de classe des enfants, et grands

95

dieux, Rachel et les enfants aussi. Lisa demanda à Toby de lui raconter sa vie, et il lui dit la vérité, les difficultés qu'il rencontrait dans cette nouvelle existence, tout ce qu'il fallait régler en plus des gamins, et elle se mit en colère et lui dit : « C'est bon, j'ai compris. Tu étais marié. » Toby ne commanda pas de dessert, rentra chez lui et se masturba.

Keisha était une ergothérapeute de vingt-sept ans qui traversa d'une traite le bar de Murray Hill où ils avaient convenu de se retrouver, commanda deux Kamikaze bien qu'il lui dît, « Pas la peine, je suis pas un grand fan de… », les vida donc toute seule avant de pousser un « Wouhou ! », et plus tard, après quatre autres verres, enroula un bras autour du cou de Toby, une jambe autour de sa taille, et lui dit de la ramener chez lui. Il s'y refusa. « Mais quoi, ça te plaît pas, *ça* ? » En baissant les yeux, elle lui fit clairement comprendre que le *ça* en question était le contact de leurs deux corps, et il avait tellement envie d'elle, mais comment aurait-il pu ? Comment aurait-il pu profiter d'une jeune femme manifestement imbibée d'alcool ? Il rentra chez lui et se masturba, sans parvenir à jouir.

Stacy était une dentiste de trente-huit ans qui tenait à lui faire à dîner chez elle. Il accepta mais dut annuler parce que Rachel avait soudain besoin qu'il prenne les gamins. Il envoya un joli message d'excuse, alla chercher les enfants, et lorsqu'il consulta de nouveau son téléphone, celui-ci débordait de messages véhéments de Stacy, qui apparemment n'en revenait pas de s'être laissé abuser par un sale connard de plus. *Tu es une sous-merde*, lui écrivit-elle. Puis elle lui envoya une photo de son corps devant le miroir, des pieds au cou, elle portait un tablier de cuisine, des bas résille, des mules hauts talons à frou-frou et rigoureusement rien d'autre, et Toby s'en trouva soulagé, parce que ça faisait peut-être beaucoup de pression pour un premier rendez-vous.

Il y eut Haley, une doctorante, qui posa la main de Toby en haut de sa cuisse à elle, et plus tard, lorsqu'ils commencèrent à s'embrasser, lui dit qu'elle aimait qu'on l'étrangle un petit peu, juste assez pour que tout soit vaguement brumeux. Il s'y était refusé en lui expliquant que de son point de vue, ça ressemblait un peu trop à une violation du serment d'Hippocrate, et, soit par honte d'elle-même, soit par dégoût de lui, elle le renvoya immédiatement chez lui, où il se masturba furieusement en se maudissant.

Il y eut Constance, une *personal shopper* qui lui dit qu'elle rêvait de se faire doigter sous une table en plein restaurant. Il avait décliné la proposition en arguant que ça le stresserait trop, qu'en tant que père de famille mieux valait peut-être ne pas courir le risque d'une condamnation pour attentat à la pudeur, mais plus tard, de retour chez lui, il avait regretté son choix et s'était furieusement masturbé en se maudissant.

Il y eut Shivonne, qui se mit à pleurer dès qu'ils s'assirent à leur table de restaurant. « C'est mon premier rendez-vous », confia-t-elle. Et Toby lui tint la main, lui dit que lui-même n'en avait eu que quelques-uns et qu'il était aussi terrorisé qu'elle. « Et si on s'abstenait d'alcool, ce soir ? » proposa-t-il, et ils commandèrent des thés glacés et des pâtes. De retour chez lui, il se sentait trop gros pour se donner du plaisir, mais il se masturba quand même.

Il y eut Robyn, vingt-huit ans, la dernière femme d'une vingtaine d'années avec qui il sortit avant de rectifier pour de bon la fourchette d'âge dans ses paramètres de recherche. C'était une étudiante infirmière à Columbia qui aimait les hommes plus âgés. Ils allèrent boire un verre à Greenwich Village avant d'assister à un concert de jazz. (« Pourquoi un concert de jazz ? » avait demandé Seth. « Parce que c'est une chose qui se fait », avait répondu Toby. « Personne ne fait ça, avait répliqué Seth. Tous ceux qui prétendent aimer le jazz sont des menteurs. ») Dans le club, Toby s'aperçut qu'il aurait pu être le père d'à peu près tout le monde, et les rares personnes plus âgées que la moyenne avaient un air désespéré. Il dut se répéter mentalement qu'il n'était pas assez vieux pour être le père de l'ensemble de l'assistance. Le géniteur, peut-être, mais pas le père, dans le sens où il aurait fallu que quelque chose de vraiment cinglé et de vraiment catastrophique arrive pour qu'il conçoive un enfant à un âge si tendre. Mais bref. Robyn ne saisissait pas la raison de leur présence en ce lieu. Elle ne comprenait pas la raison de ce rendez-vous en deux parties : à quoi bon organiser une deuxième partie ? Tous deux savaient pertinemment sur quoi cette soirée déboucherait, non ? Elle commença alors à l'embrasser, posant aussitôt la main sur le genou de Toby, puis plus haut, et le fait que son pénis se mette à frétiller en direction de cette main avait beau l'agacer, cela ne l'empêchait pas de frétiller pour autant. Avant qu'elle se rende compte de son degré d'excitation, il s'excusa sous un prétexte bidon, lui disant qu'il ne se sentait pas très bien, rentra chez lui et regarda *Serpico* jusqu'à sombrer dans le sommeil, tâchant d'imaginer un univers parallèle où il aurait eu la force de se branler.

Il y eut Jenny, qui était avocate. Tout en mettant du gel dans ses cheveux avant de sortir, il se fit la promesse solennelle de suivre enfin le conseil de Seth, en laissant pour une fois sa partenaire décider du tour que prendrait leur rendez-vous. « Pars du principe que le meilleur t'attend, et c'est ce que tu obtiendras », lui avait dit Seth. À la fin du dîner, il lui proposa de la raccompagner chez elle. Au bout de deux blocs elle lui prit la main, au bout de trois blocs se mit à lui caresser le poignet, et une fois arrivés dans l'ascenseur elle l'embrassa longuement et langoureusement. Il entra chez elle, elle le tira jusqu'à sa chambre, émit des bruits de moteur de voiture – *vroum, vroum* – pendant les préliminaires et des miaulements pendant qu'ils baisaient. Pour Toby, la vie commençait enfin.

Il y eut Sara, originaire de l'Oregon, qui voulait devenir peintre et branlait avec une poigne de fer. Il y eut Bette, qui avait jadis tourné dans un porno, ou peut-être dans une vidéo à usage personnel qu'un ex-petit copain avait ensuite distribuée, et qui répéta « c'est ce qu'elles disent toutes » quatre fois le temps de deux cape cods. Il y eut Emily, qui en avait ras le cul de sortir avec des femmes. Il y eut Rachel, qu'il fut incapable d'appeler par son prénom. Il y eut Larissa, qui avait grandi au sein d'une secte installée dans une barre d'immeubles du Queens et qui lui déclara qu'elle était totalement ouverte à la sodomie, et Toby dut chercher une façon de lui dire qu'il n'était pas habitué à trouver ce plat au menu sexuel de ses soirées, qu'il n'éprouvait pas spontanément le désir de mettre son machin à cet endroit précis, et est-ce qu'il pouvait juste réfléchir un peu à la proposition ? (En fin de compte, il fit semblant de recevoir un appel de la baby-sitter et rentra chez lui de bonne heure.) Il y eut Sharon, qui avait reçu une éducation juive ultraorthodoxe. Il y eut Barbara, qui au bout des dix premières minutes d'une histoire qu'elle lui racontait, s'avéra faire partie de sa famille éloignée, par le grand-oncle de son père. Il y eut Samantha, qui était grande et plus qu'un peu enrobée mais l'assumait plus que pleinement, avec ses fesses rondes et pleines, son jean moulant et son rouge à lèvres. Au repos, son visage était une incitation au stupre, avec ses paupières mi-closes et sa bouche légèrement entrouverte. Il la ramena jusqu'à la porte de son appartement après qu'ils eurent mangé des ailes de poulet frites dans un bar ambiance années 1940 (son choix à elle). Elle l'avait tiré à l'intérieur, et dans l'obscurité elle le prit – oui, ce fut elle qui le prit – sans qu'il ait à décider quoi que ce soit. Il n'avait qu'à ne pas dire non, et il sut parfaitement s'y tenir.

Il y eut des femmes qui n'avaient pas un seul poil pubien mais ne se rasaient pas les aisselles. Il y eut des femmes qui lui disaient des choses incroyablement dégueulasses, les yeux dans les yeux. Il y eut des femmes qui pleuraient après l'amour. Il y eut des femmes qui voulaient se faire pincer, ou frapper, ou fesser, ou gifler, *ce qui le mettait extrêmement mal à l'aise.* Il y eut des femmes qui voulaient qu'il soit dessus, dessous, à quatre pattes. Qui voulaient qu'il aille plus vite et plus lentement, la bouche soudée à leur entrecuisse. Qui voulaient savoir si *lui* avait envie de se faire fesser. (« Non, merci », répondait-il.) Qui voulaient savoir s'il allait jouir à fond. (« Je jouis ! Je jouis ! » criait-il.) Qui voulaient qu'il jouisse pour maman. Qui voulaient l'appeler papa. Et chacune de ces nuits, il tombait un peu plus amoureux.

* * *

Il raconta tout cela à Seth, lors de leurs retrouvailles après ces années d'éloignement. Il l'avait appelé, ainsi qu'il l'avait fait avec moi, pour lui annoncer qu'il divorçait. Seth lui avait répondu qu'il était avec sa copine mais qu'elle avait un dîner de prévu avec des amies, et qu'il était tout disposé à aller boire un verre avec lui après dix-sept heures trente. Dans un bar sportif tout près de chez lui, Toby lui confia la triste histoire de son mariage, et Seth n'eut aucune question à lui poser. Seth ne le sermonna pas. Il n'eut pas à battre sa coulpe. Seth était tout simplement surexcité de revoir son ami.

« Mec, le monde est à présent ton champ, se réjouit Seth. Alors va dans ce champ, et *laboure-le.* » C'est quand même fou de se dire que les vieux amis qu'on aime le plus ressemblent parfois en tout point à des personnes qu'adulte, on éviterait en changeant carrément de trottoir. Une idée traversa alors l'esprit de Seth. « Rentre vite chez toi et enfile un short.

— Pourquoi ?

— Yoga.

— On est samedi soir.

— Samedi fin d'après-midi, pour être précis. Vas-y, Tobe.

— Je viens juste de boire un verre.

— Fais-moi confiance, mec. Je vais dans ce centre de yoga près de chez moi géré par un type initié au bikram, fondateur d'un groupe dissident qui a failli mettre à bas tout le système politique indien. »

Du temps où Seth était encore célibataire, ce centre était à l'en croire la source principale de ses rendez-vous. On avait beau être indulgent et aimer Seth, cela ne nous empêchait pas de considérer ce qu'il appelait ses « rendez-vous » comme une série d'auditions majoritairement couronnées de succès, dans sa quête éperdue de partenaires sexuelles. Il expliqua à Toby que le simple fait d'être présent à un cours de yoga, qu'on soit bon ou pas dans cette discipline, était la façon la plus rapide de faire entendre à une femme à quel point on était évolué, à quel point on était solide, à quel point on rejetait le système patriarcal qu'elle abhorrait autant qu'elle craignait.

« Vanessa fait du yoga avec toi ? »

Seth balaya la question d'un revers de main. « Le yoga, ce n'est pas notre truc à tous les deux. C'est mon truc à moi. » En clair : il aimait encore suivre des cours dans ce centre afin de voir s'il y trouverait de meilleures perspectives.

Mais Seth n'était pas qu'un vicelard. Et il n'était pas idiot. Il avait continué à vivre en célibataire longtemps après que tous ses amis se furent mariés, pour une raison bien précise : « Le mariage, c'est un truc pour les jeunes qui n'ont aucune notion du temps qui passe, expliqua-t-il à Toby. C'est destiné à des gens qui n'ont que ça pour égayer leur vie. » Il confia à Toby qu'il était toujours frappé par l'objet des plaintes de ses collègues : leurs épouses qui les sermonnaient, leurs gamins qui ne faisaient rien de bien, leurs vacances qui n'étaient à présent plus que des séjours pitoyables, leur apparence qui déclinait, leur emploi du temps méconnaissable et leur bedaine qui grossissait un peu plus chaque jour. Seth raconta à Toby que les fois où il allait chez eux, pour Thanksgiving ou un dîner quelconque, il jetait un coup d'œil à leurs photos de mariage, accrochées au mur du salon, et se demandait s'il était tragique ou heureux que ces types continuent de croire qu'ils ressemblaient encore à ça, qu'ils ressentaient toujours la même chose, qu'ils étaient toujours les mêmes personnes.

« C'est ça, le but ultime ? avait-il lancé à Toby. Comment est-ce que tous ces mecs peuvent considérer toute l'histoire de l'humanité, et aspirer à ça ? »

Toby ne savait pas comment répondre. Il ne regrettait pas de s'être marié. Il ne regrettait même pas d'avoir épousé Rachel. Ses enfants étaient parfaits. Il avait été heureux, un temps. En tout cas, il avait l'impression de se souvenir d'une période où il avait été heureux. Il y avait probablement eu une époque où il avait éprouvé de la pitié pour tous les Seth de cette planète, qui ne semblaient pas même avoir conscience du bonheur qui était le sien.

Seth s'était fiancé alors qu'il n'avait qu'une petite vingtaine d'années. Il avait demandé en mariage une fille qu'il avait connue au lycée, Nicole, environ quatre mois avant que Toby fasse sa proposition à Rachel, et elle avait dit oui, et puis un jour il avait été invité à dîner chez les parents de Nicole. Il y alla, mais Nicole n'y était pas, et le père de celle-ci lui expliqua qu'il ne l'avait pas invitée, qu'ils devaient s'entretenir sérieusement avec lui, et rien que lui. Ils lui dirent qu'ils leur achèteraient la maison de leur choix, à Nicole et à lui, mais qu'elle devait se trouver à Long Island, et qu'ils devraient fréquenter la même synagogue qu'eux, et que leurs enfants devraient fréquenter une école orthodoxe, ce qui, assurément, ne pouvait que convenir à Seth, n'est-ce pas, puisque lui-même en avait fréquenté une. Ils espéraient également que Seth s'impliquerait activement dans les affaires de leur famille, en l'occurrence dans l'immobilier, et Seth n'aurait plus à se soucier de quoi que ce soit jusqu'à son dernier jour s'il consentait à ces conditions assez simples à accepter. Qui aurait pu renoncer à tout cela ?

Lorsque Seth eut repris ses esprits, c'est-à-dire lorsqu'il comprit qu'il avait été invité à un guet-apens, il laissa le type finir son petit discours, le regarda droit dans les yeux pendant dix longues secondes, puis se leva et partit. Il prit un taxi pour se rendre directement chez Nicole, lui passa devant dès qu'elle lui eut ouvert, et lui demanda de lui rendre son alliance. Toby n'avait pas compris sa réaction. À l'époque, au tout début de leur vingtaine, leur rêve absolu était d'atterrir à Long Island avec un prêt immobilier remboursé, une bonne école privée pour les gamins et un boulot stable. « Soit, avait répondu Seth. Mais il faut que ce soit *mon* rêve à moi. »

Seulement la vie n'éveilla jamais ces aspirations en lui : cela ne devint jamais son rêve à lui. Qui aurait pu expliquer pourquoi Seth avait, ancrée au plus profond de lui, cette peur chronique, pathologique, mortifère de se marier ? Peut-être uniquement parce que ses parents lui avaient toujours paru malheureux. Ou parce qu'il avait en horreur toute forme de religion organisée, mais était trop peu sûr de lui pour épouser quelqu'un qui lui interdirait de revenir sur son degré d'observance lorsque l'âge le rendrait sentimental. Ou parce qu'il ne voulait rendre des comptes à personne quand il rentrait tard et enfilait un casque audio pour faire semblant d'être un pilote interstellaire chargé de tuer des aliens sur une console qu'il rangeait dans un placard lorsque des amis lui rendaient visite, pas par honte, mais parce qu'il était incapable de se concentrer sur quoi que ce soit d'autre quand il se trouvait dans la même pièce que cette boîte. Ou parce qu'il était toujours aussi excitant de voir jusqu'où le mènerait une soirée de goguette avec ses amis de Wall Street. Ou à cause de l'expression qu'affichaient ces mêmes amis le lendemain matin – la honte, l'affliction – parce qu'ils s'étaient bel et bien fait branler par des femmes qui n'étaient pas les leurs, mais en vertu de quoi devrait-on avoir honte d'une pauvre petite branlette ? Ou bien parce qu'à un très jeune âge sa mère lui avait susurré à l'oreille qu'il était la perfection même et qu'aucune femme ne serait jamais assez parfaite pour lui. Ou parce que tout le monde attendait de lui qu'il se marie, et que s'il cédait à cette formidable attente, sa vie sombrerait dans toutes les autres attentes, toutes ces choses que le père de Nicole avait voulu lui offrir d'emblée. Ou parce qu'il était très rare d'être en mesure de baiser simultanément avec deux femmes quand on était marié, et que Seth, au mitan de sa vie, était disposé à renoncer à bon nombre de ses vices, mais surtout pas à celui-ci. Ou parce qu'il n'avait toujours pas rencontré la femme qui lui laisserait regarder du porno les dimanches matin comme d'autres hommes regardent des matches de football américain. Ou parce qu'il arrivait toujours un moment où les messages à connotation sexuelle devenaient moins dangereux et/ou excitants, du fait des considérations logistiques du quotidien qui ne manquaient jamais de les émailler : *Tu rentres à quelle heure ? Tu as pensé à acheter du lait ?* Ou parce qu'il avait trop souvent constaté qu'une femme toute disposée à ce que vous lui léchiez l'anus et vice versa au début d'une relation faisait mine de n'avoir jamais envisagé cette possibilité dès lors qu'on emménageait avec elle. Ou parce que parfois, quelque chose comme tous les six mois, il aimait se commander une pizza chez Angelo et la manger tout seul pour passer ensuite la nuit entière à faire des abdos et d'autres exercices en regardant sur YouTube des tutos de muscu et des vidéos d'aérobic des années 1980. Ou parce que sa plus grande peur était que quelqu'un le connaisse vraiment intimement et finisse par le rejeter, et que sa seule méthode pour affronter le rejet inhérent au fait d'être un être humain vivant en société était de ne jamais se dévoiler, de sorte que ce qu'autrui rejetait n'était pas sa personne, mais une simple projection de sa personne.

Toby l'accompagna au yoga. Il ne fit la connaissance d'aucune des participantes – elles étaient jeunes, le regard fuyant, et leurs débardeurs « KALE » et « TON ENTRAÎNE-MENT C'EST MON ÉCHAUFFEMENT » lui rappelaient beaucoup trop Rachel. De toute façon, aucune ne s'intéressait à lui. (Peut-être ne sécrétait-il pas les mêmes phéromones que Seth, peut-être sa théorie selon laquelle une femme devait être préparée à sa petite taille via un profil d'appli de rencontres était-elle vraie, peut-être avait-il raison de croire que la version quadra de Seth n'éclipsait les précédentes que du point de vue de l'intéressé, ou peut-être avait-il raison de croire que les femmes n'étaient pas aussi faciles à comprendre que l'image que Seth en donnait.) Mais après cette première fois, Toby y retourna, parce que ça lui faisait du bien de bouger sans aller nulle part, de ne se reposer que sur le poids de son propre corps, d'apprendre que le sol qui se trouvait sous ses pieds était bien plus solide qu'il ne l'avait cru. Ce qu'il aimait énormément en cours de yoga, c'était ces fois où ils consacraient une minute entière à ce qu'on appelait la Posture de la montagne, qui consistait simplement à se tenir debout. Une posture à part entière, uniquement consacrée au fait d'être debout ! À n'en pas douter, le yoga comprenait parfaitement où il en était dans la vie.

« C'est quoi, ton taux de réussite ? lui demanda Seth cette nuit-là, à peu près un mois après le début de la nouvelle vie sentimentale de Toby.

— Je dois être à quelque chose comme soixante pour cent ? Trente pour cent ? C'est dur à dire. J'ai l'impression qu'en quatre semaines à peine, je me suis transformé en un type qui voit en toute femme de dix-huit à soixante-deux ans une potentielle partenaire sexuelle, au point que lorsque j'emmène mes gamins chez le docteur et que la réceptionniste ne laisse pas entendre qu'elle a envie de coucher avec moi, je le vis comme un échec.

— Tu devrais être à cent pour cent, mec. Tu devrais marquer *à chaque fois*. Tu es au top de ta forme. Tu es tout juste à point.

— Ce n'est pas aussi simple.

— Tu es trop difficile.

— Difficile ? répéta Toby. Je serais capable de me taper un âne, là.

— Alors qu'est-ce qui coince ?

— Je suis en train de sortir d'une relation de quinze ans avec une femme qui ne me laissait pas pisser debout. Mon processus de guérison sera long. »

Seth hocha la tête, se pencha au-dessus de la table, posa ses mains sur les avant-bras de Toby, les secouant si fort que son corps tout entier se mit à remuer, et il lui dit : « Tu m'as vraiment manqué, mec. »

* * *

Le truc, c'était que Rachel voulait encore baiser avec lui. C'était le secret de Toby. En l'espace d'un mois et demi, il avait couché avec neuf femmes, sans compter Rachel, ce qui représentait six femmes de plus que le nombre de partenaires sexuelles qu'il avait eues jusqu'alors. Pourtant, certains soirs, Rachel lui envoyait un message après vingt-deux heures, lui demandant ce qu'il faisait, et c'était le signal pour lui répondre « Rien », ce qui amenait Rachel à lui demander si ça lui disait de passer, ce qui avait pour résultat d'effacer aussitôt en lui toute haine et toute détermination à son égard, laissant assez de place au manque d'estime de soi et au désespoir pour qu'il prenne ses clefs et s'empresse de la rejoindre. Ils faisaient l'amour en silence, mais ça n'avait pas toujours été le cas. Il y avait des bruits de friction et des tapotements, mais plus de soupirs, pas plus que de gémissements. Et surtout aucune parole. Le sexe était totalement indépendant de leurs tensions interpersonnelles, ainsi qu'il en avait toujours été entre eux. Ils faisaient le job. Il savait ce qu'elle voulait – un peu de titillation des mamelons pendant qu'elle pratiquait une sorte d'exercice respiratoire de méditation intentionnelle, puis changement de position, elle étalée sur le ventre, lui au-dessus.

Au fil des années, il avait entendu un bon nombre de ses collègues mariés plaisanter sur leur frustration sexuelle, voire s'en plaindre carrément. Allen Keller, un des médecins traitants de l'hôpital, tout juste âgé de trente-six ans, lui avait dit que la dernière fois où sa femme et lui avaient fait l'amour remontait à quatre mois. Le pauvre Allen continuait d'espérer que son épouse finisse par s'en rendre compte, mais cela ne semblait pas la déranger. Lorsqu'il se résolut à aborder le sujet, elle lui répondit qu'elle était fatiguée quand venait le soir, et puis pourquoi devrait-elle s'adapter à son emploi du temps à lui, et pas le contraire ? « Euh, parce que tu ne travailles pas ? » avait répondu Allen Keller. Sa femme lui avait alors rétorqué que faire l'amour juste avant de se coucher la rendrait anxieuse, au point de ne pas pouvoir fermer l'œil de la nuit. « Mais d'où elle sort une connerie pareille ? avait demandé Allen à Toby. Ça n'est jamais arrivé à personne, pas vrai ? »

Lorsqu'on lui racontait ce genre d'histoires, Toby s'autorisait un bref instant d'autosatisfaction. Même aux pires moments de leur vie conjugale Rachel et lui n'avaient jamais cessé de baiser, à raison de trois fois par semaine *au minimum.* Cela l'amenait à se dire, Hé, si ça se trouve, on est normaux. Si ça se trouve, on est même mieux que normaux. Trois fois par semaine ! Selon ce critère, leur relation était positive. Selon ce critère, leur relation était une *source d'inspiration.* Quand on considérait les choses à l'aune de ce critère, on pouvait se dire que, soit, ça arrivait à tout le monde de traverser des moments de tension, de temps à autre. Rien de plus naturel que des conjoints s'efforçant d'être les meilleurs parents et les meilleurs dans leur boulot se prennent le bec de temps en temps. Peut-être même tous les jours. Peut-être même plus d'une fois par jour. Peut-être même chaque fois qu'ils se trouvaient dans la même pièce, et peut-être même de façon cruelle et retorse. Pas vrai ?

Durant leur mariage, Rachel n'exprimait pas toujours ses exigences sexuelles avec tact et douceur. Quand il n'était pas d'humeur, elle pouvait se mettre dans des colères noires. La nuit de leur retour de vacances au Mexique, il s'était senti trop fatigué, et elle l'avait accusé d'avoir une maîtresse. Il avait été trop chamboulé la première fois qu'il l'avait vue hurler sur l'une de ses subordonnées lors d'un Noël d'entreprise où elle s'était saoulée, et elle l'avait traité de petite tafiole. Il était sorti trop ivre du gala annuel de l'hôpital, et elle s'était moquée cruellement de lui en le traitant de vieillard. Une fois, elle l'avait réveillé au beau milieu de la nuit, de retour d'une soirée quelconque, en tâtonnant sous la couverture à la recherche de son caleçon, aussi délicatement que si elle essayait de mettre la main sur des piles dans le vide-poches, et constatant que rien ne se passait, elle lui avait dit : « C'est donc ça. » Il n'avait pas la moindre idée de ce qu'elle entendait par là. Elle se mit alors à pleurer et à lui crier dessus, en répétant à quel point elle était malheureuse. « Je ne sais pas ce que tu essayes de faire, là, mais ça n'aide pas », avait répliqué Toby d'un ton suppliant. « Ça ne fait même qu'empirer les choses. » Il se rendit compte alors qu'elle était saoule, et parvint à la consoler en lui tapotant le dos jusqu'à ce qu'elle s'endorme, de la même façon dont il parvenait à rendormir les enfants lorsqu'ils piquaient une crise au beau milieu de la nuit. Le lendemain, elle n'évoqua pas même l'incident. Pas une excuse. Rien du tout.

La dernière nuit que Toby passa chez eux, Solly pleura jusqu'à épuisement, lui demandant en boucle ce qui se passerait s'il avait une crise cardiaque ou un AVC tout seul dans son nouvel appartement, sans personne pour l'aider. Toby le rassura, et ce ne fut qu'une fois Solly endormi que Toby prit conscience qu'il allait devoir assumer ce qu'il avait appelé de tous ses vœux : il allait devoir vivre seul. Il refusait d'en parler. Il refusait de s'avouer à quel point il aimait leurs draps et leur lit et leur appartement et la compagnie des enfants et le fait de préparer leur petit déjeuner le matin. Il refusait de s'avouer qu'il n'éprouvait aucune aversion pour elle et qu'il aurait préféré que ce soit le cas. Et il se pencha, posa la main sur elle en se disant que bien évidemment, ce serait la toute dernière fois.

Mais ce n'était jamais la dernière fois. Ça n'en finissait pas. Il lui ramenait les enfants avec du retard, ça la mettait en rogne, mais dès que les enfants étaient au lit, elle lui demandait s'il voulait bien venir voir quelque chose dans la chambre et, dans le noir, elle fermait la porte et se pressait contre lui, puis ils faisaient l'amour à leur façon, sans un son, un peu n'importe comment, et c'était tout à la fois familier et bizarre et tabou et merveilleux. Ces nuits-là étaient très préjudiciables à son processus de guérison. Ces nuits-là, après coup, ils restaient allongés côte à côte, sans se toucher, les yeux rivés au plafond. Il se redressait et elle ne disait rien, se contentant de se retourner et de fermer les yeux. Il se rhabillait et sortait. Ces nuits-là, Rachel restait au lit, à faire semblant de dormir.

* * *

Samedi matin, Hannah et Solly mangeaient dans le salon les pancakes qu'il leur avait préparés, devant un dessin animé où une banane se liait d'amitié avec un poireau.

Toby envoya un message à Rachel :

À quelle heure tu viens les chercher demain ? J'ai quelque chose de prévu.

Il n'avait rien de prévu. Il attendit la réponse. Rien. Il sentit une explosion enfler en lui, et croisa les doigts pour qu'elle ne l'appelle pas à cet instant et n'entende pas sa voix. Elle adorait entendre la colère dans sa voix. Ça lui permettait de répliquer d'un ton posé, plein de commisération : « Toby, Toby, toute cette colère. D'où te vient toute cette colère ? »

Mais il n'était pas en colère. « Je ne suis pas en colère, rétorquait-il. Je suis contrarié. » Il était *contrarié*, rien de plus. Elle le lui avait fait à l'envers, une fois de plus. Il n'était pas tordu comme elle. Il n'avait pas l'endurance nécessaire à ce genre de bataille d'ego. Sa bellicosité à elle était sans limite. C'était une agente artistique, bon sang. Elle avait fait de cet art martial son *métier*. Elle était capable de faire durer ce genre de discussion des heures entières, sans interruption. Qu'il exprime encore et toujours sa surprise chaque fois qu'elle se jouait de lui, cela ne signifiait pas qu'il était en colère. Cela signifiait qu'il était un imbécile. Toby fixa son téléphone pendant encore une minute. Toujours rien. Il rejoignit ses enfants qui ne relevèrent même pas les yeux. « On ne va pas passer toute la journée à ça », déclara Toby, avant d'éteindre la télévision. Ils sortirent de l'immeuble, passèrent par un vendeur de bagels, avant de continuer plein ouest, en direction du parc. Solly était en trottinette. Hannah n'avait pas voulu prendre la sienne parce que tout était tellement malaisant.

« Je peux te la porter jusqu'au parc, si tu veux.

« — Laisse tomber, papa », avait répondu Hannah. Si seulement elle savait à quel point ce genre de rejet le blessait. « Est-ce qu'on peut au moins acheter mon téléphone, aujourd'hui ? » Elle s'était vue promettre un téléphone pour son douzième anniversaire, mais il restait encore trois semaines avant la date fatidique.

« Non, répondit Toby pour la quatrième fois en une semaine. Tu resteras mon bébé pendant encore un mois. » Hannah roula des yeux.

« Et si on allait au ciné ? » proposa-t-il.

Mais Hannah ne répondit pas. Il tourna la tête dans sa direction : elle s'était arrêtée net face à un immeuble.

« Qu'est-ce qu'il y a ? demanda Toby avant d'appeler son fils. Solly, attends-nous.

— Rien, murmura-t-elle. Ne dis rien. Ne fais rien. »

Il aperçut un garçon à peu près du même âge qu'Hannah qui descendait la rue en dribblant avec un ballon de basket. Toby s'apprêtait à attirer l'attention d'Hannah sur cet adolescent qui lui semblait vaguement familier, mais Hannah l'avait déjà remarqué, et elle rougissait. Le gamin avait l'aura immaculée d'un sportif doublé d'un fils de riche. « Salut Hannah », lâcha-t-il.

Elle sourit et répondit : « Salut. »

Et le garçon passa son chemin en dribblant.

« C'était qui ? » demanda Toby.

Hannah se retourna vers lui, furieuse, les larmes aux yeux. « Pourquoi on peut pas prendre le taxi comme des gens normaux ?

— Qu'est-ce qu'il y a ? Qu'est-ce qui s'est passé ?

— Je comprends juste pas pourquoi il faut toujours qu'on aille au parc à pied comme si on était encore des bébés. J'ai même pas envie d'aller au parc. Je veux rentrer à la maison.

— Mais qu'est-ce qui te prend ? On est toujours allés au parc à pied. »

Elle souffla un grognement de frustration et reprit son chemin, les bras raides, les poings serrés, d'un pas militaire. Toby courut un peu pour rattraper Solly, qui bien sagement, s'était arrêté pour attendre son père. « Pourquoi elle est en colère comme ça ? » demanda-t-il en remontant sur sa trottinette.

« J'en sais rien, fiston. » De plus en plus souvent, Toby n'en savait rien.

* * *

Hannah avait une soirée pyjama prévue ce soir-là. Du point de vue de Toby, ces soirées pyjama étaient l'occasion pour les filles de sa classe de se retrouver pour forger des alliances et se lancer des micro-agressions dans le cadre d'une guerre froide qui durait la nuit entière, et tout cela sciemment. Cela avait commencé à l'époque où Hannah était en CM1, peut-être même avant, quand les meneuses s'étaient mis en tête d'établir un système hiérarchique pérenne et inflexible, où chacune devait jouer des coudes pour atteindre l'échelon supérieur, et se soumettre à celles qui se trouvaient au-dessus ; lécher ses plaies quand la première place se dérobait, se réjouir de ne pas être tout en bas de l'échelle. En novembre, l'appartement des Fleishman avait été le théâtre d'une de ces soirées pyjama. Rachel s'était couchée avec son ordinateur portable, ignorant complètement leurs invitées, mais Toby s'était assis au petit bureau installé dans le couloir pour régler quelques factures et écouter ce qui se passait dans la chambre d'Hannah. Elles jouaient à un jeu du nom de Hm Hm. Exemple : tu préfères hm hm ce garçon ou ce garçon ? Le sens du Hm Hm demeurait nébuleux, et Toby aurait aimé savoir ce dont il retournait au juste. Était-ce « épouser », « sortir avec » ou, oh mon Dieu, était-ce « coucher avec » ? Déjà ?

Lexi Leffer, la louve alpha de la meute, commença. La petite Beckett Hayes, que Toby connaissait depuis ses quatre ans, cita le nom de deux stars de la télé. Lexi opta pour le choix le plus convenu, un acteur de sitcom pour prépubères dont la frange recouvrait systématiquement les yeux. Toby fut déçu, mais pas étonné. Il avait toujours eu la conviction que Lexi Leffer avait une âme en plastique.

Ce fut alors au tour d'Hannah de répondre. Il savait qu'il aurait dû partir à l'autre bout du couloir, respecter sa vie privée, mais il ne parvint pas à se lever. Lexi lui posa la question. Hannah devait choisir entre deux garçons dont les noms ne disaient rien à Toby. Beckett poussa un « Ooooooh ! » et Hannah s'écria : « Mais c'est impossible !

— T'es obligée de répondre, sans quoi ton gage sera de...

— De quoi ? demanda Hannah.

— Sera de... » Lexi réfléchit. « ... d'appeler l'un et l'autre pour leur demander s'ils ont passé une bonne journée.

— C'est tellement diabolique ! » murmura Beckett d'un ton qui se voulait atterré.

Hannah resta un long moment sans répondre. Toby restait figé à son petit bureau, en plein cauchemar éveillé, incapable de déterminer ce qui était véritablement en jeu, ni comment il aurait pu prêter main-forte à sa fille. Hannah choisit le deuxième nom, et Lexi lui lança : « Super. Choisis mon petit copain, bien sûr. » S'ensuivit un autre silence, et Toby sentit qu'Hannah ne comprenait pas ce qu'elle avait fait de mal. Toby se leva, se creusant la tête en quête d'un prétexte pour les interrompre, mais il savait que cela rendrait Hannah furieuse. Il alla retrouver Solly pour regarder la télé en sa compagnie. Lexi Leffer était une vraie prédatrice.

En ce début de soirée étouffant, Toby marcha avec ses enfants jusqu'au croisement de la 79e Rue et de Park

Avenue, où habitaient Cyndi et Todd Leffer. En chemin, Hannah continua à le snober tandis que Solly tentait de le convaincre de revoir pour la énième fois *Indiana Jones et le Temple maudit*, et ils passèrent devant un immeuble où Toby se rappelait très clairement s'être fait sucer dans la cage d'escalier, trois semaines auparavant.

Le portier des Leffer, qui portait des épaulettes et ne retirait jamais sa veste, avait été prévenu qu'un groupe de jeunes filles se présenterait avec des sacs de couchage : de l'autre bout du hall en marbre, il fit signe aux trois Fleishman de se diriger vers les ascenseurs lustrés. Ils montèrent dans une cabine tout en cuivre pour se rendre au vingt-huitième et dernier étage. L'ascension fut assez longue pour que Toby ait une minicrise de panique en les imaginant soudain enfermés dans une petite boîte mue par un mécanisme que les années et l'usure avaient nécessairement compromis. Les ascenseurs ne l'avaient jamais inquiété auparavant, mais depuis quelque temps, la foi qu'il vouait à tout type de système vacillait. Et puis d'abord en vertu de quoi accordait-il une telle confiance aux ascenseurs ? Qu'est-ce qui pouvait bien pousser tout le monde à se fier à eux ? L'existence même de cette ville verticale ne tenait qu'à l'omniprésence de ces machines, dix millions de débiles vivaient dans cette métropole sans réfléchir une seconde à la possibilité (plus que probable) qu'un câble puisse rompre ou qu'ils puissent se retrouver bloqués pendant des heures dans une cabine et épuiser tout l'oxygène avant que quiconque ne s'en inquiète. Quand ils arrivèrent à destination, Solly dit : « Papa, tu me fais mal à l'épaule. »

Les portes s'ouvrirent sur la réception de l'appartement – l'*appartement* avait sa propre *réception* – où Todd les accueillit en polo et short mi-cuisse. Il devait bien mesurer un mètre soixante-quinze. OK, si tu veux, Todd, se dit

Toby, mais à quand remonte la dernière fois où tu t'es fait sucer dans une cage d'escalier ?

« Comment va notre bon docteur ? lança-t-il en tendant la main pour saisir celle de Toby et la secouer lentement, comme le flux et le reflux des vagues.

— Plutôt bien. » C'était à ce genre de mecs fades et propres sur eux que Rachel aurait voulu qu'il ressemble. C'était ce genre d'époux que Rachel aurait préféré. Toby ne parvenait toujours pas à s'expliquer pourquoi.

Solly restait planté à côté de lui, tenant son autre main, et Lexi Leffer sortit de la cuisine avec sa mère, qui portait un corsaire et un débardeur côtelé moulant, estampillé de lettres en strass formant le mot ANGEL.

« Toby, dit-elle, de nouveau toute pétrie d'inquiétude.

— Salut, Cyndi. » Le plus perturbant dans ce désir qu'avait Rachel de leur ressembler était que, exactement comme lui, elle trouvait que Cyndi était horriblement vulgaire, et que Todd était un sale con. Pourtant, ils n'en représentaient pas moins tout ce à quoi elle aspirait depuis le lycée, et tout ce que Toby (et conséquemment elle-même) n'était pas et ne serait jamais à cause de son très embarrassant handicap, à savoir sa qualité d'éminent médecin exerçant dans l'un des meilleurs hôpitaux de New York. Rachel disait souvent « Les Leffer vont passer Noël dans le Maine » et « Les Leffer ont deux voitures, au cas où » et « Les Leffer se sont fixés comme règle de faire deux voyages à l'étranger par an ». Chaque mois de décembre, ils recevaient la carte de vœux des Leffer, un montage des grands moments de l'année et des fêtes auxquelles les Fleishman n'avaient pas été conviés, à la vue duquel Rachel se réfugiait dans leur lit, désespérée. « Pourquoi est-ce qu'on n'organise jamais de soirée habillée ? » geignait-elle. Une fois, les Leffer leur avaient confié lors d'un dîner qu'ils avaient un professeur d'allemand à domicile pour apprendre la langue avec les enfants, et

115

qu'ils passeraient leurs prochaines vacances de Noël en Allemagne afin de consolider leurs acquis jusqu'à ce qu'ils aient tous un putain d'accent de soldat du Troisième Reich. Cyndi avait alors baissé la voix pour conclure : « Rien ne vaut l'*immersion linguistique* », et Rachel avait fermement opiné du bonnet en abondant dans son sens, « Mais c'est tellement vrai, je n'y avais jamais réfléchi ainsi », comme si personne au monde n'avait jamais dit que la pratique était cruciale pour renforcer les connaissances, comme si la totalité du système éducatif et sportif nord-américain ne reposait pas précisément sur ce concept.

« On avait pensé à t'inviter à déjeuner la semaine prochaine dans notre club, dit Cyndi, mais Todd m'a rappelé que tu ne jouais pas au golf.

— Non, je suis plutôt basket. »

Todd mit les mains derrière la tête et fit une rotation élaborée sur la droite, puis sur la gauche. « Le basket, ça m'a vraiment fichu le dos en l'air, au lycée. Tu joues meneur ? » Va te faire foutre, Todd.

« Todd est *tellement* stressé par son boulot, commenta Cyndi en posant ses énormes serres vernies de noir sur ses épaules. Il fait des lombalgies parce qu'il travaille trop. C'est beaucoup trop de *pression* pour une seule personne. » Elle lui sourit. « Enfin bon, ça nous ferait tellement plaisir que tu viennes. On est toujours tes amis *à toi aussi*, Toby.

— C'est gentil », répondit-il, en adressant un petit signe de tête à Solly afin de lui signifier que ce n'était pas le moment d'évoquer ses soirées de tout nouveau célibataire.

Après cela, Solly et lui passèrent par une librairie acheter un livre intitulé *400 Choses à savoir sur l'Univers*. Solly le commença en marchant, laissant le soin à Toby de l'arrêter à chaque passage piéton. En attendant à un feu, tandis que Solly lisait un chapitre sur l'énergie cinétique, Toby envoya un message à Rachel :

Je viens de déposer Hannah à sa soirée pyjama. Demain c'est son dernier cours avec Nathan. Essaye de ne pas la mettre en retard. Tu viens la chercher chez les Leffer ou ici ?

Deux heures plus tard, il la relança d'un :

???

* * *

S'il n'avait pas veillé jusque tard dans la nuit en échangeant des messages pornographiques avec une actrice spécialisée dans le doublage qui habitait Brooklyn, si ces messages ne l'avaient pas amené à se demander à quoi pouvait ressembler sa voix, si spéciale qu'elle en faisait commerce, si cette question ne l'avait pas amenée elle à l'appeler pour lui susurrer à l'oreille une heure durant les choses les plus érotiques de toute l'histoire du sexe téléphonique, Toby n'aurait sans doute pas été d'aussi méchante humeur lorsqu'il alla chercher Hannah chez les Leffer le lendemain matin.

Sa fatigue était exacerbée par les stores de piètre qualité installés par le précédent locataire, qui semblaient plus concentrer les rayons de lumière que les bloquer, et qui l'avaient privé d'au moins deux heures de sommeil de week-end. Mais à quel point fallait-il investir, s'investir, dans une location ? Il avait ce besoin de se sentir chez lui, mais par définition, il n'était pas chez lui. Pourtant, pour se sentir chez lui, il fallait nécessairement faire d'un lieu son chez-lui. Il ne devait pas se contenter systématiquement du minimum. Carla, sa psy, lui aurait dit qu'acheter de nouveaux stores, c'était une forme d'attention à soi. Il lui aurait répondu que rester solvable, c'était de l'attention à soi, qu'économiser pour un meilleur appartement, c'était de l'attention à soi, que ne pas perdre son temps à prendre des mesures, à acheter et à rapporter l'article en magasin parce que inévitablement il se serait planté, c'était de l'attention à soi. Elle aurait alors posé un regard patient sur lui, parce que c'était aux psys de décider ce que signifiait l'attention à soi.

« Il faut que j'achète de nouveaux stores, déclara Toby alors qu'ils traversaient Lexington Avenue.

— Mais je suis teeeeeeeeellement fatiguée, gémit Hannah. On peut pas juste rentreeeeeer ? »

Toby n'avait aucune envie de se disputer. Autant rentrer tout de suite. L'étudiant rabbinique de la synagogue devait donner sa dernière leçon de haftarah à Hannah, avant qu'elle parte lundi dans les Hamptons avec Rachel. Prévoyant que Rachel ne manquerait pas d'arriver en retard, générant ainsi encore plus de chaos, Toby envoya à l'étudiant un message lui disant de passer chez lui plutôt que chez Rachel. Lorsqu'il arriva (vingt-trois ans, maladroit, studieux), Hannah sortit de sa chambre dans une nouvelle tenue, tout sourire, les cheveux brossés. Mon Dieu, songea Toby.

Solly regardait *Le Magicien d'Oz* dans la chambre de Toby tandis que celui-ci jetait de discrets coups d'œil à son téléphone. La doubleuse lui avait envoyé un message qui ne consistait qu'en deux émojis papillon et une photo de son épaule, où étaient tatoués ces mêmes émojis papillon – pas des papillons, des *émojis* papillon. Une bretelle de soutien-gorge azur à dentelle barrait le tatouage. Et c'est parti, pensa-t-il.

Tess aussi lui avait envoyé un message. Elle voulait savoir quand ils se reverraient, et avait inclus une photo d'elle-même assez déroutante, car prise de trop près. Certaines photos de ses potentielles conquêtes lui rappelaient la dernière page de *Current Science*, revue à laquelle il était abonné en CM2, où l'on pouvait voir un objet du quotidien en gros plan, si resserré que c'en était déconcertant : un pansement, une tomate, la lunule d'un ongle, autant de choses familières mais brièvement méconnaissables, et que Toby finissait par identifier avec un étrange soulagement, l'impression très vive que l'ordre du monde était dûment rétabli. Sur certaines de ces photos intimes, on ne discernait rien de reconnaissable, il fallait procéder par inférence. Exemple : c'est de la dentelle et c'est convexe, ce doit donc être un soutien-gorge et un sein, ou bien c'est une ombre et c'est du tissu, ce doit donc être un sillon interfessier et le bord extérieur d'un string. Ses yeux plissés pour analyser la photo de Tess se détendirent : c'était granuleux et satiné, il s'agissait donc d'une de ses aréoles. Il s'enfonça un peu plus dans son oreiller.

À la fin de son cours, Hannah passa la tête dans l'entrebâillement de la porte. « Je vais faire mon sac, dit-elle. J'ai pas mon maillot de bain. Il est resté chez maman. »

Bordel mais tu es où ? envoya Toby à Rachel. Suivi de : *Ça fait quoi de ne jamais être là où tu dis que tu seras ?* Il lui écrivit après le dîner dominical : *Ils n'ont pas centre cette semaine. C'est toi qui les gardes. Tu les emmènes dans les Hamptons demain. Tu leur as promis.*

Elle se permettait souvent de prolonger les week-ends où il avait leur garde jusqu'au lundi matin, mais qui était-il pour lui demander de s'en tenir à l'emploi du temps convenu ? Le père des gamins, rien de plus ! La seule autre personne qui s'était engagée à respecter ces horaires, c'est tout ! Parfois, elle lui envoyait un message de dernière minute lors d'un déplacement professionnel : *Je suis sur quelque chose de très important, ça t'embête de les emmener à l'école demain ? Merci.* Quand ils étaient mariés, il lui arrivait de passer un jour en déplacement, voire deux, « juste pour conclure un truc ». Au moins, la plupart du temps, elle lui demandait si ça posait problème, ou l'en informait en faisant semblant de le lui demander.

Mais là, rien.

Cela dit, elle était en stage-retraite de yoga. Peut-être qu'ils confisquaient les téléphones des participants ? Peut-être que le but même de la retraite était de se passer complètement de téléphone. Lui aussi adorerait pouvoir se payer un tel luxe, tu sais, Rachel. Lui aussi adorerait passer un week-end sans son téléphone. Ou plutôt un week-end uniquement avec son téléphone, ses messages torrides et ses photos cochonnes.

Quand Hannah et Solly furent couchés, il envoya un SMS à Mona pour lui demander de venir les garder le lendemain. Elle lui répondit qu'elle avait compris que c'était sa semaine de congé, et que son fils était venu d'Équateur lui rendre visite. Il lui dit qu'il avait vraiment besoin de son aide. Elle lui répondit qu'elle avait bien spécifié à Rachel, des mois auparavant, qu'elle tenait vraiment à prendre ce congé pour passer du temps avec son fils qu'elle n'avait plus revu depuis trois ans. Toby lui dit qu'il était désolé et qu'il comprenait parfaitement, mais il avait des patients très gravement malades, et est-ce qu'elle pourrait juste garder les enfants quelques heures à peine ? Il lui revaudrait ça. Il ajouta que Rachel s'était de nouveau volatilisée, et s'il existait une personne au monde capable de le comprendre lorsqu'il évoquait la négligence crasse dont Rachel était capable, c'était bien Mona. Elle finit par accepter, lui signifiant qu'elle resterait jusqu'à quinze heures, mais pas une minute de plus. Il lui envoya un millier d'émojis de remerciement.

Le lendemain matin, il préparait des toasts au *cream cheese* pour les enfants lorsque Hannah sortit de sa chambre en claquant la porte derrière elle : il sursauta, et se brûla l'index.

« Merde ! s'écria-t-il.

— Pas de gros mots à la maison ! le gronda Solly.

— On n'est pas censés être avec maman ? demanda Hannah.

— Si. » Toby mit son doigt sous l'eau froide du robinet. « Elle a eu un empêchement.

— À cause de quoi ? » Hannah avait un ton paniqué. « On est censés aller dans les Hamptons. *Tout le monde va dans les Hamptons cette semaine.*

— Je ne sais pas quoi te répondre. Tu n'as qu'à l'appeler pour le lui dire.

— J'aimerais bien, seulement j'ai pas de téléphone. »

* * *

Les résultats des analyses furent sans appel : il s'agissait bien de la maladie de Wilson.

« Cette maladie empêche le foie de métaboliser le cuivre », expliqua Toby à David Cooper, ses internes derrière lui. « Son foie ne fonctionne plus, c'est pour cela qu'elle n'arrive plus à l'éliminer. Avez-vous remarqué ce qui a changé dans ses yeux ? »

Toby leva une paupière de la patiente afin de montrer l'iris à David. Celui l'observa. « Non. Qu'est-ce qui a changé ?

— Vous voyez l'anneau autour de son iris ? » Toby lui dit qu'elle présentait des symptômes depuis un certain temps. « Mais il s'agit de symptômes qui peuvent très facilement passer inaperçus. » Sa maladresse et ses sautes d'humeur auraient pu passer pour des signes précoces de l'âge, ou pour une sorte de comédie, mais elle s'en était elle-même inquiétée et avait consulté. Son généraliste n'avait pas relevé les symptômes. Puis il y avait eu cette virée à Las Vegas, avec une surconsommation d'alcool qui n'avait fait qu'aggraver la situation. Elle avait à présent besoin d'une greffe du foie.

« Est-ce qu'elle se réveillera ?

— Oui, juste après la transplantation, qu'il nous faut réaliser au plus vite.

— Et à qui appartiendra le foie ?

— Au premier donneur sain que nous trouverons, dès que nous l'aurons mise sur la liste. »

Toby garda le silence, afin de laisser à David le temps de songer à d'autres questions. Je lui avais demandé un jour si le pire aspect de son boulot était d'annoncer la mort d'un proche à quelqu'un. Il m'avait répondu que bien sûr, c'était horrible, mais que ça n'avait rien de commun avec le fait d'annoncer à quelqu'un une maladie, ou celle d'un proche. La mort n'était qu'un diagnostic, le plus définitif qui soit. Tout le monde savait à quoi s'en tenir. La réputation de la mort la précédait. Mais la maladie – la maladie, c'était un abîme de peut-être. Le patient ou ses proches sombraient dans le désespoir, et la tentation était grande de se servir de son statut de médecin pour faire croire que tout allait pour le mieux, ou que tout finirait par aller mieux, en des termes parfaitement acceptables qui permettaient de remettre la véritable confrontation émotionnelle à plus tard, lorsque l'état du patient serait si détérioré qu'il serait impossible de l'occulter. Donner espoir, ça se tenait d'un point de vue éthique, mais ce n'était pas la bonne chose à faire. La bonne chose à faire, c'était de bien réfléchir à la proportion d'espoir qu'on pouvait allouer selon les personnes. L'espoir pouvait aider. Aider à diminuer le niveau de stress, aider à aller au bout d'un traitement. Mais la posologie de l'espoir devait être adaptée à chaque cas : dans quelle mesure devait-on en administrer à un individu confronté à une situation désespérée ?

David fut pris d'hyperventilation. Les yeux écarquillés, il se mit à regarder partout autour de lui, et Toby posa une main sur son épaule pour l'encourager à se rasseoir. Toby considéra brièvement ses internes. Tous trois fixaient leur porte-bloc, soudain absorbés par leur prise de notes.

Toby connaissait bien le genre de David, ces types rasés de près, avec de jolis costumes, des chaussures en cuir souple et des voitures qui venaient les chercher en bas dès qu'ils avaient envie de partir. David Cooper était terrorisé, comme n'importe qui l'aurait été à sa place, mais il était aussi en proie à cette surprise qui n'appartenait qu'à ceux qui avaient été isolés des choses néfastes. Il était né sous une bonne étoile, une étoile pleine aux as, une étoile en parfaite santé. Il existait tant de couches protectrices entre lui et ce qui dans le monde était susceptible de faire du mal au commun des mortels. Mais cela, rien n'aurait pu l'empêcher. Il n'était protégé que de l'extérieur : cela venait de l'intérieur.

« Est-ce que vous voulez qu'on appelle quelqu'un ? »

David releva les yeux. « Non, je dois téléphoner à mon boulot. On peut prendre un congé, pour ce genre de trucs, non ?

— Tout à fait, répondit Toby. Prenez un congé et organisez-vous, pour les enfants. Appelez vos amis, votre famille, dites-leur ce qui se passe. Quoi qu'il advienne, vous allez avoir besoin d'aide. Nous allons nous occuper de la paperasse pour la mettre sur la liste.

— Je pourrai passer la nuit ici ?

— Quand vous voulez. »

David saisit la main de Karen et pressa ses lèvres dessus durant une minute, le regard tourné vers elle. Il se mit à pleurer sur le dos de sa main. Toby les observa, et la dague de la jalousie transperça son cœur meurtri. L'éventail était aussi large que cela : d'un côté, un homme qui suppliait Dieu de guérir sa femme ; de l'autre, un homme qui se demandait ce que sa femme pouvait bien foutre, et ce qui pouvait bien l'empêcher d'envoyer un pauvre message.

Toby quitta la chambre et trouva ses étudiants sur le seuil, en train de l'attendre. « Qu'est-ce qui vous a pris, tous ? » demanda-t-il. Ils parurent surpris.

« Pardon, docteur Fleishman ? » demanda Logan. Joanie et Clay échangèrent un regard.

« Vous preniez des notes pendant que cet homme *pleurait*. » Toby se mit à marcher, suivi de près par les internes, mais il s'arrêta soudain pour leur faire face. « Vous devez regarder ces personnes dans les yeux. Ce ne sont pas des organes. Ce sont des *personnes*. » Il reprit sa marche jusqu'à son bureau. « Quand quelqu'un vient vous voir, ce n'est pas pour un examen de routine. Tous vos patients savent déjà que quelque chose ne va pas. Ils sont malades. Ils ont *peur*. Est-ce que vous vous imaginez à quel point c'est terrifiant, quand le corps que vous avez eu votre vie entière se retourne soudain contre vous ? Quand ce système dont votre vie même dépend s'écroule comme ça, d'un coup ? Est-ce vous voulez bien fermer les yeux un instant et essayer d'imaginer l'impression que ça fait ? » Les trois internes qu'il avait devant lui, avec leur air hébété, le dégoûtaient terriblement. « Si vous n'arrivez à supporter les gens que lorsqu'ils sont inertes, il vous reste toujours la chirurgie. » Il pénétra dans son bureau, et avant de refermer la porte de verre, leur assena : « Je suis très déçu. »

Le sentiment de culpabilité ne suffirait pas. Il voulait de l'autoflagellation. Il voulait du battage de coulpe. Comment pouvait-on être si jeune et si insensible ? Mon Dieu, quelle bande de gamins imbéciles. Que savaient-ils de la vie ? Que savaient-ils de la souffrance ?

* * *

Toby était assis à son bureau, dos à la paroi de verre, en train de regarder par la fenêtre. Ses internes faisaient les cent pas dans le couloir, attendant ses instructions. Il consulta son téléphone. Toujours aucune nouvelle de Rachel. Il l'appela sur son portable. Une sonnerie, deux, trois, quatre, et il tomba sur sa boîte vocale. Il décida d'appeler Kripalu.

La hippie qui répondit le gratifia de deux longues phrases de salutation évoquant le beau temps qu'il faisait à Kripalu, le divin en elle qui était en plein éveil, la grâce d'entendre le divin dans la voix de son interlocuteur, le fait qu'elle s'appelait Sage et en quoi pouvait-elle lui être...

Toby écarta son téléphone, le considéra un moment, puis le recolla à son oreille pour constater qu'elle n'avait pas fini de parler. « Ma femme est parmi vous et j'ai absolument besoin de lui parler. Ou tout du moins elle *était* parmi vous. Elle aurait dû être chez elle à l'heure qu'il est, et elle n'est pas rentrée. J'ai essayé de la contacter par message, mais je suppose que vous n'avez pas de réseau, là où vous êtes.

— Pouvez-vous me donner le nom de votre femme ?

— Rachel Fleishman. »

Silence.

« Et donc je peux lui parler ? Je peux parler avec ma femme ?

— Je peux vous mettre en attente un instant ?

— Je vous en prie », répondit-il, mais il n'entendait déjà plus que les psalmodies d'un moine.

Sept grosses minutes passèrent avant le retour de Sage et de ses salutations sans fin.

Toby la coupa en plein « divin ». « Drôlement longue, cette attente, dit-il.

— J'étais en train de... » Mais quelque chose troublait Sage.

« Bon, elle est avec vous ?

— Je suis vraiment désolée, mais je ne suis pas en mesure de parler de la présence ou de l'absence de nos invités. Nous sommes tenus à la plus stricte confidentialité.

— Ce n'est pas par *curiosité* que je vous demande si elle est là, fit Toby. Je vous le demande parce que je suis son mari et que je n'ai pas de nouvelles d'elle depuis vendredi. Je me fais du souci pour elle. » Il se détesta pour s'être présenté comme son mari, mais cela n'en demeurait pas moins vrai.

« Je suis vraiment, vraiment désolée, répondit-elle. Je ne suis pas en mesure de vous communiquer cette information. » Toby releva la calme assurance de son ton. Elle avait déjà reçu des appels similaires. Son boulot consistait à ne rien dire.

Il ferma les yeux et retira son stéthoscope qu'il avait encore au cou, comme un nœud coulant. Il décida de changer d'approche. « Écoutez, il n'y a aucun problème. Ce ne serait pas de l'adultère, de toute façon. Nous sommes séparés. En instance de divorce, mais déjà séparés, vous voyez ? Si elle est à Kripalu avec quelqu'un, ça ne pose aucun problème.

— Je suis désolée, mais je ne peux pas…

— D'accord, d'accord. » Il raccrocha.

Pendant une minute, il fit les cent pas dans son bureau. Les parois en verre donnaient sur le comptoir d'accueil. L'une des infirmières en chirurgie le regardait. Il inspira profondément et ressortit son téléphone. Il envoya un énième message à Rachel :

Hey, je commence à me faire du souci. Est-ce que tu peux juste me dire si tu es vivante et quand tu comptes rentrer ?

Il attendit de voir les trois points qui lui signifieraient quelque chose, une bonne réception, une quelconque

126

implication, un signe de vie, quelque chose. Mais ils refusaient d'apparaître, et ses internes attendaient.

* * *

Tout au fond de lui, Toby pensait que Rachel referait surface pendant qu'il travaillait. Il n'aurait jamais fait attendre la pauvre Mona si longtemps s'il n'en avait pas été convaincu. Ç'aurait été du Rachel tout craché de venir les chercher dans la journée pour éviter la confrontation. Elle aurait adoré l'insulter ainsi, en le laissant envoyer tous ces messages, pour qu'il se rende compte en rentrant chez lui que cela faisait déjà des heures qu'elle était passée prendre les enfants. Seulement non, les enfants étaient toujours à la maison.

Il rangea les courses qu'il avait faites en chemin. Il alluma l'ordinateur du salon pour consulter la recette de pain à la viande qui avait plu à Solly, mais la connexion Internet était lente. Il réinitialisa le routeur, sans amélioration. Solly visitait parfois des sites de jeu pour gamins qui pourrissaient l'ordinateur de virus. Toby vérifia la mémoire cache, les cookies, l'historique et là, il se figea.

Les dix derniers sites visités durant les trois dernières heures étaient des sites pornos : branlettes en groupe, MILF, cougars, tout juste majeures. « Mon Dieu », murmura Toby. Il faillit tomber de sa chaise en constatant que le déclencheur de cette avalanche hardcore avait été une recherche sur Google, « bagin de fille ». Il alla sur le tout dernier site visité. C'était un kaléidoscope de gifs et d'images saccadées, un phallus éjaculant sur le visage ravi d'une femme, encore et encore et encore et encore et encore et encore et encore et encore et encore, une femme se faisant prendre brutalement par-derrière, pour son plus grand plaisir. Avant qu'il puisse éprouver la moindre stimulation sexuelle, Toby se refocalisa sur l'objet de son investigation, lança un diagnostic antivirus et effaça l'historique de cette journée. Sa première réaction le dégoûta : il espéra que c'était le fait de Mona, qu'elle avait envoyé les enfants regarder la télé dans leur chambre, pour s'installer confortablement au salon et se taper une bonne grosse après-midi de porno – Mona, la douce et humble Équatorienne qui avait élevé en partie leurs enfants, dès leur naissance, Mona, la fervente catholique qui bien des fois avait été l'adulte de référence d'Hannah et de Solly.

Bien évidemment, cette théorie tomba en morceaux à l'instant où il se fit la remarque qu'elle connaissait forcément l'orthographe correcte de « vagin ». Il devait y avoir une autre explication.

Il lui téléphona. À la troisième sonnerie, elle répondit platement : « Oui.

— Heu, Mona, je viens de me mettre devant l'ordinateur et apparemment quelqu'un a visité des sites pour adultes pendant ces dernières heures.

— Non, j'étais là.

— D'accord…

— Hannah était au téléphone avec des amies, après quoi elle a regardé la télévision. Solly a joué à des jeux vidéo. »

Peut-être n'était-ce qu'un virus, après tout. Par pitié, mon Dieu, faites que ce ne soit qu'un virus.

« Ça ne m'enchante pas plus que ça d'apprendre qu'ils ont passé des heures devant des écrans », commenta Toby.

Mona ne répondit pas.

« À quel genre de jeux Solly a-t-il joué ? reprit-il.

— Des jeux sur ordinateur.

— Il faudrait vraiment que vous les sortiez.

— Il a passé la moitié de la journée dehors.

— Eh bien, il faut que vous le surveilliez, Mona. Vous allez aussi ergoter sur le fait que vous deviez le surveiller ?

Je suis en train de vous dire qu'il a visité des sites pornographiques dans le salon pendant des *heures*. »

Mona raccrocha, croyant peut-être que le silence de Toby à la fin de sa phrase marquait la fin de sa réprimande, et que le fait de raccrocher était la réponse qui s'imposait, l'acquiescement muet à l'injonction sous-entendue, l'approbation silencieuse du bon petit soldat.

« Hannah, Solly, vous pouvez venir ici ? »

Au bout d'un temps, ils finirent par le rejoindre.

« Qui a utilisé l'ordinateur, aujourd'hui ?

— Je me suis juste servie de l'iPad », répondit Hannah. Toby nota le regard écarquillé de Solly, ainsi que les tremblotements de terreur qui secouaient sa mâchoire.

« Tu peux aller regarder la télé, Hannah. »

Solly ferma les yeux. Toby s'assit sur le canapé et lui dit : « Viens t'asseoir ici. Tout va bien.

— C'est pas moi, objecta Solly.

— Solly. »

Il éclata alors en sanglots et en reniflements. « C'est pas moi. Je sais pas d'où ces trucs sont sortis. Ils sont apparus comme ça, tout à coup.

— Est-ce que c'est arrivé… Viens t'asseoir, Solly, tu n'as aucune raison d'avoir peur… est-ce que c'est arrivé parce que tu étais curieux de l'anatomie des filles ?

— Je voulais juste savoir à quoi ça ressemble chez elle, en bas. »

Toby hocha la tête. « Je comprends. Tu veux que je te trouve un livre avec ce genre de dessins, mais fait spécialement pour les enfants de ton âge ? »

Solly écarquilla de nouveau les yeux. « Non, répondit-il. Non, je veux pas revoir ça. »

Toby enlaça son fils qui vint poser la tête sur les genoux de son père. Il le laissa pleurer en lui caressant les cheveux. Solly avait neuf ans. Toby se dit qu'il devait avoir le même âge quand il avait commencé à s'intéresser à ces choses, mais faute d'Internet, il avait dû se renseigner à la bibliothèque, en consultant des livres d'art. Certains camarades se rabattaient sur les livres de biologie, qu'il trouvait trop cliniques. Grâce à une visite au musée avec ses parents, il savait que l'art était bien plus cochon que la science. Un jour, il parcourut pour la première fois un ouvrage sur Picasso, sans doute pas le meilleur choix pour acquérir une compréhension générale de l'anatomie féminine. Puis il passa à Courbet, puis à O'Keeffe, et nagea un bon moment dans la plus grande confusion, jusqu'à ce qu'il se décide à ouvrir un manuel d'anatomie afin de recoller à la réalité.

Ce fut à dix ans qu'il découvrit la pornographie. Ses parents l'avaient emmené chez son cousin Matthew, de cinq ans son aîné, dans la vallée de San Fernando. Après dîner, il l'avait suivi dans sa chambre, où il cachait des magazines pornos et une cassette vidéo où un jeune homme se réveillait dans une grande maison de banlieue cossue, descendait l'escalier et surprenait sa mère en pleine orgie. Son réveil inopiné était sans doute dû au fait que les orgies ne sont pas des événements particulièrement silencieux. Il arrivait au bas des marches les yeux encore gros de sommeil. Sa mère l'apercevait. Elle portait une robe dos nu, pas encore déshabillée, sans doute pour remplir ses devoirs d'hôtesse, et elle le raccompagnait jusque dans sa chambre – ce n'est rien, mon chéri, ce n'est rien – et elle le recouchait, mais le peu qu'il avait vu l'avait surexcité et il n'arrêtait pas de passer la main sous la robe de sa mère pour lui toucher le sein. Bon, évidemment, elle aussi était très excitée, mais elle savait que c'était mal, et elle n'arrêtait pas de repousser sa main et de remettre son sein sous sa robe. Et comme ça trois ou quatre fois avant qu'elle cède et qu'ils commencent sérieusement à s'y mettre et soudain la mère de Matthew était entrée en hurlant « ENCORE ? ENCORE ? » et le petit Toby, qui n'avait que dix ans, avait quitté la chambre à toutes jambes en faisant comme si rien ne s'était passé et que cette curieuse et nouvelle raideur sous son pantalon n'existait pas. Des mois durant, il redouta que sa tante le raconte à sa mère qui l'aurait alors détesté. Et pendant des années, il fut dans l'incapacité de soutenir le regard de sa tante. Longtemps, il redouta d'avoir été complètement ravagé par cette première exposition à la pornographie, en l'espèce, une scène d'inceste. Il avait éprouvé majoritairement de la répulsion, mais minoritairement aussi, une excitation phallique, et c'était ce minoritairement qui l'inquiétait. Il redoutait de confondre répulsion et excitation ; il redoutait de devenir quelqu'un de sexuellement inadapté, il redoutait de devenir un pervers si par malheur il lui arrivait de penser *dans la même semaine* à quelque chose de sexuel et à sa mère (dont la silhouette rappelait celle d'une toupie de Hanoucca). Résultat (entre autres), à l'occasion de ses premières relations sexuelles, il pensa à sa mère lors de l'éjaculation tant il avait peur de penser à elle lors de l'éjaculation.

C'était à cela qu'il songeait en caressant les cheveux de Solly. Il se disait que son fils avait probablement été traumatisé, dégoûté presque jusqu'au point de non-retour par cette confrontation avec la sexualité, bien trop précoce pour que son petit cerveau soit en mesure de l'appréhender. Il se disait que pendant longtemps, Solly se demanderait s'il était normal d'éjaculer sur le visage d'une femme, et si toutes poussaient des cris d'extase et de ravissement quand cela arrivait. Il se disait qu'il était vraiment difficile de grandir. Il fallait nécessairement en passer par là. Son père disait que c'était les meilleures années d'une vie. Et Toby songeait alors, Non mais sans déconner ? Autant mourir tout de suite. Oui, il se disait que grandir, c'était vraiment *répugnant*, au sens littéral, au sens de la répugnance qu'on éprouvait face à toutes ces choses, ce dégoût absolu qu'on ressentait à chaque nouvel arpent d'innocence incendié.

Son téléphone vibra. C'était Rachel, il en était sûr. Un rayon d'énergie atomique avait dû jaillir de l'appartement jusqu'à sa retraite dans les montagnes et réactiver les vestiges de son instinct maternel. Elle était assaillie par le besoin impérieux de savoir comment se portait sa famille. Elle avait sans doute été informée par Sage et tenait à le rassurer au plus vite. Elle était restée plongée dans une transe méditative de trois jours dont elle venait de se réveiller et elle était désolée. Elle voulait lui dire sans plus attendre que ces quelques jours d'illumination spirituelle lui avaient fait un bien fou, qu'elle avait eu tort de se comporter comme elle l'avait fait et qu'elle aimerait que Toby rentre à la maison. « Je suis la Rachel que tu as rencontrée à cette fête, dans cette bibliothèque, dirait-elle. Je suis de nouveau cette Rachel. » Il ne l'excuserait pas entièrement, pas immédiatement : elle lui avait fait tant de mal ces dernières années. Mais il lui dirait oui. Bien sûr qu'il lui dirait oui. Pas parce qu'elle lui manquait, mais parce qu'il aurait tout donné pour que tout ce qui s'était passé – absolument tout – se révèle être en définitive un immense quiproquo. Il se tortilla sur place, s'efforçant de ne pas déranger Solly, afin de tirer son téléphone de sa poche. « Désolé mon chéri, ça doit être l'hôpital. »

Son regard se posa sur l'écran et il vit à travers la dentelle le mamelon de Nahid, cette Parisienne avec qui il avait échangé des messages en rentrant de l'hôpital. Le mamelon pointait.

Il posa son téléphone et se remit à caresser les cheveux de Solly, sans une pause, pendant les deux heures qui suivirent.

* * *

« J'ai une mauvaise nouvelle », annonça Toby lorsque Hannah sortit de sa chambre le mardi matin avec son sac.

Elle croyait qu'elle irait de toute façon dans les Hamptons, malgré le retard de vingt-quatre heures, et que même si sa mère ne venait pas la chercher, elle s'y transporterait par la seule force de la volonté en faisant ses bagages.

Ses yeux se plissèrent. « Non », dit-elle comme si elle réprimandait un chien.

« Votre mère a appelé. Elle a dû partir précipitamment, à cause de son travail. Elle est vraiment désolée. »

Hannah se mit à secouer les bras le long de son corps pour exprimer son sentiment d'injustice. « Mais tu *comprends* pas ! » hurla-t-elle en se pliant en deux, dans cette position que la prof de yoga de Toby appelait la Posture de la cigogne, se tenant le ventre comme si elle avait mal. « Je vais retrouver *tout le monde* là-bas. Ils m'*attendent*. Ils y sont *déjà*. »

Il voulait s'approcher d'elle, mais elle avait l'air mauvais, les narines dilatées, elle en montrait presque les crocs. Elle était belle comme sa mère et elle était ridicule comme sa mère.

La veille, tard dans la nuit, il avait appelé Rachel trois fois, en vain, et lui avait envoyé une série de messages :

Allez, Rachel. C'est pas cool.

Moi aussi j'ai une vie, tu sais.

Puis, le matin, suppliant :

Je me fais du souci. Appelle-moi je t'en prie.

Puis, après une heure passée à tourner en rond, il en envoya un autre qui lui donna la nausée :

Je ne te poserai aucune question. Mais appelle-moi.

Ensuite, il envoya un message à Nahid, qui n'arrêtait pas de lui communiquer des parties de son corps et demandait à présent qu'ils conviennent d'un rendez-vous. Ce message-ci lui fit mal. Il lui dit que son ex-femme avait un empêchement et qu'il lui fallait s'occuper des gamins et est-ce que ce serait possible plus tard dans la semaine ? Nahid lui répondit par un [émoji diable violet] suivi d'un [émoji ange] – peut-être pour lui faire comprendre qu'elle était fâchée mais qu'elle prenait sur elle ? Ou qu'il était en enfer et qu'elle était au paradis ? Il n'en savait rien. Cet [émoji diable violet] revenait à tout bout de champ. Qu'est-ce qu'il pouvait signifier ? Quel était le message véhiculé ? Était-ce la manifestation numérique de la lubricité féminine refoulée à l'époque du mouvement des suffragettes ? Quelques jours auparavant, une femme à qui il envoyait des messages à connotation sexuelle avait fait une allusion à la fellation, et pour répondre à l'[émoji langue pendante] de Toby, lui avait envoyé un [émoji sans bouche]. Qu'est-ce qu'elle avait voulu dire ? Qu'elle était offensée ? Qu'elle lui refusait ce qu'elle venait de lui proposer ? Qu'elle était choquée ? Toby se servait toujours de cet émoji pour signifier qu'il restait sans voix, ou qu'il était choqué. Mais il n'en savait rien. Il n'en savait rien. Il remercia quand même Nahid de sa compréhension, avant d'être pris de nausée en se demandant s'il serait jeudi dans la même position qu'en ce mardi. C'était intenable. Rachel était à la tête d'une entreprise florissante. Des gens comptaient sur elle. Des gens comptaient sur elle, c'était ce qu'elle répétait toujours. Ouais, eh ben des gens comptaient sur lui aussi, Rachel. Pour les aimer et les élever, Rachel.

Il avait les yeux rivés à son téléphone quand minuit passa. Que pouvait-il lui arracher ? Comment pouvait-il lui faire mal ? Il n'en savait rien. Comment pouvait-il l'embarrasser ? Il n'en savait rien. Il me jura ses grands dieux que ce qu'il fit alors n'avait rien à voir avec ces réflexions, mais bon. Furieux, retors, il envoya ce message à Mona :

Mon fils de neuf ans a consulté des contenus pornographiques sur notre ordinateur pendant des heures, sous votre garde. Nous ne ferons plus appel à vos services à l'avenir. Bonne continuation.

Rachel y trouverait certainement quelque chose à redire, mais si Rachel tenait tant à faire entendre son avis, elle n'avait qu'à être là, non ? Toby n'avait jamais pu donner la moindre instruction à Mona. Rachel prétendait qu'avoir deux patrons, c'était une erreur de management. Quand Mona demandait « Est-ce que je dois chercher une nouvelle paire de chaussures pour la rentrée d'Hannah, avec elle ? », Toby ignorait la réponse : il ne savait pas si Rachel en avait déjà commandé, ou si elle avait prévu d'aller en acheter avec leur fille, et il ne voulait pas courir le risque de se faire passer un savon pour avoir pris une initiative. « Mona est la seule personne qui m'accepte selon mes propres conditions, lui avait dit un jour Rachel. Tout ce que j'ai à faire, c'est de la payer. Je n'ai jamais à m'expliquer auprès d'elle. Je n'ai jamais à supporter ses salades. »

Toby installa les enfants dans la salle de conférences de l'hôpital. Hannah fulminait. Solly rayonnait. Il se réjouissait du nombre d'heures qui lui étaient allouées sur un écran grâce à ce contretemps, mais Hannah, Hannah, elle, était en colère contre *lui*, pour une raison qui lui échappait. Comment aurait-il pu lui dire que sa mère avait décidé de les laisser tous tomber, sur un coup de tête ? Comment lui dire que sa mère semblait être aux prises avec quelque chose que Toby lui-même avait du mal à formuler ?

* * *

Il alla voir son supérieur dans son bureau.

« Il est disponible ? » demanda Toby à la secrétaire, et la secrétaire lui fit signe d'entrer.

Il pénétra dans les quartiers de son chef, aux lambris semblables à ceux d'une bibliothèque de droit et aux étagères remplies de trophées en Plexiglas datant des années 1980 – des prix récompensant ses recherches, ses contributions à des œuvres caritatives et ses qualités d'écoute. Donald Bartuck était chef du service d'hépatologie, docteur en médecine, membre de l'American College of Physicians, etc. C'était un bon docteur, mais il était né pour briller à un poste administratif, à base de poignées de main, de clins d'œil et de prénoms d'épouses jamais oubliés. Il avait jadis appris à Toby et à ses autres internes tout ce que Toby enseignait à présent aux siens, raison pour laquelle son choix d'opter finalement pour un poste administratif agaçait autant Toby. Quand on avait le don, quand on aimait vraiment ce qu'on faisait, qu'est-ce qui pouvait bien pousser à choisir ce genre de poste autant à l'opposé de la pratique médicale ? Et quand on adorait les levées de fonds et la paperasse, pourquoi ne pas se lancer d'emblée dans la finance, comme Seth, et se faire des montagnes de fric, plutôt que de s'en faire juste pas mal, en partie sur des décisions médicales aux enjeux considérables ?

Par-dessus l'épaisse monture noire de ses lunettes, Bartuck consultait un dossier lorsque Toby entra. Il avait tout d'un Ted Kennedy étiré : deux mètres de haut, mince et musclé, une tignasse grise bien trop épaisse, des bajoues de morse flanquant son visage de chien battu. Quand Toby parcourait les couloirs de l'hôpital en sa compagnie, il ne pouvait s'empêcher de se dire qu'ils appartenaient à deux espèces différentes : c'était Gulliver accompagné d'un Lilliputien. Sur son bureau reposait une photo de sa deuxième épouse, Maggie, et de leurs trois enfants, tous en tenue de tennis blanche. À l'autre bout du bureau, une photo de Bartuck avec un ancien président. Toby s'assit sur une chaise en cuir dont le dossier, à son impact, se vida d'air.

« Toby.

— Vous avez une minute à m'accorder ? »

Bartuck posa le document qu'il était en train de consulter.

Toby prit une seconde avant de trouver le courage de dire ce qu'il avait à dire. « J'aurais besoin de prendre quelques jours. À titre personnel. »

Bartuck joignit les mains, les coudes sur son bureau. « Ça ne tombe pas au meilleur moment. Le mari de Karen Cooper travaille pour le fonds spéculatif partenaire de notre gala annuel finançant nos recherches de donneurs de moelle épinière. » Toby rapprochait cette pratique des fraternités universitaires qui vendaient des gâteaux faits maison. Tout moyen était bon pour se donner bonne conscience.

« Je sais bien. Je n'aurais pas fait cette demande si ce n'était pas absolument nécessaire. »

Bartuck garda le silence, attendant une explication. Tout le monde voulait toujours sa part de mélo.

« Rachel est retenue par un voyage d'affaires inopiné, dit Toby. Elle aurait dû prendre les enfants cette semaine mais elle est dans l'incapacité de le faire, et j'ai remercié la baby-sitter. »

Putain. *Il avait viré Mona.* Il craignit soudain d'avoir une crise de diarrhée. Bartuck demeurait silencieux : Poursuivez. « Elle a laissé mon fils regarder des sites pornos, hier ». *Mona.* Il avait viré *Mona.*

« Oh lala. Alors vous comptez rester à la maison avec eux ? demanda Bartuck.

— C'est toujours mieux que la salle de conférences. Je serais en mesure de répondre si on m'appelle. Phillipa est là, de même que mes internes. » Il ne dit pas un mot des

Hamptons parce que quelqu'un d'aussi sensible au regard des autres que Toby n'aurait pu supporter de prononcer le mot « Hamptons » en présence d'un type qui savait quelles sommes il gagnait – sommes qui, certes, restaient plus que très décentes par rapport à la moyenne des revenus aux États-Unis, mais qui ne correspondaient pas du tout aux Hamptons. Bartuck avait une résidence dans les Hamptons. Bartuck se devait d'organiser des réceptions et de plaire à des donateurs. Il se devait d'abonder sans retenue dans le sens de certaines personnes, quelles que soient les conneries qui pouvaient bien sortir de leur bouche. Il se devait d'exhiber ses diplômes devant des personnes que cela impressionnait, tout en se vantant de superviser des gens qui, contrairement à lui, étaient toujours, dans les faits, des médecins.

« Ooh, fit Bartuck. Dans ce cas, d'accord. Prenez vos jours, mais assurez-vous bien que votre équipe suive Karen Cooper de très près. Je garderai également un œil sur elle. J'ai dit à David Cooper que vous étiez le meilleur de notre établissement.

— Merci, monsieur. »

En sortant du bureau, Toby se rendit à la salle de conférences. Hannah et Solly relevèrent les yeux de leurs iPads respectifs.

« Qui veut aller à Long Island ? » demanda Toby. Solly poussa un cri de joie et le malheur qui imprégnait le visage d'Hannah se volatilisa comme s'il n'avait jamais existé.

* * *

Je venais de traverser Penn Station quand Toby m'annonça par SMS qu'il ne pourrait être présent au déjeuner. *Rachel a décidé unilatéralement de prolonger encore de quelques jours sa putain de retraite yoga à la con*, écrivit-il.

Venant d'elle, rien d'étonnant. Tu ne veux pas savoir.

Près de moi, un homme à la jambe amputée claudiquait avec ses béquilles. Une gamine de quatorze ans déguisée en clown beuglait dans son téléphone. Une femme de Long Island criait sur l'une des cinq petites filles de neuf ans qu'elle accompagnait, toutes vêtues du même costume de spectacle de danse : « Je ne lui ai pas dit ça ! » Penn Station, ce putain de cauchemar. Je consultai le tableau des départs, aussi engageant que l'écran de contrôle de *War Games*. Le prochain train pour le New Jersey partait dans quatorze minutes, mais je n'arrivais pas à m'y résoudre. Je ne voulais pas – je ne pouvais pas – m'asseoir à côté d'un connard lambda en train de boire sa cannette de Bud Light citron vert 500 ml pour la deuxième fois en une heure.

Je décidai de m'enfoncer un peu plus dans la ville, même brièvement. Où était Rachel ? À une retraite yoga ? Quelque part d'où elle pouvait châtier Toby ? Quelque part où elle pouvait simplement l'oublier ? Ma mère me disait toujours qu'on pouvait voler des heures, mais pas des jours. Pourtant c'était bien ce que Rachel était en train de faire, comme cela m'était jadis arrivé. Le magazine m'envoyait régulièrement dans des hôtels sympas, dans des villes étrangères que je n'aurais sans doute jamais visitées de mon propre chef, et une fois, à Londres, j'avais passé deux jours supplémentaires sur place, uniquement parce que l'idée de prendre le vol retour après mon interview de deux heures m'était insupportable. J'avais échangé mon billet, et j'étais restée deux jours de plus. Ma fille avait alors huit mois. Mais ce n'était pas parce que j'étais crevée, ou parce qu'il était déraisonnable de me faire faire un aller-retour transatlantique en seulement deux jours. C'était simplement parce que l'hôtel, la ville, la solitude, tout ça me donnait l'impression de me sentir de nouveau dans ma peau, de sentir de nouveau mon corps. J'existais de nouveau sans contexte – sans poussette, sans mari qui me tenait la main. Pour ce genre de déplacement, je ne portais jamais mon alliance. Pas parce que j'avais envie de me taper des inconnus. Simplement parce qu'en avion, mes doigts refroidissaient, se ratatinaient, mon alliance glissait constamment, et je n'aurais pas supporté de redouter à chaque instant de la perdre. Mais peut-être que c'était aussi à cause de cette question de contexte, je n'en sais rien. Voyez cela plutôt ainsi : pour la première fois depuis longtemps, vous sentez de nouveau votre corps, votre peau, et puis tout à coup vous sentez aussi cette bague à votre doigt, et soudain son poids vous est insupportable.

Adam n'aurait rien trouvé à y redire : vraiment pas. Mais je préférai lui expliquer que l'interview avait été reportée. J'arpentai les châteaux, les musées, les berges de la Tamise. J'aimais tout à coup les Impressionnistes, comme une imbécile facilement impressionnable. J'aimais tout à coup dîner au comptoir, et pas assise à une table en salle. J'aimais tout à coup boire des expressos, sans lait ! Qui boit du café sans lait ? Une fois, sur un vol pour Lisbonne, je me suis retrouvée assise à côté d'un homme d'affaires qui s'est intéressé à moi, malgré le fait que je portais des fringues sales, des lunettes, et que je lui parlais de mes enfants. Il m'a demandé si on pouvait dîner ensemble une fois arrivés à destination. On s'est trouvé un café, dans la chaleur de la nuit, au bout d'une ruelle, et au fond de mon corps j'ai entendu quelque chose taper à la vitre de ma conscience, pas fort, juste des petits coups étouffés. C'était complètement idiot. Ce type était exactement comme Adam, responsable, gentil, un peu distrait. Et tout ce que je voulais, c'est qu'il essaye de m'embrasser. Adam aussi avait envie de m'embrasser. Pourquoi est-ce que ça ne me suffisait pas ? J'ai quitté brusquement la table. Je n'ai pas envie de parler de ça. C'est juste pour dire à quel point ces minuscules rébellions sont risibles. C'était ridicule de ma part. Je n'ai pas envie de parler de ça.

Sans que je m'en rende compte, je me retrouvai à Greenwich Village, sur ce bout de la Sixième Avenue qui donne sur Carmine Street. Je passai devant le terrain de basket et le vieux cinéma, qui était à présent un nouveau cinéma. Mes parents avaient fait leurs études à la New York University, comme moi, et quand mon père venait me rendre visite, il me racontait quels commerces se trouvaient jadis à la place de quels commerces, et je trouvais ça terriblement ennuyeux, à ceci près que je trouvais complètement timbré que le siège du syndicat étudiant soit devenu un centre d'études religieuses.

J'arpentai un moment Carmine Street de long en large, cette toute petite rue, cherchant à éprouver quelque chose de nostalgique, quelque chose de beau. Après la fac, c'est là que j'ai vécu pour la première fois seule, dans un studio. C'était tout ce que ma mère redoutait, un lieu de perdition sexuelle (au sens où il était possible que je couche avec quelqu'un sans l'avoir épousé) calqué sur *À la recherche de Mr Goodbar*, et jonché d'emballages de plats à emporter. Une fois, j'ai fait la connaissance d'un homme à l'Angelika, à l'occasion d'une projection de *Laurel Canyon*, rencontre suivie aussitôt de relations sexuelles dans mon studio. Je l'ai simplement ramené chez moi. C'est la seule fois de ma vie où j'ai fait une chose pareille.

Je vivais encore à Carmine Street quand je suis tombée amoureuse de mon premier rédacteur en chef, Glenn, dans le tout premier magazine où j'ai travaillé, *TV Tonight*. Marié, trois enfants. Ce n'était pas le plus beau mec du bureau, mais c'était le seul dont il se dégageait une stabilité que j'étais assez chiante pour trouver sexy. Les soirs où il venait me rejoindre chez moi après le travail, on couchait ensemble, puis il repartait pour Westchester et je pleurais à chaque fois. Je fumais, à l'époque. J'avais commencé à fumer en Israël. J'avais toujours connu ma mère fumeuse : jamais je ne tomberais là-dedans. Quand j'ai eu vingt ans, je me suis dit que je pouvais enfin essayer, puisque de toute évidence, j'avais dépassé l'âge où l'on devenait accro. Eh bien qui aurait pu croire que ces cochonneries étaient aussi délectables et délicieuses ? (Je sais, je sais.) Qui aurait pu s'imaginer que durant toutes ces années à tourner autour du pot, je n'aspirais en vérité qu'à une chose, découvrir les cigarettes ? Les cigarettes, c'était le truc qui me correspondait. Les cigarettes, c'était ce que mes doigts et ma bouche réclamaient, sans doute depuis ma naissance.

Glenn n'était pas vraiment un prédateur. Il était surtout incapable de résister à l'attention que la jeune personne que j'étais lui témoignait. La première fois où je l'ai vu, il se tenait dans l'encadrement d'une porte, en contre-jour, avec à la main des épreuves que je devais relire pour prouver mes compétences. Quelque chose passa dans cet innocent échange – le simple fait de poser ces feuilles sur mon bureau avec un petit mot gentil. Quelque chose d'électrique, d'addictif. Je le cherchais dans tous les coins des locaux. Je lui demandais de l'aide alors que je n'en avais pas besoin. Je tournais autour de son bureau, au vu et au su de tous, incapable de m'en empêcher. Il passait devant moi, et j'en avais le souffle coupé. Il n'était ni très beau ni très intéressant. Je vous l'ai dit, c'était complètement idiot.

Mais à ces moments-là aussi, je sentais mon corps. Je le sentais s'ouvrir à cet homme, et je sentais comment tout cela fonctionnait : les lois évolutives, l'attraction, la pulsion reproductive. Pour la première fois, je comprenais que j'étais impuissante face à ces forces. J'avais déjà eu des coups de cœur – j'étais même déjà tombée amoureuse. Mais jamais rien qui, je ne sais pas, m'engageât à ce point, engageât tout mon corps. C'était à cause de cela que certains écrivaient des poèmes. C'était à cause de cela que toutes les chansons ne parlaient que d'amour. Je comprends maintenant, me disais-je. Je comprends. Un soir, dans l'ascenseur, il me confia que ma présence le rendait distrait. Je lui répondis qu'on devrait en parler autour d'un dîner. Il a appelé sa femme là, devant moi, à une cabine téléphonique, pour lui dire qu'il serait coincé quelques heures à Manhattan. Et voilà.

Je repensais à cette époque, au souci que j'avais de le contenter au lit. Je n'arrive pas à me souvenir de ça sans penser au pauvre Adam : le plus grand cadeau qu'il m'ait fait, c'est sa constance, et en conséquence, il a eu une version plus constante de moi-même – une version moins entreprenante, une version moins mouillée.

Enfin bref.

Quand Glenn était dans mon lit, j'allumais une cigarette et lui soufflais la fumée au visage afin qu'il sente la clope en rentrant chez lui, en espérant que ça mette la puce à l'oreille de sa femme, et que ça fasse bouger les lignes. Je passais mes journées à m'imaginer que quelque chose lui arrivait, leur arrivait – la plupart du temps, c'était une tragédie, pas un simple divorce –, quelque chose qui m'amenait à devoir m'installer chez lui pour m'occuper de ses enfants. Je repensais à cette époque, au fait que je préférais aspirer à la vie de quelqu'un d'autre plutôt que de me donner la peine d'imaginer la mienne. Mon Dieu, quelle connasse j'étais. Mes rêves étaient si étriqués. Mes désirs étaient si convenus, si symptomatiques d'un cruel manque d'imagination. Adulte, j'assistais à des mariages où la promise portait une robe rouge. Je rencontrais des couples pratiquant l'amour libre. Je me demandais pourquoi j'étais aussi peu originale. J'avais fait preuve d'une telle créativité dans tous les autres aspects de ma vie ; mon attitude conventionnelle, complètement *conforme*, avait quelque chose d'ahurissant.

Alors que j'arpentais Carmine Street, je me dis que j'avais écopé du genre de vie que j'avais voulu. J'avais fini par devenir une copie de la femme de Glenn – une femme mariée, dans une banlieue cossue, une femme apprivoisée qui passait ses journées à attendre le retour d'un homme. J'ai rencontré Adam par le biais du travail, lui aussi. Je bossais sur un article autour d'un procès intenté contre une agence de rencontres entre chrétiens, et en tant que jeune associé du cabinet chargé du litige, c'était lui qui devait me chaperonner. Il était grand, avec un regard aimable et des lunettes à grosse monture noire. Il portait des maillots de corps et des mocassins Weejun ; il avait des cravates en tricot et des cravates normales. Il vivait dans un monde où l'on savait toujours quoi mettre à telle ou telle occasion, et cela incluait systématiquement un blazer Brooks Brothers. Il était issu d'une famille riche qui attendait que lui aussi le devienne, et parce que la perpétuation de la richesse était une chose naturelle chez les riches, cela lui venait tout naturellement.

Au cours de mes recherches pour cet article (je travaillais déjà pour le magazine masculin), nous convenions de déjeuners pendant lesquels j'essayais de lui soutirer des informations : il ne m'en lâchait jamais aucune, mais il était toujours aussi assidu et joyeux, sans jamais s'agacer. Quelle chose étrange que ce manque de noirceur. Quelle chose étrange que de ne pas être stressé par son boulot, de se réjouir des bonnes choses, de s'attrister des mauvaises. La simplicité, c'est une douche froide après un bain chaud. Mes émotions n'avaient jamais suivi des trajectoires aussi logiques. Peut-être est-ce cela qui m'a attirée chez lui en premier, le fait que sa paix intérieure soit à même d'équilibrer la personne que j'étais. À l'époque, il ne m'était pas venu à l'esprit que je passerais le reste de mes jours à expliquer ma noirceur et mon insatisfaction à une personne qui ne comprenait même pas ces concepts.

Notre vie sexuelle fut merveilleuse, puis normale, puis (c'est-à-dire maintenant) confuse. On a fait l'amour une fois en une semaine, puis rien la semaine d'après, puis une fois en deux semaines, mais deux fois la semaine suivante donc c'est bon, pas vrai ? Voilà où est le problème : on ne désire que ce qu'on n'a pas. C'est comme ça que ça fonctionne, le désir. Et Adam m'a, et je l'ai. Absolument. De son côté comme du mien, pas un regard jeté à quelqu'un d'autre. Après notre mariage, quand je sortais, je me rendais compte que les hommes qui m'attiraient étaient presque des copies conformes d'Adam, comme ce type à Lisbonne. Je ne voulais pas autre chose. Je regrettais juste de ne plus me languir de lui. On n'est pas censé désirer cela, mais c'est ce qui arrive. Alors comment s'en sort-on ? Peu importe, ça ne sert à rien de parler de ça. Ça n'arrange rien d'en parler.

Mon téléphone sonna, et je m'assis sur le banc en face de l'église, au coin de la rue. C'était la baby-sitter, qui voulait savoir ce qu'elle devait servir à dîner aux enfants. Je regardai ma montre. Il était déjà dix-sept heures. J'errais depuis six heures.

Lorsque je raccrochai, j'avais encore mes écouteurs aux oreilles, et mon téléphone lança un morceau, comme il le fait parfois sans que je lui en aie donné l'ordre explicite. C'était une chanson de U2 tirée d'un album sorti à l'époque où je finissais le lycée, un album que j'écoutais alors sur un lecteur CD, allongée sur mon lit, les yeux rivés au plafond, en me disant que j'étais à la fin d'un commencement, ce qui faisait de la suite le début de la fin. J'allai à la supérette au coin de la Sixième Avenue pour acheter un paquet de cigarettes. L'homme qui me les vendit ne me regarda pas d'un air bizarre ; il ne me dit pas que j'étais trop vieille pour jouer à ce genre de petits jeux. Je retournai m'asseoir sur le banc, allumai une cigarette et inhalai la première bouffée, laissant la fumée entrer dans mon corps pour le remplir de poison, le remplir de quelque chose.

* * *

La maison d'East Hampton n'appartenait plus à Toby, en fait elle ne lui avait jamais appartenu, mais ce n'était pas encore tout à fait officiel. Pareil pour la voiture, ce qui ne l'empêcha pas de suer de terreur en entrant dans le parking à l'idée que soit la voiture n'y serait plus, auquel cas il lui faudrait faire semblant de s'en étonner, soit le gardien était au courant pour le divorce, auquel cas il lui faudrait sortir de là en douce, comme un criminel activement recherché. Mais le gardien ne le gratifia que d'un simple « Une petite virée en famille ? ». Toby mit les bagages dans le coffre et démarra. Le ciel clair s'obscurcissait et les enfants regardaient par les vitres. Les mains de Toby serraient fort le volant. Le silence se prolongea un bon moment, son échange avec le gardien du parking le rongeait.

Soudain, de la banquette arrière, Solly demanda : « Où est maman ? » Il lui avait fallu quatre jours pour parvenir à formuler cette question.

« Je vous l'ai dit, elle a un empêchement professionnel.

— On peut faire un FaceTime avec elle ? »

Toby le regarda dans le rétroviseur. « Assez compliqué avec le décalage horaire, fiston. Elle doit dormir, à l'heure qu'il est. » Cette phrase suscita une image dans son esprit – Rachel endormie dans une chambre d'hôtel, quelque part en Europe – et un bref instant, il fut pris de panique.

Il alluma l'autoradio parce que allumer l'autoradio lui semblait la meilleure façon de les convaincre que tout allait pour le mieux, alors que rien n'allait pour le mieux. Son regard se porta à nouveau sur la route et quelque chose se mit à brûler au fond de son estomac. Il s'imagina un moment que ce caillot dans ses tripes n'était autre que

Rachel et qu'il pouvait procéder à une intervention chirurgicale sur lui-même, là, dans la voiture, sans même se garer sur le bord de la route, extraire ce caillot, la trouver à l'intérieur – c'était donc là qu'elle se cachait ! – et tout balancer par la fenêtre, et sa toxicité acide creuserait alors un trou dans le bitume de l'autoroute, creuserait plus profondément jusqu'au noyau terrestre pour ressortir de l'autre côté, en Chine, où avec un incroyable regain de vitesse elle se propulserait dans l'espace juste au-dessus du continent asiatique pour traverser toutes sortes de matières noires et d'univers parallèles où on n'avait jamais de réseau, ce qui le dispenserait à tout jamais d'entendre sa putain de voix au téléphone.

Il prit la sortie 79, se préparant psychologiquement aux superlatifs hamptoniens qui faisaient tant rêver Rachel, et le faisaient cauchemarder. Peu à peu, très lentement, les maisons devenaient plus lisses, plus régaliennes, avec des éclairages sur mesure et des trucs qu'on pouvait appeler des pelouses, mais qu'en s'éloignant de cette autoroute, on pouvait aussi appeler des champs.

Les Hamptons étaient une gigantesque insulte. Une insulte aux disparités socio-économiques. Une insulte au fait d'avoir la belle vie et de se demander avec courage et franchise ce que l'on pouvait sacrifier au nom de la décence. C'était une insulte au fait d'avoir assez, au fait de savoir qu'il existait un moment où l'on n'avait pas besoin de plus pour bien vivre. Ces maisons n'abritaient pas des altruistes et des humanistes à qui la chance avait souri en récompense de leurs bonnes actions et leurs bonnes œuvres. Non, à l'intérieur de ces résidences tout en colonnes et luxuriantes pelouses, vivaient des pirates qui n'en avaient jamais assez. Ils n'avaient jamais assez d'argent, de biens, de vêtements, de sûreté, de sécurité, de cartes de membre de clubs, de bouteilles millésimées. Il n'existait pas de nombre à partir duquel ils se disaient

« Ma vie est géniale. J'aimerais bien aider quelqu'un d'autre à avoir une vie aussi géniale que la mienne ». C'étaient des criminels – oui, la plupart étaient de vrais criminels en chair et en os. Pas toujours coupables de crimes passibles de prison, mais à tout le moins de fautes morales abominables : ils avaient des comptes offshore, ou sous-payaient leurs assistants, ou rémunéraient au noir leurs employés de maison, ou étaient membres de la NRA.

Et le pire du pire dans tout cela, la plus grosse insulte qui soit, c'était l'endroit où tous ces individus étaient concentrés. Tout au bout du bout de Long Island, qui était elle-même une excroissance difforme de Manhattan. C'était là la pire injure, que ce recoin de luxe extrême soit si mal situé, si exposé aux catastrophes météorologiques, entouré d'eau quasiment de toute part, que toute cette richesse soit implantée sur un territoire aussi précaire. Une méchante tempête, et toutes ces maisons seraient balayées. Et vous savez ce que ces pirates en pensaient ? Ils s'en foutaient complètement. Allez, que le souffle de la colère divine nous impose opprobre et destruction. Pas de quoi s'inquiéter, on va tirer un max de l'assurance, et en plus on a une autre maison à Aspen !

Toby s'engagea dans l'allée de leur maison. Rachel l'avait convaincu qu'elle avait mérité une maison dans les Hamptons, et il avait convaincu Rachel d'acheter une maison plus modeste que ce qu'ils auraient pu se payer. Elle y consentit. Mais la maison était tout de même énorme. Cinq chambres à coucher, un garage trois places, un salon, une salle à manger, une salle de jeu, un solarium, une terrasse qui donnait sur l'océan. Elle avait appartenu à un ancien rédacteur en chef de *Vanity Fair*, à l'époque où les rédacteurs en chef de magazine pouvaient être riches. C'était un dinosaure, à présent mort avec le reste de son espèce éteinte, et les seules fois où de nos jours des journalistes se rendaient dans les Hamptons, c'étaient lorsque nous y étions invités, parce que certains nous considéraient comme de nobles curiosités, ou parce que nous avions jadis été très intéressants et très puissants, ou parce qu'un directeur de com avait loué une maison sur la plage pour le compte d'une entreprise d'horlogerie de luxe et souhaitait nous gaver d'informations sur une toute nouvelle gamme de produits absolument sensationnels pour notre numéro de décembre et son guide des meilleurs cadeaux de fin d'année. Le fils du rédacteur en chef de *Vanity Fair* hérita de la maison à la mort de son père, mais il fut renvoyé à cause d'un délit d'initiés, il y eut liquidation, vente aux enchères précipitée, Rachel plaça sa mise, et remporta la maison. Elle n'aimait pas raconter les circonstances exactes de cette acquisition.

Toby se gara devant la maison et les enfants se précipitèrent dehors. Une mouette survola la voiture. Il n'avait pas remis les pieds ici depuis la nuit où elle avait consenti au divorce, en janvier. Ils étaient venus un week-end bien que ce fût hors saison, parce qu'ils étaient à la recherche d'activités pour Hannah, et que leur fille était très intéressée par un centre aéré de Dix Hill spécialisé dans le théâtre qui organisait une journée portes ouvertes, et puis il y avait eu une tempête de neige et ils avaient décidé de rester jusqu'au lundi. Ils avaient baisé cette nuit-là – une copulation machinale et sans joie, comme toutes celles des dernières années de leur union. Cela faisait alors un an que Toby avait évoqué le divorce pour la première fois. Ce n'était pas la colère qui l'avait motivé, mais l'agacement qui tiraillait quiconque se mentait à soi-même. Chaque fois qu'il évoquait le sujet, il n'avait droit qu'à des menaces hystériques. Elle lui criait qu'il ne reverrait plus jamais les enfants s'il s'avisait de la quitter, et qu'elle le laisserait sans le sou.

« Mais à quoi bon ? demandait-il. Tu ne peux pas me dire que tu es heureuse comme ça. »

Elle n'avait pas de réponse à lui fournir. Rien que des menaces. Il finissait par céder, terrorisé et encore plus triste qu'auparavant. Mais sans qu'il puisse s'expliquer pourquoi, tandis que la neige tombait sur le Velux de leur chambre, et qu'il régnait dans la maison un calme totalement étranger à leurs étés, la paix sembla la gagner. Ils étaient allongés là, immobiles, il faisait froid dans la chambre mais chaud sous la couette, et elle avait dit au plafond : « Je crois qu'on ferait mieux de divorcer. » Il s'était tourné vers elle, et avait été saisi d'une douloureuse bouffée d'amour pour ce qu'ils avaient détruit, et sur les joues de Rachel coulaient des larmes qu'il essuya du pouce. « Ça va aller », dit-il.

Les semaines et les mois qui suivirent furent parmi les plus heureux de leur mariage. Ils riaient. Ils étaient légers. Ils revoyaient des épisodes d'une sitcom qui les faisaient rire jadis. Ils échangeaient haussements de sourcils et profonds soupirs quand Hannah piquait une crise. Leurs regards se croisèrent de nouveau quand Solly passa une journée entière à essayer de prononcer le mot « sarcophage », tous deux se retenant de rire. Cela faisait longtemps qu'ils n'avaient pas éprouvé d'intimité dans l'amour. Ces dernières années, seule leur haine réciproque était véritablement intime : lors de leurs disputes, ils se jetaient à la figure les cruautés les plus spécifiques, fruits de toutes leurs années de vie commune. Il piétinait de toutes ses forces son incroyable manque de fibre maternelle ; elle s'attaquait à sa virilité comme si c'était une artère à trancher. Mais quand la dispute se terminait, l'intimité disparaissait. Leurs conversations étaient si froides et distantes que si vous les aviez entendus discuter dans un restaurant, une de ces soirées qu'ils s'obligeaient à passer « en amoureux », vous en auriez conclu qu'ils ne se connaissaient que depuis quelques semaines. Mais l'intimité était de retour. Rachel achetait à dîner lorsqu'elle savait qu'il prendrait le relais de la baby-sitter avec du retard, même si le dîner relevait de sa responsabilité à lui. Il sortit précipitamment pour passer au resto chinois du coin de la rue lorsqu'elle lui dit que ça faisait des années qu'elle n'avait pas mangé de bonnes ravioles au poulet. Ils se tenaient parfois par la main, chose qu'ils ne faisaient plus depuis des années, et Toby avait bien conscience que c'était là tout à fait contre-productif et régressif de leur part. Le calme s'était installé, et avec le calme, le soulagement, et le corps de Toby réagissait au soulagement comme à des endorphines, et Toby commença à redouter qu'il prenne cela pour de l'amour. Il ne parvenait pas à comprendre. S'ils arrivaient à être heureux ensemble alors qu'ils en étaient à leurs tout derniers jours de mariage, pourquoi ne pouvaient-ils l'être sans la perspective d'un divorce ?

Ils décidèrent d'attendre la fin de l'année scolaire pour le déménagement de Toby, mais il débuta ses recherches dès avril, et finit par trouver un appartement à l'angle de la 94e Rue et de Lexington Avenue. Il acheta ses meubles sur Internet. Chaque fois qu'il signait au bas d'un document lié à sa location, chaque fois qu'il cliquait sur un bouton Confirmer la commande, il avait l'horrible impression de tomber dans un trou. Et chaque e-mail de confirmation qu'il recevait le précipitait tout au fond de ce trou, paniqué, incertain, jusqu'au jour où il commanda une batterie de cuisine en émail bleu clair sur le site de Sur la Table, cliqua sur Confirmer la commande, et ma foi, ce n'était pas si douloureux que ça, et lorsque l'e-mail de confirmation d'expédition lui parvint, il n'eut soudain qu'une hâte, recevoir sa commande. Rachel n'avait jamais voulu autre chose que des casseroles en Inox (comme s'il lui était arrivé ne serait-ce qu'une fois de faire la cuisine toute seule), en avançant que celles en émail bleu clair qu'il aimait étaient trop tape-à-l'œil, et feraient ressembler leur cuisine à un cirque. « On ne fait pas dans le campagne chic, Toby, disait-elle. Ce qu'on recherche, c'est du *mid-century*. » Il se rappelait ce jour où elle avait fait venir chez eux une décoratrice (« En fait, je suis designeuse d'intérieur »), une sorte de pingouin aux chevilles éléphantines du nom de Luc, afin que celle-ci puisse établir un diagnostic *in situ* de leur design intérieur. Elle avait consulté tout un tas de classeurs avec Toby et Rachel et n'avait pas tardé à déterminer (a) que Toby n'était ni intéressé ni compétent, et n'était là que pour empêcher toute interruption des gamins ; (b) après une volée de questions avec supports visuels, que le style préféré de Rachel était le modernisme des années 1950, le fameux *mid-century modern*. « Vous êtes tellement *mid-century* ! » avait dit la designeuse, et Rachel avait applaudi à cette révélation, comme si elle venait d'apprendre d'où venaient ses ancêtres, comme si c'était la réponse à une question qui la hantait depuis le début de sa vie consciente, que c'était là que résidait le mystère de son existence et qu'à présent elle savait. À présent, tout dans sa vie deviendrait juste et cohérent.

« Et pourtant, elle ne veut acheter que du neuf », avait alors remarqué Toby, en pensant que ça ferait rire. Rachel et Luc l'avaient dévisagé d'un air impassible.

Tout ça pour dire qu'il pensait ne plus jamais passer ce seuil. Tout ça pour dire qu'il pensait qu'il n'aurait plus jamais à poser les yeux sur une chaise Eames visiblement capable de vous fendre le coccyx au bout d'une heure de conversation civilisée. Tout ça pour dire que lorsqu'il reçut cet e-mail qui lui confirma la livraison en cours de ses nouvelles cocottes Le Creuset, il faillit s'évaporer de joie. C'était ce même sentiment qu'il éprouverait chaque jour que Dieu ferait, une fois qu'il aurait quitté pour de bon l'appartement de Rachel, pensait-il alors. C'était à ça que ça ressemblerait, tout le temps – une vie entière selon ses règles *à lui*, un foyer et une journée bâtis sur ses choix *à lui*. En suivant le sentier de graviers qui menait jusqu'à la porte de la maison, il posa les mains sur la tête de ses enfants, dont les cheveux étaient déjà poisseux de l'air marin. Il se rendit compte que quelque chose d'infime, tout au fond de lui, voulait qu'elle soit ici, voulait qu'il ouvre la porte et la trouve là, en train de les attendre. Peut-être en train de se bourrer la gueule, ou de baiser un mec, ou de baiser une fille, ou de pleurer dans la baignoire. Peut-être morte sur la terrasse. Mais là.

Il alluma la lumière, sentit l'absence d'être humain dans la maison, et sut qu'elle n'était pas là. Cela dit, il ne s'était pas *vraiment* attendu à ce qu'elle le soit. Mais alors pourquoi se sentait-il de nouveau trahi et esseulé ?

Cette nuit-là, seul pour la première fois dans ce lit, il éprouva le même sentiment qu'à son réveil : *Quelque chose ne va pas. Tu as des ennuis. Fleishman a des ennuis.* Le lit, qui avait coûté 26 000 dollars, et le matelas, qui avait coûté 7 500 dollars, étaient aussi doux et accueillants que les bras d'une mère. Il était allongé sur son flanc droit, et regardait la vaste place vacante qu'une autre personne aurait dû occuper. Un California King Size, c'était vraiment trop. Ils n'avaient pas besoin d'autant d'espace. Par le Velux, il observa les étoiles, et il songea à ce qui se trouvait au-delà de l'atmosphère et au-delà des étoiles dans cet espace infini qui le rendait encore plus minuscule qu'il ne l'était déjà sur Terre.

Son téléphone émit un « tchou tchou » ferroviaire signalant un message, et il l'attrapa pour voir de qui il s'agissait. C'était Nahid, dont il commençait à connaître si intimement l'anatomie qu'il avait du mal à concevoir qu'ils n'aient pas encore baisé ensemble, qu'ils ne se soient pas même rencontrés. Il sentit sa bite durcir. Il ne trouva rien de mieux à faire que de se branler dans le lit de Rachel avec les photos d'une autre – une femme qui *voulait* lui faire du bien, *voulait* le ravir. Il s'endormit son téléphone dans la main gauche.

153

* * *

Le lendemain matin, il prépara des pancakes pour ses enfants avec le reste de préparation de l'été dernier, mais Hannah ne voulut rien manger. Elle ne désirait qu'une chose : voir ses copines.

« Mais aucune d'entre elles n'est encore arrivée », dit Toby.

Elle se précipita dans sa chambre.

Toby passa dans la bibliothèque, ou tout du moins dans ce qui leur avait été vendu comme une bibliothèque, et où Rachel n'avait jamais mis le moindre livre, rien qu'un canapé en cuir vert hideux et une télé, et il s'assit pour appeler Simone, l'assistante de Rachel, sur son portable. Une seule sonnerie, et tout de suite après, la boîte vocale. Toby considéra un moment son téléphone. Il était nerveux. Mon Dieu, mais de quoi pouvait-il avoir peur ? Va te faire enculer, espèce de mauviette, se dit-il à lui-même. Il rappela. À nouveau, sonnerie, puis boîte vocale. Il décida d'envoyer un message.

Merci de répondre, c'est urgent.

Et il fixa son téléphone. Rien. Il s'apprêtait à sortir de la bibliothèque lorsqu'on l'appela.

« Bonjour Toby, fit Simone, sur le ton de la défaite.

— Où est-elle ?

— Vous avez dit que c'était urgent ?

— Elle est là ? » Il se mit à envisager toutes les possibilités. « Est-ce que vous pouvez lui dire de me rappeler ? Elle a *plusieurs* jours de retard et j'ai ce cas clinique vraiment compliqué à l'hôpital et… et puis c'est son tour. C'est son tour, en vertu des modalités auxquelles elle a elle-même consenti. Elle a tout à fait le droit de me chier dessus, mais pas sur les gamins.

154

— Dans ce cas, s'il ne s'agit pas d'une urgence…

— Simone. Mes enfants l'attendent. Où est-elle ?

— Je lui ferai passer le mot. »

Simone raccrocha. Rachel abusait d'elle. Cela faisait quatre ans qu'elle était son assistante. Habituellement, c'était deux ans, mais Rachel avait dit à Toby que Simone, malgré ses grandes qualités, était trop timide et trop gentille pour être lâchée dans la nature en tant qu'agente junior.

« Alors tu vas juste lui faire croire qu'elle décrochera un jour une promotion ? avait demandé Toby.

— Je ne lui ai jamais menti là-dessus », avait répondu Rachel.

Hannah devait retrouver Lexi Leffer, la petite Beckett Hayes, toujours en retrait, et Skylar Quelque Chose, que sa mère avait inscrit à plusieurs castings pub. Ils se garèrent devant le café. Hannah informa son père qu'il ne. l'ac. com. pa. gne. rait. pas à l'intérieur, qu'il lui faudrait 60 dollars (pas ses pauvres 20 dollars), que d'ailleurs certains enfants avaient droit à cent, et que bien sûr elle lui ferait signe quand il serait l'heure de venir la chercher, mais comment pourrait-elle l'appeler, elle qui était la seule personne à la surface du globe à ne pas avoir de téléphone. Hannah n'avait pas encore poussé la porte du café lorsqu'un groupe de garçons de son âge l'appela. Hannah se retourna, et son visage était resplendissant, comme illuminé. Rachel était capable du même tour de magie.

« Je ne savais pas qu'il y aurait aussi des garçons, commenta Toby, à personne en particulier.

— Peut-être que c'est juste une coïncidence », fit remarquer Solly. Il était plongé dans ses *400 Choses à savoir sur l'Univers*.

Toby resta immobile une minute entière, les yeux dans le vide.

« Papa, ça va, papa ? »

Toby regarda Solly dans le rétroviseur durant de longues secondes, avant de pouvoir analyser sa question. Il mit le contact et redémarra. « Oui, non, bien sûr, tout va bien. Je réfléchissais à ce que j'allais préparer pour le dîner.

— Papa, c'est quoi l'univers-bloc ?

— La théorie de l'univers-bloc ? Où est-ce que tu as entendu parler de ça ?

— Dans mon livre, là.

— Mince, c'est drôlement compliqué. D'accord, tu es prêt ? C'est de la physique théorique. Une théorie selon laquelle il existe une infinité d'univers dans une infinité de dimensions, et ils coexistent tous en même temps. C'est-à-dire que quoi qu'il arrive, chaque moment existe pour toujours. Le temps n'est pas un mouvement vers l'avant. Chaque instant existe simultanément. Tu comprends ?

— Ça veut dire qu'en ce moment, tout ce qui est arrivé ici à cet endroit continue d'arriver ?

— Oui. Et dans le futur aussi. Enfin, dans ce que nous considérons comme le futur.

— Mais comment ça se fait qu'on ne le voie pas ?

— Eh bien c'est parce que nous ne pouvons appréhender que ce qui se passe dans notre dimension. Et notre cerveau a déjà assez de mal comme ça.

— Comment on fait pour savoir dans quelle dimension on est ?

— On est dans toutes les dimensions à la fois, selon cette théorie. »

Solly s'adossa à la banquette et ferma les yeux en se mordant la lèvre supérieure.

« Ça va, mon chéri ?

— Ça me stresse.

— Pourquoi ?

— J'en sais rien. Tout qui arrive en même temps. Ça fait *beaucoup* trop de choses qui se passent.

— C'est vrai. Mais nous ne sommes responsables que de ce qui se passe maintenant.

— Mais tout se passe maintenant !

— Et tu ne peux rien contrôler d'autre que le maintenant.

— Mais tous les moi qui existent doivent contrôler leur maintenant.

— Et ils en sont tous capables. »

Toby se retourna.

« Ce n'est qu'une théorie. Ce n'est probablement pas vrai. »

Toby en avait assez dit sur la théorie de l'univers-bloc à son goût. Il n'avait pas envie de parler d'une théorie selon laquelle ce à quoi on se trouvait confronté ne constituait pas la réalité absolue. Il n'aurait pas supporté de réfléchir à la somme des regrets et des chances ratées et des choix écartés, dont le poids l'aurait très certainement écrasé. Il avait choisi de vivre sans regrets. Il avait choisi de croire qu'il n'avait rien à regretter. Il avait eu des opportunités, mais il avait aussi des valeurs. Durant toute sa vie conjugale, il avait sans cesse été puni parce qu'il restait fidèle à ses valeurs, parce qu'il refusait de se faire happer par ce vortex d'indécisions, comme à peu près toutes les personnes de son entourage. Il ne voulait plus penser au champ des possibles. Le champ des possibles était un terrain miné.

Deux ans auparavant, les Fleishman avaient été invités à un réveillon de la Saint-Sylvestre dans la résidence secondaire de Miriam et Sam Rothberg (en passant, comment s'y prend-on pour déterminer quelle est sa résidence secondaire lorsqu'on en possède quatre ?). Solly s'entendait plutôt bien avec Jack Rothberg, et Rachel faisait du Pilates avec Miriam, qui représentait le pinacle des aspirations socio-financières de Rachel. Miriam était une Rothberg, ce qui faisait d'elle quelqu'un de riche et d'influent, mais elle était née Sachsen, ce qui liait son destin et sa fortune à deux ou trois petits pays d'Europe. La famille Sachsen était celle qui contribuait le plus au fonds d'entretien des bâtiments scolaires, raison pour laquelle leur nom apparaissait à cinq endroits différents, ainsi que sur le papier à en-tête de l'école, et très prochainement, au fronton de la future annexe du MoMA.

La maison en question se trouvait au nord de l'État de New York, à Saratoga Springs, près du champ de courses. Comment Toby aurait-il pu décrire cette maison ? Elle ressemblait à Monticello, la demeure de Thomas Jefferson : trapue, coloniale, avec un vaste hall flanqué de deux escaliers, c'est-à-dire un de trop. À l'extérieur, la propriété semblait infinie : à l'intérieur aussi. Il y avait neuf chambres à coucher, lui avait révélé Rachel. Chaque famille conviée fut installée dans une chambre, qui s'avéra être en réalité une suite de chambres : une pour les parents, une autre plus petite pour les enfants, et une salle de bains par famille. Cependant, plus de vingt familles avaient été invitées, et celles qui ne furent pas accueillies sous son toit, Sam Rothberg lui-même les installa dans un charmant hôtel historique, un peu plus loin sur la route qui menait au domaine.

« Pourquoi sommes-nous chez eux et pas à l'hôtel ? » demanda Toby durant le trajet.

Rachel, au volant, haussa les épaules. « Qui sait ?

— Il me semble assez étrange qu'on ait mérité de loger chez eux.

— C'est sans doute pour que les enfants puissent jouer ensemble. Oh, et puis certaines personnes m'apprécient, Toby. »

Toby regarda droit devant lui sans rien dire. Au moins, à l'hôtel, il n'aurait pas eu à supporter ces gens en continu. Il aurait pu se promener avec Solly dans la nature, ou prendre un repas loin de la foule. Au lieu de ça, ils furent installés dans une chambre avec lit à baldaquin et tentures aux murs, le tout dans un style Queen Anne des plus plats. Toby posa les bagages et se dit que ce week-end allait être vraiment pénible.

Le lendemain matin, au petit déjeuner, Sam proposa à Toby d'emmener les enfants au bowling. Toby chercha une façon polie de décliner, mais il aperçut Rachel dont les sourcils le supplièrent d'accepter.

« Super », répondit-il.

Au bowling, les mains de géant de Sam se saisirent d'une boule rouge marbrée qui s'élança en l'air, atterrit sur la piste huilée avec la grâce d'un cygne, et lui permit d'aligner son, mais oui, troisième strike. Sam était grand, bien au-dessus de la moyenne nationale, et il semblait avoir encore tous ses cheveux, même si avec les blonds, on ne peut jamais vraiment savoir. Son menton paraissait solide, mais il était prognathe, ce qui indiquait que son menton n'était peut-être pas aussi robuste que ça. Quand il riait, sa mâchoire s'ouvrait et se fermait sans mouvement latéral, comme celle d'une marionnette. Il s'assit à côté de Toby tandis que Jack s'apprêtait à faire son deuxième strike. « Tu travailles toujours à l'hôpital ? On est à la recherche de quelqu'un pour diriger notre campagne cannabis.

— Fendant se lance dans le cannabis thérapeutique ? »

Sam éclata de rire. « Mon Dieu, non. On cherche quelqu'un de capable pour diriger un tout nouveau département, extrêmement sensible, dont le but sera de démonter les mythes autour des thérapies alternatives, de rappeler au monde que la médecine conventionnelle, ça reste ce qu'il y a de mieux. Il y a beaucoup de désinformation à ce sujet, ces derniers temps, tu n'es pas sans le savoir.

— Je sais pas trop, répondit Toby. Je vois beaucoup de patients atteints de cancer dont l'état général s'améliore grâce au cannabis et à l'acupuncture…

— Ah, ne me lance pas sur l'acupuncture, fit Sam.

— … Ça ne les guérit pas, bien sûr, mais ça les soulage.

— Soit, si tu veux. Mais le meilleur moyen d'être soulagé, c'est d'être guéri, non ? » Toby repensa à Bartuck, avec sa tête d'[émoji yeux en symboles dollar], qui passait son temps à la chasse aux subventions et aux fonds. Cela dégoûtait Toby, mais que pouvait-il y faire ? Cette forme de cupidité était essentielle à sa propre pratique médicale : sans elle, pas de boulot. En médecine, chacun avait son rôle. Il le comprenait, et l'acceptait. Mais là, c'était du jamais-vu. Bartuck au moins était tenu de faire semblant de se soucier des patients ; Bartuck, au moins, pendant une période de sa vie, s'était lui-même chargé de les soigner ! Ce qui était tout à fait nouveau pour Toby, c'était de se retrouver dans la même pièce qu'un individu qui, très ouvertement, ne s'intéressait pas du tout au bien-être des patients, et tout aussi ouvertement, avait à cœur d'entraver les avancées médicales.

« Je suis médecin, dit Toby. Mon point fort, c'est le travail avec les patients. » Il espérait que cela mettrait un terme poli à la conversation avant que Sam lui soumette un chiffre, mais l'espoir, c'est pour les idiots. Toby se leva pour aller jouer. Sa boule glissa dans la gouttière, faisant miraculeusement tomber une quille latérale avant de disparaître.

« On est en train de parler de la direction d'un gros département, là, Toby. Tu encaisserais mille K par an, sans compter les primes. Tu aurais toute une équipe sous ta responsabilité. Super horaires. Super boulot. »

Mille K, pour mille kilodollars : un million. Toby tenta de s'imaginer ce que c'était que d'atteindre un tel niveau d'intimité avec l'argent qu'on en venait à lui donner des petits noms. « C'est vraiment très gentil, mais ce n'est pas mon travail.

— Rachel m'a dit que tu résisterais. Je t'ai parlé des primes ? Des horaires ? On a un chalet à Zermatt où tu pourrais aller skier. Tous les directeurs de département ont leur clef. Je suis sérieux.

— Quand avez-vous parlé de ça avec Rachel ? »

C'était à Sam de jouer. Il réalisa un autre strike, et quand il revint s'asseoir, Toby aurait voulu répéter sa question, mais il lui aurait été impossible de le faire sans paraître paniqué ou parano.

Toby se promit de ne pas aborder le sujet avec Rachel avant qu'ils soient rentrés chez eux. Il n'y avait nulle part où se disputer en toute intimité, et il craignait de ne pouvoir se contenir durant le dîner, lorsque, immanquablement, elle lui dirait des choses atroces sur sa vocation.

Mais Rachel avait un autre plan d'attaque. C'était la nuit du réveillon, des serveurs en livrée passaient avec des plateaux de hors-d'œuvre et du champagne, Toby resta assis seul sur un divan jusqu'à vingt-trois heures, heure à laquelle Solly le rejoignit et en un rien de temps, s'endormit sur ses genoux. Il le porta jusqu'à son lit, se disant qu'il pouvait peut-être échapper à la suite en s'endormant à côté de lui, mais Rachel l'attendait devant la chambre de Solly.

« Alors ? murmura-t-elle. Quand est-ce que tu me racontes ?

— Te raconter quoi ?

— Ce dont vous avez parlé, Sam et toi ?

— Tu sais très bien de quoi on a parlé. Tu as tout orchestré dans mon dos, en collusion avec lui.

— Collusion ? C'est un bien grand mot. Il m'en a parlé il y a quelques semaines. Je me suis dit que cette opportunité pourrait t'intéresser.

— C'est le contraire d'une opportunité, en vérité. C'est l'antithèse du boulot que je fais. Il voudrait que je dirige un département dont le but sera de priver les malades de protocoles de soins parfaitement pertinents. »

Elle s'assit sur le lit, et releva la tête vers lui. « Je sais. Mais tu es tellement bon dans ce que tu fais. Tu devrais être récompensé à hauteur de tes qualités. Tu mériterais de quitter cette galère.

— Je n'ai aucune envie de quitter mon boulot. Et mon boulot n'a rien d'une galère.

— Arrête de crier, fit-elle entre ses dents serrées. Ne me ridiculise pas en présence de toutes ces personnes.

— Toi, en revanche, tu peux parfaitement me ridiculiser en sous-entendant que je suis tellement peu intègre que…

— Tu veux parler d'intégrité ? Tu crois vraiment que t'accrocher à ton boulot quand tu as la chance de pouvoir, quoi, quadrupler ton salaire et améliorer notre quotidien à tous, c'est de l'intégrité ? Attendre que je me tue littéralement à la tâche et faire toujours ce qui te chante, jamais ce qui s'impose, c'est de l'intégrité ?

— Où est le problème, là ? Je suis parfaitement…

— Tu n'es que médecin hospitalier.

— Je le suis parce que j'aime travailler avec les patients.

— Tu as complètement foiré tes recherches financées par cette bourse.

— Et merde. Encore cette bourse. »

Son rouge à lèvres, toujours le même, avait bavé sur ses dents. Ça lui donnait un air de patiente psychiatrique errant dans le métro. « Tu es tellement convaincu que tu es le seul gentil et que le reste du monde est méchant. Ce n'est pas *mal* de vouloir avoir de l'argent. Ce n'est pas *mal* d'avoir un soupçon d'ambition. Ce n'est pas *mal* de travailler dur pour rendre sa famille heureuse. »

Solly apparut sur le pas de la porte en se frottant les yeux.

« Pourquoi vous vous disputez ? »

Rachel se leva. « Va te recoucher, mon chéri, tout va bien.

— Pourquoi vous vous disputez ?

— Retourne au lit. »

Sans un mot, Toby prit Solly par la main, le raccompagna et se coucha à côté de lui, face à face. Il posa la main sur la joue de son fils, qui posa la sienne sur la joue de son père.

« Je veux être docteur quand je serai grand, papa.

— C'est vrai ?

— Je veux avoir des patients pour qu'ils aillent mieux.

— Tu seras un super docteur. Dors, maintenant. »

Quelque temps après, la porte s'ouvrit, et Toby devina que Rachel se tenait sur le seuil, bouillonnante de colère. Il garda les yeux fermés et fit semblant de dormir.

Une semaine plus tard, sans raison, ou du moins sans raison apparente, Rachel décida qu'elle ne pouvait plus vivre sur la 72e Rue dans leur quatre-pièces idéal avec un gardien d'immeuble et ce que Solly considérait comme l'ascenseur le plus chouette de tout New York. Elle se mit à chercher, toute seule, un nouvel appartement. Elle emmenait Hannah avec elle et, au dîner, Hannah commentait leurs visites en faisant remarquer qu'il n'y avait pas de vestibule, ou que la porte de la cuisine donnait directement sur le salon, ou qu'il n'y avait pas assez de rangements, ou qu'il n'y avait pas de parking, ou qu'il n'y avait qu'un salon et pas de salle à manger.

Un nouvel immeuble était alors en construction sur la 75e Rue, à hauteur de la Troisième Avenue. D'autres encore étaient en chantier sur la 86e et la 79e, tout de verre et de métal, les échafaudages ornés d'énormes affiches qui en vantaient les commodités, les courts de tennis, les jacuzzis, les espaces communs, le luxe, le calme et la volupté. C'était exactement ce que recherchait Rachel, mais cela ne l'intéressait pas. Rachel n'avait d'yeux que pour l'immeuble de la 75e Rue qui ne compterait aucune commodité. Au terme des travaux de construction, il ressemblerait aux anciens édifices art déco de Manhattan, ces vestiges des fortunes passées où vivaient leurs amis plus riches qu'eux.

Il y aurait des arches en bronze, de très hauts plafonds et des portes en métal, et le bâtiment serait baptisé *The Golden*, Le Doré. Une nuit après dîner, les Fleishman au complet allèrent voir sur place.

« L'immeuble n'est même pas encore ouvert aux visites, mais Sam Rothberg connaît le promoteur, il nous a arrangé le coup, déclara Rachel.

— Je ne vois pas à quoi pourrait nous servir un appartement aussi grand, objecta Toby.

— Il n'est pas si grand que ça. C'est la superficie normale pour une famille de quatre personnes.

— Les autres immeubles en construction sont tellement plus sympas. Ils ont des piscines.

— On a le club pour ça. Et je n'ai pas envie de vivre au milieu de tout ce verre. C'est tellement vintage, tellement romantique, ici.

— Peut-être qu'il y aura une salle de sport, dit Hannah.

— Non, ce n'est pas prévu, répondit Rachel en considérant les moulures au plafond.

— Comment tu sais ça ? » demanda Toby. L'agent ne les avait pas encore rejoints dans l'appartement-témoin.

Rachel fit une brève pause. « J'ai demandé à Sam.

— Tu as déjà visité cet immeuble ?

— Bien sûr que non. Comment aurais-je fait ? » Toby avait la quasi-certitude qu'elle mentait.

Ils achetèrent l'appartement trois semaines plus tard. Elle ne lui demanda pas son avis. Elle lui imposa le sien, tout bonnement. C'était sa punition, pour avoir refusé le poste chez Fendant. OK, s'était-il dit en faisant les cartons. Du moment qu'on est quittes.

Toby se rendit compte soudain qu'il était de retour chez eux, ou plutôt chez Rachel, en train de rouler au pas sur le sentier qui menait à la maison.

« Papa ? » demanda Solly.

Toby battit des paupières. Il n'avait aucun souvenir du trajet qu'il venait de faire en voiture. Il avait cru qu'ils étaient quittes, mais il se trompait lourdement. Jamais ils ne seraient quittes. À dix-sept ans, il avait eu un accident au volant de la Volvo de ses parents. Pendant les trois jours qui avaient suivi, les mêmes questions l'avaient assailli : et si j'étais parti exactement une minute plus tôt ? Et si je n'étais pas allé faire le plein ? Ça l'avait rendu complètement fou, mais le pire, c'est que rien de tout cela n'avait la moindre importance. Et s'il avait accepté ce poste chez Fendant ? Et s'il avait été ne serait-ce que plus ouvert à la discussion ? Et si ses recherches avaient fait florès, et que sa bourse avait été reconduite ? Et s'il ne s'était jamais rendu à la fête où il avait rencontré Rachel ? À quoi bon se poser toutes ces questions ? Vous comprenez pourquoi il ne voulait pas s'appesantir sur la théorie de l'univers-bloc ? C'était simplement parce que quelque part, dans l'un de ces univers parallèles, il était encore le pauvre abruti qui n'avait rien vu venir.

* * *

Le lendemain de leur arrivée dans les Hamptons passa avec une lenteur atroce, Hannah l'obligeant à la conduire à une multitude de rendez-vous, négociant à chaque fois par SMS, sur le téléphone d'une amie, pour pouvoir rester plus longtemps et aller voir d'autres amies. Il fit le chauffeur pour Hannah. Il emmena Solly sur la plage pour ramasser des cailloux. Il appela l'hôpital. Il reçut des appels de l'hôpital.

Toby et son fils se trouvaient à présent au bord de la piscine, sur des chaises longues beaucoup trop chères, Solly jouant à Minecraft sur son iPad. Toby fixa longtemps les scintillements aveuglants de l'eau avant de se dire qu'il en avait assez. Il sortit son ordinateur portable et chercha le nom de l'avocate qu'il avait consultée deux ans auparavant, lorsqu'il avait pris la décision de divorcer, sachant que tout ce qu'ils possédaient avait été acheté avec l'argent de Rachel. L'avocate, une femme d'une bonne cinquantaine d'années qui s'était chargée du divorce d'un autre médecin de l'hôpital, lui avait dit qu'il pouvait toujours demander le divorce, en précisant toutefois que lorsque l'argent viendrait à manquer, il n'aurait d'autre choix que de consentir à l'ensemble des exigences de Rachel, à supposer que le fait de savoir d'emblée que ses « ressources » étaient plus limitées que celles de sa femme ne le pousse pas à céder bien plus tôt.

« Même les personnes apparemment les plus infectes ont tendance à se montrer raisonnables, avait-elle tenté de le rassurer.

— Mouais, permettez-moi d'en douter », avait répliqué Toby.

Elle lui avait demandé 750 dollars pour cette conversation de quarante-cinq minutes. « La médiation serait la meilleure des solutions, pour vous comme pour votre femme. Si c'est ce qu'elle propose, je vous conseille d'accepter. Vous allez avoir besoin d'argent pour votre nouveau logement, à moins que vous arriviez à lui arracher une pension alimentaire. »

Si pendant ces quelques mois de paix pseudoconjugale, Toby avait redouté que l'inertie de cette petite quinzaine d'années le pousse à leur laisser une seconde chance, leurs séances de médiation, à raison de deux par semaine, finirent d'enterrer tout espoir. Durant ces séances, Rachel multipliait les exigences, sans la moindre compassion. Elle voulait les maisons, elle voulait la BMW, elle voulait les actions et l'abonnement aux matches des Knicks (mais pourquoi s'intéressait-elle soudain au basket ?) et la carte de membre du club, et ça tombait plutôt bien parce qu'il avait toujours détesté ce club, n'empêche. Elle avait déjà tellement, et elle voulait tout garder. Elle voulait quitter le père de ses enfants sans lui laisser la moindre relique de leurs quinze ans de vie commune. Mais ce n'était pas le pire. Hormis ces choses qu'elle demandait, le pire, c'était que toutes ces exigences mettaient Toby dans une position où il était contraint de se demander ce que lui voulait.

La seule façon qu'il avait trouvée de survivre à ce mariage, avec une femme qui, non seulement gagnait quinze fois son salaire de docteur déjà plus que confortable, mais qui en plus, dès lors qu'elle le dépassa dans la course aux revenus, conçut un dégoût absolu pour son incapacité à gagner davantage, avait été de camper le personnage de l'époux qui tolérait tout juste les bons côtés d'une vie de luxe. Il avait *permis* à Rachel d'acheter cette maison dans les Hamptons, il lui avait *permis* d'acheter ce monstrueux appartement pour nouveaux riches au sein du Golden, il lui avait *permis* d'acheter la décapotable. Il ne s'était en revanche jamais permis de considérer que les biens de Rachel étaient devenus les *siens*. Il n'avait rien acheté, mais toutes ces choses lui appartenaient aussi. Et il se mit à détester ces séances de médiation parce qu'il avait l'impression que le simple fait de vouloir l'une ou l'autre de ces choses, d'en réclamer la jouissance et la propriété, aurait été la preuve que lui aussi en tirait du plaisir. Parfait, disait-il à chaque nouvelle capitulation. Prends tout, vas-y.

Lorsque tout cela l'écrasait, Frank, le médiateur qui n'avait des cheveux qu'au-dessus des oreilles et ne portait que des cols châles, intervenait : « On va respirer un coup, d'accord, Toby ? »

Il pouvait gérer la perte de toutes ces choses. La voiture, la maison dans les Hamptons et le club disparaîtraient de sa vie du jour au lendemain et il s'y adapterait, puisque de toute façon il n'avait jamais été question pour lui de détenir une telle fortune. Seulement, il passait à présent pour une femme au foyer dont la seule contribution avait été de s'occuper des enfants, et Frank lui disait de se battre pour ce qui lui revenait, de même qu'il devait dire aux femmes au foyer de se battre pour ce qui leur revenait. Et Frank avait raison. Il méritait bien quelque chose. Il méritait quelque chose pour avoir laissé Rachel briser sa carrière à lui, à coups de journées de travail qui finissaient à pas d'heure et de tout dernier appel à passer. Il méritait quelque chose pour s'être laissé rabaisser et reléguer au second plan. Il méritait quelque chose pour avoir frémi des années durant dans l'ombre de Rachel, pour avoir souffert tout ce temps, pour avoir dû lutter jusqu'à la mort, nuit après nuit. Est-ce qu'il avait l'air en colère ? Il n'était absolument pas en colère. Il expliquait juste la situation.

Ce que Frank essayait de lui dire était qu'il n'obtiendrait jamais ce qu'il avait désiré plus que tout, à savoir un mariage heureux. Il n'aurait sans doute jamais droit à la moindre excuse, la moindre explication, quant à l'échec de leur relation. Dans ce genre de cas, la compensation matérielle était le seul espoir réaliste. Frank le savait, pour l'avoir vu un nombre incalculable de fois. Il fallait faire main basse sur des trucs, parce que c'était tout ce qu'il restait lorsqu'on prenait conscience que le reste avait disparu. Mais Toby refusait obstinément de se battre. Il aurait été trop humiliant de quémander des choses qu'il n'avait pas même désirées. S'habituer à des trucs et y prendre plaisir, ce n'était pas la même chose que de les vouloir dès le début, non ?

La période de médiation s'acheva, et d'autres spécialistes prirent le relais. Ce fut un défilé de gratte-papier et de notaires, une farandole de paperasses à signer pour retirer son nom d'un tas de titres et d'actes, comme si, comble de l'humiliation, l'idée aurait pu lui venir de tout réclamer, comme si, en fin de compte, il leur était impossible de se séparer en adultes, comme si l'argent l'obsédait à un tel point qu'il aurait été prêt à squatter l'appartement de

Rachel ou lui intenter un procès pour récupérer sa voiture. Après tout, il n'était qu'un pauvre docteur. Un pauvre docteur qui, soit dit en passant, gagnait plus d'un quart de million de dollars par an, merci bien.

Il expira dans un bruit de hors-bord. Il refusait de s'abaisser à contacter des connaissances de Rachel pour leur demander si elles avaient de ses nouvelles. Cette situation était si profondément embarrassante qu'il n'aurait pas supporté que qui que ce soit l'apprenne. Soit, tout divorce était dégueulasse, tout le monde savait ça, mais être abandonné par une épouse dont on était déjà séparé, c'était bien trop humiliant, même pour lui, même après leurs disputes en public, leurs mines d'enterrement dès le début d'une soirée ou d'un dîner, et le nombre de fois où elle s'était moquée ouvertement de son manque de raffinement. Son *manque de raffinement*. Lui. Pas raffiné. Lui. Lui qui lisait tous les finalistes du prix Pulitzer et qui avait son passe annuel dans quatre-oui-vous-avez-bien-lu-quatre musées ; lui qui consultait *Time Out* chaque semaine pour s'informer des nouveaux événements culturels, qui faisait des dons au comité de sauvegarde de Central Park et proposait régulièrement à sa femme d'aller à l'opéra, à des concertos pour violoncelle et des spectacles de Mummenschanz ?

Dans une nouvelle fenêtre, il accéda à la page de connexion au compte en banque que Rachel et lui partageaient jadis. Chacun en avait ouvert un nouveau de son côté, à la suggestion de Frank. Toby avait ouvert le sien à la banque qui se trouvait au coin de la rue de son nouveau chez-lui, et avait fait transférer son dépôt direct. Son ordinateur continuait pourtant de se connecter automatiquement à l'ancien compte commun, et il se dit qu'il découvrirait peut-être où se trouvait Rachel et ce qu'elle pouvait bien faire s'il consultait ses dernières dépenses. Il tâcha de se connecter, et fut confronté à une page qui lui disait que son mot de passe ou son nom d'utilisateur était invalide. Il réessaya. Il tomba sur la même page, qui lui précisa qu'il lui restait deux essais avant que l'accès au compte soit bloqué. Il tenta à nouveau, et l'écran lui indiqua qu'il ne lui restait plus qu'un essai. Il essaya avec le numéro d'une des cartes de crédit : *idem*.

Il referma son ordinateur et se fendit d'un « Va te faire foutre, Rachel » dans sa tête. Sa psy, Carla, lui avait soutenu mordicus que tout monologue intérieur pouvait vite devenir toxique, et qu'un « Va te faire foutre, Rachel » intérieur générait plus de problèmes qu'il n'en résolvait – problèmes qui, du reste, lui appartenaient à lui et non à elle. N'empêche, va te faire foutre, Rachel, se dit-il. Rafraîchissant comme un verre d'eau glacé.

* * *

La nuit, il recevait de nouveaux messages de Nahid, et à chaque photo de mamelon/lèvres/buste, à chaque sous-entendu, il se disait que ce monde était vraiment cinglé, que dans le même temps où il était ballotté par un tourbillon de profonde anxiété quant à la soudaine disparition de sa femme (tourbillon qu'il affrontait le sourire aux lèvres afin que les enfants ne se doutent de rien), il arrivait à sextoter avec une femme qu'il n'avait jamais rencontrée comme si tout était pour le mieux dans le meilleur des mondes possibles. Pour la millionième fois cet été, il s'étonnait qu'une même personne puisse être à ce point malheureuse et paumée, et en même temps à ce point excitée et lubrique. Quel chef-d'œuvre que l'homme.

Et le jour, il observait fixement la plage et considérait aussi l'univers-bloc de cette petite bande de terre devant la maison. Dans l'univers-bloc, il est là, six étés auparavant, le jour où ils se décident à acheter la propriété, il emmène les enfants jouer sur la grève pendant que Rachel s'entretient avec l'agent immobilier, puis elle sort et le serre dans ses bras, ils s'embrassent, et il repense à ces bouquins de Syd Hoff qu'il lisait aux gamins, à Sammy le Phoque en particulier. Sammy le Phoque quitte le zoo pour découvrir le monde, il va à l'école, au restaurant et tout se passe bien, mais sans plus, jusqu'à ce qu'il tombe sur une baignoire et qu'il se dise : « Ah, voilà l'endroit que je cherchais ! » Et c'est précisément ce que se dit Toby ce jour-là sur la plage : Ah, voilà l'endroit que je cherchais ! Peut-être se dit-elle la même chose au même instant, en tout cas le fait est qu'ils se sont embrassés. Et puis dans la fenêtre suivante de ce même univers-bloc, il est en train de jouer au frisbee sur cette plage avec Hannah, et il se dit de nouveau, Ah, voilà l'endroit que je cherchais ! Et puis Rachel sort de la maison et leur crie dessus parce qu'ils sont en train de se mettre du sable partout alors qu'ils viennent de prendre leur douche, et qu'ils sont sur le point d'aller dîner au restaurant.

Hannah était invitée chez une amie vendredi, et Toby embarqua Solly pour la déposer. La mère de l'amie, Roxanne Hertz, avec sa petite bouche, ses cheveux platine et sa frange rock indé des années 1970, essaya de faire avouer à Toby pourquoi il se trouvait dans les Hamptons alors que selon les informations qu'ils avaient glanées tout l'été, Rachel avait gardé la maison pour elle toute seule.

« Je croyais que Rachel devait passer cette semaine avec les enfants, remarqua Roxanne.

— Tout à fait, mais elle a dû s'absenter », répondit Toby.

Roxanne observa le silence. Elle balançait la tête d'avant en arrière, avec la régularité d'un métronome, et ce mouvement était si hypnotique qu'il eut le réflexe de l'imiter. Non, il devait se montrer fort. Il redressa bien haut le menton.

« Et vous, comment se passe l'été ? » demanda Toby.

171

Elle sourit, la moitié de son visage plissé de pitié. « Ça doit être tellement difficile, pour vous quatre, en ce moment. Le changement, c'est tellement compliqué. C'est ce que je dis toujours.

— C'est vrai. » Il pinça les lèvres pour qu'elles cessent de remuer. Roxanne ne sortirait pas gagnante de ce petit jeu du chat et de la souris.

Elle parut le comprendre, et poussa un soupir. « Enfin bon, c'est comme ça. Il faut du temps pour s'adapter aux nouvelles relations. Je suis sûr que vous retrouverez bientôt vos marques. »

Mon Dieu, ça n'en finissait jamais ! Max, le fils de Roxanne qui était en CE2, déboucha soudain du couloir.

« Eh, salut Max ! lança Toby. Solly est dans la voiture. Tu veux lui dire bonjour ? »

Max regarda sa mère. Celle-ci lui lança un regard plein de colère. « Va lui dire bonjour. » Puis, se tournant vers Toby : « Et si tu nous laissais aussi Solly ? Hannah et lui pourraient rester dîner. Brielle et elle ont des tas de choses à se raconter ! » Elle avait un sourire bienveillant qui emmerdait un peu Toby, parce qu'il sous-entendait qu'il avait du mal à gérer seul ses enfants (faux) ou que manifestement, il souffrait (OK, vrai). Toby lui répondit qu'il allait demander à Solly, sortit, et attendit une minute entière avant de faire descendre son fils de voiture en lui disant qu'il allait passer un peu de temps avec Max.

« Envoie-moi un SMS quand tu voudras que je vienne les chercher, dit Toby à Roxanne.

— Hannah n'a toujours pas de téléphone ? répliqua Roxanne. Toby, ta fille a besoin d'un téléphone ! » Elle prononça cette dernière phrase d'un ton de moquerie, à moins que ce fût une sorte d'imitation, peut-être une voix à la Groucho Marx. Il se souvint que Rachel lui avait dit un jour que Roxanne était incapable de contredire quelqu'un ou de demander quoi que ce soit sans faire une drôle de voix.

« Elle en aura un pour son anniversaire. » Il remercia Roxanne, sourit et lui dit qu'il lui retournerait la faveur, une prochaine fois.

« Mais ça n'a rien d'une faveur ! » lança-t-elle alors qu'il s'éloignait. « C'est un vrai plaisir de les recevoir ! »

Il passa derrière le volant et regarda droit devant lui. Roxanne avait parlé de « nouvelles relations ». « C'est dur de s'adapter aux nouvelles relations », quelque chose comme ça. Il avait opiné de la tête en souriant parce qu'elle semblait se faire du souci, mais il n'avait qu'une envie, foutre le camp d'ici. Cette phrase revenait à présent le tarauder. De nouvelles relations ? Est-ce qu'elle faisait allusion à quelque chose qu'il ignorait ? La chaleur qui régnait dans l'habitacle devint soudain insupportable, et Toby s'aperçut qu'il n'avait même pas encore démarré.

Sans dépasser la limite des 40 km/h sur Dune Road, il se demanda comment Roxanne, qui n'était pas particulièrement proche de Rachel, avait su qu'elle viendrait ici cette semaine. Elles avaient dû se concerter pour que les filles passent du temps ensemble. Peut-être avait-elle voulu évoquer la nouvelle relation entre Rachel, à présent mère célibataire, et sa fille ? Ou la relation d'ex-époux entre Rachel et Toby ? Ou celle de Toby et d'Hannah ? Il contorsionna la phrase cent fois avant de s'autoriser à regarder bien en face le sous-entendu le plus évident : le fait qu'un autre était parvenu à forer dans le bloc de glace et de furie que Rachel avait à la place du cœur, pour atteindre son noyau en fusion. Le fait que non seulement Rachel était partie, mais qu'elle était partie avec un autre homme. Je le plains, ce con, songea Toby.

Mais les poils se hérissèrent sur ses bras : quelque chose de très important était en train de se dénouer. Peut-être que le lien si ténu qui la rattachait à eux avait fini par céder, l'envoyant à la dérive dans l'espace, quelque part – mais où ? Elle ne lui répondait plus. Plus du tout. La panique le saisit. Elle était à présent un trouble de l'oreille interne qui affectait directement son équilibre. Sa proprioception était court-circuitée. Il ne savait plus quoi penser d'elle parce qu'il ne savait plus dans quelle direction viser. Il ne savait pas où elle se trouvait, et il ne savait pas ce dont elle était à présent capable.

Il s'engagea sur le sentier. La maison semblait morte. À l'intérieur, tout était silencieux et immobile, et Toby se tint un moment sur le seuil, sans bouger. Enfant, il éprouvait une terreur absolue dans le noir quand ses parents et sa sœur dormaient. S'il avait besoin d'aller boire un verre d'eau ou de passer aux toilettes, il se déplaçait aussi vite que possible, en chantonnant un petit air, afin de ne pas entendre le silence. Si le silence était total, il craignait d'entendre ce qui se terrait derrière, des gémissements de fantômes ou autre chose encore. Toby ne voulait pas le savoir. Mais sur le seuil de la maison de sa femme, bien des années plus tard, il s'arma de courage. Il resta le plus immobile possible, se disant que si le silence était assez complet, elle finirait par apparaître. Il ne bougea pas pendant cinq bonnes minutes, debout dans le silence. Puis il se déshabilla, là, à l'entrée du salon, sortit par la baie vitrée et plongea tout nu dans la piscine étincelante de cette maison où, du point de vue de la loi, il était entré par effraction.

* * *

Le dimanche matin, Toby se dit que la circulation ne ferait qu'empirer en cette fin de week-end splendide (cette crainte avait dû jouer un rôle dans l'angoisse croissante qu'il avait éprouvée, pas vrai ?). Il fit leurs bagages, s'en voulut de laisser la cuisine aussi immaculée et les lits aussi bien faits, et rentra à Manhattan.

« On va où, maintenant ? demanda Solly alors qu'ils traversaient le Queens Midtown Tunnel. Et si on allait dîner chez Tony's ?

— Allons plutôt chez EJ », répondit Toby. EJ était un restaurant de la Troisième Avenue qui ressemblait à un *diner* sans en être un, et servait des pancakes à 20 dollars.

« Le petit déj au dîneeeeeeeer ! » hurla Solly.

Toby l'observa dans le rétroviseur : il lui était encore si facile de le rendre heureux. Hannah, elle, regardait par la vitre, sourcils froncés, bras croisés. « Mais avant ça, on va trouver un téléphone pour ta sœur », ajouta-t-il. Il jeta un nouveau coup d'œil au rétroviseur et aperçut Hannah revenir à la vie, ranimée par quelque chose qui ressemblait à de l'amour. De l'amour au rabais, acheté avec de l'argent sale, mais il s'en moquait. Il prenait ce qu'il pouvait.

Toby aurait voulu passer la soirée à lui montrer comment se servir de son nouveau téléphone, mais bien évidemment, elle savait déjà tout ce qu'il y avait à savoir. Elle avait déjà un compte Instagram, et Toby aurait aimé discuter de ça avec quelqu'un, savoir si ça convenait vraiment à une enfant de onze ans, mais Rachel était la dernière personne à consulter à ce titre, même lorsqu'on savait où elle était. Toby suivit Hannah sur Instagram, et tous ses posts lui crièrent son profond manque d'assurance. C'était une pêche incessante aux compliments. De la vantardise feinte. En les lisant, Toby n'avait qu'une envie, asseoir sa fille sur ses genoux, et lui chanter des chansons en la berçant jusqu'à ce qu'elle s'endorme.

Il reçut un nouveau message de Nahid, qui lui demandait quand ils pourraient enfin se voir. Elle portait un collier de perles dorées sur la photo qui accompagnait la question. Elle ne lui avait jamais envoyé de photo de son visage. Celle-ci au moins révélait son cou et un bout de son menton. Le collier coulait de sa gorge sur ses seins sertis d'un soutien-gorge en dentelle blanche. Putaaaaaain.

J'ai encore les enfants, répondit-il.

Elle répliqua par un gif animé d'Alejandra Lopez en larmes, extrait d'une scène de son spectacle musical couronné par le prix Pulitzer, *Presidentrix*, centré sur le personnage d'Edith Wilson, qui en secret avait dirigé les États-Unis après l'attaque cérébrale de son époux, Woodrow Wilson. Le gif la montrait en train de déchirer rageusement le traité de Versailles, et sangloter au chevet de son mari.

Alejandra était une cliente de Rachel. Attention, terrain piégé, voulut répondre Toby.

Il allait devoir se décommander une fois de plus auprès de Nahid. Ce n'était pas le bon moment pour laisser les enfants tout seuls. *Il allait devoir se décommander.* Mais il regarda de nouveau la photo et putaaaaaain. La partie de son cerveau encore capable de réfléchir clairement était aussi capable de réfléchir colériquement et sexuellement. Et ce gif... On aurait dit que sa fonction première était de lui rappeler à quel point Rachel était encore intriquée dans le moindre de ses faits et gestes. Non. Il ne l'accepterait pas. Peu importait où Rachel était, peu importait ce qu'elle y faisait, elle ne foutrait plus jamais sa vie en l'air.

Toby répondit que oui, ils allaient enfin pouvoir se rencontrer. Était-elle disponible le lendemain ? Oui, elle l'était.

LUI : Je peux t'inviter au nouveau resto français sur la Troisième ? Je peux t'inviter à l'ancien resto français sur Lexington ?

ELLE : [émoji diable violet]

LUI : L'émoji diable violet, ça veut dire la Troisième ? Ou Lexington ?

ELLE : Et pourquoi pas chez toi, tout simplement ?

Dans la tête de Toby, en mode rafale :

Oh putain de merde oh oui
Et si elle en profitait pour me cambrioler
Va te faire foutre, Rachel
Du cul aussi facile, ça n'existe même pas en rêve

C'est cette dernière pensée qui lui resta à l'esprit. C'était tout bonnement irréel. Il avait eu des relations sexuelles avec des femmes dès le premier rendez-vous. Il avait dit des choses très cul à des inconnues pour finir par se masturber avec elles au téléphone ou sur FaceTime. Mais il n'avait jamais été clairement, simplement invité à rejoindre sa partenaire pour faire l'amour. Peut-être était-ce une prostituée ? Peut-être était-ce un piège ? Il se rappela soudain qu'il n'avait toujours pas vu son visage. Et si c'était un canular ? Et si c'était une de ses collègues à l'hôpital ? Non, ce n'était pas ça. Il tâcha de reprendre son calme : ce n'était pas ça. Il était pris dans un tourbillon de pensées.

LUI : Ah, mes gamins seront chez moi. J'aurais tellement aimé que ce soit possible. Mais tellement.

Il y eut une brève pause, Toby avait la gorge serrée à s'en étrangler, et puis elle finit par écrire :

Tu n'as qu'à venir ici. 21 heures. Aucun retard ne sera toléré.

Elle lui communiqua une adresse sur la 77e Rue, à l'ouest de Central Park, et il lui répondit d'un [émoji diable violet]. Après, ce n'est pas parce qu'on est chez quelqu'un qu'on ne peut pas se faire détrousser.

OK, bon, d'accord, mais ç'aurait été exactement le genre de message qu'il aurait envoyé s'il avait eu pour projet de voler quelqu'un : il aurait désamorcé les doutes. Il scrolla vers le haut pour regarder les photos de Nahid, puis quitta la fenêtre d'échanges. Il envisagea de contacter Joanie. Elle avait déjà gardé ses enfants : il n'était pas déplacé pour un médecin d'engager un interne pour du baby-sitting (ou pour des recherches, ou en tant qu'assistant). Mais dernièrement, Joanie lui semblait un peu trop familière dans la façon qu'elle avait de s'adresser à lui, le fait qu'elle tente de l'appeler par son prénom, et Toby s'en inquiétait. Aussi contacta-t-il par SMS la prof de yoga/artiste performeuse qui avait gardé les gamins une ou deux fois.

Il fut bien obligé de se confronter à ce qui le travaillait : il n'avait plus de baby-sitter attitrée. À présent qu'ils étaient de retour chez eux, il pouvait toujours les mettre en centre de loisirs, jusqu'à quinze heures tous les jours, mais franchement, ç'aurait été intenable. Il voulait appeler Mona ; il voulait aller la voir à cet instant même (où était-elle en ce moment ? Dans le Queens ? À Staten Island ?) et lui expliquer ce qui lui avait pris, lui dire qu'il était terriblement désolé, qu'elle était le ciment même de cette famille ou un truc du genre. Elle comprendrait. Elle savait ce que c'était de tomber dans une folie passagère par la faute de Rachel – elle devait forcément le savoir. Cela faisait près de douze ans qu'elle travaillait pour eux.

Mais il ne put s'y résoudre. C'était à Rachel de réparer ces pots cassés. C'était sa faute s'il était aussi à cran. Et virer Mona était la seule chose censée à faire. Quand même, non ? Des heures passées sur des sites pornos ! Il eut une idée. Il alla dans sa chambre et appela le directeur de la colonie de vacances pour voir s'il restait une place dans le dortoir des neuf-dix ans. Le directeur répondit que oui, mais qu'il était trop tard pour s'inscrire.

« Je me trouve dans une situation vraiment impossible », dit Toby.

Le directeur resta silencieux.

« Ma femme et moi, on vient de se séparer, et j'ai le sentiment que ça ferait vraiment du bien aux enfants de prendre un peu de distance avec tout ça.

— J'ai parlé à votre fils, lors de la présentation du séjour. Il avait l'air franchement résolu à ne pas partir en colonie. Nous préférerions ne pas faire de problèmes pour rien. Nous avons ici tellement d'enfants qui croyaient être prêts et qui ne le sont pas. Alors ceux qui disent d'emblée ne pas l'être…

— Ça remonte à avril. On change vite d'avis, à cet âge.

— Alors il a envie de venir, maintenant ?

— J'aimerais vraiment qu'aucune possibilité ne lui soit fermée.

— Je vais en discuter avec le directeur de division. Je vous rappelle dès que j'en sais plus. »

Toby raccrocha et regarda un instant par la fenêtre de sa chambre avant de se lever pour aller dans le salon, plongé dans l'obscurité, à l'exception de l'écran du nouveau portable d'Hannah qui illuminait son visage. Il entra dans la chambre de Solly pour lui lire comme chaque soir un bout de ce roman jeunesse où un jeune garçon se faisait enlever par ses professeurs, qui étaient en vérité des extraterrestres.

« Je suis sûr que ça pourrait arriver pour de vrai, dit Solly.

— On sait jamais. »

Toby éteignit la lampe de chevet et se gratta le dos. Il inspira et se força à dire, lentement : « Je crois que ça te plairait beaucoup, la colo. » Dans le noir, Solly retint son souffle. Tout doux, Fleishman. « Dommage que tu ne veuilles pas y aller.

— J'ai pas envie de m'éloigner de toi et de maman.

— D'accord. Tu peux rester à la maison. Je ne t'ai jamais obligé à y aller. » Toby se mit à effleurer le bras de son fils comme il aimait. « C'est juste tellement cool. Il y a des soirées ciné. Max y va. Jonah aussi. Et puis ça ne dure qu'un mois. Mais c'est à toi de décider, quand tu te sentiras prêt. Ne laisse jamais personne te pousser à faire quoi que ce soit.

— Oui, papa.

— Tu savais qu'ils ont aussi un programme de tir à l'arc ?

— Oui, répondit Solly d'un ton mélancolique. J'ai vu ça à la journée de présentation.

— Exact. D'habitude, c'est pour les plus grands, mais cette année, c'est aussi ouvert aux enfants qui sont en CM1.

— C'est vrai ? De toute façon, il est trop tard. »

C'était mal. C'était horrible. Il ne devrait pas faire une chose pareille. Mais si seulement il arrivait à éloigner Solly quelque temps, Rachel finirait bien par revenir et les gamins ne sauraient jamais ce qui s'était passé. Et si elle n'était toujours pas là dans un mois, il prendrait des mesures. Mais il lui fallait gagner du temps. C'était pour le bien de Solly qu'il faisait ça.

« Bien sûr, la décision te revient. C'est juste que, si ça se trouve, quand tout le monde rentrera de colo, ils parleront de choses qu'ils auront vécues ensemble et tu te sentiras un peu mis à l'écart. »

Solly réfléchit. Dans l'obscurité, il releva les yeux vers son père. « Peut-être que je devrais y aller. Tu crois que je devrais ?

— Je suis sûr que tu adorerais. Je ne veux pas décider à ta place, mais je suis sûr que tu adorerais.

— Et si je t'appelle pour te dire que finalement je déteste ?

180

— J'irai tout de suite te chercher. Rien ne t'oblige à rester dans un lieu où tu n'as pas envie d'être. Mais Hannah sera là-bas aussi, et si un jour tu ne te sens pas très rassuré, ou que la maison te manque, tu auras toujours ta sœur à qui parler.

— Peut-être bien que je devrais y aller », dit Solly.

Solly s'endormit, mais Toby continua de lui effleurer le bras.

* * *

Le lundi matin, Karen Cooper était en douzième place sur la liste d'attente des greffes, et toujours inconsciente. Toby retrouva ses internes au bureau des infirmières, devant la chambre de la patiente. Ils le dévisagèrent d'un regard appuyé afin de déterminer quel genre de journée les attendait. Il le remarqua, et s'en voulut de s'être emporté contre eux comme il l'avait fait. Élever le ton ainsi avec ses étudiants, ce n'était pas une façon d'enseigner.

« Comment va notre patiente ? » demanda Toby. Ils se détendirent.

« Aucun changement, répondit Logan. Défaillance hépatique aiguë, activité cérébrale normale, mais rien d'encourageant.

— Vos vacances se sont bien passées, docteur Fleishman ? demanda Clay.

— Ce n'étaient pas vraiment des vacances. Plutôt un problème de garde d'enfants. » Silence. Eux aussi voulaient du sang. Mais ils n'en auraient pas une goutte. « Ça s'est très bien passé. »

Ils entrèrent dans la chambre de Karen Cooper. Elle était encore plus jaune qu'avant. Dans un coin, deux garçons de l'âge d'Hannah jouaient sur leurs iPads, l'air misérable. Joanie les présenta, Jasper et Jacob Cooper, les jumeaux de la patiente. David Cooper les fit se lever et échangea une poignée de main avec Toby. David avait passé le week-end à écumer les sites médicaux, à regarder des vidéos YouTube de personnes atteintes de la maladie de Wilson et à lire des dossiers entiers constitués à ce sujet par ses assistants. Mais il ne comprenait toujours pas que la maladie de Wilson était complexe et rare, très difficile à diagnostiquer, raison pour laquelle ceux qui en souffraient l'apprenaient généralement trop tard, lorsqu'il n'y avait plus rien à faire. Les proches restaient toujours sourds à cette partie du diagnostic, celle qui concernait les lésions irréversibles. Celle qui disait que le miracle, ce serait que le malade reste en vie ; celle qui leur signifiait clairement que son retour à un état tout à fait normal n'était plus au menu des issues envisageables.

« Nous allons faire tout ce qui est en notre pouvoir pour qu'elle sorte d'ici en pleine forme, déclara Toby. Mais il nous faut tenir compte du degré d'avancement de la maladie, et du fait que son séjour à Las Vegas a sans doute aggravé les choses. Nous ignorons encore si elle souffrira de symptômes neurologiques. Peut-être qu'elle en présente. Peut-être ont-ils même empiré. En revanche, nous pourrons probablement enrayer leur progression. »

Son téléphone tinta. C'était le directeur de la colonie d'Hannah.

Il nous reste une place dans la tranche d'âge de Salomon.

Toby reporta son regard sur David Cooper et tâcha de se reconcentrer. « On va la sortir de là », assura-t-il.

Puis il retourna dans la salle de conférences pour annoncer la bonne nouvelle à Solly.

* * *

Quelques mois auparavant, Rachel avait voulu envoyer Solly en colonie de vacances, et Toby avait dû batailler pour qu'il reste à la maison.

« Jamais de la vie, s'emporta-t-elle un soir. Il faut qu'il apprenne. Il a huit ans. L'âge auquel Hannah y est allée pour la première fois. Lui aussi ira.

— Mais il n'a pas envie d'y aller.

— Eh bien, on ne fait pas toujours ce qu'on veut. Notre rôle, c'est de le préparer à la vie d'adulte, Toby.

— Ah bon, c'est ça, notre rôle ? »

L'agacement de Rachel était en partie dû au fait que Solly avait récemment vu une émission sur Disney Channel à propos de préados qui pratiquaient le patinage artistique (deux d'entre eux étaient des garçons), et qu'il avait demandé ensuite s'il lui était possible d'en faire. « Je vais me renseigner », avait fait Toby. Rachel avait gardé le silence, et oui, la phrase « c'est trop facile » avait traversé l'esprit de Toby, et immanquablement, plus tard dans la même soirée, une fois Solly couché, Rachel lui avait dit : « Nous sommes bien d'accord, il fera du basket cette année. » C'était ainsi qu'elle s'adressait à ses employés. Elle commençait tous ses ordres et ses déclarations qui ne souffraient aucun débat par la formule « Nous sommes bien d'accord ».

« Il veut faire du patinage. Quel mal il y a à ça ? »

Rachel le regarda d'un air de me pousse pas à te l'expliquer.

« Allez, quoi, Rach.

— Il veut faire du patinage, répéta-t-elle. Ce n'est pas un sport majeur. Il lui faut un sport majeur qu'il pourra pratiquer toute sa vie. C'est notre boulot de lui assurer une diversité d'expériences.

— La diversité d'expériences, c'est un truc d'agents ? Parce que dans la vraie vie, ça ne correspond à rien.

— Tu ne décides pas de tout, tout seul, Toby. Je suis sa mère.

— Et le fait de mettre la main à la poche ne te donne pas le droit de décider à ma place ! Je ne suis pas ton assistant. »

Cela faisait à peine un an que tous deux avaient commencé à prendre conscience que l'argent que Rachel ramenait à la maison restait sous son contrôle. Du temps où elle était encore assistante chez Alfooz, Toby gagnait plus qu'elle, même à son entrée à l'hôpital, mais la somme de leurs salaires leur appartenait à tous les deux. Elle était conservée sur un compte commun auquel tous deux avaient accès. C'était toujours le cas, mais quelque chose avait changé. Plus elle travaillait, plus l'argent entrait sur le compte, et six mois à peine après la création de son agence, ils ouvrirent un compte épargne, de quoi les couvrir sur une période de deux mois si quelque chose de grave arrivait. Puis ce fut une période d'un an, et les emprunts contractés par Toby pour ses études de médecine furent quasiment remboursés à cinquante pour cent. Puis ce fut une période de quatre ans, et ils commencèrent à passer des vacances en Europe et en Amérique du Sud, ainsi qu'à mettre de côté pour les futures études supérieures des enfants. Leurs choix devinrent plus faciles. Leurs angoisses les quittèrent. Elle avait envie de prendre un congé : exaucé ; elle voulait louer une maison pour l'été : exaucé ; elle voulait refaire la déco intérieure : exaucé. Toby s'efforçait de se convaincre que c'était la simple expression de la volonté de fer de la femme qu'il avait épousée. À tous les coups, la femme de Bartuck prenait le même genre de décisions, d'ordre domestique. Mais récemment, le nouveau rapport de force s'était fait plus franc : voici l'argent et voici à quoi on va l'employer, et si tu veux être en mesure de prendre ce genre de décisions, il faut que tu gagnes ce genre de sommes. Ce n'était jamais explicite. Ça restait le sous-texte de ce qu'elle disait, et Toby savait (elle aussi devait savoir) qu'il n'aurait pas supporté de se l'entendre dire, aussi se contentait-il de longer le bord du précipice sur la pointe des pieds, sans jamais basculer tout au fond.

« Je trouve cette approche de notre rôle de parents, cette façon de faire comme si on ne savait pas ce qui est le mieux pour nos enfants, je trouve ça ridicule, dit-elle.

— On devrait surtout veiller à ce qu'il fasse ce qu'il a vraiment envie de faire. » Toby se sentit dépassé par la situation avant même de ressentir l'effet de l'adrénaline : résultat, il fut pris de vertiges.

« Je ne veux pas qu'on se moque de lui, fit-elle, les poings et la mâchoire serrés. Tu imagines le sort que lui réserveront les autres gamins quand ils apprendront qu'il fait du patinage artistique ?

— Mais ça lui plaît. Et la prof de gym nous a conseillé de lui trouver un sport complet qui développe la souplesse du corps. Tu t'en souviens ? À la dernière réunion parents-professeurs ? Ah non, c'est vrai, tu n'y étais pas.

— Oh oui, c'est ça, reproche-moi de faire mon boulot et de nous donner les moyens de vivre confortablement. Tout le monde ne peut pas se payer le luxe de pointer à dix-sept heures, comme toi, ou comme un banquier, sauf que si tu étais banquier…

— Ça faisait longtemps que tu la préparais celle-là ?

— Ce qui me gêne surtout dans tout ça, c'est que Solly ne comprenne pas les conséquences de ses choix. Ça n'a rien à voir avec mon avis à moi. C'est du monde qu'il s'agit. Et le monde et lui, ça fait trois. Tu crois qu'il a assez de copains pour un garçon de son âge ? Moi pas. »

Des salades, tout ça. Solly avait des amis. Mais il préférait passer du temps avec sa famille, ou lire un de ses bouquins Star Trek. « Il a des amis. Max, par exemple.

— Max est copain avec lui uniquement parce que je suis copine avec Roxanne.

— Max est copain avec lui parce que c'est un garçon charmant.

— Bien sûr qu'il est charmant. Mais ce n'est pas comme ça que ça marche. Ils sont copains parce que j'ai investi de mon temps avec Roxanne. Un parent encourage plus activement une amitié entre son enfant et un autre quand les parents de ce dernier ne sont pas des cauchemars ambulants. J'investis de mon temps avec Roxanne, ce qui l'amène à proposer à Max d'inviter Solly, parce que ce sera pour elle l'occasion de passer un bon moment avec moi.

— Tu investis de ton temps avec Roxanne parce que tu es une arriviste qui veut être invitée chez les gens riches. »

Rachel le dévisagea pendant deux secondes glaciales. « Il doit aller en colonie pour apprendre à grandir et à devenir indépendant.

— Pourquoi veux-tu à tout prix te débarrasser des enfants, Rachel ? On les a voulus, tu te rappelles ?

— Ce n'est pas ça qui est en jeu. La vraie question est de savoir pourquoi, quand d'autres enfants trouvent leur autonomie, les nôtres semblent vouloir à tout prix retourner dans le ventre maternel. Mon Dieu, pourquoi dois-tu toujours faire de moi un monstre ? »

Plus tard dans la soirée, quand l'heure était à cette détente très particulière qui succédait à leurs disputes, Toby se demanda qui allait restaurer le niveau habituel de tension familiale. Rachel était assise à la table de la cuisine, face à son ordinateur portable, et il se demanda si elle se faisait la même réflexion. Hannah entra dans la cuisine alors que Toby préparait le dîner. « Vous êtes tous les deux ici, tant mieux, déclara-t-elle, le dos raide. J'aimerais avoir un compte Instagram comme littéralement tous les gens que je connais. Je ne suis absolument au courant de rien, et tous les jours à l'école, tout le monde s'amène avec toutes ces histoires qui se passent sur Instagram et moi je ne comprends rien de ce qu'ils racontent.

— Tu n'as pas besoin d'un compte Instagram », dit Toby. Il préchauffa le four. « C'est très stressant, et tout ce que tu y feras te poursuivra ta vie entière. On essaye juste de préserver un peu ton équilibre psychique avant de ne plus pouvoir le faire. » Il rinça quelques pilons de poulet et se lava les mains. « Tu nous remercieras un jour. »

Hannah se mit à crier : « Je suis trop nulle, c'est tellement injuste ! »

Rachel releva enfin les yeux : « On pourrait peut-être en reparler. »

Toby se retourna brusquement vers elle. « Rachel !

— Elle vient d'aborder un aspect important ! répliqua-t-elle. Ça ne me plaît pas à moi non plus, mais elle ne devrait pas se sentir exclue du monde dans laquelle on l'a fait naître. »

Toby lança un regard noir à Rachel. « Dans moins d'un an, elle aura douze ans. On a toujours été d'accord pour dire qu'elle aurait un compte Instagram, si elle le souhaite, pour ses douze ans. » Puis, se retournant vers Hannah : « Il y a de très bonnes raisons à ça.

— Ouais, c'est pour que j'aie pas d'amis, c'est ça que tu veux.

— Non, répondit-il. Plusieurs études ont été menées sur les enfants de ton âge, sur l'anxiété et les réseaux sociaux – et elles montrent toutes que ce ne serait pas une bonne chose pour toi. Tu as beau croire qu'un compte Instagram, c'est tout ce que tu veux en ce bas monde, ça ne fera que te rendre malheureuse.

— Ne lui dis pas ce qu'elle est censée croire, fit Rachel. Elle sait parfaitement ce qu'elle veut. Ce n'est plus un bébé.

— Ne sape pas ce sur quoi on s'est mis d'accord. »

Hannah les coupa : « Est-ce que vous vous êtes déjà demandé à quel point ça me rendait anxieuse de savoir que tout le monde partage des trucs et pas moi ? Vous y avez déjà pensé ? »

Rachel y réfléchit un bref instant. « Tu as peut-être raison. Tu sais, Miriam Rothberg m'a dit qu'elle non plus n'avait pas l'intention de le permettre à ses enfants, et puis elle a lu quelque part que le fait de savoir que tout le monde avait un compte était plus anxiogène que le fait d'être sur Instagram.

— Nous ne sommes pas les Rothberg », objecta Toby en brandissant un pilon cru.

Rachel émit un petit ricanement par le nez, une simple note aiguë. « Ça c'est sûr. » Puis elle regarda Hannah. « Laisse-moi en parler en tête à tête avec papa », lui dit-elle avec un clin d'œil dans la voix, et avant que Toby ait pu réfléchir à son geste, il se retourna et jeta le pilon de poulet cru sur l'ordinateur de Rachel. Le bout de viande heurta l'écran et glissa jusqu'au clavier, laissant une traînée de Dieu sait quoi.

Rachel et Hannah eurent un mouvement de recul, lèvre supérieure retroussée jusqu'au nez par le dégoût. Toby comprit alors qu'Hannah avait de grandes chances de devenir son ennemie en grandissant. Jamais il n'accepterait cela.

« Tu es une vraie brute », lâcha Rachel avant d'aller chercher une lingette dans le placard sous l'évier. Elle nettoya la graisse de poulet cru sur son ordinateur mais laissa le pilon par terre. Puis elle tourna les talons et quitta la pièce au pas de l'oie, et Hannah l'imita aussitôt.

* * *

Ce fut inévitable. Les enfants devaient aller chercher leurs affaires chez Rachel. Toby aurait très bien pu les convaincre qu'ils avaient besoin de nouveaux vêtements, mais il n'avait aucune envie de gaspiller de l'argent dans de nouvelles valises.

Hannah bouda durant tout le trajet.

« Il ne peut pas aller en colo avec moi. » Elle avait cette expression mauvaise. « Il va m'humilier.

— Hannah. C'est ton frère. »

Ils arrivèrent au Golden. Le gardien, tout brillant et bleu marine, avec des écussons et des galons dignes d'un héros de guerre, était au téléphone, face à un coursier qui patientait. Toby ne le reconnut pas. Il devait sûrement être nouveau. C'était un exemple de zone grise. Le gardien avait-il la consigne d'appeler Rachel ? Autant ne pas penser à ça maintenant. Toby se dirigea d'un pas sûr de lui vers l'ascenseur, et le gardien ne fit pas attention à lui.

Il envoya les enfants avec la clef tandis que lui allait chercher les valises dans le box à la cave.

Il prit tout son temps. Il ne voulait pas mettre un pied dans l'appartement de Rachel. Il ne voulait pas le voir. Il ne voulait pas s'asseoir sur un siège choisi par Luc la décoratrice pingouinesque dans des nuances de blanc et de beige, et il ne voulait pas poser les yeux sur ces énormes toiles modernistes choisies par Rene, le consultant en art, dans une palette pêche et taupe. Mais à force de prendre son temps les enfants allaient se demander où il était passé, aussi finit-il par se rendre au huitième étage, où il s'avança lentement, tel un condamné, jusqu'à la porte de l'appartement.

La poignée cliqueta et Toby sursauta. En ouvrant, Hannah lui dit « T'en as pris, du temps » et lui arracha les valises des mains. Toby lui demanda d'aider son frère à faire sa valise, tandis que lui rappelait l'hôpital : il les attendrait en bas.

* * *

Ses échanges avec Nahid avaient débuté comme avec toutes les autres. C'était elle qui l'avait contacté sur Hr.

189

Il avait suivi la règle d'or de Seth en ce qui concerne les sextos, qu'on peut résumer ainsi :

1. Donnée de base : les femmes sont constamment dans le contrôle absolu d'elles-mêmes.

2. Cela étant, si une femme dit quoi que ce soit qu'un élève de cinquième serait susceptible d'interpréter comme une allusion sexuelle, ou utilise une plaisanterie du type « C'est ce qu'elles disent toutes », cela constitue une invitation plus qu'appuyée à un échange verbal érotique.

Dès le lendemain de leur prise de contact, voici la tournure que prit le dialogue entre Toby et Nahid :

ELLE : Passé une bonne journée ?

LUI : Suis allé au moma.

ELLE : Il y a eu une alerte à la bombe,
la semaine dernière.

LUI : Ça me fait paniquer, ces trucs.

ELLE : Tu n'as aucune raison de paniquer.

LUI : Quand même.

ELLE : Non, vraiment, tu n'as aucune raison de paNiquer.

C'était quoi, ça ? Une ouverture ? Ça paraissait un peu gros, et il n'avait pas envie de passer pour un gros pervers pour une simple faute de frappe, mais la plupart du temps, ce genre de conneries, c'était volontairement téléphoné, non ? Il réfléchit à sa réponse pendant trente bonnes secondes. Puis :

190

LUI : [émoji embarrassé]

Il attendit qu'elle trouve sa réplique, et durant ces quelque vingt-cinq secondes (ou trois minutes, ou deux secondes, il n'aurait su le dire : cet instant passa pour lui comme un accès de fièvre), il éprouva du regret, de la honte, de la répulsion, de la haine de soi, et puis :

ELLE : Je t'en voudrais de pas-niquer [émoji diable violet]

Selon son expérience, qui n'était, certes, pas bien grande, d'accord, mais tout de même, plus ça devenait sexy et torride par messages, moins on avait de chance de rencontrer l'autre en chair et en os. Et le fait de ressentir de la gêne et de la honte à ce niveau avait quelque chose de rassurant : sans ça, tous les célibataires disponibles de New York se seraient jetés les uns sur les autres et se seraient frottés les uns aux autres à tous les coins de rue. Son cerveau animal préférait les interactions les plus chaudes, même si elles ne débouchaient pas sur un rendez-vous. Soit, les vraies rencontres avaient du bon, et soit, il était sans doute préférable de privilégier les vraies rencontres, ne serait-ce que pour s'épargner des lésions irréversibles des ligaments du poignet, triste conséquence d'un excès chronique et pathologique d'activité masturbatoire. Mais faire ça au téléphone, franchement. Il adorait.

Tout cela pour dire qu'à en juger par la tournure sexuelle que Nahid avait donnée d'emblée à leurs échanges, sans équivoque possible, il semblait peu probable qu'ils se voient un jour en vrai. Comment les paramètres de la honte, si stricts, l'auraient-ils permis ? Elle était si... claire dans ses désirs. Si... éloquente dans ses messages. Elle voulait qu'il la prenne en levrette au-dessus du lavabo de la salle de bains afin qu'ils puissent la voir jouir dans le miroir de l'armoire à pharmacie. Elle voulait qu'ils fassent comme si leurs enfants étaient en train de jouer dans la chambre, lui occupé à changer une ampoule dans la salle de bains, et quand il serait sur l'escabeau, elle ouvrirait sa braguette au moment où les enfants frapperaient à la porte pour avoir leur goûter – « Une minute, mes chéris, il y a aussi un problème de tuyauterie ». Ou alors elle serait une pilote tellement surexcitée qu'elle ne pouvait accomplir sa mission qu'à condition de chevaucher sa queue tout en manœuvrant son avion de chasse pour sauver son pays, lui assis sous elle comme s'il était son rehausseur. Il y avait quelque chose de terriblement séduisant dans son imagination bizarre, dans l'étrangeté de ses propositions, et dans son absence totale de gêne. Mais outre la raison et la logique actives de Toby, des facteurs biologiques inhérents à l'évolution étaient également en jeu. Ce furent ces facteurs qui le convainquirent d'appeler la baby-sitter-prof-de-yoga-artiste-performeuse. Ce furent ces facteurs qui l'amenèrent à changer deux fois de chemise, à vouloir mettre une veste, mais il faisait si chaud dehors, à se trouver quelque chose de clownesque dans la glace, comme un petit garçon déguisé en homme, et à déboutonner un peu plus encore sa chemise (puis à la reboutonner, puis à la déboutonner).

« Tu vas où ? demanda Hannah, qui avait décidé de passer une soirée en tête à tête romantique avec son téléphone sur le canapé.

— À un rendez-vous », répondit Toby. Il se recoiffait face à son miroir. Il entendit sonner à la porte, puis Solly ouvrir et saluer la baby-sitter.

« Avec une femme ? demanda Hannah.

— Oui.

— C'est dégoûtant.

— Je sais. Un jour tu comprendras.

— C'est pas dégoûtant parce que tu vas embrasser une fille. Ça l'est parce que tu es mon père.

— Qui a dit qu'on allait s'embrasser ? » Toby caressa le front de sa fille et s'en alla.

Il se rendit à West Side en trottinant. En bondissant. En volant. Regardez-moi, disait-il à tous les couples indolents de Central Park. Regardez-moi, je vais baiser. Il se présenta auprès du gardien. Le gardien lui répondit qu'elle l'attendait. Il arriva au quatorzième étage. Il s'efforça de trouver un bon mot à lui sortir dès le début, peut-être lui dire qu'il voyait clair dans son petit jeu, qu'il savait qu'en vérité elle habitait au treizième étage, c'était là la meilleure blague qu'il connaissait sur les quatorzièmes étages. Mais la porte s'ouvrit avant qu'il frappe, et il avait à peine franchi le seuil que son pantalon était déjà à ses chevilles, ses mains à lui sous ses sous-vêtements à elle, ses mains à elle sous ses vêtements à lui, sa bouche à lui sur son mamelon à elle, son doigt à elle dans son anus à lui, un truc dont il ne raffolait pas mais leur relation était si neuve qu'il lui parut déplacé d'émettre une objection. Il se recula pour contempler pour la première fois son visage, seule partie de son anatomie qu'elle se refusait à lui montrer sur ses messages, et ses lèvres étaient pulpeuses et roses et ses cheveux partaient dans tous les sens et ses yeux étaient noirs et sa peau était mate. Elle était superbe, et plus important encore, ce n'était pas une bande de voyous prêts à le détrousser et ce n'était pas un ado adepte des canulars en ligne. Il ne demandait rien d'autre. Il ferma les yeux et s'abandonna.

* * *

Il ne rentra pas en taxi, même s'il savait que la baby-sitter s'agacerait sans doute de son retard. Non, il préféra traverser le parc d'un pas qui en imposait ; il se sentait grand, fort, viril, comme si la ville lui appartenait, comme si tout lui revenait, comme si, comme avant, il était au commencement de quelque chose de profond et de nouveau qui sentait bon le rayon de soleil.

Il repensa à Nahid dans son lit, allongée sur le drap. Elle faisait glisser le doigt sur son épaule.

« Alors tu fais quoi de tes journées ? » lui avait-il demandé.

Elle avait ri. « C'est le genre de trucs que tu dis après l'amour ?

— Désolé », dit-il. Il était embarrassé.

« C'est pas grave. On ne sait jamais quoi dire dans ces situations. Je ne travaille pas. »

Il adopta une sorte d'accent étranger bizarre. « Tu te laisses entretenir ? » À peine eut-il prononcé ces mots qu'il se sentit très idiot.

Le doigt de Nahid s'immobilisa. « Rassure-moi, ce n'est pas un entretien d'embauche ? »

Toby passa la porte de chez lui à une heure du matin, et tout en espérant ne pas trop sentir le sexe, paya la baby-sitter. Il prit une douche et consulta son téléphone afin de voir si Nahid avait déjà essayé de le recontacter. En entrant dans sa chambre une serviette autour des reins, relevant les yeux de son écran, il aperçut Hannah, bien réveillée, assise sur son lit.

« Tu pars en colo demain. »

Elle serrait dans ses mains son téléphone, qui semblait déjà une extension d'elle-même. Il la regarda plus attentivement. « Tu pleures ?

— J'ai envoyé un message à maman. »

Toby s'assit à côté d'elle. « Et ?

— Elle n'a pas répondu. »

Le jour où naquit Hannah, tandis que les chirurgiens recousaient Rachel, Toby prit la petite dans ses bras. Il ne parvenait pas à la quitter des yeux. « Tu es ma fille,

pour toujours, murmura-t-il. Je veillerai toujours sur toi. »
Rachel pleurait, les bras en croix, et il n'arrivait toujours
pas à détourner le regard de son bébé.

Rachel devait raconter dès le lendemain que durant la
dysphorie et la quasi-démence qui suivirent ces trente-cinq
heures de travail infernales qui s'étaient soldées par un
fiasco complet, à une exception près, celle qui comptait le
plus, elle avait observé Toby et leur nouveau-née et avait
eu la sensation de s'être fait gruger. Elle avait soudain eu la
conviction que l'objectif ultime, depuis le début, avait été
de la faire enfanter afin que tous deux, Toby et Hannah,
puissent être ensemble, et elle, Rachel, puisse être mise
de côté. Elle délirait sur ce sujet dans son lit d'hôpital,
et durant les semaines et les mois qui suivirent, même
lorsqu'elle se fut remise physiquement et émotionnelle-
ment, elle parlait encore de ces premiers instants de sa vie
de jeune mère, de ce sentiment qu'elle avait éprouvé de
s'être fait avoir. Des proches venaient chez eux pour voir
la petite et, quand on lui demandait innocemment comment son travail s'était passé, elle répondait, mais jamais
de façon civilisée. Elle exposait en détail la terreur qu'elle
avait ressentie, sa solitude, et elle finissait toujours sur cette
histoire, Toby qui tenait Hannah dans ses bras, et sur sa
théorie conspirationniste selon laquelle leur mariage n'avait
été pour Toby qu'un stratagème visant à avoir un bébé
pour la délaisser complètement. Cela ne ressemblait pas à
Rachel. Elle avait toujours l'habitude de rester légère avec
les gens : elle était tellement obnubilée par les apparences.
Toby ignorait pourquoi il repensait à ça maintenant, si ce
n'est qu'Hannah ressemblait terriblement à sa mère quand
elle était en colère, ou terrifiée, ou blessée, ou juste la
plupart du temps. Elle ne ressemblait à son père que lorsqu'elle souriait.

« Elle ne sait pas que tu as un téléphone, dit-il. Elle n'a
pas reconnu ton numéro.

— Mais je lui ai écrit "C'est Hannah", et après ça je l'ai appelée.

— Et ?

— Et je suis tombée directement sur sa boîte vocale. »

La dernière fois qu'il avait essayé de la joindre, il s'était passé la même chose.

« Elle est peut-être en plein rendez-vous. Peut-être qu'elle dort. Ou plus simplement, elle n'a pas son téléphone sous les yeux.

— Peut-être qu'elle est en colère contre moi parce que j'ai eu un téléphone avant mon anniversaire.

— Non, c'est idiot. Elle dort peut-être, on ne peut pas savoir. Il est tard. »

Il tendit la main, mais Hannah écarta la sienne.

« Papa. Est-ce qu'elle est morte ?

— Mon Dieu, non, Hannah. Mais non, elle n'est pas morte. Elle va très bien. Elle travaille. Tu sais comment ça se passe, avec ta mère. Elle sera sûrement dans un pays dont les heures ne correspondent absolument pas aux nôtres.

— Tu lui as parlé ?

— Oui, bien sûr. Elle vous embrassait bien fort. »

Hannah baissa les yeux sur la couette de son père, sur laquelle elle traçait encore et encore le même motif indistinct.

« Il faut que tu ailles te coucher, dit-il. Tu dois te lever tôt demain, et tu n'as même pas encore fait ton sac pour le car. »

Hannah cessa de tracer des boucles, se leva, et retourna dans sa chambre.

* * *

Toby ouvrit les yeux : Solly le dominait de toute sa taille, et lui secouait l'épaule. « Papa. »

Toby bondit de son lit, encore endormi, déjà paniqué. « Qu'est-ce qu'il y a ? » Il faisait encore noir dehors.

« Il faut qu'on aille prendre le car pour la colo. On va le rater. »

Toby regarda un instant autour de lui, puis s'assit sur son lit. « OK, laisse-moi cinq minutes, que je prépare du café. » Solly sautillait sur place.

« C'est normal d'être un peu nerveux. » Toby consulta son téléphone pour savoir quelle heure il était, et vit que Nahid avait envoyé un message. Toute la nuit lui revint soudain en mémoire. Il n'était que quatre heures et demie. « Fiston, il nous reste encore deux heures avant le départ. Tu ne veux pas qu'on dorme encore un petit peu ? »

Mais Solly ne voulait rien entendre. Il tira Toby par la main jusqu'à la machine à café, en parlant comme s'il venait de sniffer dix rails de coke. « Je vais emmener toutes mes BD *Green Lantern* dans le car parce qu'elles sont pas lourdes et comme ça, quand les autres me verront en lire une, ils voudront faire pareil et j'en aurai pour tout le monde.

— Tu crois vraiment que c'est la peine de les emporter toutes ? Elles sont très précieuses, pour toi.

— Je crois que c'est une bonne idée. Et puis j'emmène aussi Lapin Furtif. » Lapin Furtif était un bout de la couverture que Solly avait quand il était bébé, doudou qui à l'époque s'appelait Lapin. Quand il avait fêté ses six ans, Rachel lui avait dit qu'il était temps de lâcher sa couverture de bébé, sans quoi aucun copain ne l'inviterait jamais à dormir, et certains gamins se moqueraient de lui s'ils venaient à la maison et tombaient dessus. Solly était allé dans sa chambre et avait caché le doudou de sorte que Rachel ne puisse le trouver. Plus tard, alors que Rachel était en train de travailler sur son ordinateur portable dans le salon, Toby s'était glissé dans la chambre de Solly avec une paire de ciseaux. Il dit à son fils qu'ils allaient découper un morceau de Lapin. Ce morceau aurait autant de pouvoir magique que le reste de la couverture, étant donné que Solly y avait mis tout son amour durant toutes ces années. En outre, Lapin serait plus facile à transporter ainsi. « On l'appellera Lapin Furtif », déclara Toby en découpant un carré au beau milieu de la couverture. « Ça veut dire quoi furtif ? » demanda Solly en assistant au découpage. « Ça veut dire que tu seras le seul à savoir où il est. »

« Où est-ce que tu conserveras Lapin Furtif ? demandait à présent Toby.

— Sur moi. Dans ma poche. Constamment.

— Tu crois vraiment que c'est une bonne idée ? Et si tu le perds ?

— Je ne perdrai jamais Lapin Furtif. »

Ils jouèrent aux échecs durant la demi-heure qui suivit. Toby sentit un vestige d'odeur de Nahid sur lui et prit une autre douche. Solly réveilla Hannah, à en juger par les cris que Toby entendit de la douche. Il leur servit le petit déjeuner, répondit à toutes les questions de Solly dont la nervosité emplissait la pièce, tout en priant pour que l'air maussade d'Hannah soit son air maussade habituel, et pas le signe qu'elle pensait encore à sa mère.

Toby lut le message de Nahid, qui se demandait si après que ses enfants seraient couchés, ça lui dirait qu'elle passe pour que tu me prennes dans ton ascenseur – personne n'en saura rien [émoji diable violet, émoji deux yeux regardant sur la gauche]. La nuit passée semblait remonter à une éternité.

Toby demanda à Hannah de lui passer son téléphone.

« Pourquoi ?

— Parce que je suis ton père.

— Non.

— Ce n'était pas vraiment une question. Ça fait partie de notre accord. »

Elle le lui tendit, furieuse, et Toby consulta son compte Instagram, à la recherche de mots-clefs et d'images potentiellement problématiques. Tout paraissait convenable et innocent, un peu ennuyeux même. Elle avait choisi pour avatar un selfie où elle faisait le signe de la victoire à l'envers, à l'instar d'à peu près toutes les gamines de son âge sur leurs photos – peut-être un membre de boys band avait-il initié cette mode, ou un sportif. Il n'en savait rien. Elle avait vingt-deux amis, et ses deux posts les plus récents étaient « Départ de colo, tellement surexcitée », et « Regardez ça LOL » avec une photo de chat portant des lunettes et le sous-texte en lettres rondouillettes : « Je crois que je suis allergique au réveil. » À quoi bon passer toutes ses journées sur ce truc si ce n'était que pour publier un post par jour sur ce qu'elle venait de manger, attendre des likes, et liker des posts copies conformes des siens ? Toby s'attristait de voir à quel point sa fille et ses amies dépendaient du regard des autres et de l'image qu'elles se faisaient d'elles-mêmes, dans ce monde où, plus ou moins sournoisement, tout les y poussait.

« T'es comme la Gestapo ! lui cria-t-elle.

— Si tu le crois vraiment, c'est que tu n'en sais pas encore assez sur la Seconde Guerre mondiale.

— Non, c'est vraiment ce que t'es. T'es la Gestapo.

— La Stasi, c'est plus pertinent, encore que. »

Toby reporta son attention sur Solly.

« Tu es sûr que ça va aller, Sol ? lui demanda-t-il.

— J'ai super hâte. Mais toi tu vas pas te sentir trop seul sans nous ? »

Toby se leva pour faire la vaisselle. « Vous allez énormément me manquer, mais j'aurai beaucoup de travail et beaucoup d'autres choses à faire, et peut-être même que j'aurai une surprise pour vous à votre retour. »

Solly sauta sur place. « Quoi, papa ?

— C'est quoi, déjà, la définition de "surprise" » ?

— Dis-moi !

— Motus et bouche cousue. Tu vas devoir prendre ton mal en patience. »

Devant le car, en le serrant dans ses bras, Toby sentit la trépidation de Solly. Il s'accroupit pour le regarder droit dans les yeux. « Tu vas t'amuser comme jamais, là-bas. Et tu vas tellement me manquer. »

Solly colla sa joue à celle de son père. « Tu passeras nous voir, le jour de visite des parents ? demanda-t-il dans le creux de son cou.

— Bien sûr.

— Et maman aussi, pas vrai ? Et elle enverra des e-mails.

— Elle fera de son mieux pour venir.

— Et si j'ai envie de rentrer à la maison...

— J'irai te chercher. J'aurai toujours un œil sur mon téléphone. Et ce n'est pas très loin. »

Puis Hannah laissa pendre ses bras le long de son corps, tourna la tête et laissa Toby la serrer dans ses bras comme si son père était vénéneux. Il prit son visage entre ses mains et lui dit : « Je t'aime et je sais que tu m'aimes. Tu peux faire tout ce que tu veux, tu resteras toujours ma fille, et je serai toujours ton père. » Elle remua la tête pour se défaire de son étreinte et monta à bord du car sans lui adresser un regard. Solly lui emboîta le pas.

Toby resta longtemps planté à côté, secouant la main même s'il ne voyait rien à travers les vitres teintées, s'efforçant de ne pas réfléchir à ce qu'il avait fait. Le car finit par partir, et il continua de remuer la main jusqu'à ce qu'il ait la certitude qu'ils ne pouvaient plus le voir. Tout en s'éloignant du point de rendez-vous, il envoya un message à Nahid.

Le car de mes gamins vient de partir.

200

La réponse ne se fit pas attendre :

Ramène-toi.

Et c'est ce qu'il fit. Il n'arriva à l'hôpital qu'avec quatre-vingt-dix minutes de retard.

* * *

Cette nuit-là, il rêva qu'il était dans l'espace : Rachel était là, elle aussi, mais il était incapable de dire si c'était une planète ou une étoile, et il ne parvenait pas à déterminer son orbite, et certes, tout cela était un peu gros mais qu'est-ce que vous voulez. Il se réveilla trois fois. La première fois, ce fut dans la panique : *Tu as des ennuis. Fleishman a des ennuis.*

La deuxième fois, ce fut dans la colère. Cela faisait à présent plus d'une semaine, ce qui était long, mais n'avait rien de surprenant venant d'elle. Sur le principe en tout cas. Elle n'avait jamais rien fait de pareil sur une période aussi longue. Mais il la connaissait comme s'il l'avait faite. Elle était occupée à quelque chose qui ne lui plaisait pas, et comptait s'excuser plus tard. Ou peut-être pas. Peut-être qu'elle n'estimait plus nécessaire de s'excuser de quoi que ce soit auprès de lui.

La troisième fois, ce fut de nouveau dans la panique. Il bondit de son lit juste avant qu'une image de son ex-femme, morte, puisse se tourner vers lui pour lui demander « Pourquoi tu ne m'as pas sauvée, Toby ? ». Il avait cru que le point positif dans la disparition de Rachel et le départ des gamins en colo serait d'éprouver un soupçon de sentiment de liberté, mais ça ne se passa pas ainsi. Il n'arrêtait pas de penser à ses enfants. Quand Hannah était bébé, il y avait près de chez eux une épicerie qui offrait des ballons (jusqu'à ce que les gérants s'aperçoivent que leurs ballons étranglaient les mouettes). Avant d'entrer dans leur immeuble, Toby et sa fille disaient au revoir au ballon et le lâchaient. Ils le regardaient s'élever et se faire emporter par le vent, et Toby, soudain désorienté, serrait un peu plus fort Hannah contre lui, comme si elle aussi était remplie d'hélium.

Il était quatre heures et demie du matin. Il se rendit à la salle de sport de son immeuble, qui ne mettait à disposition des résidents qu'un vieux StairMaster, des haltères et deux tapis de course, dont un semblait destiné à rester hors service jusqu'à la fin des temps. Il prit une douche chez lui, et en sortant de la salle de bains, consulta son téléphone afin de découvrir quels supplices lui réservait la météo. Il vit alors l'appel manqué de Simone.

Il était à présent sept heures moins le quart. Pourquoi Simone avait-elle bien pu l'appeler ?

Son estomac se noua, et il s'assit, nu, sur le bord de son lit, les yeux rivés à l'appel en absence. Il rappela, mais après un signal sonore, tomba sur la boîte vocale. La sueur se mit à perler sous les vestiges humides de sa douche.

Et puis merde, pensa-t-il. C'était juste Rachel dans toute sa connerie : elle avait dû demander à Simone d'appeler pour convenir d'une heure afin qu'elle puisse venir chercher les gamins sans avoir à passer directement par Toby. Il eut un certain plaisir à s'imaginer Rachel se pointer et constater que les enfants étaient absents. Il se laissa même emporter par un scénario délirant où il déménageait avec eux dans une autre ville sans rien dire à Rachel.

Au moins, c'était une heure décente pour se montrer au travail. Un peu tôt, peut-être, mais dans les limites du convenable, et puis il avait des gens à voir. Phillipa London arrivait tous les jours à sept heures du matin. Il passa sciemment devant son bureau : c'était la promotion de Phillipa qui libérerait le poste qui, à en croire Bartuck, reviendrait automatiquement (sans aucun doute possible) à Toby. Il l'avait toujours considérée comme faisant partie des vrais, comme un docteur qui ne se souciait que de guérir les patients, allergique aux foutaises politiques. Mais à présent qu'elle convoitait le poste de Bartuck, il se disait qu'elle était peut-être comme les autres. La plupart des gens croyaient que la crise du domaine médical était liée aux assurances, mais elle était également due à la démission des docteurs, dont la seule motivation était à présent d'empocher autant de fric que possible. Il s'arrêta pour lui parler.

« Salut, Phillipa. »

Elle était assise à son bureau, ses cheveux raides et beiges coiffés en un cône cyclonique à l'arrière de sa tête. Elle releva les yeux du dossier qu'elle était en train de consulter. Elle portait comme toujours un chemisier de soie, une jupe droite, des perles et de grosses lunettes.

« Toby, bonjour. » Elle avait un nez en trompette qui, lorsqu'elle était assise, donnait l'impression qu'elle était trop belle pour qui que ce soit, et quand elle se levait, donnait Dieu sait quelle impression parce qu'elle devait mesurer un mètre soixante-dix-sept minimum, voire carrément un mètre quatre-vingt.

« J'ai une patiente atteinte de la maladie de Wilson, je voulais voir ça en détail, mais... »

Il ne savait plus quoi dire.

« ... J'attends encore le résultat des analyses. »

Les quatre internes de Phillipa apparurent sur le seuil. « Docteur London, on a une consultation aux urgences. »

Elle sourit à Toby. « On m'attend. »

Toby quitta son bureau sans trop savoir où aller. Les internes de Phillipa l'appelaient docteur London, et ça résumait parfaitement qui elle était. La familiarité des internes de Toby pouvait paraître déplacée (familiarité poussée si loin qu'ils l'avaient aidé à télécharger des applications de rencontre), mais dans cette atmosphère qu'il encourageait, ils étaient si à leur aise qu'ils n'hésitaient jamais à poser une question. Toby resta sur le seuil du bureau de Phillipa pour consulter son téléphone. Libéré de ses responsabilités paternelles, libéré de ce mouvement qui le poussait sans cesse en avant, de cette certitude qu'à un moment il lui faudrait impérativement rentrer chez lui pour préparer le dîner, il se sentait à la dérive. Ses enfants lui manquaient.

Il informa David Cooper que Karen était en troisième place sur la liste d'attente des greffes. Mais Toby souffrait de privation de sommeil et de légère déshydratation. Et affaibli comme il l'était, il était naturellement enclin à jalouser ce qu'il avait face à lui, c'est-à-dire un mariage absolument normal, cette chose à laquelle il avait œuvré de toutes ses forces, et qu'il avait tant désirée. C'était un immense privilège de considérer son épouse comme un dû, jusqu'à ce que quelque chose de grave arrive. C'était la vie, et c'était merveilleux, ce petit train-train quotidien, se rappeler une fois par an l'anniversaire de l'autre, se coucher exténué en se demandant si on avait fait assez l'amour cette semaine et puis un jour *bam !* nos yeux se dessillent et on comprend à quel point on a besoin de l'autre – il suffisait d'une crise comme celle-ci, et on se rappelle soudain à quel point on aimait son épouse. C'était tout ce à quoi Toby avait aspiré. On en croisait parfois, des conjoints apparemment fous amoureux l'un de l'autre, toujours main dans la main, toujours assis côte à côte au restaurant, et même chez eux. Rachel disait que ces gens jouaient la comédie, qu'ils dissimulaient un poison mortel au cœur de leur relation, et c'était les seules fois où Toby avait l'impression qu'elle était dans son camp : quand elle faisait autant d'efforts que lui pour se convaincre que leur malheur était tout à fait normal.

* * *

Il entra dans son bureau en faisant semblant de consulter son téléphone parce qu'il avait besoin de réfléchir un instant. Impossible d'être un peu seul dans cet hôpital. Pas un lieu où l'on pouvait juste s'asseoir et être soi-même, tout simplement. Même lorsqu'on voulait se perdre dans ses pensées dans son propre bureau, on n'échappait jamais au regard des autres. Personne ne lui avait dit qu'il était crucial de paraître parfaitement équilibré et stable quand on était en instance de divorce, parce que tout ce qu'on pouvait dire ou faire prenait alors un sens plus lourd et plus poignant. Et le fait de rester planté seul au milieu de son bureau, les yeux dans le vague, n'était ni un signe d'équilibre ni un signe de stabilité.

Il releva les yeux sur Joanie, qui avait été de garde toute la nuit. « Vous avez l'air fatigué, Toby. » Elle posa la main sur son bras, ce qui pouvait aussi bien passer pour un geste amical que pour autre chose. Elle le regardait droit dans les yeux, comme pour essayer de deviner ce qui se passait derrière. Il repensa à son état d'esprit un mois auparavant – ça remontait seulement à un mois ? – quand il s'était senti jeune et neuf, avec encore toute sa vie devant lui, ce jour où il s'était assis dans l'amphi après son cours, quand Joanie lui avait pris son téléphone et avait téléchargé des applis de rencontre tandis qu'il s'empêchait de glousser. L'été ne faisait alors que commencer, et c'était comme s'il ne devait jamais finir. Il avait l'impression qu'il ne connaîtrait plus jamais la moindre souffrance. À présent, la chaleur était suffocante.

« Tout va bien, Toby ? » demanda-t-elle. Pourquoi l'appelait-elle par son prénom ? Cette intimité lui retournait l'estomac : il regrettait amèrement de s'être laissé tomber de son piédestal vis-à-vis de ses étudiants. Ils avaient été bien trop exposés à sa vie personnelle, ces derniers temps : ils l'avaient vu trop souvent triste, trop souvent inquiet. Il avait cessé de leur enseigner leur art. Quel échec.

Il envisagea de lui demander de l'appeler docteur Fleishman, mais il ne parvenait pas à trouver un ton qui lui aurait permis de sortir cette phrase. Le ton de la blague, le ton de la réprimande ? Une voix autoritaire.

« Tout va bien », répondit-il.

Elle s'approcha encore de lui, et ce n'est pas tant sa proximité que le fait qu'elle avance qui le gêna. Sa seule alternative, c'était soit de la laisser faire, soit de reculer. Il recula.

« Je me fais du souci pour vous, dit-elle. Je sais que vous traversez une mauvaise passe.

— Comment ça, vous savez ? » Il poussa un petit éclat de rire. « Vous croyez, plutôt. »

À quoi jouait-elle ? Il ne se serait jamais attendu à ce genre d'audace de sa part. Après la première année d'internat de ses étudiants, il les avait emmenés sur les quais de Chelsea, fêter l'occasion par un cours de trapèze, conclusion d'une blague qui avait constitué l'un des fils rouges de leur année, au sujet des séminaires d'entreprise et des activités de team-building. Joanie avait eu trop peur d'essayer, mais elle avait regardé, et quand il en avait eu fini, il s'était assis à côté d'elle pour discuter un peu. Il avait appris qu'elle appartenait à un club essentiellement constitué de vieux messieurs qui se retrouvaient à des projections des Marx Brothers, qu'elle faisait de l'impro et qu'elle apprenait à jouer au bridge. Elle avait dit, « J'ai passé toute ma vie à m'entraîner à être vieille », et il avait ri, se rendant compte soudain qu'elle était drôle : il l'avait toujours prise pour cet archétype d'étudiante effacée et bosseuse qui se donnait des airs alternatifs, le genre de personnage gentiment farfelu sans grand intérêt. Il avait eu pitié d'elle, il s'était demandé ce qu'elle pourrait bien faire de sa vie si elle était incapable de prendre sa place dans un groupe. Et puis tout à coup, après un an d'internat, il découvrait que malgré sa discrétion, malgré son désir manifeste de se fondre dans le décor, c'était une *vraie* personne. Il se mit alors à voir chacun de ses faits et gestes comme des actes délibérés. Il n'eut plus pitié d'elle. Au contraire, il se sentait idiot, comme on peut se sentir idiot en présence de personnes intelligentes et discrètes.

Elle avança encore d'un pas. Elle portait une jupe écossaise qui lui tombait juste au-dessus du genou, une chemise à manches courtes très légère et des chaussures bicolores. Elle tendit légèrement le bras vers lui, effleurant tout juste le sien du doigt, mais dans son dos, derrière la paroi de verre, l'infirmière en chef de l'étage, Gilda, passa devant le bureau les lèvres pincées, en signe de réprobation – sur son visage, pas une once de curiosité ni de surprise, rien qu'une déception définitive, comme si elle s'était toujours attendue à cela de la part de Toby.

Admettons, juste un instant, qu'il ait fait un pas vers elle et pas en arrière. Admettons que leurs regards se soient croisés en toute sincérité, et puis quoi, l'amour se serait ainsi invité ? Ils n'auraient pas été les premiers. Maggie Bartuck était infirmière alors que Donald Bartuck était encore avec sa première épouse. À l'époque, tout le monde était au courant. De temps en temps, sa première femme passait le voir, avec sa mine sévère et ses cheveux d'un noir un peu trop noir pour son âge. Et les blouses de Maggie ne lui donnaient pas l'air d'un sac à patates. Elle les ajustait elle-même à la taille afin de mettre sa silhouette en valeur. Marco Lintz, à l'époque simple interne, tout comme lui, avait raconté à Toby qu'on lui avait dit qu'un jour la secrétaire de Bartuck l'avait surpris face au négatoscope, en train de regarder des radios, et Maggie était devant lui, elle aussi en train de regarder les radios, et Bartuck collait son érection pantalonnée contre le derrière emblousé de Maggie. Un mois plus tard, Bartuck annonçait qu'il divorçait, et deux semaines après ça, qu'il avait demandé en mariage Maggie, qui plus jamais ne porta de blouse.

« Quel cliché », avait commenté Toby à Rachel lors du mariage, au Waldorf. Ils mangeaient des fraises nappées de chocolat. Les anciens membres de la fraternité de Bartuck lui chantaient une chanson en grec. Quelqu'un dit à Toby qu'ils avaient fait la même chose pour son premier mariage.

« Je sais pas, répondit Rachel. L'important c'est d'être avec la personne qui nous rend heureux. À chacun sa chacune, comme on dit.

— Peut-être, mais pas à chacun ses deux chacunes.

— Et pourquoi pas ? avait-elle fait. J'ai un truc entre les dents ? »

Joanie était jeune, mais ce n'était pas une enfant. Vingt-cinq ans, c'était – Holà. Non. Il s'empêcha d'aller au bout de sa pensée. Non, Fleishman, non, se raisonna-t-il. C'est comme ça qu'on se fait avoir : on considère Joanie comme une étudiante, puis comme plus vraiment une enfant, et sans s'en rendre compte on se retrouve un soir à boire des verres avec elle, puis à la baiser dans sa colocation miteuse au fond du Queens. Ou plutôt non : ils pourraient commencer par une période de cour, à l'ancienne. Ils feraient ça en secret, entre eux, puis attendraient quelques mois après la fin de son internat pour annoncer leurs fiançailles, puis ils se marieraient. S'ils révélaient leur liaison en annonçant leurs fiançailles, plutôt que de se contenter d'un vague état de relation quasi légitime, personne n'oserait contester…

Son téléphone émit un son. Une diversion ! Il baissa les yeux. Un SMS de la secrétaire de Bartuck, lui demandant de passer à son bureau dès que possible. Une plus belle diversion encore !

« J'ai rendez-vous avec le docteur Bartuck, dit Toby.

— D'accord. On peut se voir plus tard. Je… Logan et moi avons rompu. »

Il s'immobilisa. « Je suis désolé de l'apprendre. J'espère que vous avez des amis à qui vous confier.

— Je me disais, je sais pas trop. Je sais que vous venez de divorcer et je sais que ce n'est pas pareil, mais je suis triste, vous êtes triste, et, je ne sais pas.

— Les relations humaines, ce n'est jamais facile. »

Elle se pencha en avant. « L'amour, ce n'est jamais facile. »

Sa voix et son demi-sourire étaient ensorcelants. Les femmes le sidéraient. Elles étaient convaincues de ne pas être le sexe dominant, et pourtant il restait planté là, à contempler le visage de Joanie baigné de rayons de soleil qui jaillissaient de la fenêtre derrière lui. Sa peau était si pleine et si fraîche. Sa jeunesse était si bouleversante que c'en était presque insultant.

« Il faut que j'aille voir le docteur Bartuck », répéta Toby.

* * *

Donald Bartuck plissa les yeux, la bouche en cul-de-poule, et lui adressa un petit mouvement de tête qui fit frissonner ses incroyables bajoues.

« Toby, entrez. J'espère que tout est rentré dans l'ordre, chez vous.

— Oui, merci, ces quelques jours ont été éprouvants. Les enfants sont partis en colonie hier matin.

— Je tenais à vous informer que nous allons parler de vous, demain, en réunion. J'ai plus que bon espoir que Phillipa acceptera ma recommandation.

— Eh bien, sacrée nouvelle, dit Toby avant de lui serrer la main.

— Je sais que vous avez la vie rude, ces derniers temps. Je vous souhaite de passer vite à autre chose. Le poste de Phillipa, ce n'est pas rien. Ne me faites pas le regretter. »

Bartuck avait commencé à travailler à l'hôpital en tant qu'interne dans les années 1970, un interne plein d'allant, de panache et d'assurance. Son père était alors le chef légendaire du service. Bartuck avait reçu sa carrière sur un plateau d'argent, pas à cause de son pedigree, mais à cause de son assurance. En le voyant, on n'avait qu'une envie : lui confier des responsabilités. Tout ce qu'il avait eu à faire, ç'avait été de ne pas se planter. Et il ne s'était pas planté.

C'était un bon docteur ; c'était même un excellent docteur. C'était le pire dans cette histoire. Il avait été un si bon mentor que Toby n'avait pas imaginé un seul instant qu'il puisse se transformer en cet homme d'affaires gluant qu'il était à présent. À moins que le plus difficile fût d'accepter que quelqu'un puisse être à la fois bon docteur et financier, et choisisse finalement de n'être que financier. Dans un cas comme dans l'autre, c'était triste. Quand Toby était sous son aile, Bartuck lui racontait des histoires de bloc et lui offrait un whiskey en fin de service si la journée avait été dure. Toby se rappela le cancer du pancréas auquel avait succombé Martin Loo, un chef de service en gastro-entérologie, ce grand et fugace moment de poésie hospitalière qui s'était profondément gravé dans l'esprit de Toby, la preuve parfaite que ce qu'il faisait en valait la peine. Durant ses dernières semaines, Toby et Bartuck avaient passé des heures au chevet de Martin Loo, et Toby les avait écoutés évoquer le bon vieux temps à l'hôpital, toutes leurs histoires d'une époque où les données médicales n'étaient pas encore informatisées et où personne ne comprenait rien à rien. Ils riaient jusqu'à ce que le docteur Loo soit trop fatigué pour continuer.

Toby et Bartuck étaient dans sa chambre lorsqu'il mourut. Quand ses respirations commencèrent à s'espacer, ils se levèrent pour le laisser seul avec sa femme et ses enfants. Mais l'épouse de Martin les dissuada de partir en leur disant qu'elle était convaincue que Martin, alors inconscient depuis trois jours, aurait voulu qu'ils restent. « Vous preniez une part aussi importante dans sa vie que nous. » Lorsqu'il poussa son dernier soupir, sa femme colla son front au sien en lui disant « Au revoir, mon amour », et Toby avait eu le sentiment que, malgré sa mort prématurée, Martin Loo avait eu de la chance dans la vie. Toby aussi. À cet instant, il ne pouvait s'empêcher de se sentir incroyablement privilégié : c'était un privilège de connaître ces personnes, de faire tout son possible, avec elles, pour soigner autrui.

Après ça, Bartuck avait invité Toby dans son bureau et lui avait servi un scotch. Toby était encore tout à la mort de Martin Loo, et pendant très longtemps, il associa la beauté de ce terrible moment à Bartuck. Ce n'est que bien plus tard qu'il devait comprendre que Bartuck était un sacré salopard, pour qui la compassion et la camaraderie n'étaient que des moyens d'avancement personnel.

Bartuck s'intéressait alors à Toby. Pas à Phillipa London : à Toby. Quand celui-ci rentrait chez lui et racontait sa journée à Rachel, elle lui disait, « Il faut que tu te serves de ce relationnel comme d'un tremplin pour ta carrière », le genre de phrase de motivation imbécile très prisée à la salle des photocopieuses d'Alfooz & Lichtenstein. Avant que Bartuck s'intéresse à Toby, Rachel pensait que Toby pourrait opter pour la dermatologie à cause de l'argent que se faisaient les dermatos, de leur facilité à prendre leur mois d'août, et du fait qu'ils n'avaient jamais d'urgences. Mais Toby voulait devenir médecin pour soigner des maladies, et il ne connaissait pas un dermato qui gagnait de l'argent avec de vraies maladies, et pas de l'esthétique.

« Mais tu pourrais toujours partir en Afrique ou en Asie l'été pour rafistoler des becs-de-lièvre, dit-elle.

— Je n'ai pas envie de consacrer un mois par an à racheter ce que je fais le reste de l'année, répondit-il. Je veux avoir une belle vie tous les jours.

— Comme tout le monde, fit-elle, exaspérée. Mais qui peut se permettre ce luxe ? J'aimerais bien être propriétaire de mon appartement, un jour, tu sais ? »

Le père de Toby était médecin, son oncle était médecin, et sa sœur avait jadis envisagé de devenir psychologue, avant de tout raccrocher pour se marier, prier et procréer. Les Fleishman avaient élevé leurs enfants sur le modèle d'une personne en blouse blanche dispensant réconfort, paix et guérison à tous ceux qui en avaient besoin. Les week-ends, quand les gamins du quartier se blessaient les genoux ou faisaient des poussées de fièvre, leurs parents venaient frapper à la porte des Fleishman, même si Sid Lapis, un autre généraliste, habitait plus près de chez eux. Du point de vue de Toby, c'était ça, une belle vie. C'était une vie qui valait le coup, une vie qui avait de la valeur. Une vie où l'on pouvait gagner pas mal d'argent. Où l'on gagnait encore pas mal d'argent. Où l'on ne gagnait plus rien.

D'accord, avait dit Rachel. Deviens hépatologue. Mais alors va aussi loin que possible dans cette spécialité. « Je sais que tu vas devenir le plus grand hépatologue de New York. *Du monde entier.* » Elle était incapable de parler d'une carrière professionnelle autrement qu'en termes quantifiables, sportifs, compétitifs.

Et on allait à présent le récompenser. On allait le *récompenser*, Rachel. Il n'était pas nécessaire d'être un enfoiré retors pour décrocher une promotion. On pouvait se contenter d'être bon dans son boulot. Il allait devenir chef de service, et quand Phillipa se verrait proposer un autre poste, ce qui ne manquerait pas d'arriver, on proposerait à Toby celui de chef de pôle. Il refuserait parce qu'il savait ce qui l'attendrait sur cette voie. Il n'était pas comme eux tous. Il n'avait aucune envie de devenir membre du club auquel il fallait adhérer, ni de faire du golf avec les gens qu'il fallait fréquenter (ni même de faire du golf tout court), ni de siéger aux conseils et comités où il fallait siéger. Maggie Bartuck, l'épouse-associée de Donald Bartuck, organisait pour lui des dîners, des événements mondains, des collecte de fonds. Ce n'était pas ce genre de femmes que Toby avait épousé. Ce n'était même pas le genre de femmes qu'il avait jamais *voulu* épouser.

Sa mère lui avait toujours dit, « dans un couple, il n'y a la place que pour un numéro un ». Toby avait beau répéter qu'il avait tiré le bon numéro, Rachel le regardant alors systématiquement du coin de l'œil avant de lâcher un « C'est clair », il ne s'était jamais rendu compte que, si sa mère disait vrai, c'était bien Rachel qui était le numéro un de leur couple. Il était en vérité si épris de son métier qu'il n'avait pas compris que c'était la personne fermement résolue à avoir un gros impact sur le monde (diamétralement opposé au sien, très modeste) qui était le numéro un. Lorsque Bartuck fut promu à son poste, Rachel avait quitté Alfooz & Lichtenstein pour créer sa propre boîte, en volant ses clients à cette agence qui lui avait valu ses premiers succès. Ces clients, du reste, ne se firent pas prier pour la suivre : ils savaient qu'elle était guidée par une détermination implacable.

En l'espace de quelques semaines, elle dégagea des revenus. En l'espace de quelques mois, elle devint plus que solvable. Toby était si fier d'elle : n'importe quel mari l'aurait été. Mais les journées de travail de Rachel étaient très longues, et tous deux savaient que son emploi du temps ne se normaliserait pas avant plusieurs années, le but étant de mettre sa nouvelle agence sur les rails. Hannah venait de naître, et ni Rachel ni Toby ne souhaitaient confier exclusivement son éducation à une nounou : Toby avait donc organisé son emploi du temps à l'hôpital afin de pouvoir rentrer à la maison tous les soirs à dix-sept heures trente, quoi qu'il arrive. Les douze heures de garde étaient respectées, mais il commençait plus tôt, ne s'éternisait jamais, et ne restait plus pour boire un whiskey dans le bureau de Bartuck.

Toby se plaignait de ne plus la voir assez. Il se plaignait en avançant que l'argent était moins important que l'attention qu'elle devait porter à Hannah, et, d'accord, très bien, il avouait : à lui aussi. Il regardait des rediffusions de vieilles séries le soir, seul. Il emmenait Hannah au parc de la 72ᵉ Rue, lui disait « va-t'en » quand il la poussait sur la balançoire, « reviens par ici » quand elle lui revenait. Il la vit adorer les poires, puis les détester, puis les adorer, puis se définir comme tout à fait humaine en n'adorant les poires que par intermittence. Il lisait le dernier bouquin d'Archer Sylvan, se promenait, écoutait les Rolling Stones et les White Stripes sur son nouvel iPod, puis sur son nouvel iPhone, et il adorait passer du temps avec Hannah, mais la conversation et la compagnie de la personne qui l'avait choisi lui manquaient terriblement. Le soleil se levait, le soleil se couchait et les pages du calendrier mural s'envolaient. Hannah se retourna. Hannah s'assit. Hannah rampa. Hannah marcha. Hannah rit. Hannah pleura. Hannah voulut faire « Ainsi font, font, font ». Hannah mangea toute seule. Hannah croisa les jambes dans sa poussette comme une petite dame. Hannah imita sa mère et prit le téléphone de Toby pour faire les cent pas en déblatérant du charabia. Hannah détesta « Ainsi font, font, font ». Hannah parla. Hannah apprit à compter. Hannah entra à l'école. Toby l'aimait si fort qu'il avait constamment le cœur au bord des larmes.

Ses revenus devinrent superflus, mais il était hors de question qu'il cesse de travailler. Ç'aurait été ridicule. Et il faut bien lui reconnaître ce mérite, Rachel n'osa jamais ne serait-ce que lui suggérer cette idée. Mais Toby conserva sa place de premier référent parental. C'était lui qu'on appelait quand Hannah faisait une poussée de fièvre à l'école, ou quand Solly avait un érythème fessier défiant tout remède classique. C'était lui qui recherchait des ateliers d'éveil musical et prenait sur son temps de travail pour s'y rendre avec les enfants, même si l'atelier s'appelait « Maman et moi » (« Ma nounou et moi » aurait été plus fidèle à la réalité). C'est lui qui inscrivait Hannah à des cours d'éveil scolaire, puis à des cours de sport et de renforcement scolaire, qui l'inscrivit à la crèche, à la maternelle, à l'école, au centre de loisirs, à des cours de mandarin, à des cours de tennis et prenait rendez-vous chez l'orthodontiste. C'était lui qui se portait volontaire pour la foire aux livres et pour la confection de pâtisseries au profit de l'école hébraïque. Il tapait sur des moteurs de recherche des phrases telles que « marre de faire à dîner » et tombait sur des sites qui lui donnaient des astuces pour « faire varier le quotidien » et « rester dans les produits frais ». Quand il posait des questions sur les forums, les femmes lui donnaient du « Monsieur Maman », et il trouvait ça insultant, il aurait voulu leur répondre que non, il n'était pas la mère, il était bien le père, et qu'il ne faisait qu'accomplir ses devoirs de père, mais il comprit très vite que ce qui poussait ces femmes à faire ce genre de commentaires était le profond manque d'intérêt de leur mari pour leurs enfants et plus généralement pour leur vie domestique, aussi répondait-il simplement par un [émoji sourire]. Il devait s'occuper des gamins quand la baby-sitter tombait malade, en demandant à des collègues de le remplacer pour un cours ou auprès d'un patient. Il ne faisait pas le poids face à des médecins qui ne vivaient que pour leur ascension professionnelle, comme Marco, qui lui se servait parfaitement de son réseau comme d'un tremplin pour sa carrière.

Il n'avait pas le choix. Rachel devait aller quelque part, puis devait se rendre à son cours de yoga pour lutter contre le stress puis au Pilates avec Miriam Rothberg pour des raisons purement sociales puis elle devait envoyer juste un petit e-mail puis faire un petit « suivi » puis un petit « retour » et se montrer tout sucre tout miel avec des gens qui ne le méritaient pas et se défouler sur Toby et les gamins lorsqu'elle était contrariée par des choses qui n'avaient rien à voir avec eux.

Mais il aimait tout cela, c'était là son secret. Il savait à quel point tout cela serait fugace, à quelle vitesse les enfants sautaient d'une phase à la suivante, il savait qu'une fois passés, ces petits instants ne revenaient jamais. Un enfant qui sait marcher ne se remet jamais à ramper. Alors, en son for intérieur, il considérait que c'était parfait ainsi. Rachel adorait ses enfants, il en était sûr et certain, mais elle n'était jamais naturelle en leur compagnie. La plupart du temps, elle redoutait de se retrouver seule avec eux. Elle perdait vite patience quand ils la collaient ou lui parlaient trop longtemps, sans cesse tiraillée par l'envie d'être autre part. Toby pouvait passer des heures avec l'un ou l'autre, voire les deux, sur les genoux, avant même de s'en rendre compte. Au travail, il avait la capacité de s'occuper de ses patients en se disant que ce n'était pas une étape dans sa vie, mais bien sa vie elle-même. Vous imaginez un peu ce que ça doit être d'atteindre si jeune son but dans l'existence ? C'était précisément cela que Rachel ne comprenait pas : l'ambition d'une vie ne suit pas toujours une courbe ascendante. Parfois, quand on est heureux, l'ambition jogge sur place.

« Nous aurons de bonnes nouvelles la semaine prochaine, affirma Bartuck. Allez. Je vous laisse retourner à vos patients. »

* * *

Mais Toby ne retourna pas à ses patients.

Il en était incapable. Il n'avait nulle part où se cacher, plonger son visage dans ses mains, ou faire une sieste.

L'anxiété qu'il nourrissait à l'égard de Rachel, cette tornade furieuse, alimentée autant par des vents de haine que par des vents d'inquiétude, l'empêchait de se concentrer sur quoi que ce soit. Il avait fait sa ronde. Et puis de toute façon il était quatre heures. Il avait commencé tôt. Ça ne posait pas de problème.

Il passa par le parc, et à mi-chemin se mit à suivre les méandres des petits sentiers jusqu'à ce que la fatigue et la chaleur le rattrapent, et il s'assit sur un banc. Il consulta son téléphone en tirant sur les poils de sa poitrine. Il voulait – il lui *fallait* – consulter ses applis. Il avait besoin de ce cocktail sulfureux d'endorphines et de testostérone pour faire passer les émotions atroces qu'il éprouvait.

Ce jour-là, la pêche fut médiocre sur Hr. Il lut d'anciens messages coquins en diagonale, sans rien éprouver. Il ne se remarierait jamais. Le mariage, c'était bon pour les imbéciles. C'était une solution surannée à des problèmes de propriété qui ne le concernaient pas. C'était une construction sociale inventée par des religieux (dont il rejetait la plupart des valeurs), à une époque où l'espérance de vie n'excédait pas trente ans. Donc non. Il ne retomberait plus jamais dans ce piège. Il aurait des relations, il connaîtrait l'excitation, mais il ne remettrait plus jamais son équilibre émotionnel entre les mains de qui que ce soit.

Dans la deuxième moitié du « Découplage », Archer Sylvan finit par rencontrer la femme dont Mark se sépare. Celle-ci avait appris qu'on écrivait un gros article sur son divorce, et elle avait envie de faire entendre ce qu'elle avait à dire. « Si vous tenez vraiment à parler de ça, avait-elle écrit à Archer dans une lettre, autant que vous ayez les deux points de vue de l'histoire. » Dans le papier, elle n'a pas de nom. Sylvan se réfère à elle tantôt par la formule « la femme de Mark » (dans les flash-back d'époques plus heureuses), tantôt par la formule « la femme » (quand tout tourne au vinaigre). Dans l'article, Archer et elle se retrouvent dans un salon de thé huppé de Madison Avenue, où les serveurs, en tenue de majordome, se tiennent à l'écart, immobiles et silencieux. Elle lui raconte que Mark a eu une aventure avec sa secrétaire, qu'il s'est excusé pour cet écart, sans pour autant la virer. Elle lui raconte que ces mois où il avait tout nié en bloc l'avaient rendu quasi folle, mais qu'elle avait fini par accepter de le croire, et puis il s'était rendu à un événement professionnel sans l'en avertir, et s'y était affiché avec sa secrétaire. Archer passe ainsi une heure à écouter ce qui, dans le fond, n'est qu'une invitation parfaitement raisonnable à prendre en compte toutes les nuances du phénomène étudié : le mariage est par définition complexe et partiellement secret, et quand il se solde par un divorce, les griefs des deux parties sont aussi justifiés les uns que les autres. Après tout, quand le plateau d'Othello devient noir (à condition d'y jouer comme Toby, c'est-à-dire, je le répète ici, au mépris des vraies règles en vigueur), il devient noir pour les deux participants.

Mais à la lumière de ce témoignage, Archer devait écrire un passage qui ferait l'objet d'heures et d'heures de discussion dont la teneur varierait au fil des années. Dans les années 1980, on l'encensa pour son honnêteté de journaliste qui préférait exposer son avis plutôt que le politiquement correct. Dans les années 1990, on se demanda s'il était possible d'écrire sans parti pris. Au début du nouveau millénaire, ce fut une levée de boucliers antimisogynes, qui permit entre autres choses qu'une personne telle que moi – c'est-à-dire une femme – puisse être engagée dans un magazine pour homme : ma seule présence était censée empêcher qu'un tel article puisse être de nouveau publié. À l'époque où Toby s'assit sur ce banc de Central Park, « Le Découplage » n'était plus jugé digne d'être étudié en école de journalisme. Même quand on s'en servait en tant que contre-exemple, cela entraînait une avalanche de courriers très durs adressés à des doyens d'université, relayés publiquement par des sites féministes qui parlaient de culture du viol et de *safe spaces*. Dès, mettons, 2007, quand on m'invitait à parler en école de journalisme, on me demandait de ne pas faire référence à ce passage, afin que l'échange ne se résume pas au scandale que constituait le simple fait d'en parler.

Le passage en question – celui-là même qui revint à l'esprit de Toby – consistait en ces mots : « Je quittai le restaurant, mon mouchoir humide de ses larmes, et me fis la réflexion que cette salope ne manquait décidément pas une occasion de tromper son monde. »

Un homme au teint bronzé en costume ajusté s'assit à côté de Toby sur le banc. Le soleil était insupportable, la chaleur une vraie torture, le parc rempli de gens heureux d'y être, et Toby les détestait tous jusqu'au dernier. Personne n'avait de problème à part lui. L'homme alluma une cigarette. À côté d'eux se trouvait une grosse pancarte INTERDICTION DE FUMER. Juste là. Une colère glauque et nécrosée se saisit de Toby, se répandant via son système lymphatique dans toute sa musculature, et imbibant jusqu'à ses os. Toby se tourna vers l'homme et lui lança : « Hé. Il est interdit de fumer, ici. »

L'homme le dévisagea, et Toby lui indiqua la pancarte d'un regard. L'homme la remarqua. Il écrasa sa cigarette, et un bref instant, Toby se demanda pourquoi il avait réagi si vivement.

Il s'apprêtait à méditer là-dessus lorsque, cent vingt secondes plus tard, cet enfoiré sortit une autre cigarette de son paquet et l'alluma juste sous le nez de Toby.

« Écoutez, vous ne pouvez vraiment pas fumer ici. » Le type ne réagit à ses mots que par un infime roulement d'yeux, suivi d'une profonde inhalation.

Toby se leva. Malgré lui, ce qui sortit de sa bouche fut un cri hargneux : « Je vais appeler la police, espèce de sale con ! »

L'homme le toisa d'un long regard surpris et… amusé ? Cet enfoiré trouvait ça *marrant* ? « T'es vraiment un putain de cinglé, toi », commenta-t-il. Toby se mit à composer le numéro de la police. L'homme tira une dernière taffe, envoya son mégot sur la pelouse et s'en alla.

Toby se rassit et resta là pendant une grosse minute, faisant semblant de scruter son téléphone, mais en réalité fulminant de rage. Quand l'homme disparut au loin, il se leva à nouveau et prit vaguement la direction d'East Side, sans la moindre raison. Personne ne l'attendait. Il n'était que cinq heures de l'après-midi. Solly lui manquait amèrement, il s'en voulait de l'avoir manipulé aussi sournoisement, et d'avoir mis la disparition de Rachel sous le tapis sans savoir si ce problème serait un jour résolu. Il aurait tant voulu regarder *Les Goonies* avec son fils, écouter ses commentaires aussi fins qu'adorables et répondre de son mieux à ses questions. Il rentra chez lui parce qu'il n'avait nulle part d'autre où aller.

* * *

Et si. Et s'il ne prenait pas la disparition de Rachel autant au sérieux qu'il l'aurait fallu ?

Les femmes pouvaient connaître bien des sorts. Elles pouvaient mourir. Elles pouvaient se faire enlever. Se faire violer. Être retenues dans des lieux désaffectés où l'on faisait d'elles des esclaves sexuelles. Elles pouvaient se noyer sans témoin. Il faillit se saisir de son téléphone pour appeler la police mais cela lui semblait exagéré, et puis il repensa à toutes les séries policières qu'il avait regardées, où le suspect n° 1 était toujours l'ex-mari, incriminé par un long historique de SMS suintant de haine.

Le soleil était encore trop haut. Les rues se mirent à fourmiller de la frénésie estivale de la jeunesse après le travail. Non, pas de la jeunesse. Du bonheur. Non, pas du bonheur. De la normalité. Des gens avec des projets, des objectifs, des amis. Il envisagea d'aller au cours de yoga. Il envisagea d'appeler Seth. Il envisagea de se connecter à l'une de ses applis et de changer un détail de son profil, ce qui le redispatcherait à l'ensemble du système et lui donnerait une visibilité auprès d'un tout nouveau public. Plus que tout, il se sentait faible. Il avait besoin de se sentir à nouveau fort.

Des fruits. Il décida d'acheter des fruits. Il avait mangé la dernière pomme qui lui restait la veille au soir. Il commençait déjà à sentir les premiers symptômes du scorbut. Il voulait de la vitamine C bien saine et bien brillante. Il voulait du magnésium, parce que ces trois derniers jours ses paupières avaient été prises de petits soubresauts intermittents et, plus tôt dans la journée, il était allé voir dans la glace des toilettes pour hommes si ce spasme était perceptible et il avait constaté que c'était bien le cas. Il voulait l'optimisme d'un magasin Whole Foods. Avec ce nouveau but, il se rendit à celui de la 87ᵉ Rue et en parcourut les allées, laissant le packaging et l'habillage pseudo-artisanal rallumer en lui un reliquat d'espoir. Il s'approcha du rayon soins du corps. Reprendre en main ses habitudes d'hydratation, c'était peut-être la solution. L'aromathérapie fleurs sauvages, c'était peut-être la solution. Ou l'huile de chanvre. Ou le lait de noix de coco. Non, mais sérieusement, et s'il essayait l'aromathérapie ? S'il se trouvait un diffuseur qui le ferait baigner toute la nuit dans les huiles essentielles ? Il se réveillerait avec des cellules comme neuves, les hormones ragaillardies, et puis il pourrait se mettre à méditer et sa vie n'en serait que...

« Toby. »

Il se retourna. C'était Cyndi Leffer et Miriam Rothberg. Elles étaient en sueur, et seules les racines de leurs cheveux frisaient. Miriam portait un marcel PÉDALER OU MOURIR. Sur celui de Cyndi on lisait RIMMEL & SQUAT.

« Deux Fleishman dans la même journée ! dit Miriam.

— Oh, salut, fit Toby. Ça va ? Je passais juste acheter des fruits.

— Je me demandais si tu étais encore dans les Hamptons, dit Cyndi.

— Ouais, répondit Toby. Les choses se sont pas mal bousculées. À l'hôpital. Avec mes patients. Mais non. Je n'irai plus dans les Hamptons. Rachel garde la maison, conformément à la décision du divorce. Je n'y vais plus vraiment.

— Ce n'est pas ce que m'a dit Roxanne. » Cyndi prononça ces mots d'un ton suggestif, laryngalisé, comme s'il s'agissait de quelque chose de sexuel, mais elle était trop vieille pour cette gymnastique vocale, et l'effet produit évoqua plutôt un coassement.

« Oui, j'y ai emmené les gamins à cause d'un empêchement de Rachel. Lexi manquait beaucoup à Hannah.

— Eh bien pour nous chaque année, la dernière semaine de juillet, c'est "Europe". Au fait, tu as reçu mes messages ? Hannah a oublié son oreiller chez nous. »

Toby se rappela vaguement avoir été assailli de SMS sans intérêt de Cyndi.

« Tu devrais venir dîner un soir avec les enfants, dit Miriam. On ne prend pas parti, tu sais. Les parents de Sam sont divorcés, ça nous tient très à cœur. Dis, tu fais toujours du yoga ? Je crois que je t'ai vu avec un tapis de sol il y a quelques semaines. »

Toby ne parvenait pas à se concentrer. « Hein ? Euh oui. Ça m'arrive.

— Tu devrais en faire avec Sam. Il revient tout juste d'une retraite yoga, et il n'a toujours pas atterri !

— Une retraite yoga ? demanda Toby.

— Oui, tu sais, dans le Massachusetts. Celle qui est très connue. Attends un peu. J'oublie toujours le nom de ce truc.

— Kripalu, souffla Toby.

— C'est ça ! Kripalu ! Il y a juste passé un week-end, et depuis, pour lui, c'est yoga tous les matins. On a engagé quelqu'un pour faire ça à la maison. Enfin ! J'ai passé tant d'années à essayer de l'arracher à son tapis de course. Je lui disais "Mais il y a tellement d'autres trucs à faire", et lui qui ne pensait qu'à courir. Il a fait du cross au lycée. »

Plus tard, Toby devait se demander pourquoi il était si important pour lui de paraître cool aux yeux de ces gens dont il se foutait éperdument. Il devait se demander et se redemander pourquoi, à cet instant, son premier souci avait été de protéger les intérêts arrivistes de Rachel, plutôt que de leur dire quel genre de femme elle était, et ce qu'elle avait fait.

Son cerveau se rappela soudain à son souvenir. Il s'aperçut qu'il avait complètement négligé la toute première chose que Miriam avait dite, tant l'absence de Rachel était devenue à ses yeux une réalité immuable. « Excuse-moi, tu as dit deux Fleishman dans la même journée ? Tu as vu Rachel ?

— C'était tellement bizarre, répondit Miriam. On l'a vue, oui. Dans le parc, allongée sur une couverture, endormie. Au beau milieu de la journée. Je lui ai dit : « Eh ben ça travaille dur, à ce que je vois ! » Miriam éclata de rire.

« Sérieusement, elle travaille tellement que ça m'a fait plaisir de la voir prendre une minute pour elle, déclara Cyndi. Ça faisait quoi ? Deux semaines que je l'avais pas vue ? Et puis cette nouvelle coupe. »

Miriam dit autre chose, puis Cyndi parla pendant soit une heure soit une minute, mais Toby n'entendait plus rien parce qu'à ces mots, son sang se figea, son oreille interne se mit à saigner, son cerveau se liquéfia et se mit à couler par les narines et son visage se mit à fondre en glissant sur toute la surface du massif facial de son crâne et sa vie ne serait plus jamais comme avant et il sut à ce moment que plus jamais il ne comprendrait rien à rien.

DEUXIÈME PARTIE

BON SANG, QUEL ABRUTI

Quand Toby rencontra Rachel, il endurait avec un courage circonspect et un stoïcisme proche du martyre sa plus longue traversée du désert post-j'ai-enfin-eu-des-relations-sexuelles. Il y avait eu sa première fois, durant notre année en Israël, ce coup vite fait sous l'empire de l'alcool avec Lori, ma camarade de chambre aux dents de lapin, qu'il aurait aimé éviter mais qui arriva quand même, avec au moins un point positif : il ne mourrait pas puceau. Il avait fêté cette année-là son vingtième anniversaire, et la honte de passer le cap de la deuxième décennie « avec ton hymen intact », comme disait Seth, lui était insupportable. Cette nuit-là, il rentra dans sa résidence étudiante comme un soldat revient de guerre : fier, et un peu traumatisé. Ses camarades affluèrent dans le vestibule pour le hisser sur leurs épaules. C'était embarrassant, et absolument génial, à l'image de l'acte consommé.

Et puis il y avait eu sa première fois dans le cadre d'une véritable relation (la deuxième toutes catégories confondues), au milieu de sa dernière année de fac, avec une étudiante en socio terne et anxieuse du nom de Jeanine. Jeanine était le genre à prendre en sténo chaque mot prononcé par son prof, puis à lire la totalité du procès-verbal et à le mémoriser, sans jamais la moindre question ni la moindre velléité de pensée critique. Elle n'essayait pas

227

d'apprendre : elle essayait de survivre au matériau qu'on lui soumettait, geignant sans cesse qu'elle allait se planter et décrochant au minimum des B. Elle disait qu'elle avait une intelligence de bûcheuse. Toby pensait qu'avoir une intelligence de bûcheuse, c'était ne pas en avoir vraiment, et il aurait aimé la rassurer en lui disant que l'intelligence n'était pas la qualité la plus importante, et puis que ça ne dépendait pas d'elle, et puis qu'être bosseuse et bien se comporter sur cette planète pouvait largement suffire à son bonheur. Mais il était véritablement impossible de dire des choses pareilles à une étudiante de Princeton qui travaillait aussi dur, et qui en vérité ne parlait de son « intelligence de bûcheuse » que pour vous entendre rétorquer : « Non, non, je suis vraiment impressionné par ton intelligence naturelle. »

« Je suis vraiment impressionné par ton intelligence naturelle », disait-il donc, et des fois, ça lui valait une branlette.

Il passait ses nuits à attendre la fin de ses innombrables groupes d'études, à attendre qu'elle rentre enfin et envisage peut-être de faire l'amour avec lui. Très souvent cependant, elle s'y refusait poliment parce que le sexe l'empêchait de dormir, ce qui aurait annihilé ses chances de réussir le truc (l'examen, le devoir à rendre) qui était actuellement sa priorité. Dans ce désert sexuel, le fait de baiser rien qu'un petit peu devint l'objectif premier de Toby au sein de leur couple, sans qu'il se demande un seul instant si un couple ne se résumait qu'à cela, ni même s'il avait vraiment de l'affection pour elle. C'était là une question périlleuse, et puis de toute façon, il n'était pas en position de se la poser : il lui fallait mettre toute son énergie dans ses pouvoirs de déduction, afin de déterminer si un bras posé nonchalamment sur ses épaules ou un baiser sur les lèvres constituaient un feu vert.

Cette relation s'acheva sans cérémonie au bout de quatre mois. Un matin, après qu'elle l'eut autorisé à faire l'amour avec elle – ou sur elle, ou contre elle, pour être plus exact –, elle lui dit que ses parents ne verraient pas d'un très bon œil qu'elle sorte avec quelqu'un qui n'était ni catholique ni italien, et que si cette relation était d'emblée vouée à l'échec, elle préférait ne pas perdre autant d'heures de sommeil. Il protesta avec force, sans se demander si elle lui plaisait vraiment ni s'il souhaitait que cette relation dure. Par pitié, elle proposa de baiser une dernière fois, « un dernier coup pour se dire au revoir », et il saisit l'opportunité. Il connaissait déjà la honte inhérente à la quête de relations sexuelles, mais il n'avait jamais éprouvé de honte durant l'acte lui-même, jusqu'à cet instant où il s'était tapé une fille qui clairement, n'attendait qu'une chose : que ça se finisse.

Il emménagea à New York en juin. Il avait été accepté en médecine à la New York University. Il avait également été accepté à Columbia, mais il avait envie de changer d'air. Il ne voulait pas vivre dans un campus. Il ne voulait pas être exclusivement entouré de branleurs d'étudiants tels que lui. Un de ses grands fantasmes était de rencontrer une fille qui ne serait pas en médecine. Il se retrouverait quelque part en train d'étudier, elle lirait un bouquin – un Philip Roth ou un Saul Bellow, peut-être un Virginia Woolf – et il irait la voir, lui lancerait quelque chose de marrant, elle rirait, et voilà.

Il n'était pas censé aller à la fête de Columbia où il fit la connaissance de Rachel. Seth avait un an de retard sur lui. Il était resté une deuxième année en Israël après avoir rencontré une fille de vingt et un ans qui finissait son service militaire, juste avant leur retour aux États-Unis. Il était parti avec elle à Dahab, pour des vacances fumette, et avait décidé de passer le semestre à la suivre partout où se rendaient les jeunes Israéliens après avoir terminé leur service : en Inde, en Thaïlande, en Grèce. Il la quitta en Grèce. Au bout de quatre mois, quand elle se mit à parler trop souvent de mariage. « Les femmes n'existent qu'en fonction d'une trajectoire de vie », écrivit-il dans une carte postale qu'il envoya d'Athènes à Toby. « Elles ne peuvent pas se contenter d'être, simplement, dans le moment. J'espère que tu tires des coups, mais je sais à présent que tout orgasme a un prix. » Toby aurait préféré que Seth lui fasse parvenir cette carte dans une enveloppe, mais bon, bref. Seth finissait à présent sa dernière année à Columbia. Toby et lui avaient dîné ensemble un soir et, à la fin du repas, Seth l'avait encouragé à l'accompagner à la fête annuelle de la société littéraire de la bibliothèque de l'université. Mais Toby avait horreur des fêtes de Columbia et des gens de Columbia. « Il se pourrait que tu tires ta crampe », lança Seth.

Toby savait qu'il le berçait sans doute de faux espoirs. Mais ses parents arriveraient de Los Angeles le surlendemain, et il se dit que même si ses chances de baiser s'élevaient à trois pour cent, le cas échéant, cela ne pourrait que lui donner du cœur à l'ouvrage pour ce qui l'attendait dimanche, à savoir nettoyer son appartement merdique de toute trace de pornographie et de puanteur avant que ses parents arrivent, et le blinder contre le mitraillage soutenu que, comme toujours, sa mère ferait subir à son ego et sa perception de lui-même. Arrivé à la fête, Toby aperçut Mary, une fille qui logeait dans la résidence de Seth et pour qui il avait le béguin, et il se demanda si c'était là l'occasion ou jamais. Il alla la voir et ils parlèrent durant cinq bonnes minutes. Elle riait à chacune de ses phrases, et oui, ça ressemblait de plus en plus à l'occasion ou jamais, jusqu'à ce qu'un tocard, son mec apparemment, sorte des toilettes. Il s'appelait Steve, il était à la Wharton School, et Toby ne pouvait même pas imaginer la taille de la bûche qu'il venait de lâcher dans la

cuvette. « Mec, j'espère que la plomberie est solide, ici »,
conclut Steve. Mary éclata de rire, et ce fut comme une
trahison envers l'image que Toby se faisait d'elle. Toby
ne fut jamais aussi loin de comprendre pourquoi il était
seul qu'à cet instant précis.

Il était sur le point de partir, son quota d'humiliation
et d'atterrement nocturnes largement atteint, lorsqu'il jeta
un dernier regard à l'assistance. À côté d'une fenêtre, une
fille était en train de parler avec une autre fille, saoule, qui
s'appuyait à un mec. Il ne l'avait pas remarquée jusque-là,
ce qui était étrange étant donné son look : frange nette,
cheveux blonds qui allumaient en lui un désir latent et
dangereux pour les femmes non juives, peau pâle, lèvres
rouges. C'était Rachel, qui, les yeux baissés, hochant la
tête, laissait poliment l'autre fille lui raconter n'importe
quoi, et qui tout à coup, sentant le regard de Toby, releva
les yeux pour le lui rendre, avant de porter son attention
ailleurs avec ce sourire que font les filles quand elles n'ont
pas envie de sourire, le regard qui fuit mais pas le visage,
suivi d'un pincement des lèvres vers le haut. Elle portait
un haut côtelé, moulant, et un legging, comme toutes les
filles à l'époque, avec attachée à la taille, une chemise à
carreaux en flanelle. Elle avait toujours l'air d'être trop
raffinée pour s'habiller comme les autres étudiantes – trop
guindée, d'une beauté trop adulte.

Toby décida d'attendre un peu. Elle parlait à présent
avec Otto, un ancien camarade de chambrée de Seth, et
le type avec qui Otto flirtait. Toby se servit un verre de
punch. Il le considéra, et songea que même s'il était prêt
à absorber les calories de l'alcool contenu dans le cocktail,
il n'avait aucune envie de boire le mélange au fruit spécial
punch, aussi vida-t-il son verre dans l'évier. Puis il se dit
que c'était peut-être la meilleure façon d'aborder cette fille.
Il remplit à nouveau le verre et l'amena à Otto, avant de

se tourner vers elle. Son sourire coquet se fit circonspect, puis devint un vrai sourire.

« Je ne suis pas sans remarquer que vous ne vous êtes pas servi de punch, dit Toby. Je vous le recommande chaudement. »

Elle lui sourit de nouveau. Elle était bien trop jolie pour lui sourire. « Vous êtes sûr ? Parce que je viens de vous voir en vider un verre dans l'évier.

— Il est un peu trop sucré, en vérité, répliqua-t-il. Et puis j'ai peur qu'une fille essaie de me droguer. (Les jeunes faisaient ce genre de blagues dans les années 1990.) En plus, je ne sais pas trop quel ingrédient ils y ont mis pour obtenir cette teinte de violet.

— Vraiment ? Pour moi, c'est la seule raison valable de boire ce truc.

— J'ai toujours voulu avoir des enfants qui sentent le violet. »

Elle lui dit qu'elle était en cursus d'anglais à Hunter College, mais qu'elle voulait travailler plus tard dans les affaires. Elle aspirait à une carrière qui lui permettrait de faire une pause pour élever ses enfants sans être définitivement mise sur la touche. Elle était pragmatique, affirmait-elle. Elle pensait qu'il serait peut-être avisé de se lancer dans le marketing ou la pub. Mais l'été précédent, elle avait assisté à une conférence de la Columbia Business School sur l'art de la négociation, et elle avait alors pris conscience que si ça ne tenait qu'à elle, elle passerait le reste de sa vie à négocier.

« Très bien », dit-il. Les yeux de cette fille étaient des aimants. « Alors négocie avec moi.

— D'accord, répondit-elle. J'aimerais en avoir quatre pour le prix de deux.

— Je suis vraiment navré, vous devez payer le prix des quatre.

— Je ne paierai que le prix de deux. »

Il adopta alors un air borné, bras croisés en travers de sa poitrine, tête tournée pour la regarder de biais. « Hors de question. Vous vous croyez au souk ? »

Elle sourit et haussa les épaules, puis commença à s'éloigner, d'abord d'un pas, puis de deux, et il devint vite évident qu'elle était vraiment en train de partir. Elle alla s'asseoir sur un canapé au beau milieu de la pièce, lui tournant le dos, et elle engagea la conversation avec un type assis là, lui aussi. Toby était stupéfait : il éprouvait de l'*excitation*. À quand remontait la dernière fois où il s'était senti excité, et pas uniquement terrorisé ? Il traversa la pièce, s'accroupit derrière elle et murmura à son oreille. « Je vous en donne six, dit-il. Et vous n'avez rien à me payer. »

Ils passèrent le plus clair de la nuit à parler dans l'appartement de Toby. Rachel avait grandi à Baltimore et ne se souvenait plus de ses parents, bien qu'il lui restât l'image d'une femme aux cheveux noirs allongée sur un divan, image qu'elle associait à sa mère parce que finalement, qui cela pouvait-il être d'autre ? Elle n'avait ni frère ni sœur. Son père avait quitté sa mère alors qu'elle n'était qu'un bébé, puis sa mère avait développé un cancer dont elle était morte, tout ça avant les trois ans de Rachel. La mère de sa mère l'avait élevée, plus par devoir que par amour, et elle ne retournait plus à Baltimore que pour Thanksgiving, mais pas systématiquement. Elle était en troisième année, et elle regrettait de ne pas avoir profité de la possibilité de passer un semestre à l'étranger, mais elle envisageait de partir au Brésil ou à Budapest cet été dans le cadre d'un programme de stage. À ces mots, il avait senti un reflux amer parcourir son estomac, en se disant qu'un jour il devrait la laisser quitter son lit.

Ils firent l'amour cette nuit-là, ce qui était pour le mieux, étant donné que Toby doutait que son ego puisse supporter de se demander trop longtemps si elle voyait en lui un ami ou un potentiel amant. Il n'arrêtait pas de songer : C'est une vraie fille ? Mais pas dans une acception sexiste. Non, plutôt à la Pinocchio. Elle était tout ce qu'une fille devait être à ses yeux, même s'il n'avait jamais osé formuler des exigences aussi spécifiques : elle portait du rouge à lèvres en toutes circonstances, elle écoutait du Neil Diamond et se foutait pas mal de ce que les gens pouvaient trouver de bizarre à ça, elle pouvait faire la chandelle pendant quelque chose comme dix minutes, elle connaissait le film *Karaté Kid* par cœur, jusqu'à la plus petite réplique ; elle attendait impatiemment le douzième épisode d'une série pour savoir si l'héroïne était réellement morte (évidemment, non) ; elle voulait apprendre à jouer au tennis mais ne savait pas comment trouver un partenaire que sa nullité absolue ne rebuterait pas. Sa cloison nasale était un peu de travers, mais on ne le remarquait qu'en regardant son nez par en dessous, et elle corrigeait ce défaut la nuit en appuyant son nez sur la gauche afin de pouvoir respirer par les deux narines. Elle était solitaire, elle avait très peu d'amis, parce qu'elle avait été élevée par une grand-mère impatiente dont le seul but était d'en finir au plus vite avec son éducation. Ou parce qu'elle était sensible et qu'elle prenait tout signe de non-inclusion comme une forme de rejet. Ou parce qu'elle pensait qu'il existait toujours quelque chose d'un peu mieux que ce qu'elle avait, attitude qui prenait toute sa valeur dans les affaires, mais n'en avait quasiment aucune dans les autres aspects de la vie. Ou parce qu'elle avait toujours l'impression de devoir se hisser au niveau des autres, parce qu'elle n'était pas née riche, ni même dans une véritable famille. Ou parce que la plupart des gens n'appréciaient pas qu'une femme puisse être aussi ouvertement ambitieuse. Ou parce qu'elle était incapable de garder son avis pour elle face à une personne qui n'atteignait pas l'objectif qu'elle s'était fixé ou ne vivait pas la vie qu'elle prétendait désirer, parce qu'elle était convaincue que les gens voulaient connaître la vérité. Ou parce que curieusement, elle avait toujours été à côté de la plaque en ce qui concernait la pop culture, et devait même le rester plus tard, lorsqu'elle deviendrait l'une des meilleures agentes de la ville. Ou parce que l'amitié se dérobait constamment, et qu'on était toujours plus sûr d'être apprécié quand on n'y pensait pas, et qu'elle passait chaque instant à ne penser qu'à ça.

Quand il se réveilla le lendemain, après les trois heures de sommeil matutinal qu'ils s'accordèrent, il l'observa quelques minutes. Elle était toujours aussi jolie à la lumière du jour, malgré son mascara qui bavait et la salive séchée à la commissure de sa bouche. Il sortit chercher de quoi petit-déjeuner. Il fit la queue pour acheter des bagels et des cafés. Jamais il ne s'était senti aussi normal et américain de toute sa vie. Une fille l'attendait chez lui, on était samedi matin, rien de plus naturel à ce qu'il lui ramène un bagel et un café. Il était subjugué par la simplicité de ses propres émotions, subjugué par sa gratitude infinie pour tous ces moments qui avaient contribué à ce que ce moment-là arrive, et par le bonheur, oui, subjugué par un bonheur pur et simple. Il adorait son pays ! Il allait manger un bagel !

Ils mangèrent leurs bagels, tellement normalement, tellement simplement, se promenèrent dans Greenwich Village, puis remontèrent la Cinquième Avenue, pour prendre ensuite vers l'ouest. Ils traversèrent Hell's Kitchen du nord au sud, puis Midtown en diagonale, puis de nouveau en diagonale dans Central Park, où une neige de début mars, douce et pulvérulente, se mit à tomber. Ils se prirent par la main et marchèrent encore plus lentement. Toby adorait se balader. C'était la plus grande révélation qu'il avait eue à New York : on n'avait besoin que de ses deux jambes pour arpenter la ville la plus vaste de toute l'Amérique. À présent, il avait quelqu'un avec qui marcher. Les flocons blancs tombaient sur les cheveux de Rachel et elle parlait, parlait et parlait encore, sans se formaliser de la neige ou de la température, et Toby se rendit compte à quel point il était amoureux. Ils débouchèrent dans l'Upper East Side, la neige cessa de tomber, et il l'accompagna chez elle, tout près de Hunter College. Ils étaient trempés, exténués, ils avaient mal aux pieds, aussi commandèrent-ils à dîner, de la cuisine indienne, et Toby resta, après que la camarade de chambre de Rachel eut maugréé qu'elle trouverait autre part où passer la nuit. Ils dormirent dans son lit une place, et tandis qu'ils cherchaient la position adéquate, Toby prit conscience qu'il n'avait jamais été aussi heureux, que c'était peut-être le début d'une vraie relation, peut-être même le début de *la* relation, mais que dans tous les cas c'était bien en train de lui arriver, et oui, cela ne faisait que vingt-quatre heures, mais c'était aussi bon que ce qu'il s'était toujours imaginé.

Le lendemain matin, il fila chez lui pour nettoyer son appartement et éliminer toute trace d'activité sexuelle à deux, et de toute activité sexuelle d'ailleurs, puis alla acheter d'autres bagels pour ses parents. Il avait caressé l'idée de proposer à Rachel de faire leur connaissance, mais il ne pouvait prendre le risque de l'effrayer. Il devait la jouer cool.

Dès leur arrivée, ses parents inspectèrent son appartement, en lui répétant une énième fois à quel point ils étaient déçus qu'il ait préféré la New York University à la University of California Los Angeles (« Et quitte à partir pour New York, pourquoi préférer la NYU à Columbia ? *Ça ne viendrait à l'esprit de personne !* » s'exclama sa mère).

Cette dernière toisa attentivement Toby et remarqua : « Tu as réussi à garder ton poids de forme, mais à regarder ton visage, on dirait que tu as vieilli.

— C'est un symptôme de trouble de l'alimentation », répliqua-t-il.

Sa mère vagit alors en s'adressant à son père : « Et il continue de me le faire payer ! » Puis, se retournant vers

Toby : « Tu étais plus heureux quand tu étais gros ? *Tu étais plus heureux quand tu étais gros ?* »

Il ne répondit pas, et ils allèrent déjeuner dans un restaurant de West Village, où il commanda un suprême de poulet et une salade de betterave sans fromage de chèvre ni vinaigrette ni noix caramélisées. (« Juste des bouts de betterave dans une assiette ? » avait demandé la serveuse. « C'est ça, avec le poulet », avait-il répondu, alors que sa mère le foudroyait du regard.)

Plus tard, il accompagna ses parents jusqu'à leur hôtel de Midtown, puis poursuivit plus au nord dans le même taxi, jusque chez Rachel, qui en lui ouvrant sa porte afficha un large sourire. « Tu m'as manqué », dit-elle. Il l'embrassa à pleine bouche. La veille encore, elle portait des chaussures à talon, et Toby constata qu'elle le dépassait d'à peine plus d'un centimètre, l'alignement idéal, sa lèvre inférieure à elle au niveau de sa lèvre supérieure à lui, et c'était vraiment quelque chose.

Neuf mois plus tard, il prenait l'avion pour Budapest, où elle était partie passer le premier semestre de sa dernière année, faute d'avoir pu s'organiser pour l'été, contretemps que Toby s'expliquait, en espérant avoir raison, par le fait qu'elle devait être aussi ravie que lui par le tour paradisiaque que prenait leur relation encore toute neuve. Au fil de ces quelques mois, il l'avait emmenée voir des films au Film Forum, visiter des expositions au MoMA et à la Frick Collection, parce qu'elle lui avait dit que durant son enfance et son adolescence, elle n'était jamais allée ni au musée ni au cinéma. Ils passèrent un week-end à Woodstock, où ils achetèrent des tee-shirts à imprimés batik. Ils passèrent de cafés en restaurants, les yeux dans les yeux, se faisant du pied sous les tables.

Il apprit aussi beaucoup de Rachel. Ils allèrent skier – c'était une première pour lui, pas pour elle, parce que son école organisait un séjour au ski chaque année et qu'en terminale, enfin, sa grand-mère avait daigné débourser 250 dollars pour qu'elle y aille. Rachel l'aida aussi à appréhender les machinations politiques de la fac de médecine, étranges, surprenantes, souvent soudaines, et qui dépassaient le simple fait d'avoir de bonnes notes ou pas. Le médecin qui supervisait son stage postdoctoral n'appréciait pas son esprit caustique ; Aaron Schwartz, un type au teint jaunâtre et à la tête de pigeon avec qui il avait été non seulement à Princeton, mais avant cela, dans le même lycée de Los Angeles, faisait partie de sa promo : on lui demandait beaucoup plus souvent d'intervenir en chirurgie qu'à lui. Rachel enseigna à Toby la bonne façon de parler aux gens. Elle lui apprit que le fait d'être naturellement drôle impliquait également qu'il pouvait facilement prendre la mouche, ce qui n'était pas une bonne chose. Elle lui apprit à prendre le temps de bien considérer les visages qu'il avait en face de lui, que c'était là le point le plus important de toute négociation, et il finit par s'y plier : il prit l'habitude d'écouter les autres et de les regarder droit dans les yeux. Et comme par magie, lorsqu'il parvint enfin à mettre ces nouveaux talents en pratique, il devint un meilleur praticien, capable de cerner plus précisément les souffrances de ses patients, et par l'écoute, de mieux discerner d'importants éléments de diagnostic. Il dépassa Aaron Schwartz en un rien de temps, salué par les docteurs pratiquants et ses professeurs pour sa sensibilité et son intuition. Chaque fois qu'il la remerciait de lui avoir appris ces techniques que personne ne lui avait enseignées durant toutes ses études de médecine, elle lui répondait : « C'est simplement qu'ils ne voulaient pas que tu ailles très loin. » Et quand elle prononçait ces mots, il se disait que le but de Rachel n'était pas de faire de lui quelqu'un de meilleur, mais de le pousser plus haut dans la vie. C'était là son objectif. Il songeait alors que c'était parce qu'aux yeux de Rachel, il était parfait comme il était.

Il atterrit à Budapest pour les vacances de Thanksgiving, faisant à Rachel la surprise d'arriver le jour même de son anniversaire, et dans sa résidence, un ancien château reconverti, devant toutes ses camarades, il mit un genou à terre et lui présenta la bague de fiançailles de sa grand-mère.

Ils fêtèrent ça en allant au parc pour patiner sur un CD d'Ace of Base qui passait en boucle, devant un autre château abandonné. Rachel, qui ne savait pas patiner, s'accrochait à lui. Elle ne portait pas de manteau : elle n'arrêtait pas de répéter qu'elle était trop heureuse pour avoir froid. Après cela, ils passèrent le reste de la nuit à danser dans le Quartier juif, où mystérieusement, tous les commerces se transformaient en boîtes au coucher du soleil, et c'était grisant et dangereux, pas seulement d'être une grande personne avec une fiancée, mais aussi de danser dans le Quartier juif d'une ville majoritairement antisémite. Le week-end venu, il emmena Rachel au bord du lac Balaton, ce qui dans les environs de Budapest s'approchait le plus des Hamptons, et grâce à la toute-puissance du dollar américain, loua une maison entière et se fit livrer tous leurs repas par des traiteurs. Il avait passé sa vie à s'inquiéter, alors qu'il aurait dû croire qu'il existait un plan pour chacun. Mais le fait de ne pas y croire faisait également partie du plan. Gloire à Toi, Dieu ! Gloire à Toi ! Gloire à Toi pour Ton infinie sagesse ! Toby éprouva alors la paix que dispense tout système. Il éprouva la solidité de la voie de la bourgeoisie. Il éprouva la solidité du monde sous ses pieds, enfin.

Ils se marièrent à Los Angeles. La mère de Toby était depuis longtemps membre du conseil d'administration de leur synagogue, et le mariage de Toby était pour elle l'occasion ou jamais de montrer (et même confirmer) à leur communauté le genre de personnes qu'ils étaient, surtout après le mariage orthodoxe de la sœur de Toby, qui avait été une immense déception (« un fiasco »), pour rester dans l'euphémisme, avec sa séparation des hommes et des femmes, ses desserts *parvé* et le vin kasher dégueulasse.

« On dirait que sa grand-mère se fiche complètement de son mariage », murmura la mère de Toby à son fils alors qu'ils débarrassaient les plats du déjeuner qu'ils avaient organisé pour les invités, la veille du mariage. La grand-mère de Rachel était restée assise son sac à main sur les genoux, polie, mais absolument pas curieuse d'en apprendre plus sur cette famille à laquelle sa petite-fille allait appartenir.

« Ou alors c'est qu'elle n'a pas envie d'en rajouter au cinéma que tu fais autour de cet événement, répondit Toby. Franchement, on aurait mieux fait de s'enfuir pour se marier n'importe où. »

Mais c'était uniquement pour blesser sa mère qu'il avait prononcé ces mots. Il avait hâte de montrer Rachel à tout le monde. Il avait hâte que tout le monde voie l'étendue de son succès. Toby Fleishman ! Et pour la première fois en tant que mari et femme, Monsieur et Madame Toby et Rachel Fleishman !

Après leur mariage et leur brève pré-lune de miel à Santa Cruz, ils retournèrent dans l'appartement vide de Toby sur la 9ᵉ Rue. À la faveur d'une de leurs longues promenades, ils trouvèrent dans la rue une table basse qu'ils transportèrent au-dessus de leurs têtes jusque chez eux, à douze blocs de là. Ils faisaient l'amour tout le temps. Ils faisaient l'amour quand il pleuvait et quand il faisait beau. Ils faisaient l'amour avant de sortir dîner, et dès qu'ils revenaient du restaurant. Ils faisaient l'amour le matin, avant de se doucher. Ils faisaient l'amour de retour du travail. Ils faisaient l'amour après dîner, devant la télévision, se positionnant parfois de façon à ne rien perdre du programme. Tellement bon ! Tellement normal !

Toby finit par choisir sa spécialité, et il opta pour l'hépatologie. Il apprit qu'Aaron Schwartz avait décidé de devenir gastro-entérologue, et se dit que c'était vraiment un abruti, pour choisir comme ça de passer ses journées à faire des endoscopies, et quel abruti il avait lui-même été, jadis, de se laisser impressionner par ce type. Toby se sentait fort, plus fort qu'avant, plus fort que tout. Contrairement à avant, il n'aurait rien voulu changer au présent comme au passé. Il comprenait que tout ce qui était arrivé jusque-là, même cet accident dans la Volvo de ses parents, avait entraîné un ensemble de circonstances qui lui avaient permis de se retrouver à l'endroit précis où il avait rencontré Rachel, au moment précis où Rachel, contre toute attente, était tombée amoureuse de lui, comme lui était tombé amoureux d'elle.

Pendant ce temps, Rachel avait quitté le service courrier de l'agence pour devenir l'assistante d'un jeune mec du nom de Matt Klein, coiffé à la Michael Douglas dans *Wall Street*, et dont les dents de la mâchoire supérieure dissimulaient partiellement la lèvre inférieure, de sorte qu'il avait constamment l'air de harceler sexuellement ses interlocuteurs. Matt déjeunait tous les jours avec Rachel, et semblait déterminé à lui enseigner tout ce qu'il savait. « Ma *protégée* », la surnommait-il, en français dans le texte. En secret, Toby se demandait si Matt s'était toujours autant impliqué dans la formation de ses assistants, et s'il traitait de la même façon asst2, le jeune homme affairé à son bureau.

Mais cela ne dérangeait pas du tout Rachel de devoir brusquement changer son emploi du temps et d'arriver en retard pour le dîner. Elle aimait les appels téléphoniques au milieu de la nuit ; elle aimait hurler des obscénités au téléphone quand un contrat tombait à l'eau. Elle aimait toute cette putasserie théâtrale : elle appelait ça « mon entraînement cardio ». Elle aimait attendre une bonne nouvelle, et répondre sur son portable d'un « Rachel Fleishman à l'appareil ». (Toby éprouvait encore des tiraillements érectiles en entendant son nom collé ainsi au prénom de Rachel, qui n'avait eu aucun souci à se défaire de son nom de jeune fille, seul héritage d'un homme qui brillait par son absence et son je-m'en-foutisme.) Elle emmena Toby à la première d'un spectacle dont le metteur en scène était un client de Matt, et à peine trois ans plus tard, elle signa sa première cliente, Alejandra Lopez, dramaturge et comédienne, qu'elle avait découverte toute seule en écumant le off du off du off du off du off de Broadway à la recherche de jeunes talents prometteurs, et Rachel avait à présent son bureau rien qu'à elle, avec son asst1 et son asst2 rien qu'à elle.

Elle rencontra pour la première fois Alejandra dans la maison de quartier d'une cité d'un coin de Brooklyn qui ne devait jamais connaître la gentrification. Elle avait entendu parler de cette comédienne qui jouait seule en scène une pièce sur Edith Wilson, la femme du président Woodrow Wilson. Rachel alla assister à la pièce avec Toby, portant le nombre de spectateurs au chiffre grandiose de six (dont quatre étaient extrêmement âgés, et cherchaient sans doute une place au chaud). Cela faisait plusieurs semaines qu'Alejandra jouait gratuitement son spectacle, intitulé à l'époque *Big Wilson* (changé plus tard en *Half-Wilson*, puis en *Presidentress*, pour accéder au statut de référence culturelle de premier ordre sous le titre de *Presidentrix*). Durant la journée, elle travaillait dans une station essence sur Pennsylvania Avenue, aux abords de Starrett City, où, quand les clients se faisaient rares, elle pouvait à loisir travailler sur sa pièce, hybride d'opéra. Elle avait appris seule le chant lyrique grâce à des cassettes qu'elle avait empruntées à la bibliothèque, et qui très explicitement s'intitulaient *Apprendre seul le chant lyrique en quelques heures par jour*. Rachel savait que sa propre réussite ne tiendrait qu'au fait de trouver un bon client qu'elle pourrait accompagner jusqu'à ce qu'il devienne une immense star, ce qui constituerait la preuve éclatante qu'elle avait l'œil, et l'oreille, et du nez, bref, qu'elle était une vraie grande agente. Elle consultait les journaux de quartier, et allait assister à des représentations plus que confidentielles dans des salles reculées, inconnues de tous. Elle avait trouvé l'annonce du spectacle d'Alejandra à côté d'une liste d'offres d'emploi dans le *Canarsie Courier*, petite publication locale de Brooklyn.

Le propos de la pièce était de montrer qu'une femme ne pouvait écrire sa propre histoire qu'à travers celle d'un homme, en l'occurrence, l'époux à moitié mort d'Edith Wilson, Woodrow Wilson. Edith avait dirigé le pays après l'AVC de celui-ci, et son rôle n'avait été reconnu que bien plus tard. Dans l'une des scènes les plus importantes, Edith Wilson fait entrer un journaliste dans la chambre de son mari, et le reporter en ressort avec une interview où les réponses d'Edith sont attribuées à Woodrow. Edith est ravie du succès de sa ruse (le public ne se pose aucune question), mais elle est minée par le fait de ne jamais être reconnue pour ce qu'elle est, à savoir une politicienne de génie capable de diriger un pays, ainsi qu'une épouse plus que dévouée. Pendant cette chanson, Toby se tourna vers Rachel : elle avait la bouche ouverte, et elle hochait lentement la tête, les larmes aux yeux.

Toby et Rachel étaient assis derrière un homme endormi au premier rang, étendu sur le banc, sa canne dans les bras. À la fin, Toby observa attentivement la façon dont Rachel aborda l'artiste. Alejandra avait remarqué les yuppies qui dénotaient dans le public clairsemé. Un bref instant, elle jeta un coup d'œil à Toby tandis que Rachel lui parlait. Celle-ci portait les mains à son cœur pour appuyer ses propos, sans chercher à essuyer ses larmes qui coulaient. Toby vit Alejandra passer du stade de la confusion à celui de la joie, puis à celui du Oh mon Dieu c'est la chance de ma vie.

Elle joua *Big Wilson* dans un théâtre de la Bowery à guichets fermés, mais aucun producteur n'était prêt à miser sur ce spectacle qui semblait ne reposer que sur Alejandra : on doutait qu'une autre comédienne puisse insuffler la même magie à cette pièce si elle décidait un jour de passer à autre chose, ou si elle attrapait la grippe. Cette pièce était si particulière, si intimement liée à l'âme de sa créatrice, qu'on craignait que toute autre personne ne puisse que singer ce qu'elle accomplissait sur les planches : pour une tournée sur le long terme, c'était raté. Mais la pièce marcha assez bien pour que Rachel atteigne le statut d'agente artistique reconnue. Alejandra écrivit ensuite le scénario d'une série HBO à propos d'une lesbienne d'origine latino-américaine dans les années 1970 qui tentait de survivre dans un bureau où régnaient l'homophobie et le racisme. Les deux saisons furent suivies par un public restreint mais fervent, et la série commença à faire véritablement de l'audience après son annulation. À cette époque, Rachel avait déjà quitté Alfooz.

(Et puis il y a cinq ans de ça, Rachel encouragea Alejandra, en plein hiatus créatif dû à son mariage et aux enfants qu'elle avait eus, à revisiter *Big Wilson* en l'étoffant un peu. Le résultat final fut *Presidentrix*, une nouvelle version avec d'autres comédiens et d'autres danseurs qu'elle, et qui commença à faire du bruit alors qu'on n'en était encore qu'aux répétitions. *Presidentrix* rafla tous les Tony Awards l'année de sa création à Broadway. Sa BO fournit les chants de ralliement de la vague de militantisme politico-féministe que la pièce souleva. Les derniers spectateurs à avoir acheté leur billet devraient attendre sept ans avant d'assister au spectacle. Rachel fit la une du *Hollywood Reporter* et de *Variety*.)

Il arrivait que Toby et Rachel se disputent. Quel couple ne se dispute jamais ? Certes, peut-être que Rachel se montra plus blessante que nécessaire la fois où ayant oublié qu'ils avaient un dîner de prévu avec le patron de Rachel, il avait préparé un repas à la maison (« C'est *pas* grave, avait-il dit. Je le mettrai au frigo pour demain. Ça ne pose aucun problème »), alors que, techniquement, dans ce cas précis, c'était à Toby qu'aurait dû revenir le rôle de conjoint contrarié. Rachel englobait toutes les marques de mépris dont elle se croyait victime sous l'étiquette géante « Tu n'écoutes jamais ce que je te dis ». Quand elle était fâchée et qu'elle s'adressait à lui, son expression rappelait à Toby les visages de toutes celles et tous ceux qu'il avait vus mourir : quand la force qui les animait jusque-là finissait par les quitter, ils ne se ressemblaient plus du tout. Et cela le terrifiait.

Seulement, Rachel était ainsi. C'était un véritable fauve dans son boulot, et les hormones qu'elle devait sécréter pour être à la hauteur de ses supérieurs ne s'éliminaient pas si facilement. Toby le comprenait parfaitement.

Pour leur troisième anniversaire, ils décidèrent qu'il était temps de faire un bébé, et elle tomba enceinte dès le premier essai, à la plus grande joie de Toby, et à la consternation absolue de Rachel. « Je pensais que ça prendrait plus de temps », ne cessait-elle de répéter. Mais lui savait qu'ils étaient bénis, en dépit des sautes d'humeur de Rachel qui se multipliaient et s'intensifiaient depuis quelque temps. Il se disait que c'était à cause de la pression qui reposait sur les épaules de sa femme au travail. Il croyait encore que tout allait pour le mieux. Tous les mauvais moments passaient encore à ses yeux pour des anomalies, alors que les colères de Rachel commençaient à l'emporter numériquement sur les interactions posées et réfléchies.

Un soir, Toby l'attendait chez eux en assistant de sa fenêtre à un orage d'été. Rachel était enceinte de cinq mois. Une heure passa après le moment où elle était censée rentrer, puis deux. Il avait fait de la soupe. D'habitude, elle le prévenait en cas de retard. Il l'appela, mais elle ne répondit pas. Il commença à s'inquiéter.

Elle arriva à huit heures. Son chemisier trempé, transparent, elle entra comme une furie dans l'appartement, où Toby l'attendait avec sa soupe.

« Tu étais où ? demanda-t-il. J'ai essayé de te joindre plusieurs fois. Qu'est-ce qui s'est passé ?

— J'ai le droit d'aller où je veux ? T'es de la Gestapo ? »

Toby sortit de la cuisine. Ils habitaient sur la 72e Rue, dans un gratte-ciel du nom de Wellesley qui aux yeux de Toby était l'immeuble le plus chic dans lequel il lui serait jamais donné de vivre. C'était dans cet appartement qu'ils avaient emménagé après les études de Toby, et personne au monde n'aurait pu lui accoler l'adjectif « petit » : les lieux étaient si agréables qu'à la naissance de Solly, ils déménagèrent à l'étage, au dix-septième étage, dans une version encore plus grande du même appartement. Toby apporta à Rachel une serviette et une robe de chambre. Elle était comme assommée. Il la fit s'asseoir sur le canapé en velours marron qu'un collègue lui avait donné, quasiment sans une tache. Il voulut l'aider à enlever sa veste, mais elle le repoussa.

« Qu'est-ce qui s'est passé ? »

Elle évitait son regard. « Ils ont refusé. Je ne suis pas associée. »

Toby observa une seconde de pause, et s'adossa au canapé. « Qui est-ce qu'ils ont pris ?

— Harry, bien sûr. » Elle se leva pour aller dans leur chambre, où elle s'assit sur le lit, commença à enlever une chaussure, et s'interrompit.

Toby la suivit. « Bien sûr rien du tout, dit-il. Tu méritais d'être associée. Ils t'ont dit quelque chose, au moins ? » Il la poussa délicatement en arrière jusqu'à ce qu'elle se retrouve sur le dos, la fit se tourner légèrement sur le côté, et lui enleva son pantalon détrempé. Rachel était réduite à l'état de poupée de chiffon : il lui retira sa veste et son chemisier. Puis il se saisit de sa robe de chambre. « Tiens, enfile ça. »

Soudainement, elle baissa les yeux et s'aperçut qu'elle était quasiment nue. Elle releva la tête, et dans le regard qu'elle lui adressa, Toby vit briller quelque chose qui ne se manifestait que lorsqu'elle était en colère contre d'autres personnes que lui. « Qu'est-ce que tu fous ? Je ne suis plus un bébé, Toby. Je peux me déshabiller toute seule. »

Elle se redressa et fila dans la salle de bains comme une tornade, lui arrachant la robe de chambre des mains, et claquant la porte derrière elle.

Dix minutes plus tard, il lui apporta un bol de soupe sur un plateau : elle était assise sur le lit. Sans lui accorder un regard, elle lui raconta toute l'histoire :

Elle n'avait prévenu ni les patrons de l'agence ni Matt de sa grossesse parce qu'une place d'associé minoritaire allait bientôt être proposée, et elle voulait mettre toutes les chances de son côté. Elle s'était donné toutes les peines du monde pour cacher sa grossesse pendant la période d'évaluation des candidats potentiels. Mais elle était parfaitement sereine. Aucun des candidats n'avait son flair pour débusquer les nouveaux talents, et aucune de leurs découvertes n'arrivait à la cheville d'Alejandra, qui du reste n'était pas le seul talent qu'elle avait débusqué. Elle avait décidé de leur révéler sa grossesse lors du dîner qui marquerait sa promotion. C'était là sa stratégie. Et c'était le plus ironique dans cette situation, ainsi qu'elle devait le dire par la suite : elle avait suivi une stratégie conforme à celles que lui avaient enseignées *les personnes mêmes qui le lui reprochèrent.*

Elle était dans son bureau, en train de regarder à travers les cloisons de verre (quel intérêt d'avoir un bureau dont les murs étaient en verre ?), lorsqu'elle vit Harry Sacks échanger des *high fives*, entendit le *pop* d'une bouteille de champagne qu'on débouche, et son estomac se noua. Dans sa tête, une voix lui disait de rentrer chez elle au plus vite sous un faux prétexte, mais cette voix n'avait aucune chance de se faire entendre : elle se rendit dans le bureau de Matt Klein et le mit au pied du mur.

« Rachel ! dit-il. Salut !

— C'est parce que je suis enceinte, c'est ça ? »

L'expression de Matt se fit complètement impassible.

« Hein ? Comment ça ?

— Dis-moi la vérité. Je n'intenterai pas de procès. Je veux juste savoir.

— Tu veux parler de la promotion d'Harry ? »

Rachel regarda alors Toby, comme si elle pesait le pour et le contre, et finit par lui dire : « Il y a deux ans, Matt m'a fait du rentre-dedans. Bien évidemment, je l'ai éconduit. »

Toby reçut cette information comme un rocher sur les testicules. *Matt Klein ? Son supérieur ?*

« Oui, répondit-elle.

— Il t'a draguée ?

— Y a deux ans de ça.

— Quand ? Comment ?

— On était allés à Los Angeles pour les Golden Globes. »

Elle était encore son assistante à l'époque, mariée depuis un an à peine (Matt avait alors cinq ans de mariage à son actif). Mais ce n'était pas que le dégoût qu'il lui inspirait qui l'avait dissuadée de tomber dans les bras de Matt Klein. Elle aimait aussi l'idée d'être quelque chose qu'il n'aurait jamais. Elle aimait l'imaginer se languir d'elle. C'était ce que Matt lui-même appelait une « data », dans une négo. Une « data », c'était une chose qu'on était la seule personne à savoir. Elle savait que Matt la désirait. Elle savait que le désir d'un homme pour une femme ne disparaissait jamais totalement après un refus : le désir se doublait alors d'un conflit de l'ego chez l'homme en question.

(« Oh », fit Toby quand elle lui expliqua cela, dans leur chambre.)

Mais face à Matt, qui la dévisageait d'un regard froid et satisfait, Rachel se dit qu'il avait dû opter pour une stratégie à long terme. Sa rapide ascension au sein de l'agence avait moins à voir avec ses qualités et sa découverte d'Alejandra qu'avec l'humiliation qu'elle avait infligée à Matt en rejetant ses avances, et de la peur de Matt qu'elle lui fasse un procès s'il la virait purement et simplement. Elle avait déjà envisagé tout cela, mais en bonne agente qu'elle était, elle savait que toutes les opportunités sont bonnes à saisir. Seulement à présent, l'heure du châtiment avait sonné pour elle.

« Harry est un gros bosseur, lui dit Matt. Cette place lui revenait.

— Ne me dis pas qui est un gros bosseur, pas à moi », répliqua-t-elle. Elle portait un chemisier blanc une taille trop grand, qu'elle aurait sans doute rentrée dans son pantalon si elle n'avait pas été enceinte. Elle ne pouvait pas se résoudre à porter des vêtements de grossesse, pas encore en tout cas. Les vêtements de grossesse, ç'aurait été faire une croix sur toute possibilité de déni. « C'est à cause de ce qui s'est passé à Los Angeles ? Parce que je croyais que la page était tournée, moi. »

Il s'adossa à son fauteuil et la toisa, alors qu'elle restait plantée devant son bureau. Il était bien trop malin pour répondre quoi que ce soit.

« C'est ma grossesse, fit-elle.

— Noooon, ronronna-t-il. Ce n'est pas ta grossesse. Enfin, pas en soi.

— Comment ça ?

— Écoute, je vais te parler en tant qu'ami, pas en tant que supérieur hiérarchique. Et n'essaye pas de m'emmerder avec les RH, parce que ça ne marchera pas. Ce que je vais te dire, c'est uniquement pour ton édification personnelle.

Le problème, c'est que tu ne nous aies pas *dit* que tu étais enceinte. Tu vaquais à tes occupations, visiblement enceinte, manifestement enceinte, sans nous en dire un seul mot. Quand on traite les autres comme des imbéciles, il ne faut s'…

— Excuse-moi, est-ce que je suis tenue contractuellement de vous dire que je suis enceinte ? Est-ce qu'un truc qui est en train de se passer dans mon corps à moi est considéré comme propriété de l'agence ?

— Non, non. Ça n'a rien à voir. Du calme, Rachel. » Ses yeux gris en fente étincelaient chaque fois que Matt faisait preuve de cruauté.

À l'instar de toutes les femmes de l'histoire de l'humanité à qui l'on a dit de se calmer, Rachel hésita à prendre le parfait contre-pied de cette recommandation.

« Tu ne nous as pas témoigné le même égard que nous te témoignons. C'est une simple question de réciprocité, Rachel. Tu es une grosse bosseuse. Nous te tenons en *grande* estime. Mais un associé, ce n'est pas qu'un gros bosseur. Un associé, c'est un membre de la famille.

— Tu ne m'as pas avertie quand Virginia est tombée enceinte. » Il avait divorcé de sa première femme pour convoler avec une actrice qui avait elle-même divorcé de son mari au terme de plusieurs mois de dispute, après qu'elle eut oublié de le remercier lors de son discours d'acceptation aux Oscars.

« Je crois que tu vois très bien en quoi c'est différent. » De nouveau, le même sourire. « Écoute, il y aura forcément une autre opportunité. Nous te tenons en *grande* estime. Mais à quoi bon parler de tout ça ? Il y a tellement plus important, et nous sommes si *heureux* pour toi. Nous avons *hâte* de voir ton bébé. Ton bébé aussi est un membre de *notre* famille. »

Toby s'était mis à faire les cent pas dans la chambre. « Il me *connaît*. Il savait que tu étais mariée. Nous avons dîné avec sa femme et lui.

— Oui, c'est une pratique assez courante chez les salopards, Toby.

— Est-ce que tu lui as rappelé qu'il me connaissait ?

— Je suis désolée, Toby, non, je ne le lui ai pas dit : sur le moment, je n'ai pas compris que tu étais le premier concerné par tout ça. »

Mais ça le concernait tout de même un peu, non ? Rachel était sa femme ! Draguer une femme dont on ne connaît pas le mari, c'est une chose. Mais Toby, lui, existait. Matt Klein savait qu'il existait. Et Matt Klein ne l'avait pas considéré comme une menace potentielle assez sérieuse pour s'abstenir de draguer Rachel. Matt prenait tout juste en compte l'existence de Toby. Matt ne redoutait pas la colère de Toby.

Toby n'avait jamais aimé ce type. Aux premières et aux soirées auxquelles Toby était convié, Matt s'approchait toujours de lui, se penchait pour échanger une vigoureuse poignée de main, disait quelque chose sur « notre championne », avant de lui demander s'il pouvait lui « emprunter Rachel un instant », mais pas sur le ton de la question, pour aussitôt s'éloigner avec elle en la guidant, une main sur sa taille. Rachel ne reculait pas à ce contact, ne sursautait même pas légèrement : on aurait presque dit qu'elle y était habituée. Toby avait connu tout un tas de Matt Klein, et pour les Matt Klein de ce monde, un mari ne constituait pas une raison en soi de brider leurs instincts. Ou peut-être était-ce justement parce qu'il connaissait Toby qu'il ne le considérait pas comme un obstacle. Peut-être que si Rachel avait épousé un grand mec fringant qui bossait dans la finance, Matt Klein aurait fait profil bas. Les Matt Klein de ce monde gardaient la queue entre les pattes face aux mecs qui bossaient dans la finance, ça, Toby le savait parfaitement. Il connaissait ce genre de types depuis son enfance et son adolescence à Los Angeles, où le Matt-Kleinisme d'une certaine catégorie de jeunes hommes avait été planté, arrosé et cultivé avec assez d'espace pour pousser. Là-bas, pour certaines personnes, le Matt-Kleinisme était le but ultime de l'existence.

« Pourquoi tu ne m'en as pas parlé à l'époque ? »

Du point de vue de Toby, il existait plusieurs réponses acceptables à sa question : elle n'avait pas pris l'incident au sérieux, elle ne voulait pas blesser Toby, elle avait très vite oublié tant elle était amoureuse de son mari : toutes ces réponses auraient convenu. Mais elle lui donna celle-ci : « Ça ne m'a pas traversé l'esprit. C'est juste un truc qui s'est passé au boulot. Est-ce que tu me racontes absolument tout ce qui se passe à l'hôpital ? Attends, pas la peine de répondre : c'est bien probable, en fait. »

Ne pas être inclus du tout dans cette histoire, c'était loin de lui plaire. Avoir vent de cet incident à titre d'événement annexe à ce qui s'était passé ce jour-ci, c'était loin de lui plaire. Le fait qu'elle semble croire que leur mariage n'avait aucune importance dans cette affaire, c'était loin de lui plaire.

« Tout ce que je dis, c'est que tu devrais peut-être réfléchir au fait que tu bosses pour quelqu'un qui n'a pas le moindre respect pour ton mariage.

— Mais ce n'est pas de notre *mariage* qu'il est question, Toby. C'est de *moi*. Ils ne m'ont pas promue parce que je ne leur ai pas dit que j'étais enceinte.

— C'est de la connerie. Ils ne t'ont pas proposé d'être associée parce que tu n'as pas couché avec Matt Klein et parce que fondamentalement, ils n'ont aucun respect pour toi. »

La réponse lui revint comme un boomerang : « Va te faire foutre, Toby. »

Toby avait le plus grand mal à déterminer le moment précis où il remarqua qu'elle avait changé. Soit, elle s'adressait toujours à ses subordonnés comme à des petites merdes, mais c'était dans la tradition d'Alfooz & Lichtenstein :

c'était ainsi qu'ils enseignaient à leurs employés à survivre dans le milieu, ou quelque chose dans ce goût-là. Toby ne cachait pas sa surprise quand il la surprenait au téléphone en train de parler à une stagiaire ou un assistant : dernièrement, asst2 semblait avoir particulièrement intérêt à se sortir les doigts du cul. Il l'entendait cracher au téléphone ces « Tu oublies à qui tu parles », ces « Excuse-moi mais tu m'as pris pour une abrutie ? », ces « Très franchement, quand je t'écoute, là, j'ai du mal à croire ce qui est en train de sortir de ta bouche », ces « Sans vouloir te blesser, quand je recrute quelqu'un aux journées portes ouvertes de Yale, je m'attends à voir une vague lumière briller au fond de ses yeux », ces « J'ai jeté un coup d'œil à ces dossiers de presse et j'ai cru que c'était un SDF qui les avait réalisés ». Il partait du principe que c'était le stress de son travail qui la faisait partir ainsi en roue libre, mais il l'entendait alors dire à ses clients des choses telles que « Oh mon Dieu, mais on devait être la même personne dans une autre vie ! », « Mais je t'adore », « C'est génial » et « Tu es génial ». Vous voyez ? Elle était aussi capable de cela, ce qui rendait encore plus dur à digérer le fait qu'elle ne disait jamais rien de tout cela à la maison.

Lorsqu'il réunit enfin toutes les pièces du puzzle et considéra sa place au milieu, il comprit qu'elle lui parlait comme à un subalterne, et pas comme à un client. Il lui demanda alors : « Est-ce que tu as déjà remarqué que tu me parlais comme à l'un de tes subordonnés que tu détestes ? Et que tu es toujours super gentille avec tes clients ? » Et elle lui répondit : « C'est pas vrai, Toby, tu veux vraiment que je te fasse mon petit numéro, à toi aussi ? » Et elle lui fit alors une imitation révoltante de bons sentiments, imitation de quoi, Toby n'aurait su le dire : d'une femme au foyer des années 1950 ? De la version d'elle-même qu'elle prenait pour l'idéal de Toby ? « Je suis tellement heureuse que mon petit mari soit rentré à la maison ! Tu veux que je te serve un petit Martini ? » Sa voix était cristalline et modulée, et pour la toute première fois, Toby envisagea de la tuer.

« Je ne veux pas de cette soupe, dit-elle à présent, dans leur chambre. Je veux des *linguini alle vongole*. Je veux dîner chez Tony's.

— OK, OK. » La soupe était pourtant excellente.

Ils se retrouvèrent au pied de leur immeuble. La pluie avait cessé, et Toby proposa d'aller à pied chez Tony's.

« Hors de question que je marche, dit Rachel en levant un bras en l'air. J'ai suffisamment marché comme ça. » Le restaurant était à tout juste neuf blocs, mais Toby ne dit rien. Elle était enceinte. Pas de problème. Elle se tourna vers lui. « Je suis en train de te dire que j'en ai assez des longues balades. Je n'aime pas ça. Je n'ai jamais aimé ça. C'est une perte de temps. »

Il ne répondit pas. Elle était fâchée, et quand c'était le cas, elle pouvait basculer soudainement dans des accès de colère, et il n'avait aucune envie qu'elle se mette à lui hurler dessus en pleine rue, sous les yeux du gardien de leur immeuble. Elle héla un taxi. Ils ne firent plus jamais de longues balades. Ils ne traversèrent plus la ville ensemble pour le simple plaisir : cela ne leur arriva plus que lorsqu'il leur était impossible de trouver un taxi, ou que la prochaine station de métro était trop loin. À partir de ce jour, ils ne se retrouvèrent plus jamais côte à côte : ce ne fut plus que face à face, ou dos à dos.

Quatre mois plus tard, cette soirée n'était déjà plus qu'un souvenir sans conséquence lorsque Rachel fut envoyée à l'hôpital pour hypertension. Après examen, on décida de provoquer l'accouchement. Au début, tout se passa bien. Rachel et Toby jouèrent au backgammon, et elle regarda pour la énième fois une vieille série pour ados avec des orphelins sur un lecteur DVD portable qu'elle avait acheté tout spécialement pour l'occasion. Toby trouvait son choix sinistre, mais il comprenait également que Rachel ne pouvait mettre au monde un enfant sans se confronter au fait qu'elle n'avait pas de parents.

D'abord d'un ennui profond, le travail se transforma en film d'horreur. Impossible de mettre la main sur l'obstétricien. Rachel hurlait à Toby : « Tu n'as aucune influence, ici ? C'est l'hôpital où tu *travailles* ! » Mais les complications qu'elle rencontrait furent aussi considérables qu'impossibles à prévoir. Le travail n'avançait plus, sa tension artérielle ne cessait d'augmenter, et le monitoring du bébé n'indiquait rien de vraiment significatif. On finit par découvrir que l'obstétricien qui la suivait habituellement était à Hawaï.

Un autre obstétricien finit par arriver, que ni Rachel ni Toby n'avaient jamais vu auparavant : il était tout nouveau au service obstétrique. Il avait les cheveux blancs, la peau bronzée, les dents blanches, des lunettes et un accent italien, et il considérait Toby et Rachel d'un regard froid, les yeux plissés. Dans la salle d'accouchement, tandis que les contractions propres à l'ocytocine de synthèse la faisaient hurler et se tordre de douleur, le docteur lui lança : « Allons, allons. Vous voulez faire le bébé, ou avoir un bébé ?

— Attendez, là, fit Toby. Ce n'est pas une façon de parler à une patiente. »

Rachel jeta alors un regard incrédule à Toby. « C'est tout ce que t'as à dire ? Tu vas lui *faire la leçon* ? »

Les collègues médecins de Toby descendirent aussitôt qu'ils surent que Rachel et lui étaient à la maternité. Ils débarquèrent avec des ballons et des fleurs au moment précis où Rachel disait « Tu vas juste regarder les choses se passer ? À quoi tu sers, en fait ? » Et c'était bien à Toby qu'elle s'adressait. Toby fit aussitôt sortir ses collègues en s'efforçant de leur expliquer qu'elle parlait à l'obstétricien, et tous acquiescèrent en signe de compassion, mais ils n'étaient visiblement pas à l'aise. Il aurait mieux fait de sortir une blague sur les parturientes.

Vingt-quatre longues heures plus tard, une fois sa tension stabilisée, on administra un narcotique à Rachel. Elle s'assoupit alors, ou du moins, parut s'assoupir. Car en vérité elle se retrouva plongée dans un cauchemar hallucinatoire. Elle était sur une balançoire, dans la cour de son école primaire, elle allait et venait, allait et venait, mais à chaque fois qu'elle avançait, son école grossissait un peu plus. Toby ignorait alors ce qu'elle vivait. Pensant qu'elle se reposait enfin, il embrassa le front pâle et froid de Rachel et lui murmura : « Je reviens tout de suite. »

Il alla demander à Donald Bartuck ce qu'il convenait de faire avec l'obstétricien. Derrière son bureau, Bartuck lui demanda : « C'est Romalino ? » Toby le lui confirma, et Bartuck reprit : « Je le connais. Bon chirurgien, connard de première. Il adore les césariennes. » Toby redescendit à l'étage afin de parler au chef du service, et voir avec lui s'ils pouvaient changer de médecin : il y avait forcément un autre obstétricien quelque part, même si c'était Thanksgiving. Malheureusement Romalino était le seul disponible, et tandis qu'ils discutaient, Toby remarqua sur le tableau des infirmières que quelqu'un appuyait avec insistance sur le bouton d'appel de la chambre de Rachel : il s'y précipita et trouva sa femme en train de hurler comme un animal tandis que Romalino, les mains en l'air comme pour un braquage, lui lançait : « Je crois qu'on ferait bien d'appeler le service psy. »

Toby finit par comprendre ce que Rachel ne cessait de hurler : « FAIS-LE SORTIR ! FAIS-LE SORTIR ! » Seulement il n'y avait personne d'autre qu'eux. Et puis Toby remarqua le sang qui maculait les draps de Rachel, et il demanda : « Mais qu'est-ce qui s'est passé ? » Rachel continua à crier, pleurer et trembler jusqu'à ce qu'enfin, entre ses sanglots, elle parvienne à tout lui raconter.

Toby était dans le bureau de Bartuck quand une infirmière apparemment bien intentionnée avait examiné Rachel, et l'avait informée que bien que le travail n'avançât pas, sa tension toujours haute s'était apparemment stabilisée. « Ne dites à personne que c'est moi qui vous l'ai dit, lui fit-elle, mais de toute évidence, le déclenchement ne fonctionne pas. Si vous voulez éviter la césarienne, vous feriez mieux de demander au docteur Romalino de tout arrêter. Vous pouvez lui proposer de retourner chez vous ou de rester dans votre chambre d'hôpital, ce qui lui semblera le plus judicieux, mais à votre place, je mettrais un terme à cet accouchement provoqué. » Quelques minutes plus tard, Romalino passa la voir, Rachel lui demanda de revenir lorsque son mari serait là, il répliqua qu'il ignorait quand il serait en mesure de revenir la voir étant donné qu'il devait également s'occuper de ses patientes, et puis que de toute façon il devait l'examiner. Rachel répéta ce que l'infirmière lui avait conseillé de lui dire, et Romalino avait fait semblant de considérer que c'était une sage décision. « Vous savez quoi ? lui lança-t-il. Je vais vous examiner, et en l'absence de progrès, on verra à quel jour on reportera cet accouchement. » Romalino appela une infirmière, et celle qui l'avait conseillée les rejoignit dans la chambre. « On ne peut pas attendre mon mari ? demanda Rachel. Il ne va pas tarder à revenir. » « Ce n'est qu'un simple examen », répéta Romalino. Il enfila des gants, plongea une main entre ses cuisses, dans son vagin, et au lieu de simplement évaluer la dilatation, il alla plus loin que d'habitude et se mit à faire… quelque chose.

« Qu'est-ce que vous êtes en train de faire ? hurla Rachel. Qu'est-ce qu'il fait ? » L'infirmière lui tenait la main, lui caressait les cheveux, et n'arrivait pas à la regarder dans les yeux. « Qu'est-ce qu'il est en train de faire ? Ce n'est pas un examen ! Il est en train de faire quelque chose ! » Elle hurla plus fort lorsqu'une douleur fulgurante la déchira de l'intérieur, mais le docteur continuait de fouiller et de manipuler quelque chose en elle, jusqu'à ce qu'enfin il retire sa main. Rachel se rendit compte alors que l'infirmière tenait toujours la sienne, et prit la pleine mesure de l'absurdité de la situation : elle hurlait comme si on était en train de l'agresser, et cette femme n'avait rien fait pour l'aider.

Toby comprit aussitôt ce qui s'était passé. Romalino avait lui-même rompu la poche des eaux. Selon les règles en vigueur, les femmes présentant une rupture des membranes ne pouvaient quitter l'hôpital, et si leur accouchement était provoqué, on ne pouvait l'interrompre.

La suite de l'accouchement se passa ainsi que l'avait prédit Bartuck. On accorda quelques heures à Rachel, et la nécessité de faire avancer le travail en une durée déterminée ne fit qu'augmenter son stress et sa crispation. Comme si tout cela dépendait d'elle, comme si toute sa représentation du monde et de l'influence qu'elle pouvait avoir sur sa vie ne s'était pas écroulée en l'espace de quinze minutes !

À minuit, on retira une petite fille de son corps. On lui tendit le bébé derrière le drap bleu qui lui épargnait la vue de ses propres organes étalés sur sa poitrine, mais Rachel dit qu'elle avait peur de la tenir dans ses bras en position allongée, paralysée qu'elle était de la poitrine jusqu'aux pieds. Mais, même une demi-heure plus tard, sortie de chirurgie, elle refusa de prendre le bébé dans ses bras. Elle répétait qu'elle voulait attendre de sentir à nouveau ses pieds. L'infirmière lui dit que cela lui ferait du bien de la tenir dans ses bras, et Rachel se mit à pleurer en lui répondant : « Vous avez vu ce qui s'est passé ? Et vous voulez que je prenne un *bébé* dans mes bras ? » L'infirmière garda donc l'enfant dans les siens, Toby planté entre sa femme et sa fille, sans trop savoir quoi faire. Ils s'étaient multipliés. Ils étaient trois à présent. Il était responsable de la troisième. Rachel pouvait se débrouiller toute seule. Pas

258

sa fille qui venait tout juste de naître. L'infirmière berça un petit moment le bébé jusqu'à ce que Toby s'approche pour le prendre dans ses bras.

« Il est temps de la prendre, maintenant, dit l'infirmière à Rachel.

— Vous m'avez dit la même chose il y a une minute ! Je ne sens toujours pas mes jambes ! Comment est-ce que je peux tenir mon bébé dans mes bras si je ne sens même pas mes jambes ? » Mais son regard passa alors de Toby à l'infirmière, puis de l'infirmière à Toby, et elle remarqua quelque chose d'inquiétant. Elle vit dans leurs yeux qu'elle ne se comportait pas normalement et que quelque chose de grave arriverait si elle n'y mettait pas du sien, aussi tendit-elle soudain les bras.

« Passe-la-moi. »

Hannah était née depuis quatre-vingt-dix minutes lorsque sa mère la prit pour la première fois dans ses bras, et durant les années qui suivirent, Rachel répéta souvent à Toby qu'à son avis, tout ce qui n'allait pas chez Hannah – c'est-à-dire quoi, au juste ? Des crises de colère sporadiques ? Son refus de manger des pizzas avec des légumes en garniture ? Le fait de ne pas aimer autant la danse classique que Rachel l'aurait souhaité ? – avait pour seule et unique cause le temps qu'elle avait pris avant de créer un lien avec elle. Quel genre de mère refusait de prendre son enfant dans ses bras ? La première nuit, Rachel ne ferma pas l'œil : elle avait peur de s'endormir, fixait le bébé dans le berceau en plastique à côté d'elle, Toby endormi dans le petit lit d'appoint, au pied de son lit à elle. Lorsqu'il se réveilla au beau milieu de la nuit, incapable de se rappeler où il était un bref instant, il entendit Rachel chuchoter au berceau : « Je suis désolée, je suis désolée. »

Par la suite, quand Rachel racontait l'histoire de son accouchement (et elle ne manquait jamais une occasion de le faire, à la fois pour accepter ce qui lui était arrivé et

259

pour punir son mari de l'avoir abandonnée au moment où elle avait été le plus vulnérable), elle ajouta un détail à son récit. Elle se mit à raconter que lorsque le médecin avait enfin retiré sa main, elle lui avait décoché un coup de pied en pleine poitrine qui l'avait propulsé contre le mur. Ce n'était pas vrai. Cela n'aurait pas même été possible. Et pourtant elle semblait vraiment convaincue que c'était arrivé, assez en tout cas pour le raconter en présence de Toby, alors que lui connaissait la vérité. Et la vérité était qu'après ce que Romalino avait fait, elle ne s'était pas transformée en guerrière, mais en un tas de poussière. Ce détail rappelait toujours à Toby que ce qui s'était passé ce jour-là avait endommagé quelque chose en elle, l'avait même peut-être définitivement cassé. Et il avait peur que ce dégât soit irréversible.

Toby déposa une plainte interne à l'hôpital. Il prit un congé paternité prolongé afin de s'occuper de sa femme. Ils allèrent voir des psychiatres et des psychologues. Elle se rendit à une réunion de groupe « dépression post-partum » qui, selon elle, était remplie de femmes tristes et mornes qui ne faisaient rien résonner en elle, des femmes à qui il n'était rien arrivé d'autre que leur mystérieuse et toute nouvelle tristesse. Ils allèrent voir un cinquième psychiatre, qui exerçait à l'hôpital, et qui lui dit qu'elle souffrait de stress post-traumatique, et Rachel n'en conçut qu'une honte absolue. Tout ce qu'elle avait fait, c'était accoucher. Elle n'avait pas fait la guerre. *N'importe qui* pouvait accoucher. *Tout le monde* était né. Pourquoi avait-il fallu que ce truc aussi simple la traumatise ? Elle n'était pas du genre à se faire traumatiser. C'était elle qui traumatisait les autres ! Et puis, après l'examen de la sixième semaine avec son obstétricien (envers qui elle ne décolérait pas), à la réception de l'hôpital, ils étaient passés devant une affiche où l'on pouvait lire *Le groupe de parole victimes de viol a été déplacé au quatrième étage.* Elle avait dit à Toby de rentrer seul, et elle avait rejoint le groupe avec Hannah.

« Mais tu ne t'es pas fait violer, dit Toby à son retour. Ç'a été horrible, mais ça n'a pas été un *viol.*

— On est bien d'accord, répondit-elle. Mais ce type m'a fait subir quelque chose d'atroce. Et ça, elles le comprennent. Elles me comprennent. Et ce sont les seules à me comprendre. »

Ils auditionnèrent approximativement quatre-vingt-douze femmes et un homme (l'idée était de Toby) pour trouver une nounou. Aucune ne leur parut à la hauteur, et Rachel était convaincue qu'un homme aspirant à devenir nounou était nécessairement un pervers. Ils finirent par trouver Mona, une Équatorienne de quarante ans, à la chevelure longue irrégulière coiffée en une stricte raie au milieu, et qui se retrouvait sans employeur à présent qu'Alexander Schmidt était parti en Suisse avec sa famille pour y diriger une nouvelle banque. Rachel était d'abord passée par une agence, mais elle avait le sentiment qu'on ne lui soumettait pas les meilleures candidates parce qu'elle ne proposait pas les avantages optimaux propres à une famille de l'Upper East Side : voiture à l'usage de la nounou, suite séparée, cartes de crédit, cadeaux.

Mona avait elle-même un fils de douze ans qui vivait en Équateur, et sa seule exigence était un congé de deux semaines par an pour aller le voir au pays. Rachel avait fait la connaissance de Lala Schmidt en cours de fitness « Travail à la barre », et trouvait qu'elle avait tout compris à la vie. Mona était lente et parlait comme si elle tricotait ses phrases. Parmi toutes celles qu'ils auditionnèrent, elle fut la seule à leur demander si elle pouvait prendre Hannah dans ses bras. Elle la serra contre son corps doux, dense et trapu, et Hannah, qui n'y voyait pas encore clairement, parut la regarder droit dans les yeux. Peut-être fut-ce de voir son bébé parfaitement calme dans les bras de quelqu'un d'autre. Peut-être fut-ce de voir la confiance et l'autorité naturelle qui émanaient de Mona. Le fait est que Rachel se mit à pleurer d'une façon que Toby ne lui connaissait pas, des sanglots incontrôlables. Il posa une main sur son dos, et Rachel hocha la tête.

« Je crois que vous êtes engagée », dit Toby.

Mona se mit immédiatement au travail, alors que la date de reprise du travail de Rachel était encore très lointaine. Elle passa ses journées chez eux, à nettoyer des biberons, à faire connaissance avec Rachel et Hannah. Elle envoya Rachel à un cours de yoga postnatal pour femmes ayant accouché par césarienne : Mona avait eu vent de ce cours par l'une des membres de son réseau de nounous, un groupe obscur qui connaissait tous les secrets de ces femmes apparemment sans problème de l'Upper East Side. De retour de sa première séance, Rachel raconta à Toby qu'elle avait pleuré du début à la fin, qu'elle se sentait sans attache, coupée de la terre, comme si elle n'était plus sujette à la loi de gravitation quand son bébé n'était pas avec elle. Mais cette sensation s'améliora au fur et à mesure, et elle retourna au cours de yoga jusqu'à ce qu'elle soit en mesure de ne plus pleurer tout du long.

Un mercredi, Toby rentra chez eux et lui demanda comment s'était passée sa journée. Elle lui répondit qu'elle avait pris la décision de ne plus aller au groupe de parole des victimes de viol.

« Je vais bien maintenant », affirma-t-elle.

Il remarqua un carnet à spirale au bout de la table, noirci de l'écriture de Rachel, petite et serrée. Pour la première fois depuis des semaines, elle semblait sereine et calme. Il préféra ne poser aucune question.

À la fin de la première journée de sa deuxième semaine de travail après son congé, Toby, en retard, rentra chez lui aussi vite que possible pour retrouver Rachel et Hannah. Il avait eu une consultation d'urgence sur un cas d'hémochromatose. Il était huit heures du soir lorsqu'il passa le seuil de l'appartement. Il y trouva Hannah, mais pas Rachel. Rien que Mona.

« Où est Rachel ? » demanda-t-il en se lavant les mains pour prendre Hannah, que Mona tenait dans ses bras. Mona venait de lui faire avaler un biberon de liquide blanc et épais, plus épais que n'importe quel lait maternel.

« Elle est sortie. Elle a dit qu'elle rentrerait vers minuit.

— C'est du lait en poudre ? » Il n'avait pas remarqué qu'elle avait cessé d'allaiter.

Toby congédia Mona et prit place dans le rocking-chair de Rachel pour bercer Hannah devant une enfilade d'épisodes de *Cops* à la télévision.

Il se trouve qu'en fait, le matin même, quand Toby était parti travailler, Rachel avait appelé Alejandra Lopez pour lui demander si elle pouvait passer chez elle pour discuter. Rachel avait ensuite appelé ses deux assistants et quatre collègues subalternes, et les avait invités à dîner au Green Kitchen Diner, sur la Première Avenue, où personne ne pourrait les surprendre. Elle les informa qu'elle allait se mettre à son compte, qu'elle garderait ses clients – Alejandra Lopez était du lot – et leur demanda qui était partant pour casser la baraque au sein de Super Duper Creative ? Elle but et fit la fête jusqu'à quatre heures du matin pour rentrer enfin chez elle sur la pointe des pieds, trouvant Toby l'œil toujours ouvert, en train de l'attendre.

* * *

Toby se tenait à présent au milieu de son appartement, portant dans les bras un gros pot de beurre de cacahuète, comme s'il s'agissait d'un bébé. En prenant congé de Miriam et Cyndi, il avait acheté ce pot afin de ne pas passer pour un psychopathe en repérage à Whole Foods. Il le serrait contre sa poitrine, comme si quelqu'un avait voulu le lui prendre. Il aurait voulu s'arracher la peau du visage. Il aurait voulu déchirer ses vêtements. Il aurait voulu briser de ses mains ce pot de beurre de cacahuète, mais celui-ci était en plastique.

Ressaisis-toi, Fleishman. Il se tourna vers la cuisine, et vers son ordinateur. Il fit une recherche de profil « Sam Rothberg » sur Facebook. Sa dernière publication était une vidéo Funny or Die que tout le monde s'était échangée dix ans auparavant. Il scrolla afin d'en savoir plus, et tomba sur un *meme* Tawny Kitaen, des liens vers des blogs traitant de bières artisanales, une photo de Sam et Miriam à une soirée de bienfaisance au profit de la recherche sur les sclérodermies où la mère de Miriam avait payé une table (ainsi que l'indiquait la légende). Et puis, plus récemment, deux semaines auparavant, la photo d'une devanture de pizzeria du nom de Baba Louie, avec le commentaire « Baba Booey[1], plutôt ! [émoji pleure-de-rire] [émoji pleure-de-rire] [émoji pleure-de-rire] ». Il tapa le nom du restaurant dans la barre de recherche. Il se trouvait à Great Barrington, dans le Massachusetts. Puis il rechercha l'emplacement de Kripalu. Moins de vingt kilomètres du restaurant. Quelle putain de mauvaise blague. Rachel se tapait un auditeur d'Howard Stern. Toby s'adossa à son siège, les yeux rivés à l'écran.

L'année passée, Toby et Rachel avaient invité à dîner les Hertz et les Leffer, un vendredi soir. Toby avait passé la soirée de la veille à cuisiner, et quand il avait servi le dîner, les femmes l'avaient acclamé et avaient lancé des piques semi-humoristiques à leurs maris en déclarant que c'était tellement agréable de se faire servir par un homme, d'avoir un homme qui *participait*. Tous les convives semblaient partir du principe que c'était Rachel qui avait préparé le repas, et qu'afin de l'en remercier, Toby s'occupait du service. Il avait fait des escalopes à la milanaise, l'une de

---

1. Surnom d'un des comparses de l'animateur radio Howard Stern.

ses recettes préférées, et quand Cyndi s'était fendue d'une remarque – « Mmh. C'est de l'origan ? » –, il avait précisé « Non, c'est de l'estragon ». L'expression de Rachel s'était alors durcie, et il s'était demandé quel crime il avait bien pu commettre. Comment était-il possible de se donner autant de mal pour impressionner ses abrutis d'amis, et malgré tout, parvenir à la décevoir à ce point ?

Plus tard dans la soirée, alors qu'il disposait sur un plat les desserts qu'avaient amenés les Hertz, Rachel entra dans la cuisine pour venir lui siffler à l'oreille qu'il pouvait au moins faire semblant d'avoir un peu d'amour-propre, plutôt que d'informer très explicitement leurs invités que c'était lui qui avait préparé le repas. « Moi aussi je pourrais faire à manger si je ne bossais pas jour et nuit. »

Il y avait tellement de réponses possibles à cette attaque, songea Toby. Fallait-il lui dire qu'il avait répondu à Cyndi sans même y réfléchir ? Qu'à son avis Cyndi n'avait de toute façon pas relevé ce qu'il avait dit, car sa propre remarque n'était que pure politesse, pour alimenter un peu la conversation ? Que Rachel était en train de se couvrir de ridicule en abandonnant ainsi ses invités pour venir piquer sa crise à son oreille, au vu et au su de tous ?

« Vous avez besoin d'aide ? demanda Roxanne en faisant porter sa voix.

— Tu sais quoi ? fit Rachel. J'en ai marre, de tout ça. »

Toby la regarda et reposa violemment l'assiette sur le plan de travail. « *Tu* es partie prenante de tout ça. *Tu* contribues à tout ça. »

Il alla se rasseoir à la table, s'efforçant d'afficher une expression neutre. Il se foutait complètement de ces gens. Mais pas Rachel. C'était par ce biais qu'il pouvait la punir. Il pouvait la punir en lui rappelant que tout ce cinéma n'avait aucune importance à ses yeux, qu'il ne s'y pliait que par dévotion, par respect envers elle. Mais qu'il se pourrait qu'un jour il coupe la corde, et on verrait bien où elle partirait ainsi, à la dérive. Oui, il pouvait la punir en quittant cette table. Il pouvait la punir afin qu'elle ne lui fasse plus jamais le même coup.

« On est en train de parler de permis de tromper, lui fit Roxanne. Rich et moi, on s'en est accordé cinq chacun. » Le mari de Roxanne était gestionnaire de fonds spéculatifs, et se prénommait, littéralement, *Rich*.

« Oh, nous on n'en a qu'un chacun, dit Cyndi. Pour lui, c'est Naomi Campbell.

— Ouah, répliqua Rich. Naomi ? Elle doit avoir la soixantaine.

— Proche de la cinquantaine, rectifia Todd. L'expérience, il n'y a que ça de vrai. » Ils éclatèrent tous de rire.

« Pour moi, c'est Mark Wahlberg, reprit Cyndi.

— Beurk, fit Roxanne.

— Tu vois un peu ce que j'endure ? lança Todd.

— C'est juste qu'il a un je-ne-sais-quoi qui me pousse à croire que je pourrais le sauver.

— La première de mes cinq, c'est Ariana Grande, déclara Rich. Le genre sexy glam, ça me plaît pas mal. »

Toby éclata de rire. « Qu'est-ce que tu entends par *sexy glam* ?

— Je sais pas. Le genre de filles un tout petit peu trop belles pour moi ? Comme ma ravissante épouse, bien évidemment. »

Roxanne singea la colère. « Tu dis ça uniquement pour me faire oublier que tu veux me tromper avec une mineure.

— Elle a au moins vingt ans ! Minimum ! »

Rachel arriva avec le plateau de desserts disposés en éventail.

« Et toi, c'est qui ton permis de tromper ? » lui demanda Roxanne.

Rachel s'assit. « Comment ça ?

— Celui avec qui tu coucherais si Toby t'y autorisait.

— C'est de ça que vous êtes en train de parler ? fit Rachel.

— Allez, on a tous répondu », dit Rich.

Elle réfléchit une demi-seconde : « Sam Rothberg.

— Sam Rothberg ? » Roxanne faillit en tomber de sa chaise. Todd recracha quelques gouttes de vin par le nez. Cyndi écarquilla tant les yeux que Toby put voir à l'intérieur de son crâne. Et Toby ferma les paupières.

Le silence fut total. Rich et Todd regardèrent en direction de Toby, qui aurait été bien peiné de voir sa femme ainsi humiliée si sa réponse n'avait pas directement impliqué qu'il était le plus gros loser de la Terre.

« Quoi ? demanda Rachel. Qu'est-ce que j'ai dit de mal ?

— Tu n'es pas censée choisir quelqu'un que tu *connais*, Rachel, répondit Cyndi. Mon Dieu. Tu es censée choisir quelqu'un de *célèbre*. »

L'ambiance devint si inconfortable que Rich voulut faire une partie de Hm Hm sur les profs de l'école des gamins, mais Roxanne tua son initiative dans l'œuf. Toby rouvrit les yeux. Rachel plissa les siens d'une façon qui serait passée totalement inaperçue si les convives n'avaient rien su de leur dispute en cuisine. Chacun à un bout de la table, Rachel et Toby soutenaient le regard de l'autre tandis que leurs invités s'efforçaient désespérément de trouver un sujet de discussion passe-partout.

* * *

Sam Rothberg était tout ce que Rachel aurait aimé que Toby soit : ambitieux, conquérant, grand, à tu et à toi avec les plus riches. Mais il était également vain, vaniteux, superficiel, et m'as-tu-vu. Sam Rothberg était tout ce dont Toby voulait protéger sa famille. C'était à Sam Rothberg qu'il avait pensé quand Solly lui avait dit qu'il voulait partir en camp golf. Toby avait alors pris conscience de l'influence de ce milieu où il vivait sans y exister, ce milieu où il évoluait sans lui appartenir, et son sang s'était figé dans ses veines. Ses enfants, eux, lui appartenaient bel et bien. Il le comprenait à présent. C'était foutu dès le début. Comment avait-il pu s'imaginer le contraire ?

Là où Toby luttait contre l'attraction de cette existence douce et imbécile, Rachel y aspirait à tout niveau. Face à la page Facebook de ce sale con, Toby comprenait que Rachel n'avait pas essayé de le pousser plus haut uniquement pour l'argent et la renommée. Elle aurait voulu qu'il devienne une autre personne. Et elle l'avait dépassé sur cette voie, prête à monter l'échelon supérieur. Elle n'avait pas voulu rénover l'appartement de la 72e Rue. Elle avait voulu emménager sur la 75e. Elle avait voulu le Golden.

Elle n'avait eu de cesse de le pousser dans ses derniers retranchements. Avait-elle orchestré tout ce malheur conjugal à seule fin d'aboutir au divorce ? Une minute. *À moins que*. À moins à moins à moins à moins à moins à moins à moins que. Et si tout avait commencé bien avant ? Ça semblait impossible, seulement il y avait eu cette offre de poste à Fendant... mais pourquoi ? Qu'est-ce qui aurait bien pu pousser quelqu'un à faire engager le mari de sa maîtresse dans sa propre boîte ? Pourquoi aurait-elle voulu qu'il bosse pour son amant ? Quel genre de masochistes torturés du cerveau pouvait manigancer un truc pareil ? À moins qu'ils ne soient tombés amoureux en ourdissant ce plan ? Ou peut-être étaient-ils tombés amoureux alors que Sam l'aidait à trouver un nouvel appartement ? Ou bien l'inverse : peut-être lui avait-il trouvé un nouvel appartement parce qu'ils étaient déjà amoureux ? Toby referma son ordinateur portable, comme si cela pouvait suffire à faire taire toutes ces questions.

Pour Toby et Rachel aussi, ç'avait été foutu dès le début. Rachel – sa sublime épouse, si intelligente, couronnée de tant de succès – s'était trop immergée dans ce monde pour y résister. Elle avait sauté dans la piscine, et se demandait à présent pourquoi elle était trempée. Ou plutôt non ! Elle ne se demandait rien du tout ! Elle ne se posait plus de question, et ce depuis des *années*. On ne pouvait pas entrer dans l'une des facs les plus renommées du pays sans aspirer à devenir l'un d'entre eux. On ne pouvait pas acheter une maison dans les Hamptons sans savoir précisément qui on était. On était *l'un d'entre eux*. Comment Toby avait-il fait pour ne pas voir tout ça ? Bon sang, quel abruti.

Mais Sam était marié. Eh oui. Sam était marié. Au Whole Foods, ce n'était pas de son ex-mari que Miriam avait parlé. Miriam avait proposé à Toby de faire du yoga avec son putain d'époux. Il fallait vraiment être un monstre de stupidité pour se taper un homme marié. Ça marche aussi pour les femmes, les applis, Rachel. Tu peux facilement trouver quelqu'un de disponible, sans avoir à briser un mariage, Rachel. Des mecs qui bossaient dans la finance, cette ville en était tapissée : elle était encore jolie et mince, elle aurait pu tous se les faire, sans exception.

« Écoute ta patiente, espèce de sale connard de merde », se dit Toby à lui-même, là, à voix haute, au milieu du salon, alors que le crépuscule assombrissait les fenêtres. Elle est en train de te donner le putain de diagnostic. Son propre cerveau s'était toujours efforcé de lui présenter le comportement de Rachel comme excusable. Plus rien ne l'y obligeait à présent. Tout était fini entre eux. De plus, aucune raison, aucune excuse ne pouvaient justifier un tel comportement. Bon sang, pourquoi avoir attendu tout ce temps pour regarder la vérité en face ? Qu'avait-il fait ? Qu'avait-il fait en liant sa vie à une telle personne ? La ferme, la ferme, répéta-t-il à son cerveau.

Cela faisait presque deux semaines que Rachel avait déposé les gamins. Dix jours qu'elle était censée les reprendre. Rachel avait disparu. Toby avait été remplacé. Elle était passée au stade supérieur. À présent elle était *libre et détendue.* À présent elle *dormait au milieu de cette connerie de parc*, assez calme et bien dans sa peau pour devenir l'une de ces personnes qu'elle prenait jadis de haut, du temps où son altesse daignait s'abaisser à se promener dans Central Park. À présent, elle était libre.

* * *

Le beurre de cacahuète qu'il avait acheté était bon *à jeter*. Il contenait du *sucre* ajouté. Jamais il ne mangerait de *ce truc*. Jamais il n'en donnerait à ses *enfants*. Ses enfants ne pouvaient à présent plus compter *que sur lui*. Tout était à jeter dans ce monde, tout le monde était à jeter.

Il posa le pot de beurre de cacahuète et sortit. Il ignorait l'heure qu'il était, il faisait encore jour quand il était rentré chez lui, et à présent le ciel était d'un mauve de fin de soirée. Dans la rue, il se mit à courir. Il filait en direction de la 75ᵉ Rue. Il s'arrêta à un feu rouge et crut reconnaître une femme qui était en train de traverser la Troisième Avenue. Elle était jeune et belle : il la dévisagea, hors d'haleine, et se sentant observée elle se retourna pour le regarder. À cet instant précis, chacun se souvint de l'autre. Il la connaissait de Hr, au tout début, une nuit timbrée où ils avaient ouvert leur appli FaceTime pour regarder le visage de l'autre tandis qu'ils se masturbaient (son idée à elle). Rien que ça, pas d'autre bout d'anatomie, pas d'échange verbal, juste le visage de l'autre. Elle s'était déconnectée aussitôt après qu'ils eurent joui, comme si elle ne pouvait plus supporter l'idée d'être en communication avec quelqu'un qui était capable de faire ce genre de choses. Oui, il se souvenait parfaitement d'elle. Elle le dévisageait toujours, mais il reprit son chemin. Lauren. Elle s'appelait Lauren. Il se remit à courir. Il n'en pouvait plus, d'Internet. Il en avait assez qu'on utilise ce média comme quelque chose de purement virtuel, alors qu'il était rempli de vrais gens susceptibles d'arpenter les mêmes rues que lui. À cet instant, il se détestait tellement qu'il aurait voulu mourir. Eh bien Lauren, voici ce que tu es en droit d'attendre de la communauté des co-masturbateurs de ton appli de rencontre. Tu peux t'attendre à croiser un ancien partenaire de branlette, en train de courir en pleine rue, hagard, à la recherche de son ex-femme : voici le calibre des individus à qui tu as affaire quand tu es du genre à te doigter en matant l'écran de ton téléphone.

Toby arriva au pied du Golden, l'immeuble de Rachel. Son ancien immeuble. L'immeuble de ses enfants. L'ancien immeuble de ses enfants. Il ralentit légèrement en passant devant George, jadis son gardien préféré, et leva la main pour le saluer. Toby s'engouffra dans un ascenseur et appuya frénétiquement sur le bouton de fermeture des portes. Il descendit au huitième étage, submergé d'une peur mêlée à de la colère mêlée à de l'angoisse. Il sentait son pouls battre sur toute la surface de son visage. Peut-être mourrait-il ici, peut-être que son décès passerait pour une terrible tragédie : il serait le seul à savoir que son trépas lui avait épargné de découvrir ce qui se trouvait derrière la porte de Rachel.

Peut-être était-il un faible, comme elle le disait. Peut-être bien. Il enfonça la clef dans la serrure. Celle-ci n'avait pas été changée. Il entra. D'instinct, il connaissait par cœur les bruits et les sensations de cet appartement, qu'il soit vide ou pas. Et il sentit d'emblée qu'il était vide. Il n'y avait personne. Ce fut un soulagement. T'es vraiment qu'une mauviette, se dit-il.

Moins d'un mois auparavant, il était passé prendre les cours de haftarah d'Hannah, sa leçon ayant été déplacée à la dernière minute chez lui. Ce jour-là, dans cet appartement, il s'était encore senti chez lui. Il s'était arrêté un moment, comme Emily à la fin du film *Une petite ville sans histoire* : pourquoi s'était-il complu dans le mépris

271

du matérialisme, plutôt que de jouir autant que possible de ce superbe appartement ? Il ne pouvait s'empêcher de le comparer à son nouvel appartement, dont le trait le plus distinctif n'était plus ses cocottes Le Creuset, mais ses stores métalliques, et sa climatisation miteuse, et son plafond au crépi. Ce jour-là, il était reparti furieux d'avoir laissé son cerveau faire ce qu'il faisait toujours, à savoir s'imaginer que ça n'allait pas si mal alors que tout indiquait le contraire.

Et pourtant, sous le vernis du nouvel ordre qui y régnait, subsistait leur passé. C'était ici qu'il avait vécu ces quatre dernières années. C'était ici que son mariage avait sombré, soit, mais c'était aussi ici qu'il avait aidé ses enfants à faire leurs devoirs, ici qu'il leur avait fait regarder les épisodes de *Star Wars* et qu'il avait baisé sa femme. C'était ici qu'ils s'étaient disputés, soit, mais c'était aussi ici qu'ils s'étaient réconciliés et avaient ri et écouté Hannah réviser sa flûte et vu Solly répéter ses répliques pendant sa brève période cours de théâtre – il avait décroché le rôle du fils aîné de la famille Von Trapp dans la version enfant de *La Mélodie du bonheur* qui avait été jouée au centre 92nd Street Y, et ç'avait été un vrai désastre. C'était ici qu'il avait construit une miniscène de crime pour l'atelier scientifique d'Hannah en CE2, et un système solaire modélisé avec moteur intégré pour celui de Solly. Il ne pouvait haïr cet appartement. Noircir ce lieu, ç'eût été trahir ses enfants, et ils avaient assez souffert comme ça.

Il se déplaça dans le silence. Toutes les petites choses qui avaient changé depuis son départ, le fauteuil définitivement *mid-century* à l'autre bout du salon, la nouvelle lampe qui remplaçait celle qu'Hannah avait cassée un an auparavant, tout cela le désorientait. Deux ampoules du chandelier étaient éteintes, alors qu'il en avait acheté une douzaine juste avant de déménager. Dans la cuisine, le robinet de l'évier gouttait presque imperceptiblement, alors qu'il avait indiqué cette fuite à Rachel un mois auparavant. Pourquoi s'était-il imaginé qu'en son absence, elle se serait métamorphosée en quelqu'un d'attentif et de responsable ?

Il ouvrit le réfrigérateur. Six boîtes d'un restaurant chinois y étaient alignées. Il en ouvrit une. Lo mein au bœuf. Elle ne mangeait jamais de lo mein. Elle mangeait des crevettes sauce homard. Solly mangeait des lo mein, mais il n'aimait pas le bœuf. Il renifla la nourriture, qui ne lui parut pas spécialement gâtée. Peut-être cette boîte de lo mein appartenait-elle à quelqu'un d'autre, ou peut-être Rachel avait-elle oublié les préférences culinaires de ses propres enfants, et s'était trompée dans la commande. Ou alors. Ou alors soit Rachel s'était mise à manger du lo mein, soit elle se tapait un mec qui aimait le lo mein. Ces deux éventualités semblaient à la fois franchement impossibles, et extrêmement vraisemblables.

Toby ouvrit la deuxième boîte. Encore du lo mein au bœuf, mais dont la moitié avait disparu. Il ouvrit deux autres boîtes, dans un crescendo de peur et de suspense digne d'un film d'horreur. Encore du lo mein au bœuf. C'était complètement con, et complètement absurde.

Un bref instant, il se les imagina. Rachel et Sam sur le canapé. Elle, affalée, puisqu'à présent c'était quelqu'un de détendu, quelqu'un qui dormait en plein Central Park, les jambes négligemment posées sur celles de Sam. Tous les deux en train de manger leur lo mein au bœuf à même la boîte, comme des gros porcs. Elle en train de pianoter sur son téléphone, cet appareil qui était le seul véritable amour de sa vie – aucune illusion là-dessus, Rothberg –, tandis que Sam lisait un numéro de *National Review*. Elle qui relève la tête pour lui dire : « Je suis tellement heureuse de pouvoir tenter de nouvelles choses. Il ne serait jamais venu à l'esprit de Toby de me commander du lo mein au bœuf, alors que c'est délicieux. »

Qu'était-il en train de faire ? À quoi bon s'imaginer ces choses ? Ça ne l'aidait en rien. Il le savait. Il passa dans la chambre. Le lit était défait. Il regarda les oreillers afin de voir s'ils portaient l'empreinte de crânes. C'était effectivement le cas, mais ça ne voulait rien dire en soi : peut-être dormait-elle sur les deux oreillers à présent qu'il n'était plus là. Il se tint tout à fait immobile et s'efforça de ressentir l'énergie de la pièce. Avait-on baisé récemment dans cette chambre ? Ce lit lui manquait énormément : il était si confortable. Il le couva d'un regard languissant. Ah, et puis merde, songea-t-il. Telle Boucle d'Or, il s'allongea de son côté du lit et tourna la tête, du côté de Rachel. Il s'installa bien au milieu, ses chaussures toujours aux pieds, et s'étala comme une étoile de mer, en hommage à ce putain de lit paradisiaque qu'il adorait, et peut-être aussi pour y répandre son odeur et rappeler à tout nouvel occupant de son lit qu'il n'était pas le premier à se coucher ici : le tout premier, c'était lui, Toby. Il enfouit son visage dans un oreiller. C'était l'odeur de Rachel. Ou peut-être pas. Peut-être était-ce l'odeur de Rachel et de Sam Rothberg.

Peut-être était-ce ici qu'ils avaient mangé leur lo mein en faisant leurs petites manigances. Il les voyait, postcoït, allongés sur le côté, la tête dans la main, face à face, encore en nage, essoufflés, en train de bâfrer leur lo mein.

« Mon Dieu, et dire que j'ai passé toutes ces années à manger des crevettes sauce homard comme une conne, disait-elle à Sam.

— Tu ne pouvais pas savoir qu'il existait mieux, répondait-il.

— J'ai encore tellement de choses à apprendre de toi. »

C'était une très mauvaise idée. Toby se releva.

La porte de la salle de bains privative était ouverte. Peut-être y découvrirait-il un poil pubien masculin, ou un poil pubien tout court : cela faisait des années qu'elle se les rasait, cela, c'était un fait. La brosse à dents de Rachel n'était pas humide. À côté, il y en avait une deuxième. Elle appartenait peut-être à Hannah ou à Solly : peut-être était-ce l'ancienne brosse à dents de Toby. Il n'en gardait aucun souvenir. Il ouvrit l'armoire à pharmacie. Il y avait un flacon de zolpidem. Il y avait un flacon de zolpidem estampillé d'une prescription au nom de ce salopard de Sam Rothberg.

« Ahah ! » s'écria Toby. Un bref instant, il vécut comme une victoire d'avoir tout déduit tout seul ; puis il se rappela qu'il avait marqué tous ces points contre son propre camp, et que le vrai dindon de la farce n'était autre que lui. Mais il se souvint aussi de Tiger Woods, des douze zolpidem qu'il avait gobés avant de se lancer dans un marathon sexuel semi-conscient. Les gens faisaient n'importe quoi sous zolpidem : ils tuaient d'autres gens, avalaient des repas en cinq services dont ils ne gardaient aucun souvenir, se jetaient par la fenêtre. La mère de ses enfants, défoncée, complètement folle.

Oh mon Dieu, ça aussi, il le voyait à présent, Rachel à quatre pattes sur la table de la salle à manger, toute nue, s'appuyant d'une main sur le plateau et de l'autre se goinfrant de lo mein, Sam en train de la prendre par-derrière, à genoux sur une table suédoise d'inspiration moderniste (que Toby avait choisie avec Rachel mais sur laquelle ils n'avaient jamais baisé) tout en mangeant lui aussi son lo mein avec les mains.

Toby retourna dans la cuisine, et aperçut, alignées sur le comptoir, six boîtes d'infusions spéciales, des marques qui ne lui disaient rien. Tisane à la mélisse du Docteur Albert. Tisane de lavande Éden. Tisane à la valériane Sérénité. Tisane à la passiflore Sérénité. Rachel détestait les infusions. Les infusions, selon elle, c'était une façon très compliquée de boire de l'eau. Ça ne servait à rien, et son temps était trop précieux pour le gâcher ainsi. Ainsi, Sam était insomniaque. C'était toujours sympa de constater que même les sociopathes pouvaient être rattrapés par le remords.

Toby baissa les yeux. Le débardeur de sport de Rachel gisait à ses pieds, celui qu'elle aimait le moins : QUAND JE FAIS DU YOGA, C'EST FORCÉMENT HOT, écrit en rose pétant sur fond bleu. À côté, son legging à motif éclairs multicolores. Il ramassa le débardeur. Le renifla. C'était bien elle. C'était Rachel, là, sous ses doigts. Il aurait voulu manger ce débardeur, le digérer et le faire disparaître. Était-il encore chaud ? Ou était-ce son esprit qui lui jouait des tours ?

Une voix s'imposa alors à sa conscience, mettant un terme définitif à ses questionnements sans fin. Elle était passée récemment. Elle était passée parce qu'elle habitait ici. Elle était passée récemment ici avec quelqu'un d'autre. Quelqu'un qui buvait des infusions. Quelqu'un qui mangeait du lo mein. Elle avait fait du sport pendant que Toby faisait tout son possible pour que leurs enfants puissent s'imaginer quelque temps encore que leur mère les aimait. Elle avait baisé dans son lit à lui avec un sale connard marié et père de famille. Elle était passée ici. Et tu es le dernier à l'apprendre, Toby. Va te faire foutre, Toby.

Si l'envie lui prenait de déposer les gamins ici, en pleine nuit, dès leur retour de colonie, rien ne l'en empêcherait. Il pourrait parfaitement les conduire jusqu'ici, et la laisser se débrouiller toute seule. Mais les enfants ne méritaient pas une mère qui, dans le meilleur de cas, leur vouait des sentiments ambigus. Et elle ne méritait absolument pas ses enfants. En définitive, peu importait qu'elle ne se soucie pas d'eux : le plus important, c'était qu'elle ne les méritait pas.

Il décrocha le téléphone fixe. C'était ainsi qu'il fallait s'y prendre, et pas autrement. Il l'appela sur son portable. Tomba directement sur sa boîte vocale. Puis l'appela au bureau.

« Bureau de Rachel Fleishman. » Simone avait décroché dès la première sonnerie, mais son ton était hésitant. « Rachel ?!

— Toby à l'appareil. Elle est là ?

— Oh ! Salut Toby ! » À en juger par sa voix, elle suait à grosses gouttes, totalement terrorisée. « Je vois que vous m'appelez de chez Rachel. Vous êtes avec elle ?

— Non. Je suis passé prendre des affaires pour les enfants.

— Vous l'avez vue ? Elle était là quand vous êtes arrivé ?

— Dites-lui que je sais tout, qu'elle peut aller se faire cuire le cul et que si ça ne tient qu'à moi, elle ne reverra plus jamais les enfants. On n'a pas besoin d'elle. Pour quoi que ce soit. »

En quittant l'appartement, Toby remarqua que le paillasson avait été remplacé (sans doute sur les conseils de la décoratrice pingouinesque) par un tapis oriental sur mesure à un million de dollars pièce, le genre à faire l'objet d'un article complet dans les pages « Style » des magazines de luxe. Il ferma la porte sans la verrouiller. Qu'elle s'imagine des trucs, elle aussi, songea-t-il. Il entra dans la cabine de l'ascenseur dont l'odeur était toujours familière, intime. Il n'en pouvait plus. Est-ce qu'un lieu pouvait avoir une âme ? Est-ce qu'une femme toujours en vie pouvait être un fantôme ?

« Au revoir, docteur Fleishman », dit George d'un ton joyeux. Toby le salua, comme si de rien n'était, et sortit.

* * *

Il ne se souvenait plus de la dernière fois où il avait mangé. Mû par son seul instinct de survie, peu après avoir quitté le Golden, il se retrouva planté devant le bar à salades de la 85ᵉ Rue, les jambes cotonneuses, coincé dans une file interminable de jeunes femmes tout droit sorties de salles de sport. Il consulta son téléphone, tout comme elles, mais il ne savait pas par où commencer. Il n'était même plus sûr d'être tout à fait un être humain. Il reçut un message qui l'informait que le nouveau foie de Karen Cooper était prêt, avant même que sa salade le soit.

À l'hôpital, devant le lit à présent vide de sa femme, David Cooper écoutait les explications de Marco Lintz, le chirurgien, en présence des internes de Toby, de ceux de Marco, plus une toute dernière personne : Phillipa London. Qu'est-ce que Phillipa pouvait bien foutre là ? Elle était sûrement venue constater son absence afin de la rapporter à Bartuck. Eh bien lui aussi était là, à présent.

« Docteur Fleishman, fit-elle. Je supervisais en attendant votre arrivée. » Était-ce une accusation ? Aurait-il dû veiller jour et nuit jusqu'à ce qu'un foie soit disponible ? Phillipa était trop sérieuse et trop inflexible. Elle menait une existence monacale, tout du moins selon les canons des médecins : racquetball trois fois par semaine, piscine deux fois par semaine, sur le pont dès sept heures, aucun écart. Rien dans cet univers ou un autre n'aurait pu lui faire comprendre le genre de crises que Toby était en train de traverser. Toby admirait cela chez elle, et il l'enviait, et il la critiquait : regardez-moi cette personne totalement aux commandes de son existence, regardez-moi à quel point elle en contrôle le moindre aspect, regardez-moi cette maniaque et sa triste vie.

Tous prenaient des notes tandis que Lintz, le beau gosse du bloc, faisait son exposé à David Cooper. Un jour, Toby avait entendu Joanie dire à Clay que les yeux de Lintz ressemblaient à « des grains de café fondus ». Il ne savait pas pourquoi cette image était restée gravée dans sa mémoire, ni pourquoi Joanie n'avait pas simplement comparé ses yeux à du chocolat. Et puis de toute façon, il n'était pas si beau que ça. Mais vraiment pas.

« Est-ce qu'elle a conscience de ce qui lui arrive ? » Cette question venait d'une femme que Toby n'avait pas remarquée jusqu'ici, debout dans un coin de la pièce. Elle avait le même âge que Karen, le même aspect standardisé des quartiers chics : cheveux blonds lissés, balayage, pointes effilées.

« Non », répondit Marco. À ce simple mot, le visage de la femme se serra en un poing baigné de larmes.

Toby accompagna David et la femme qui se prénommait Amy jusque dans la salle réservée aux proches, où les jumeaux Cooper jouaient sur une Xbox. Jasper pleurait tout en manipulant sa manette. David les informa qu'il allait commander à dîner.

« J'étais en week-end à Vegas avec elle, avant qu'elle soit admise ici, disait Amy.

— C'est vrai ? répliqua Toby. Dans quel état était-elle ? Enfin, comment était-elle ? »

Amy réfléchit un instant avant de sourire. « Libre. » Puis, après une autre pause : « Qu'est-ce qu'on a pu boire, mon Dieu...

— Oui, fit Toby. Dans la plupart de cas, ce genre de maladies s'installent discrètement, et ce n'est qu'après une soirée bien arrosée qu'elles se déclarent tout à fait. »

L'expression d'Amy s'affaissa. « Vous voulez dire que c'est à cause de l'alcool, ce qui lui arrive ? C'était un simple week-end. Un simple week-end à *Vegas*. Qu'est-ce qu'on aurait pu faire *d'autre* ?

— Rassurez-vous, ce serait de toute façon arrivé. »

Amy sortit son téléphone et lui montra quelques photos. Des photos de Karen Cooper. Karen Cooper avec Amy au musée Madame Tussauds, une jambe enroulée autour de celle d'un des membres de Mötley Crüe. Karen Cooper en train de faire semblant de lécher le visage de cire du prince Harry.

Avoir un patient inconscient, c'était comme discuter pendant des heures au téléphone avec quelqu'un avant de le voir en chair et en os. En l'absence physique de l'autre, on s'en faisait une image qui nous correspondait, et il était parfois difficile de réconcilier ce qu'on s'était imaginé et la réalité. Toby s'était figuré quelqu'un d'intelligent et de complexe, sans vraiment savoir pourquoi. Il ne s'était pas représenté quelqu'un qui prenait des poses lascives en tirant la langue quand on la photographiait. Pourtant c'était bien ce qu'il avait sous les yeux, sur l'écran d'Amy : une personne vivante, avec des pensées, des opinions, des préférences, portée par des forces vitales, comme si l'on venait de faire pénétrer en elle un souffle, comme si on venait d'éveiller sa conscience. C'était en fait le parfait opposé qui s'était produit : on lui avait retiré ce souffle, et elle s'était vue réduite à la simple somme de ses composantes biologiques. Toby regarda une photo de Karen dans un bar, un shot à la main. Elle considérait l'objectif d'un air de défi. C'était incroyablement sexy. Cette photo n'aurait pas dénoté dans un profil Hr, peut-être pas comme photo principale, mais en troisième ou quatrième place. Il dut détourner les yeux afin de lui réattribuer le statut de personne et de patiente, et de façon très fugace, il se demanda si au fond de lui, il considérait vraiment les femmes avec qui il sortait comme de véritables individus.

* * *

Le lendemain, Toby se trouva bien trop réveillé à cinq heures du matin et sortit se promener sans but. À six heures, il avait pris sa décision. Il appela le bureau de l'avocate Barbara Hiller pour lui dire qu'il devait la consulter d'urgence sur un problème de garde. Sa secrétaire rappela à huit heures pour l'informer qu'elle pourrait le caser juste avant une déposition, ce matin. Toby attendait devant le bureau fermé lorsque Barbara arriva en jupe de tennis et polo bleu marine délavé, manches retroussées et col relevé.

On aurait dit que Barbara Hiller s'était fait compresser dans le compacteur de déchets de *Star Wars* : c'était comme si on avait pris une personne d'apparence tout à fait normale pour la comprimer sur les côtés, et l'allonger vers le haut. Son visage était si étroit qu'on avait du mal à croire qu'il pouvait accueillir ses deux yeux. Son nez était si protubérant qu'elle avait un profil de toucan.

Son bureau faisait la part belle aux teintes lavande et taupe, ce que la décoratrice de Rachel aurait qualifié de « style pompes funèbres des années 1980 ». Chaque élément avait été pensé pour calmer et apaiser. Sur le mur du fond était accroché un tableau abstrait, qu'il interpréta spontanément, à l'instar d'un test de Rorschach, comme un portrait de l'actrice Kristy McNichol assise à la table à manger des parents Fleishman à Los Angeles.

« Dites-moi tout », fit Barbara d'un ton calme, assise à son bureau, stylo à la main, au-dessus d'un carnet relié de cuir ouvert sur une page blanche. Et il lui dit tout. Il lui dit qu'il n'avait pas la moindre idée d'où se trouvait Rachel, qu'il avait cru comprendre en échangeant quelques mots avec l'assistante de celle-ci qu'elle allait bien, mais qu'elle avait tout bonnement disparu, se détachant pour de bon de sa vie et de celle de leurs enfants. Toby lui parla de leur convention de divorce, des modalités de garde, à sa charge un week-end sur deux, et tous les soirs après l'école ou le centre de loisirs, jusqu'au retour de Rachel.

« Eh bien, elle vous a eu en beauté, commenta Barbara.

— C'est une façon de voir les choses, oui.

— Moi aussi, ça me rendrait furieuse.

— Je ne suis pas furieux. C'est juste que je dois régler ça au plus vite. Cela fait deux semaines qu'elle ne répond plus à mes appels. Elle couche avec le père d'un ami de notre fils.

— Wow.

— Elle passe régulièrement chez elle. Je me suis rendu dans son appartement…

— Il vaudrait mieux éviter de faire ça.

— … et j'y ai trouvé des indices de, enfin du fait qu'elle y batifole avec ce type, ce qui est complètement hallucinant quand on se dit que sa femme, de toute évidence, ignore tout de ce qui se passe.

— Doucement, dit Barbara en prenant des notes. Très bien, bon : êtes-vous prêt à assumer la garde exclusive des enfants ?

— C'est déjà le cas. C'est ce que j'essaye de vous dire. Je m'occupe déjà de tout. Elle ne participe en rien à notre vie. Comme une figurante.

— Rappelez-moi votre profession ? » Elle plissa les yeux. « Vous travaillez, n'est-ce pas ?

— Je suis hépatologue à l'hôpital St. Thaddeus.

— Les poumons, c'est ça ?

— Le foie.

— Mon père a été suivi dans cet hôpital, il y a quelques années de ça, mais au service cardiologie. »

Toby hocha la tête, sans savoir quoi dire, ni si cet échange était tarifé à l'heure. « Il y a d'excellents médecins dans ce service.

— Oui, il a pu vite rentrer chez lui. Il va très bien. Juste une petite frayeur. »

Toby attendit la suite.

« Désolée. Vous disiez, sur la garde ?

— C'est moi qui m'occupe des enfants, principalement. Elle les prend quand elle estime avoir assez de temps. Je suis… je suis le parent référent. Le problème, encore une fois, c'est qu'elle s'est volatilisée. J'ai envoyé les enfants en colonie. Elle n'est même pas au courant.

— Et ce sera repris dans l'accord final.

« — On s'est mis d'accord sur les modalités de garde. Je les prends la moitié des vacances, et un week-end sur deux.

— Et a-t-elle respecté ces modalités jusqu'ici ?

— Pas vraiment. Cela ne fait que deux mois environ. Les seuls fériés qu'on a eus ont été Memorial Day et le 4-Juillet. Je les ai eus pour Memorial Day. Elle aurait dû les garder le 4-Juillet, mais elle ne les a pris que le dimanche et le lundi parce qu'elle voulait aller à Fire Island. »

Barbara Hiller releva les yeux. « Mais elle les a quand même pris ?

— Deux fois moins longtemps que ce qui avait été convenu.

— Ce serait bien de faire figurer des heures et des dates précises dans la convention de divorce. Certains ex-conjoints (les pères, en grande majorité) peuvent s'avérer moins sérieux que ce qu'on s'imaginait. C'est d'autant plus déstabilisant après le numéro de bonne volonté auquel tout le monde se prête face au médiateur. Pourquoi êtes-vous passés par un médiateur ? »

Toby écarquilla légèrement les yeux. « Parce que vous me l'avez conseillé quand je suis venu vous voir ?

— Ah oui. C'est ça. Le problème avec la médiation, c'est que ça revient à ramener un couteau à un duel au pistolet, vous voyez ? » Elle se perdit brièvement dans ses réflexions. « C'est elle qui a tout l'argent, c'est ça ? Elle est... avocate ?

— Agente.

— *Agente.* Elle travaille dans l'une des plus grosses boîtes.

— Elle est à son compte.

— C'est ça, c'est ça. Je m'en souviens, maintenant. Elle représente Alejandra Lopez, c'est bien ça ?

— C'est ça.

— C'est ça, c'est ça. Avec ma femme et nos enfants, on passe notre temps à chanter le livret de *Presidentrix*, mais genre, jour et nuit. C'est vraiment incroyable. Quand j'ai vu ce spectacle, ça a vraiment été un choc. J'étais en larmes du début à la fin. Alors que je ne pleure jamais. » Elle regarda par la fenêtre, perdue dans un souvenir délicieux, alors qu'il était juste assis devant elle, au milieu de son putain de bureau.

« Alors, qu'est-ce que je peux faire ? »

Barbara Hiller s'adossa à son fauteuil, creusant son plexus solaire dans une profonde expiration. « Vous savez, il n'y a pas de solution simple. Vous pourriez refuser de signer les derniers documents et demander la garde exclusive, mais elle pourrait en retour vous refuser tout soutien financier. C'est elle qui paye pour tout, n'est-ce pas ?

— Uniquement pour les enfants.

— L'école privée, le centre de loisirs, les cours particuliers, ce genre de choses, c'est elle qui les paye ?

— Oui, c'est elle.

— Et comment envisageriez-vous de prendre tout ça à votre charge avec votre salaire ?

— Eh bien je peux toujours les mettre dans le public…

— Ce qui reviendrait à les retirer de l'école où ils sont toujours allés, juste après le divorce de leurs parents. »

Toby ne répondit rien. Il s'imagina Hannah dans l'incapacité de retourner à l'école où se trouvaient toutes ses amies.

Barbara baissa les yeux sur son carnet, puis les releva sur Toby. Elle se pencha en avant, croisa les doigts, et dit ces mots sur le ton de la confidence : « Vous savez ce que je dis aux femmes ? »

Toby attendit la suite.

« Je leur dis qu'on ne peut pas tout contrôler, et que le système est biaisé en faveur des ex-maris.

— Je n'ai pas vraiment l'impression que le système soit biaisé en ma faveur, là. »

Barbara plissa les yeux et hocha la tête. « Non, non. Dans ce cas précis, la femme, c'est vous. »

* * *

Assis dans sa chambre, Toby regardait par la fenêtre : tout ondulait sous l'effet de la canicule. Il faisait vraiment trop chaud. Pourquoi régnait-il cette chaleur dans sa chambre ? Il se pencha pour allumer la climatisation, mais s'aperçut que c'était déjà fait. Il allait devoir appeler le concierge. Puis attendre qu'il passe. Et ne pas aller travailler.

Quelle absurdité, se disait-il. Comment pouvait-on prendre des décisions aussi douloureuses que salvatrices afin de remettre son existence sur les rails, et voir son bonheur et son bien-être encore plus soumis à la personne dont on était justement parvenu à se détacher ?

Il s'allongea sur son lit, les yeux rivés au plafond. Il s'y trouvait une tache marron. Comment est-ce qu'un plafond pouvait avoir une tache ?

Ce fut sans doute Dieu en personne qui fit tinter son téléphone en guise de réponse. Toby consulta le message. Karen Cooper avait survécu à la greffe. Elle était en unité de soins intensifs, sous ventilation mécanique. Toby appela Clay, qui s'était chargé de la garde de nuit.

« Je crois qu'on est bons, dit Clay. La patiente sera consciente d'ici à demain.

— Mme Cooper.

— Mme Cooper sera consciente demain.

— Vous êtes sûr que vous n'avez pas besoin de moi ?

— Je crois. Les soins intensifs s'occupent bien d'elle.

— Très bien. Si vous pensez que ma présence est requise, bipez-moi. Je ne suis pas loin. »

Il raccrocha. C'était pour lui une toute nouvelle forme d'abaissement : supplier implicitement un de ses internes de lui demander de venir. Il appela Seth, qui ne répondit pas, et c'était tant mieux. Tout ce que Seth aurait pu faire,

285

ç'eût été de lui rappeler la belle vie qu'il aurait eue s'il avait épousé la bonne personne, ou s'il ne s'était pas marié du tout. Ce genre de « si » ne menait à rien, si ce n'est à exercer sa stupidité. Ses enfants lui manquaient. Cela faisait déjà deux étés qu'Hannah partait en colonie, mais Solly… comment avait-il pu l'abandonner ainsi ? La colonie interdisait tout contact pendant la première semaine, et Toby se demandait si, à cette heure, Solly n'était pas en train de supplier un préado apathique de lui prêter son portable afin d'appeler son père. L'appartement était trop vide, trop silencieux, trop calme. Toby était trop seul.

Son téléphone vibra à côté de lui. Il n'en pouvait plus. Il eut envie de le balancer par la fenêtre, en finir une bonne fois pour toutes avec toutes ces conneries. Avec tout. Mais il tourna la tête et lut son nom.

Nahid.

Petit Moïse chéri dans son panier d'osier, c'était Nahid.

En l'espace de quelques minutes, il se retrouva sur la banquette arrière d'un taxi, priant intérieurement pour qu'il enchaîne feu vert sur feu vert, en vain. Son cœur battait en cadence avec le panneau piéton qui clignotait. Quel retournement de situation. Aujourd'hui ! Ce jour précis ! Du sexe ! Toby ! Une partenaire sexuelle ! Une femme superbe avec un petit accent et un corps divin. Une femme qui le contactait, *lui*. Sur l'écran télé du taxi, un présentateur lançait un défi « doublage en direct » à une actrice britannique d'un certain âge. Au bas de l'écran, un bandeau annonçait que la canicule durerait encore quelque temps. « Il fait assez chaud pour vous comme ça ? » avait commenté le présentateur météo chargé de la brève. Quel boulot difficile ça devait être, présentateur météo. Quelle horreur que de devoir transmettre des données scientifiques à l'aune des valeurs de chacun : une belle journée, un sale temps, etc. Et le chauffeur du taxi qui s'engueulait avec quelqu'un au téléphone. Le présentateur météo, le chauffeur : ces types étaient prisonniers. Toby, lui, était un homme libre.

Dans le hall de l'immeuble, il déclara qu'il venait voir Nahid. Le portier lui désigna les ascenseurs. Toby échangea un regard avec lui, tentant de lire dans ses pensées : n'était-il qu'un amant parmi d'autres ? Le portier avait-il la consigne de laisser passer tout homme qui entrait la langue déjà pendante ? Et quelle importance si c'était le cas ?

Elle l'attendait sur le palier. En silence, ils entrèrent dans son appartement. Elle lui prit la main, la passa sous sa jupe et se mit à la frotter jusqu'à ce qu'il comprenne. Et tout à coup, pour rien au monde il n'aurait souhaité que les choses soient autrement. Rachel, la colo, les gamins – si quoi que ce soit avait été différent, il n'aurait pas été là où il se trouvait, et il ne désirait qu'une chose au monde, être là où il était, vivant, avec sa main sous la jupe de cette femme.

Ils baisèrent par terre. À la fin, elle posa la tête sur la poitrine de Toby, et il appuya sa joue contre sa crinière sauvage. Elle avait les dents du bonheur. C'était l'un des traits physiques qui le faisaient craquer, depuis le CM1, où Alyssa avait l'habitude de glisser sa langue entre ses incisives quand elle écrivait. Elle lui avait brisé le cœur en sixième, lorsqu'elle avait commencé à porter un appareil dentaire.

Allongés sur le tapis du salon, sous un drap, ils bavardaient en contemplant le plafond. Les parents de Nahid avaient quitté l'Iran pour Paris peu avant sa naissance. Sa famille avait ensuite émigré aux États-Unis l'année de ses douze ans. Puis, quand elle eut dix-neuf ans, sa famille s'installa dans le Queens. Son père vendait des stores verticaux dans le quartier de Kew Gardens Hills. Elle dit à Toby qu'elle avait l'impression d'être la seule Iranienne dont la famille n'avait pas fui le Shah avec un coffre rempli de bijoux. Juste au bout de sa rue, dans le quartier de Forest Hills, des femmes perses richissimes vivaient dans des demeures remplies de sculptures. Chez Nahid, il y avait des stores dans chaque pièce.

Elle avait étudié au Baruch College, où elle avait fait la connaissance de son futur mari (à présent ex) en cours de comptabilité. Comme elle voulait devenir costumière et lancer son propre atelier, elle avait pris quelques cours axés sur la gestion et le commerce, et était tombée sur lui. Intelligent, beau, ambitieux. Chrétien. C'était la seule chose à laquelle il n'arrivait pas à se résoudre : épouser une femme qui ne l'était pas. Les parents de Nahid étaient juifs, mais elle se foutait pas mal de la religion, aussi se convertit-elle. Elle trouvait terriblement romantique qu'il s'inquiète même de son bien-être par-delà la mort. Elle se fit baptiser. Elle reçut la communion. Ses parents cessèrent de lui parler, mais qu'aurait-elle pu faire d'autre ? Elle était amoureuse. C'était une belle preuve d'amour à offrir à quelqu'un qu'on adorait.

Ils n'eurent pas d'enfants malgré leurs tentatives. Quelque part, elle se disait que le hasard ou la providence faisaient bien les choses. Elle n'avait jamais nourri le désir impérieux d'avoir des enfants. Elle s'était toujours dit que ça viendrait, mais le temps passa, et malgré toutes les *baby showers* de ses amies, elle ne ressentait ni envie ni jalousie. Chaque mois, elle avait ses règles, et elle éprouvait alors quelque chose d'atrocement similaire à du soulagement.

Du côté de son mari, c'était différent. Il vivait cela comme une tragédie. Il s'était fait de son existence un tableau bien précis : une femme, des enfants, la défense dans l'arène politique des valeurs conservatrices qui selon lui sauveraient le monde. Elle essayait de lui expliquer les avantages de ne pas avoir d'enfants : ils pouvaient voyager en toute liberté, il pouvait se présenter aux élections sans craindre de devenir un père absent. Il pourrait considérer ses électeurs comme ses enfants, ses ouailles. Ils pourraient avoir une belle vie à deux, sans les tensions qui existaient chez leurs couples d'amis, dont l'entente semblait minée par la place que prenaient leurs enfants.

Mais cela le rendait triste, et elle l'aimait. Aussi ils insistèrent, et insistèrent encore, et insistèrent avec encore plus de véhémence, avec des injections de poisons dans son corps, des prélèvements, des implantations et des stimulations d'organes. Non sans soulagement, elle pensa que de toute évidence, ce n'était pas là son destin. Dès son plus jeune âge, on lui avait parlé de Dieu, et on lui avait dit à quel point Il veillait sur tout. Elle ne pouvait s'empêcher de croire que c'était là une intervention divine, que Dieu refusait de lui donner des enfants qu'elle ne désirait pas de tout son être.

Son mari, lui, était anéanti. Elle tentait de le réconforter, mais il la repoussait. Elle lui expliquait qu'elle aussi avait besoin de réconfort. Il lui disait : « Tu ne trouves pas ça bizarre, d'avoir tout le temps envie de sexe ? » Cela la déstabilisa. Elle n'y avait jamais réfléchi. Tout ce qu'elle savait, c'était que ses amies ne cessaient de se plaindre du désir constant de leurs maris, et du peu qu'elles éprouvaient. « Ce n'est pas correct, déclara son mari. Ça ne sied pas à une femme. » Elle lui expliquait qu'il était tout à fait normal de vouloir faire l'amour avec son mari. Lui changeait de sujet. Elle allait alors dans la salle de bains scruter son merveilleux visage dans l'espoir de découvrir ce qui n'allait pas.

Ils finirent par ne plus avoir de relations sexuelles du tout. Il voulut adopter un enfant. C'était la dernière chose qu'elle souhaitait au monde. Il voulut avoir recours à une mère porteuse. C'était l'avant-dernière chose qu'elle souhaitait au monde. Il leur fut bientôt impossible de parler de quoi que ce soit sans retomber sur ce sujet. Une tristesse infinie s'immisça au cœur de leur couple. Il se mit à rentrer de plus en plus tard, ses vêtements empreints de parfums musqués. Et puis, un terrible soir, en revenant d'une petite promenade sur la High Line, elle le trouva à genoux, le pénis de son assistant personnel dans la bouche, scène qui vola à l'adoption son titre de dernière chose qu'elle souhaitait au monde.

« Ça explique pourquoi il ne voulait plus faire l'amour, observa Toby. Parce que sinon, je ne vois vraiment pas comment il aurait pu te refuser quoi que ce soit.

— Et toi, raconte-moi », répondit-elle.

Toby contemplait son plafond. Aucune tache. Avait-il vraiment envie de lui dire ? Voulait-il vraiment qu'elle sache qu'il était en plein tumulte ? Que son histoire différait de la version qu'il lui avait soumise une semaine auparavant ?

« Mon ex-femme n'était pas faite pour être mère, déclara-t-il. Mais elle voulait des enfants. C'est juste qu'elle est incapable de les aimer, de nous aimer. »

Elle attendit la suite. Il ne souhaitait pas poursuivre, principalement parce que tout ce qu'il aurait trouvé à dire l'aurait fait ressembler à ces nombreuses femmes qui lui avaient raconté leur histoire. Toutes donnaient l'impression d'être de pauvres victimes. Leur façon de parler des trahisons qu'elles avaient endurées, de l'intensité qui se changeait en apathie : ça lui donnait envie de connaître la version de leurs ex. L'image de Rachel et Sam, boîtes de lo mein en main, lui revint soudainement. Que pouvait-elle bien lui raconter au sujet de Toby ? Sûrement pas : « J'ai brusquement changé mon approche de la vie et revu entièrement mes objectifs sans le moindre avertissement. » Plus probablement : « C'était un feignant qui voulait me punir d'avoir de l'ambition. »

« Tu penses que ça te plairait de sortir dîner, un de ces soirs ? » demanda-t-il.

Elle eut un sourire concupiscent. « Je préfère me faire livrer.

— Non, sérieusement. J'aimerais bien apprendre à te connaître. J'aimerais bien t'inviter quelque part.

— Je ne peux pas. Je n'ai pas encore tout réglé avec mon mari et je ne me sens pas prête à sortir avec un autre homme.

— Parce que tu as peur de le faire souffrir ? » Elle resta muette. « Mais vous n'êtes plus mariés. »

Elle lui rit au nez. « S'il suffisait de divorcer pour ne plus être mariés. »

* * *

Que ses rêves aient été trop saisissants de réalité ou qu'il n'ait pas réussi à s'endormir véritablement, le fait est qu'à son réveil le vendredi, Toby eut l'impression qu'il attendait depuis longtemps d'ouvrir les yeux. Il avait passé la nuit dans un entre-deux où le sommeil l'effleurait sans cesse, ne récoltant que des hallucinations semi-éveillées. Il avait oublié de fermer les stores : il faisait trop clair dans la chambre. La climatisation fonctionnait de nouveau, mais elle faisait un drôle de bruit. Il dormait toujours d'un côté du lit, et chaque matin au réveil, cela entaillait son amour-propre. Il ferma les yeux et fouilla les recoins de son cerveau à la recherche de ce qui le dérangeait, sans rien trouver. Le silence qui régnait dans l'appartement était si parfait qu'il était difficile de se concentrer.

Pourquoi passait-il sa vie à lutter contre ses angoisses ? Il éprouva un dégoût infini, et sut qu'il ne supporterait pas de se dénigrer ainsi durant toute la journée. Il envoya un SMS à Seth, qui ne répondit pas. Il devait sûrement être en proie à une stupeur postecstasy et postcocaïne induite par la soirée de la veille. Non sans crainte, il m'adressa ce message :

Tu fais quoi aujourd'hui ?

Je lui répondis que nous allions passer la journée à notre club de piscine. *Viens ! On fera un barbecue.* Il regarda par la fenêtre. Les arbres étaient immobiles. Il était sept heures du matin et déjà, dans la rue, les passants s'éventaient. La télé du taxi avait dit vrai : il faisait extrêmement chaud. Toby me répondit :

Dis-moi quel train prendre et j'arrive.

Alors que le train quittait Penn Station, son téléphone émit un signal sonore. Seth répondait à son message :

On est dans le coin

Je vais voir Libby chez elle. Piscine. Venez

Le New Jersey très peu pour moi

Barbecue en prime

Aucun barbecue, aucun plan d'eau ne me feront aller en banlieue.

Ça se tient.

Dîner ce soir ? V aimerait bien faire ta connaissance.

Super

Il regarda par la vitre dans le tunnel sombre de Penn Station. Il était dix heures du matin et l'homme qui se trouvait de l'autre côté de l'allée centrale était saoul et torse nu. Toby parviendrait à surmonter cette journée.

292

* * *

Chez moi, Toby assista à ma dispute avec ma fille Sasha, qui du haut de ses huit ans, voulait à tout prix porter un bikini.

« À quoi ça sert qu'on discute de ça ? lui dis-je. On n'est pas dans un magasin. Tu n'as pas de bikini. Même si tu arrivais à me convaincre, tu ne peux tout simplement pas en mettre.

— Je te déteste », répliqua Sasha.

Dominant le comptoir de la cuisine de toute sa taille, Adam, concentré, remplissait notre sac de pique-nique. « Ça doit te rappeler quelque chose, ce genre de scènes, dit-il à Toby.

— C'est sûr », répliqua Toby.

Toby me vit lancer un regard à Adam. Ce dernier me répondit par un coup d'œil qui me signifiait « Bah quoi ? ». Je secouai la tête, et pulvérisai de la crème solaire sur notre garçon de six ans, Miles. Au club, c'est le regard que Toby portait sur moi que j'observai. Toutes les familles présentes ressemblaient à la mienne : une mère dodue et autoritaire ; un père soumis, à côté de la plaque ; un enfant dégoûté de la vie ; un autre tout heureux qui n'aspirait qu'à une chose, savoir si le toboggan était ouvert ; parfois un troisième, quand la mère dodue et autoritaire et le père soumis et à côté de la plaque s'y étaient mis assez jeunes.

Il était troublant de constater à quel point, à travers les yeux de Toby, toutes les femmes présentes me ressemblaient. C'était ce que je détestais le plus dans ce coin où nous vivions : après une vie entière à me considérer inférieure aux blondes maigrichonnes de Manhattan, avec leurs cheveux fins et leurs nez droits, je ne pouvais supporter que tout le monde ici me ressemble. Ou étais-je furieuse de ressembler à tout le monde ? À moins que ce soit le fait que cette masse de sosies m'oblige à me confronter à mon apparence, qui n'avait rien de réjouissant ? Nos tankinis bleu marine étaient renforcés par un corset afin de contraindre nos corps à imiter la silhouette d'un sablier, mais nos membres révélaient tout ce qu'il y avait à savoir sur notre sens de la discipline et nos contraintes métaboliques.

Je ne me souciais pas des autres pères de famille. Ils m'avaient toujours connue ainsi. Mais face à Toby, c'était tout autre chose. Regarde un peu le truc flétri que je suis devenue. J'avais consulté un grand nombre de messages privés sur son téléphone. Pour lui, les corps n'étaient à présent plus que des produits. Il ne se souciait plus que de leur potentiel de séduction, du fait qu'ils soient abîmés ou non. Des jambes, d'incroyables canyons mammaires, des culs des culs des culs. Je sais ce que je représentais à ses yeux. Vous pouvez me croire sur parole, je n'étais intéressée ni sexuellement ni romantiquement par Toby. Mais le fait qu'il soit dépositaire d'un passé commun me gênait. Je n'aimais pas être telle que j'étais en présence de quelqu'un qui se souvenait de moi à l'époque où j'étais encore riche de possibles, où je débordais de force cinétique. Aux yeux de tout le monde ici, j'étais une partenaire de covoiturage, un calendrier ambulant répertoriant les invitations et les soirées pyjama. Selon ces critères, j'étais une vraie star. Selon ceux de Toby, je n'étais rien du tout.

J'accompagnai Miles à sa leçon de natation. Miles avait peur de l'eau, aussi restais-je au bord de la piscine, les pieds immergés, à me dire que le bourrelet que formait mon ventre débordait quand même sacrément. Je croisais les bras en travers de ma poitrine. Les maillots de bain pour femmes sont injustes. Toby et Adam étaient assis côte à côte sur des chaises longues. Ils avaient l'air ridicule, Toby tout petit, et Adam gigantesque. Adam avec ses yeux marron, son expression douce, ses cheveux grisonnants qui avaient la décence de se dégarnir uniformément. Ils étaient absorbés dans une conversation qui semblait relativement passionnée.

Je surpris un regard que me lança Adam. Depuis quelque temps, il me dévisageait souvent de la sorte, sans jamais poser la moindre question. J'avais récemment pris l'habitude, le soir, de sortir m'allonger dans notre hamac. Ça agaçait Adam. D'un naturel très terre à terre, il a tendance à déduire des règles d'attitudes purement fortuites, ce qui a le don de me rendre folle. « Mais tu détestes être dehors », objectait-il. Et pourtant je sortais, déchirant le contrat qu'il pensait avoir conclu tacitement avec moi. Lui rentrait pour coucher les enfants, et je contemplais le ciel. On pouvait voir quelques étoiles, là où je vivais. On n'en voyait aucune à Manhattan. C'était un des avantages du coin, sans doute.

Je passais pas mal de temps au téléphone avec Toby, comme une ado, je quittais la pièce même si les enfants étaient déjà couchés, comme si Adam était mon père, et parfois, c'était bien ce qu'il était. Quand Toby parlait, je désactivais mon micro afin qu'il ne m'entende pas vapoter une grosse bouffée de la weed que Seth avait fait livrer chez moi par un coursier de sa boîte. Seth m'avait offert ce cadeau après ce déjeuner où je lui avais dit que j'avais quasiment arrêté de fumer. Cette nouvelle l'avait attristé. « Mais c'était *ton* truc, avait-il dit. Tu étais une vraie *championne*. » Quelques heures plus tard, on sonna à ma porte. Avec la vapoteuse se trouvait une note : « Ce truc vient directement du comté de Humboldt et contient une toute nouvelle variété de cannabis qu'une liste d'attente de trois mille personnes attend de consommer, mais j'ai mes entrées. »

Cela faisait des années que je n'avais plus fumé de cannabis, à une exception près. Un an auparavant, Adam et moi étions allés au quarantième anniversaire d'un des pères de l'école des enfants, dans son jardin, et quelqu'un avait fait tourner un joint. Je me délectais des effets en écoutant le frère du père en question chanter du Tom Petty en karaoké (dans le New Jersey, c'est toujours du Tom Petty qu'on chante au karaoké, encore plus que du Springsteen), et en prêtant l'oreille aux conversations des autres mères de famille. En général, on ne discutait que de nos enfants. Je ne savais pas si elles avaient par ailleurs des conversations plus intéressantes dont j'étais exclue, ou si elles n'avaient véritablement rien d'autre à raconter. À cette fête, je les regardais tirer des lattes sur une cigarette électronique que quelqu'un avait ramenée, et écoutais leurs discussions défoncées s'enfoncer dans les mêmes ornières que toujours, en plus intense et plus bruyant : Hunter n'était pas assez extraverti pour le théâtre mais il voulait quand même en faire et Raleigh est tellement axée sur le sensoriel, tu vois ? et à mon avis l'école n'a pas très bien géré tout ça mais Oscar n'a pas une maturité supérieure à celle de son âge, ce qui… et non, on appelle ça un trouble spécifique d'apprentissage des maths mais en fait c'est un trouble spécifique aux maths pas à un truc spécifique dans les maths…

La conversation gagnait en décibels et plus les mères vapotaient plus elles parlaient à tort et à travers, mais le sujet de fond ne changeait pas. Même déchirées, c'était tout ce dont elles étaient capables de parler. Il n'y avait rien à creuser. Il n'y avait aucune aspiration cachée. Il n'y avait rien derrière. « Ce n'est pas le New Jersey, commenta Adam. C'est la vie. C'est la quarantaine. Nous sommes des parents, à présent. Nous avons dit tout ce que nous avions à dire. » Je fondis en larmes. Il me tapota la tête en reprenant, « Ça va aller, ça va aller. C'est l'ordre naturel des choses. Nous devons à présent nous concentrer sur les enfants. Nous nous rangeons en vieillissant. C'est ainsi. Ce n'est plus à nous de jouer. » J'essayai de répondre, mais n'émis qu'un sanglot étouffé par un hoquet. « Et si on rentrait ? » proposa-t-il.

Adam et moi quittâmes la fête, nous mîmes au lit et essayâmes d'aller au bout d'un épisode d'une série sur les cartels de la drogue qui, au dire de tout le monde, devenait vraiment excellente à la fin de la troisième saison, mais nous n'en étions qu'à la deuxième, et la question de savoir si cela valait le coup de regarder quelque chose qui promettait d'être bien sans l'être encore nous plongeait dans une véritable angoisse existentielle. Nous étions d'accord pour nous dire que oui, que l'espoir en valait toujours le coup, et à ces moments – les moments où nous endurions notre sort, les moments où nous étions d'accord, ceux où nous ne l'étions pas et trouvions l'opinion de l'autre tellement débile qu'on éclatait de rire, les moments où il acceptait de refaire notre chorégraphie de mariage dans la cuisine sans raison aucune et sans musique, les moments où il me prouvait brièvement qu'il était tellement plus intelligent que moi et que malgré cela il n'éprouvait jamais le besoin d'en faire étalage, les moments où nous levions les yeux au ciel face à la débilité des autres, les moments où il m'arrachait à mon malheur et me préparait une omelette au fromage parce que j'étais déchirée et que j'avais envie de quelque chose de chaud et de laiteux, c'était à ces moments que je me souvenais de la chose la plus essentielle dans notre couple, à savoir que je ne m'étais jamais demandé ce que je faisais avec lui.

Mais alors d'où me venait ce besoin de secret ? Ces derniers jours, j'avais vapoté le matin. Je cachais la vapoteuse juste avant le retour d'Adam. Je n'avais aucune envie de connaître son avis sur le fait que je m'occupais des enfants sous cannabis, mais en outre, le fait d'avoir ce secret me plaisait. (C'était surtout ça qui me plaisait. Un jour, il a dû rallumer son ordinateur parce que quelqu'un du boulot avait besoin qu'il relise un document, et il était tellement contrarié qu'il n'arrêtait pas de maugréer. Je lui demandai alors, en boucle « Tu m'en veux ? J'ai fait quelque chose de mal ? », jusqu'à ce qu'il me rétorque « T'as un problème ou quoi ? ». J'ai alors quitté la pièce pour donner le bain aux enfants.)

Une fois les gamins au lit, j'appelais Toby. Adam sortait dans le jardin pendant que j'étais au téléphone. « Qu'est-ce que tu fais dehors ? » demandait-il. Je cachais la vapoteuse sous ma cuisse et fermais les yeux. J'avais arrêté après notre mariage. Mais pour nos quarante ans, il avait cessé de manger de la viande rouge, et ça ne l'empêchait pas à présent d'en manger quelque chose comme deux fois par semaine, au vu et au su de tous, sans un mot d'excuse.

« Je suis au téléphone avec Toby », répondais-je.

Il attendait une longue seconde, puis tournait les talons et rentrait.

« Faut que je te laisse », murmurais-je au téléphone.

Je rentrais à mon tour et m'asseyais tout en haut de l'escalier pour le regarder sur le canapé du salon, encore bien réveillé malgré l'heure, compulsant lois et documents divers. S'exclamant « Aha ! J'en étais sûr ! » comme un personnage de dessin animé, avant de se trémousser en envoyant un e-mail triomphant dans lequel il assurait à tout le monde que, comme d'habitude, il détenait les réponses tant attendues – que, comme d'habitude, il l'avait emporté sur l'adversité.

En ce samedi estival, de retour chez nous, Adam fit griller des côtes d'agneau au barbecue. À quinze heures, Toby commença à prendre congé. Je lui demandai ce qu'il avait prévu de faire le reste du week-end.

« J'ai rendez-vous avec Seth ce soir. Pour un dîner. Il va me présenter Vanessa. J'espère qu'ils ne me traîneront pas en boîte. J'ai l'impression qu'ils passent beaucoup de leur temps en boîte.

— Les jeunes ont beaucoup d'énergie, tu sais, répliquai-je.

298

— Ne sois pas mauvaise langue. Vous êtes invités, si ça vous chante.

— On n'a pas de baby-sitter, répondit Adam. Tu veux que je te dépose à la gare en voiture ?

— Si ça ne te dérange pas. » Toby passa aux toilettes. « Ça t'embête si je l'accompagne ? demandai-je à Adam. Il traverse une mauvaise passe. » Les week-ends étaient sans fin. Si vous vous demandiez quelle était la plus grosse différence entre Adam et moi, c'était cela : Adam adorait les week-ends, et j'en avais horreur. J'aimais l'ordre et la routine. Les week-ends étaient pour moi un abîme si profond que leur incertitude finissait toujours par déteindre sur moi.

« Mais on avait prévu de regarder *Ratatouille* en famille. » Adam me lança un regard dur. Je le regardai moi aussi, mais en m'efforçant de ne rien voir.

« On peut toujours le faire dans quelques heures, à mon retour.

— Dans quelques heures, les enfants seront couchés.

— Alors ce sera pour demain. Enfin quoi, on l'a déjà regardé hier. »

Adam baissa les yeux sur la grille du barbecue, puis les releva vers moi. « Bien sûr. Amuse-toi bien.

— Tu es sûr que ça ne t'embête pas trop ? » J'embrassai Adam sur la joue, et partis comme une ado à qui on vient de remettre les clefs de la voiture familiale.

* * *

Toby et moi prîmes place l'un en face de l'autre, dans un carré à quatre fauteuils. Une minute passa dans le silence complet, puis Toby me dit : « J'espère que tu traites bien Adam. C'est un chouette type. C'est rare. »

Je lui répondis que j'étais au courant.

« Je suis sérieux. Ne le lâche pas. C'est vraiment quelqu'un de bien.

— Pourquoi ? Parce qu'il ne m'a pas quittée ? Et si c'était moi, le moteur de notre couple ? » Je tirai ma vapoteuse de ma poche, et la tendis vers Toby.

« Euh, non merci, fit-il.

— Pourquoi pas ?

— Parce qu'on est dans un train ? »

Mais personne ne nous prêtait la moindre attention. Personne ne me prête plus la moindre attention. Je peux maintenant utiliser n'importe quelles toilettes réservées aux clients, où que ce soit dans cette ville. Je pourrais voler à l'étalage si ça me chantait, voilà à quel point on m'ignore. La semaine de mes quarante ans, on m'avait envoyée interviewer un joueur des New York Giants. Je portais autour du cou un passe jaune fluo estampillé ACCÈS PRESSE RESTREINT : VESTIAIRES INTERDITS qui recouvrait la moitié de ma poitrine. Mais je suis quand même entrée dans les vestiaires pour me retrouver au milieu de tous ces pénis, et les personnes qui m'avaient délivré mon badge me passaient devant comme si j'étais venue organiser le prochain vide-greniers.

Toby lui-même ne me prêta pas la moindre attention durant le trajet. Il échangeait des messages avec la femme qu'il était en train de se taper, tellement obnubilé par la crise qu'il traversait qu'il était incapable d'avoir une discussion ne le concernant pas directement. Il ne voulait plus parler de Rachel. Il ne voulait plus penser à elle. Mais il ne voulait pas parler de moi non plus.

« Tu as remarqué que tu ne réagis pas à ce que je te dis sauf si ça te concerne ? lui demandai-je.

— Qu'est-ce que tu veux dire ?

— Je veux dire que je suis une vraie personne, avec une âme et un cœur, et que moi aussi j'aimerais bien pouvoir me reposer sur un ami ?

— Comme si tu en avais besoin. »

Toby se comportait-il toujours ainsi ? Je restais assise là, à l'observer consulter son téléphone tout en dissimulant son érection, incapable de me rappeler la dernière fois où il avait daigné m'écouter sans rien dire. Même avant, nos conversations ne traitaient que de lui et de ses doutes. J'étais honorée de la confiance qu'il me témoignait, et pensais que j'étais à ses yeux aussi paumée que lui. Mais je me disais à présent qu'il me considérait peut-être comme un simple déversoir à inquiétudes.

Nous descendîmes enfin du train et Toby suggéra que le plus court serait de prendre la ligne E pour retrouver Seth, mais je fus soudainement saisie d'un agacement absolu à son endroit. Pourquoi n'étais-je pas chez moi, devant *Ratatouille* ? Qu'est-ce que je faisais ici ?

« Tu sais quoi ? Je vais me faire un ciné. » Et je quittai Penn Station avant qu'il ait pu dire un mot.

* * *

Toby prit place dans la rame de métro et vit une famille avec trois enfants – deux filles de l'âge d'Hannah et de Solly, et un tout petit garçon, endormi contre la poitrine de sa mère. Trois ans auparavant, Toby croyait encore que Rachel et lui auraient un autre enfant. Solly avait six ans, et Toby ne s'imaginait même pas que le problème de son couple n'était pas de simples facteurs de stress, mais son couple lui-même.

Tous deux voulaient avoir trois enfants. Toutes les histoires que Rachel lui racontait sur son enfance donnaient la même impression de vide et de solitude. « J'adorais regarder la série *Three's Company* quand je faisais mes devoirs. » Ce genre de trucs. « Oui, raconta-t-elle à Toby avant leur mariage. J'aimerais bien avoir trois enfants. Ou quatre. Quoi qu'il nous arrive à nous deux, je ne veux pas qu'il aient un jour à vivre seuls. » Mais Solly fêta ses cinq ans, puis ses six ans, puis ses sept ans. Ils ne pouvaient parler de rien sans se disputer. La question d'un troisième enfant ne pouvait être abordée que dans des conditions optimales, quand tous deux baignaient dans le sentimentalisme ou la satisfaction, quand il arrivait quelque chose qui les poussait à vouloir perpétuer cette part de leurs vies. Et ces moments fugaces étaient très rares.

Pour Pessah, ils avaient rendu visite à la famille de Toby à Los Angeles. Ils n'avaient dit à personne qu'ils allaient divorcer, et c'était alors la période « lune de miel » de leur séparation. La mère de Toby (petite, ronde, choucroute sur la tête) et sa sœur Ilana, qui commençait à avoir la même forme que leur mère, étaient en train de mettre la table pour le premier séder sur le patio de la maison d'Ilana, la seule où ils pouvaient célébrer les fêtes sacrées puisque c'était le seul foyer strictement kasher. Les enfants jouaient avec leurs trop nombreux cousins, et Toby et Rachel bénéficièrent d'un moment rien qu'à eux, sur le canapé, unis par le même dégoût envers le traditionalisme suffisant de la sœur de Toby, et la façon dont ses parents s'y soumettaient. Ilana ne cessait de leur jeter des regards, avant de murmurer quelque chose à sa mère, sans doute pour se plaindre qu'ils ne les aidaient pas. La sœur de Toby considérait Rachel comme quelqu'un de paresseux. Rachel, paresseuse ! On aurait pu l'affubler de bien des qualificatifs, mais « paresseuse » n'était pas du nombre. Ilana ne s'imaginait pas que ce qui empêchait Rachel de l'aider était bien pire que de la simple paresse.

Rachel dit alors à Toby : « C'est donc la dernière fois que nous fêterons Pessah ensemble, hein ? » Toby hocha la tête, et l'expression de Rachel refléta toute son émotion. « Toby, Toby... qui aurait cru que ça finirait ainsi ? »

Il n'était pas habitué à ces accès sentimentaux de sa part. Il ne s'expliquait pas pourquoi cela arrivait maintenant, et pas à n'importe quel instant de ces dix dernières années, où quelque forme d'appréciation de leur passé commun et de leur passion jadis authentique aurait été plus que bien bienvenue. Ça ne veut rien dire, se dit-il. Rien ne t'oblige à réagir, se dit-il.

« Il faut croire qu'on était faits pour être meilleurs amis, poursuivit-elle. Je crois que c'est là-dessus qu'il y a eu méprise. »

Il hocha à nouveau la tête en signe d'approbation mûrement réfléchie, mais en vérité, il ne comprenait pas. L'amitié n'était-elle pas justement ce qui leur avait toujours manqué ? Un tant soit peu d'amitié n'aurait-il pas rendu supportables toutes ces prises de bec ? Elle n'était pas son amie. S'il y avait bien une chose qu'il savait, c'était cela. Il se devait d'être prudent, par peur de provoquer une scène de ménage, aussi garda-t-il le silence, espérant que cette conversation s'achèverait avant que cette énième absurdité ne lui devienne insupportable.

Mais elle ne s'arrêta pas là. Elle se tourna pour le regarder en face. « Je me dis que le bon côté des choses, c'est que nous sommes encore assez jeunes pour entamer une nouvelle vie, tu vois ? Tout ça... » Elle écarta alors les mains pour désigner la totalité de leur vie commune. « ... ça ne nous définit pas totalement.

— Tu veux parler de notre mariage et de nos enfants ? C'est ça qui ne nous définit pas totalement ?

— OK, je te vois venir, parce que la colère, c'est genre la seule façon de réagir que tu connaisses, mais franchement, essaye de comprendre ce que je veux dire. On a une deuxième chance de réussir notre vie. »

Toby n'en était pas encore à se projeter dans l'avenir, si ce n'est pour se demander comment il s'y prendrait pour se faire pardonner auprès de ses enfants pour toutes ces années qu'ils avaient passées dans une atmosphère de sempiternelle animosité et de tristesse constante, pour toutes les disputes qu'il avait eues avec Rachel, pour toutes ces fois où il leur avait crié dessus parce qu'il était en colère contre elle, toutes ces fois où ils l'avaient vu casser des choses ou donner des coups de poing aux murs. Il essayait de trouver un moyen de se redéfinir à leurs yeux comme un bon père, comme un modèle masculin, et de faire repartir sa famille sur de meilleures bases. C'était à cela qu'il réfléchissait ces derniers temps, à ce qu'il avait infligé à ses enfants, au fiel dont ils savaient à présent capables leurs propres parents.

« Je n'arrête pas de penser à ça, dernièrement, continuait-elle. Peut-être que tu auras d'autres gamins ? Peut-être que moi aussi ? »

La réponse de Toby fut si viscérale et si rapide qu'il en fut le premier surpris. Ce qui sortit de sa bouche ne fut qu'un son, un glapissement, un grommellement, un gros truc guttural.

« Quoi ? fit-elle. Qu'est-ce que j'ai dit ?

— Mais tu te fous de moi ou quoi ? lança-t-il. Tu veux d'autres enfants ? »

Son expression redevint belliqueuse, comme si elle ne s'était jamais adoucie. « Pourquoi est-ce que je ne pourrais pas en avoir ? »

Mais elle se foutait vraiment de lui ! Toby leva les bras et cria au plafond : « Parce que tu négliges complètement ceux que tu as déjà ! »

Il vit sa mère se retourner pour voir ce qui se passait. Il baissa la voix. « Les enfants *que tu as là* ont besoin de toi. Tes enfants qui sont déjà nés et existent bel et bien ont besoin de toi. Si les enfants t'intéressent à ce point, j'ai deux excellents candidats à soumettre à tes soins maternels. »

Dans la rame de la ligne E, les parents des trois enfants se levèrent pour descendre à la station suivante. Toby observa leurs visages tandis qu'ils s'organisaient, déterminant qui porterait le petit garçon endormi, qui prendrait la poussette. Il aurait voulu déceler une bribe de la haine générée par leur couple et leurs enfants. Il avait envie de voir de l'animosité et du remords, aussi fort qu'il avait envie d'un verre d'eau dans cette canicule. Il n'en surprit pas un soupçon. Ils descendirent de la rame dans le calme, et Toby fixa jusqu'à son arrêt la pub pour Hr qu'ils lui avaient cachée, la photo du bas du visage d'une jeune femme de vingt-cinq ans se mordant la lèvre sous le coup de l'impatience, de l'indécision ou de l'excitation sexuelle.

* * *

Seth et ses collègues de travail étaient des impérialistes nés et, en tant que tels, fondaient régulièrement sur la ville en quête de cantines à ramen ou de restaurants thaïlandais minuscules où l'on ne payait qu'en liquide, le genre d'établissements où l'on trouvait derrière les cuisines une pièce secrète et ultra-authentique où l'équipe mangeait, et où eux aussi s'invitaient en insistant et insistant encore. C'était le fin du fin, la crème de la crème et le top du top, le chef avait appris le métier à Beyrouth où il avait été prisonnier de guerre, les serveurs devaient prendre des cours de plongée afin d'apprendre à se déplacer avec grâce, et le restaurant lui-même avait jadis été une église ou un lieu de réunion secret pour Illuminati ou un monastère bouddhiste exclusivement réservé aux Tibétains les plus fameux et les plus fortunés. Cela ne suffisait pas de posséder la ville. Il leur fallait aussi posséder tout ce qui se trouvait en dessous et au-dessus et au-delà de la ville. Les mecs de la finance, c'était vraiment la pire vermine qui soit.

Seth avait donné rendez-vous à Toby dans un bar en rooftop auquel on accédait par la trappe d'un grenier, en haut de l'échelle qui se trouvait au fond d'un boui-boui coréen. Il n'était que dix-huit heures, Seth et Vanessa étaient les seuls clients assis à une table. Vanessa se leva pour saluer

Toby : elle le dépassait de dix ou douze centimètres. Elle le gratifia d'une embrassade douce et blonde. « Je suis tellement *heureuse* de faire enfin ta connaissance », dit-elle sans le lâcher. Sa chaleur lui fit un peu tourner la tête. « Seth ne m'a jamais présenté que des collègues. Je commençais à me demander pourquoi il avait si peu d'anciens amis !

— J'ai beaucoup entendu parler de toi, répliqua Toby. C'est la première fois depuis des années que Seth reste assez longtemps avec quelqu'un pour nous présenter.

— Ce n'est pas vrai », objecta Seth. Puis, à Vanessa : « On a perdu contact pendant un moment. »

Le visage de Vanessa fondit sous l'effet de l'empathie. « À cause de ton divorce, fit-elle.

— En fait, à cause de mon mariage », rectifia Toby. Elle était sympathique. Elle était engageante. Elle était sublime. Elle était dorée et bronzée, comme un Oscar avec des cheveux. Elle était vraiment super bonne.

Elle était chargée de com pour une chaîne de restaurants. Son métier l'obligeait à sortir quasiment toutes les nuits.

« C'est comme ça que j'ai rencontré Seth, dit-elle.

— Quoi ? Il était en train de dîner ? »

Elle rit trop fort. « Seth m'avait dit que tu étais hilarant ! Non, on avait une dégustation dans l'un des restaurants dont je m'occupe, LuPont, sur la 3e Rue, côté Greenwich. » Elle se retourna vers Seth en affichant une expression qui laissait entendre qu'elle venait de découvrir la loi de la gravitation. « Je sais ! Il faudrait qu'on y aille tous ensemble un de ces jours !

— Vanessa peut nous faire entrer n'importe où, dit Seth. Même dans des lieux qu'elle ne représente pas. Aucune porte ne lui résiste. C'est incroyable. Sa boîte a figuré dans une liste de *Forbes*. »

La robe de Vanessa n'était pas totalement opaque. Elle portait le même type de soutien-gorge qu'un grand nombre de femmes qui lui envoyaient des photos, de ceux qui s'arrêtent à mi-sein, juste au-dessus du mamelon, pour en laisser une bonne partie à découvert. On appelait ça un soutien-gorge corbeille, si ses souvenirs de masturbation adolescente sur des catalogues de lingerie étaient bons. Rachel ne portait pas ce genre de soutien-gorge. Elle ne mettait jamais que des soutiens-gorge purement utilitaires, avec une bande de sept centimètres de large et quatre agrafes. Selon elle, l'allaitement lui avait ravagé les seins. Arrête de penser à des seins, Toby.

« Et ton boulot te plaît ? demanda-t-il.

— Beaucoup, répondit-elle. Les chefs sont les vrais artistes de notre époque.

— Hm. » Toby ne savait pas quoi dire. Les préados étaient ennuyeux. Cela, il le savait grâce à Hannah. Mais ce qu'il avait appris de sa récente plongée dans les applis de rencontre et des échanges qu'il avait eus au début avec des femmes plus jeunes, c'était que les femmes d'une vingtaine d'années étaient aussi ennuyeuses. Elles ne l'étaient pas aux yeux des hommes de leur âge. Avec eux, ça passait. Peut-être que les quinquagénaires considéraient les quadras comme terriblement ennuyeux ? Il le découvrirait dans dix ans. Les internes de Toby avaient toujours une vingtaine d'années, et bien des fois, il s'était fait la réflexion que leur inconscience et leur arrogance étaient les seules choses qui leur permettaient de croire qu'ils étaient en mesure d'avoir la vie d'autrui entre les mains et de devenir docteur. C'était pour cette raison que des gens de trente ou quarante ans allaient en fac de droit, jamais en médecine. Ce n'était pas qu'une question de durée des études. C'était surtout dû au fait qu'avec l'âge, on prenait plus conscience de sa faillibilité, tous domaines confondus.

Toby observa Seth et Vanessa. Ils le dégoûtaient. La beauté de Vanessa le dégoûtait.

Le téléphone de celle-ci émit un bruit. Elle s'en saisit et répondit à un message. Puis elle le reposa et se leva. « Je reviens tout de suite. » Elle se dirigea vers les toilettes pour dames.

« Elle est chouette », commenta Toby.

Seth regarda un instant dans le vide, avant de fermer les yeux. « Je viens de me faire virer.

— Quoi ? Oh, je suis tellement désolé pour toi, mon vieux.

— Je ne l'ai pas encore dit à Vanessa. Mitch, mon boss, s'en est foutu plein le nez au boulot, au beau milieu de l'après-midi – ç'a été épique – et il s'est fait jeter par son propre boss quand sa secrétaire est allée se plaindre à la DRH qu'il n'arrêtait pas de l'appeler "Jolies Miches". Tous ceux qu'il avait engagés, moi compris, ont été virés dans le même mouvement. On se retrouve tous ce soir, tard, vers onze heures. Prie ton Dieu pour que je ne tombe pas temporairement amoureux d'une pute. C'est la méthode Mitch. Il loue des chambres d'hôtel et des putes.

— Ouais, bah Rachel se tape quelqu'un de l'école.

— Putain, quelle classe ?

— Non, non. Un père.

— Divorcé ?

— Non ! C'est le mari de, genre, la meilleure copine de Rachel parmi les parents d'élèves !

— Tu déconnes ? C'est avec un mec comme ça qu'elle s'est mise ? Et il a quitté sa femme ?

— Même pas ! Je te l'ai déjà dit mille fois, mon gars : c'est toi qui as eu raison, en évitant le mariage. »

Vanessa sortit de nulle part. « Tout va bien par ici ?

— Ouais, répondit Seth en se redressant. Je l'asticotais un peu. »

Vanessa parla de leur avenir – ce week-end à Aspen auquel ils prendraient part dans un mois, le futur mariage de son ancienne camarade de chambre à Rio. Seth enroula son bras autour de Vanessa comme s'il s'agissait d'un pilier de bar. Mais Toby n'en pouvait déjà plus. Il entendit alors son téléphone : c'était l'hôpital, et il éprouva une vague de soulagement parcourir tout son corps. Il ne voulait pas rester là, à voir Seth faire semblant de ne pas être sans emploi. Il ne voulait pas continuer à entendre cette pauvre déesse parler de ses projets avec Seth, qui de son côté espérait ne pas baiser de prostituée le soir même, sans être sûr à mille pour cent que cela n'arriverait pas.

« Un patient a besoin de moi, jeunes gens. Je dois y aller. Je suis vraiment désolé. »

Vanessa lança un regard alarmé à Seth. Toby les considéra tous les deux.

« On voulait te présenter quelqu'un, dit Seth.

— Tamara, une amie du boulot, spécifia Vanessa. Elle est *tellement* intelligente et *tellement* drôle. Seth est convaincu que vous vous entendriez bien, tous les deux. »

Toby se leva et rangea son téléphone dans sa poche.

« Hors de question que tu payes, déclara Seth.

— Je n'en avais pas l'intention. Je n'ai rien commandé. »

Vanessa se leva à nouveau et pressa sa poitrine contre Toby. « Tu es sûr que tu ne peux pas rester encore cinq… »

Elle se mit alors à secouer la main en direction de l'entrée. « La voici ! Vous allez au moins faire connaissance ! » La destinataire de son salut, une femme aussi minuscule qu'une théière de dînette, vêtue d'une robe d'été et de sandales, fit son entrée. Ce n'était pas tant sa petitesse qui le gênait. C'était surtout le fait qu'elle ressemblait à une enfant : un mètre cinquante maximum, maigre, sans la moindre courbe. À en juger par son visage, elle devait avoir entre quatorze et vingt-cinq ans, mais pas plus.

Toby échangea une poignée de main avec elle. « Vraiment désolé de cette urgence. » Il s'en voulut de se sentir obligé de présenter des excuses alors qu'il n'avait rien fait de mal. Il n'était plus marié. Il n'était plus obligé de demander pardon de façon insincère. S'il avait su qu'on essayait de le caser, il ne serait pas même venu. Il ne voulait pas qu'on lui arrange des coups. Il ne voulait pas savoir ce qu'il méritait aux yeux de ses amis. Tout cela était encore si nouveau que la seule chose qu'il pouvait tolérer était la démocratie froide et franche d'une appli de rencontre. Il n'y avait qu'à regarder cette Tamara. Ça ne faisait que confirmer ses soupçons. C'était une toute petite femme-enfant. Ses amis considéraient qu'il ne méritait pas une vraie femme. Ils considéraient qu'il ne méritait pas une poitrine opulente, comme celle de Vanessa. Seth, son ami, n'estimait pas que Toby méritait ce que lui avait.

Toby partit sans vraiment dire au revoir. Logan disait dans son message qu'il était temps de réveiller Karen Cooper. Toby aimait être présent à ces moments. Il voulait faire pleinement connaissance avec sa patiente. Il ne voulait pas rater la meilleure partie.

**

Il était temps de soulager Karen Cooper de son respirateur artificiel.

Dans le couloir, Joanie, Logan et Clay vinrent à la rencontre de Toby. Joanie était différente, elle semblait plus âgée, ou plus détendue. Plus confiante en elle, peut-être ? Le changement semblait si soudain. Toby ne se l'expliquait pas. Elle avait un air particulièrement familier, et cela avait quelque chose de déstabilisant. Elle portait une natte, et Toby savait que si elle avait tourné juste un peu la tête, le bas de la natte serait apparu plus fin que le haut à cause de sa coupe en dégradé.

Il se demanda brièvement à quoi aurait ressemblé son rendez-vous avec Seth et Vanessa si Joanie l'y avait accompagné. Ils auraient grignoté quelque chose puis ils auraient pris congé de Seth et Vanessa pour passer le reste de la nuit à Chelsea, peut-être, ou se promener dans le Meatpacking District, en se moquant de Vanessa. Joanie devait avoir le même âge qu'elle. Mais elle était plus réfléchie, et plus intelligente. Et elle avait une taille normale pour un être humain, contrairement à Tamara. En outre, elle ne faisait pas étalage de son intelligence. Ses originalités lui étaient propres, elle les avait choisies et méritées. Toby aurait été fier d'avoir quelqu'un comme Joanie à ses côtés. Une telle personne aurait montré à Seth quelle place Toby occupait véritablement dans le monde.

« Très bien, fit Toby. Allons-y. »

Toby, Marco et leurs internes assistèrent à l'extubation de Karen Cooper par l'anesthésiste. Malgré lui, Toby retint son souffle en même temps que sa patiente, et n'expira qu'en voyant qu'elle en était capable.

Karen ouvrit les yeux, et battit des paupières. Toby se pencha vers elle, au centre de son champ visuel. « Madame Cooper, dit-il. Je suis le docteur Fleishman. Vous êtes à l'hôpital. Vous venez de subir une opération chirurgicale. » Elle fouilla au fond du regard de Toby en s'efforçant de se concentrer. Les anneaux luisaient, c'était comme si ses iris bleus jaillissaient d'une terre couleur de cuivre. C'était vraiment une très belle maladie. « Beaucoup de gens ont hâte de vous voir. »

Une heure plus tard, Joanie emmena David voir son épouse. David se lava vigoureusement les mains, enfila une blouse, un bonnet et un masque chirurgicaux. Debout au pied du lit, Toby prenait des notes sur l'état de la patiente tandis que ses internes se tenaient près des moniteurs. En plein délire muet, Karen Cooper secouait la tête, ouvrait les yeux, les refermait. Son mari s'écroula sur le fauteuil qui se trouvait à son chevet et pleura dans la main de son épouse. Oui, c'était bien la meilleure partie. Sentant qu'on l'épiait, Toby releva la tête : Joanie le dévisageait, visiblement bouleversée.

* * *

Ce jour-là, après avoir quitté Toby, je consultai les horaires des cinémas, mais rien de ce qui était projeté ne correspondait à ma définition du mot « film », il n'y avait que des adaptations de comics, aussi pris-je la direction de Central Park. J'avais mon portefeuille et ma vapoteuse, et je n'avais besoin de rien d'autre. Je trouvai un carré de pelouse à Sheep Meadow et m'y étendis, libre et sans attache. Le vert des arbres sur le bleu du ciel. Les odeurs de la saison. Une enceinte connectée qui diffusait les Beastie Boys, tout près. À quand remonte la dernière fois où j'ai fait ça ? songeai-je. Adam me manqua soudainement, ou tout du moins un Adam théorique : un homme qui me connaissait, m'aimait, me désirait et désirait écouter ce que j'avais à dire. Je n'étais plus capable de tenir une conversation avec lui.

J'allumai une cigarette que je fumai jusqu'au filtre. En Israël, je fumais une marque locale du nom de Time. Un soir, Seth me dit que c'était un acronyme. *This Is My Enjoyment* : C'est mon plaisir. Cela me revint tout à coup à l'esprit. J'inhalai, expirai, et pensai : Oui, c'est mon plaisir.

Deux ans auparavant, j'étais passée voir mon chef de rubrique au magazine lorsque la nouvelle de la mort d'Archer Sylvan tomba. Nous discutions d'un article que je devais faire sur un acteur que tout le monde croyait gay, et de la façon dont j'allais « gérer » la controverse. C'était le genre de papier qu'on me refilait parce que la rédaction savait que seule une minorité opprimée pouvait traiter d'une autre minorité opprimée. L'assistante du rédacteur en chef entra dans le bureau de mon chef de rubrique pour lui rapporter ce qu'on venait d'apprendre de la première épouse d'Archer. On l'avait retrouvé sans vie le matin même. Il était mort comme il avait vécu : dans une chambre d'hôtel de Las Vegas, en pleine séance d'asphyxie autoérotique. Deux jeunes femmes se trouvaient alors avec lui, et toutes deux étaient des travailleuses du sexe.

Mais bref, notre rédac chef déclara qu'on finirait plus tôt. Nous allâmes tous au Grill, où Archer, quand il était à New York, passait prendre un manhattan tous les vendredis à dix-sept heures, en souvenir de l'ère révolue du magazine. Avec ses amis journalistes qui comme lui chassaient l'ours et menaient des existences hors du commun, il retrouvait jadis l'ancien rédacteur en chef pour s'enfiler des scotchs jusqu'au coma éthylique. Notre rédac chef, qui avait succédé à celui-ci, commanda une tournée de manhattans en l'honneur d'Archer. J'en bus trois, alors que le vermouth me rend malade. Nous portâmes des toasts en son souvenir, évoquâmes ce lion du journalisme, qui jusqu'à ce jour demeurait l'étalon à l'aune duquel tous nos articles étaient jugés.

Le rédac chef fit référence à plusieurs de nos articles, où il sentait l'influence d'Archer. Aucun des miens ne fut cité. Je souriais en faisant semblant de ne pas l'avoir remarqué. Je hochais la tête d'un air recueilli, plissais les yeux de compassion. Et ce faisant, je ne pouvais m'empêcher de me demander : Mais qu'est-ce que je fous ici, à boire des manhattans, à essayer de trouver ma place parmi ces gens avec qui je n'ai plus rien en commun ? J'ai des enfants, maintenant. J'habite dans le New Jersey. Peut-être n'avais-je jamais rien eu en commun avec eux, mais jusque-là, j'avais redoublé d'efforts pour que ce soit le cas. Et puis tout à coup, ça ne m'intéressait plus.

Être une femme dans un magazine masculin, c'est être chargée d'une tâche bien spécifique. C'est être soit docile, soit gênante : incarner la catégorie « chaton aux grands yeux qui a possiblement couché avec la personne interviewée », ou la catégorie « personne posant les questions qu'un homme ne pourrait poser en cette ère du politiquement correct ». Après la naissance de Sasha, je ne savais plus

313

trop à quelle catégorie j'appartenais – il est vrai que j'avais appartenu aux deux. Quel que soit le genre de femmes que vous êtes, et même si vous en êtes tout un tas, vous n'êtes jamais qu'une femme, c'est-à-dire quelqu'un de toujours un peu inférieur à un homme.

Tous les journaux publièrent de gros articles sur Archer et l'héritage qu'il laissait au journalisme après sa mort. Je lus chacun d'eux. Le lendemain, il y eut un retour de bâton sur Internet, un petit bataillon de femmes d'une vingtaine d'années se demandaient pourquoi tout le monde sacralisait un homme qui, mieux que personne, avait incarné la misogynie. La troisième (et très jeune) ex-femme d'Archer avait publié une autobiographie où elle décrivait les violences physiques et morales qu'il lui avait fait subir, mais ses accusations avaient été vite balayées quand elle avait ensuite reproché les mêmes choses à son deuxième époux. Sur Internet, il se disait qu'Archer détestait les femmes, mais j'aurais pu dénombrer dans ses écrits une centaine d'exemples de la façon dont il les vénérait. Soit, expliquaient les jeunes femmes, cela pouvait passer pour de l'adoration, mais c'était en vérité quelque chose de bien plus immonde que de la simple misogynie. C'était l'expression de son obsession pour le sexe féminin et du mépris absolu qu'il vouait à ce qu'il considérait comme la condition féminine, ou ses limitations, ou son incarnation : la femme. Mais cette vision de la femme ne correspondait pas à la réalité. Ce n'était qu'une théorie. Et il la décrivait comme il avait décrit le Vietnam, comme quelque chose de laid, de romantique, de poignant, et d'impossible à conquérir.

J'avais réfléchi à tout cela. J'écrivais principalement sur des hommes. Je n'avais pas interviewé beaucoup de femmes. Quand cela arrivait, c'était pour des papiers uniquement axés sur les difficultés de l'interviewée à être le genre de femme qu'elle était. C'étaient les auteures qu'on ignorait, les politiciennes qu'on prenait pour des secrétaires, les actrices à qui l'on disait qu'elles étaient trop grosses et trop grandes et trop petites et trop maigres et trop laides et trop belles. C'était toujours la même histoire, ce qui ne veut pas dire que ce n'était pas important. Mais c'était fastidieux. La première fois où j'ai interviewé un homme, j'ai compris qu'il était bien plus question de l'âme humaine.

Les hommes n'avaient pas de problèmes concomitants à leur sexe. Ils n'avaient pas peur de paraître illégitimes. Ils n'avaient rencontré aucun obstacle. Ils étaient nés en sachant qu'ils avaient leur place dans le monde, et à chaque tournant de la vie, on les confortait dans cette certitude, au cas où ils l'auraient oubliée. Mais ils ne cessaient pas pour autant d'être créatifs, d'être humains, aussi s'attachaient-ils à diverses problématiques dans un pur élan artistique. Leurs problèmes n'en étaient pas. Ils n'avaient pas à lutter pour définir leur identité, ils n'avaient pas à craindre pour leur santé ou leur situation financière. Cela leur permettait de toucher à la nature de leur âme, à la nature même de l'âme humaine – toucher à la blessure qui se cachait sous les contingences et les combats du quotidien.

Je pouvais les écouter pendant des heures. Quand on ne pose pas beaucoup de questions et qu'on laisse quelqu'un parler, il finit toujours par vous dire ce qui lui passe vraiment par la tête. Dans ces monologues, je retrouvais mes propres griefs envers l'existence. Ils se sentaient exclus de la même façon que je me sentais exclue. Ils se sentaient ignorés de la même façon que je me sentais ignorée. Ils avaient l'impression d'avoir échoué. Ils avaient des regrets. Ils manquaient d'assurance. Ils s'inquiétaient de ce qu'ils laisseraient derrière eux quand ils mourraient. Ils disaient toutes ces choses que je redoutais de dire à voix haute de peur de paraître mégalomaniaque, égocentrique, vaniteuse ou narcissique. Je calquais mon histoire sur la leur, comme dans ces livres de biologie où l'on peut placer un transparent des muscles humains sur le dessin d'un squelette. Je traitais de mes problèmes à travers les leurs.

C'était là une grande leçon que j'avais tirée : la seule façon d'amener quelqu'un à écouter une femme, c'était de raconter son histoire par le biais d'un homme. Faites passer votre message sous couvert masculin, tel un soldat grec dans le Cheval de Troie, et les gens en auront quelque chose à foutre de vous. Aussi j'écrivais des articles vibrants de sincérité sur leur histoire à eux, en extrapolant à partir de ce qu'ils me donnaient, en le prolongeant avec ce que je savais personnellement de la condition humaine. Ils m'envoyaient des lettres et des fleurs pour me dire que personne ne les avait jamais aussi bien compris que moi, et je réalisais alors que tous les êtres humains étaient pareils dans le fond, mais que seuls certains d'entre nous, les hommes, avaient véritablement le droit de l'être sans s'en excuser. L'humanité des hommes était sexy, complexe ; la nôtre (la mienne) consistait à rester dans l'ombre, dans les culs-de-basse-fosse de l'histoire, et n'avait d'intérêt qu'en ce qu'elle servait l'humanité des hommes.

Mais ce soir-là, avec mes manhattans, je compris que la nature de mes problèmes avait changé. Il n'était plus possible de les greffer sur un homme parce qu'ils étaient trop intimement liés à la problématique de la condition féminine. Il était temps pour moi de quitter ce magazine.

De retour chez moi, je relus des articles d'Archer. Je versai quelques larmes parce qu'il était douloureux d'achever ma carrière avant d'avoir été envoyée au Chili pour manger la cervelle d'une chèvre avec les mains, mais ce soir-là, sans doute pour la première fois, je pris conscience que jamais on ne m'enverrait au Chili manger la cervelle d'une chèvre avec les mains. On pouvait adorer mes papiers, on pouvait se les arracher aux quatre coins du monde, quoi que je fasse, je ne serais jamais un homme. Par ailleurs, si on m'en avait donné l'opportunité, je ne pense pas que j'aurais pu attraper la tête de cette chèvre, briser sa mâchoire et faire ce qu'il y avait à faire. Qui aurait pu infliger une chose pareille à une chèvre morte ? En ce sens, peut-être que le système fonctionnait.

J'informai Adam que j'envisageais d'arrêter de travailler. Je lui dis que c'était pour passer plus de temps avec Sasha, ce qui n'était pas totalement faux, mais en vérité je me sentais humiliée, je voulais juste quitter cet univers, et je n'avais que ma famille sur laquelle me rabattre. Je retournai au bureau pour donner ma démission. Mon agent me dit que j'aurais pu la jouer plus finement. J'aurais pu négocier un contrat qui m'aurait permis d'écrire un article par an, afin de « ne pas quitter la partie ». Ce qu'il ne comprenait pas, c'est que je n'étais jamais vraiment entrée dans la partie. Je lui dis que j'avais envie d'écrire des romans. Je commençai un premier projet, un roman pour jeunes adultes, deux sœurs qui découvrent que leurs parents sont des espions. Puis un autre, pour adultes tout court cette fois, trois fils déshérités. Puis un autre encore, une femme qui emménage dans une banlieue cossue et fonde un gang hyperviolent avec d'autres mères au foyer. J'envoyai deux, dix ou quarante pages à mon agent qui me répondait toujours la même chose, à savoir qu'on ne s'attachait à aucun de mes personnages. Je pensais à Archer. Aucun de ses personnages n'était attachant. Lui-même ne l'était pas. Je pensais à tous les efforts que je fournissais dans mes articles pour plaire au lecteur. Je me souvins d'un cours de création littéraire, à la fac, durant lequel le prof, un scénariste cynique dont seul un script était devenu un film, nous avait dit que lorsque nos personnages n'étaient pas attachants, on pouvait régler le problème en leur adjoignant un pied bot ou un chien. J'équipai l'une des membres du gang périurbain d'un pied bot, et mon agent écrivit dans la marge : « C'est quoi ces conneries ? » Il me dit que je devais plus coller à la réalité. C'est ce qui me conduisit à entamer ce roman pour jeunes adultes il y a quelques mois, celui sur ma jeunesse, celui qui n'allait nulle part, et dont je lui envoyai les dix premières pages il y a quatre mois, sans jamais recevoir de réponse. Je relus mes pages et vis où était le problème. Ma voix n'était vivante que lorsque je parlais de quelqu'un d'autre ; ma faculté à voir la vérité et à exprimer des émotions sur la base de ce que je voyais et de ce qu'on me disait s'appliquait à tous et toutes, moi excepté.

Je m'assoupis dans le parc et passai plusieurs minutes ou plusieurs heures dans un paysage trouble, entre veille et sommeil. Lorsque je me réveillai tout à fait, ma vapoteuse avait disparu.

***

Ce mois d'août ne passerait donc jamais ? Combien de jours encore avant l'automne ? Combien de jours encore avant le retour des enfants de Toby ? Combien de nuits allait-il encore passer seul ? Toujours aucun signe de Rachel, qui ignorait que ses deux enfants étaient en colonie de vacances – dont les deux enfants auraient pu mourir sans qu'elle le sache.

Il ne supportait plus d'être chez lui. La chaleur avait empiré après midi. Les femmes dont il recevait les messages l'agaçaient. Il envisagea de joindre Joanie, mais sous quel prétexte ? Que lui voulait-il au juste ? Il regarda plusieurs vidéos de retrouvailles entre des soldats et leurs enfants. C'était à peu près la seule chose qui lui faisait du bien. Cette putain de journée n'en finissait pas.

Il consulta les horaires du club de yoga. Pas de cours de yoga à proprement parler aujourd'hui, juste un truc du nom de « Méthode YogaD », une sorte d'entraînement musculaire qui alliait yoga, danse et « travail spirituel intérieur ». Et puis merde, pensa-t-il, et il enfila un short et un tee-shirt.

En entrant dans la salle, il s'aperçut qu'il était le seul homme, et se demanda si quelque chose lui avait échappé dans le descriptif. Aucune des participantes ne semblant s'offusquer de sa présence, il prit un coussin de yoga et traversa la pièce.

« Toby. »

Il se retourna. Sous ses yeux, assise par terre, dans une combinaison Lycra violette, se trouvait Nahid.

« C'est ici que tu viens draguer ? » demanda-t-elle.

Il éclata de rire. « Non, c'est ici que je viens voir les femmes que j'ai l'intention de draguer. » Peut-être pas la réponse la plus délicate, mais rappelez-vous la semaine qu'il avait eue. « Cette place est-elle prise ?

— Tu m'espionnes ?

— C'est ici que je viens faire du yoga.

— Tu es très en avance sur ton genre. Tu dois être le premier homme que je vois à ce cours.

— Et toi, qu'est-ce que tu viens faire ici ? C'est très loin de chez toi.

— J'étais censée retrouver une amie qui fréquente ce club mais elle s'est décommandée.

— Seul quelqu'un de très à l'aise avec sa masculinité peut venir dans ce genre de lieu. Tu en as conscience, j'espère. »

Le cours débuta. La professeure fit résonner un gong et commença son speech. Elle voulait leur parler d'un mot qu'elle venait d'apprendre en sanskrit : *spanda*. « C'est l'inspiration et l'expiration du monde, son expansion et sa contraction. Si vous y prêtez attention, vous constatez que ce rythme est à l'œuvre partout. Cela passe complètement inaperçu, et puis tout à coup, pouf, vous prenez conscience que votre respiration est calquée dessus : inspiration, expiration, inspiration, expiration. »

Toby se pencha vers Nahid. « En fait, l'Univers n'est qu'en expansion. C'est de la physique, point barre. »

Nahid surprit deux femmes en train de la regarder et, d'un air sévère, elle posa un index sur sa propre bouche pour lui intimer le silence.

Toby sentit alors un soupçon de l'odeur de Nahid, du shampooing à la fleur de frangipanier, et était-ce un déodorant au concombre ? Comme mû par un réflexe pavlovien, il éprouva un manque, non seulement de ces effluves, mais également de ceux qui se cachaient en dessous, et il dut se passer un diaporama mental de plaies chirurgicales infectées pour empêcher l'érection qu'il sentait monter en lui comme la lave d'un volcan à une seconde de l'éruption.

La Méthode YogaD s'avéra être une suite d'exercices intenses effectués posément et en conscience, les yeux fermés, avec des éléments chorégraphiques qui par bonheur n'incluaient ni roulement des hanches, ni roulement du buste, ni pivotement sur les pieds. Ça ressemblait plutôt à de la gymnastique suédoise avec une longue séance d'étirements à la fin. Du coin de l'œil, Toby devina le corps sublime de Nahid, tout en courbes félines, adopter la posture du chien tête en bas, son adorable cul tendu vers le ciel.

Il avait quatorze ans lorsqu'il dit à sa mère qu'il avait honte d'être petit et gros, et elle l'emmena à une séance Weight Watchers, où il put entendre une pièce pleine de femmes tristes parler de leur hideur profonde et de leur corps qui échappait totalement à leur contrôle.

« Votre vie, c'est ici et maintenant », disait Sandy, la leader. Elle portait des jupes en jean, des chemisiers aux couleurs vives, des collants assortis et de grosses boucles d'oreilles peu discrètes. « Vous devez vivre votre vie comme si elle était déjà en cours. »

Le jeune Toby ne comprenait pas à quoi tout cela rimait. Bien sûr que la vie c'était ici et maintenant – en tout cas pour les adultes. Il ne comprenait pas leurs barrières émotionnelles, à l'exception de la plus évidente et de la plus importante, en l'espèce, le fait que la nourriture était réconfortante et délicieuse et bonne. Et puis soudain, tout lui parut limpide : la nourriture était réconfortante et délicieuse, mais elle était mauvaise pour la santé, et personne ne devait se laisser convaincre du contraire.

Il suivit le programme, et perdit deux kilos deux la première semaine. Puis davantage, et encore davantage. Sa perte de poids faisait râler les autres participantes. C'était un garçon et un adolescent : il avait le métabolisme idéal. En le raccompagnant chez eux en voiture, sa mère lui disait : « Tu as vu ? Elles sont jalouses parce que tu réussis là où elles échouent ». Elle adorait ça. Elle l'adorait, lui, comme jamais elle ne l'avait adoré. Il suivit scrupuleusement le programme jusqu'à ses vingt-quatre ans, âge auquel il cessa de manger toute forme de glucides. Jamais il ne ressemblerait à ces femmes.

Il dit à sa mère qu'il voulait faire du sport, et cela la ravit tout autant. Elle se renseigna, et l'emmena à un cours de step dans une vaste salle de danse, dans le quartier de West Hollywood. Là encore, il était le seul garçon, mais il était tellement ébloui par les jeunes blondes aux longues jambes qui l'entouraient – des filles conçues pour être supérieures au reste de l'humanité, aux jambes droites et fines et à la beauté blasée – qu'il se rendait à peine compte de ses efforts physiques. Leur compagnie était bien plus agréable que celle des vieilles peaux tristes de Weight Watchers. Ces filles-là ne se plaignaient jamais. Ces filles-là savaient que leur seule présence rendait ce monde meilleur. Il les regardait dans la glace durant les cours et s'imaginait qu'il n'était pas avec elles, mais qu'il les regardait à la télévision. Oui, si elles avaient fait de la figuration dans une vidéo d'aérobic qu'il aurait regardée, il aurait pu ignorer qu'à côté d'elles, il paraissait terriblement gros, juif, maladroit, et petit, si petit, mais quand viendrait-elle, cette foutue dernière poussée de croissance, on lui avait promis qu'il y aurait une dernière poussée de croissance !

À la fin du cours, la prof tamisait la lumière et tout le monde s'allongeait, le ventre sur son step, et s'étirait avec un morceau lent en fond musical, alors que le soleil s'approchait des collines d'Hollywood, projetant sa douce lumière à travers les hautes fenêtres du studio. Étendu ainsi, Toby faisait ce qui lui était demandé : il tendait un bras, puis l'autre. Si sa voisine, elle-même allongée sur son step, avait la tête de son côté, et non les pieds, on aurait dit que Toby et elle étaient sur des radeaux de fortune, et tendaient la main l'un vers l'autre en un véritable ballet pour leur survie. Du lecteur CD s'échappait la douce mélodie : *Sometimes the snow comes down in June, sometimes the sun goes 'round the moon*[1]. « Et on s'étire à gauche », disait la prof. *Just when I thought our chance passed, you go and save the best for last*[2]. « Et maintenant à droite. »

Et curieusement, il éprouvait la même chose, là, à côté de Nahid, cette femme qu'il ne connaissait pas et dont le corps recouvert de Lycra était aussi aguichant que sans. Ils se trouvaient à présent sur des tapis de sol apparus comme par magie, et il s'étirait dans sa direction à elle, et elle s'étirait dans sa direction à lui, et l'iPod diffusait une version plus lente d'une chanson qu'Hannah aimait bien écouter à la radio – *I'm in the corner watching you kiss her, oh oh*[3] –, il aimait tellement ça, les chansons pop revisitées en ballades.

Rachel ne faisait plus partie de sa vie. Depuis le début, il considérait cela comme une mauvaise chose. Et ça l'était :

---

1. « Parfois il neige en juin, parfois le soleil fait le tour de la lune. »
2. « Alors que je croyais que nous avions laissé passer notre chance, tu gardais le meilleur pour la fin. »
3. « Je suis dans un coin de la pièce, je te regarde l'embrasser. »

cela démolirait ses enfants quand ils l'apprendraient. Cependant, hormis le fait qu'il n'était en rien responsable de la présente situation, il était également vrai qu'il était encore jeune et pouvait commencer une nouvelle vie. Là-dessus, Rachel avait vu juste.

Le studio de yoga se trouvait au dix-septième et dernier étage d'un immeuble de luxe, avantage gratuit pour tous les résidents, et proposé *à la carte* à toute personne extérieure. Les fenêtres étaient assez grandes et hautes pour qu'il soit possible de voir Central Park quand le ciel était dégagé. Le soleil se couchait à présent. Toby adorait le crépuscule – le bleu de la pénombre qui tombe, surtout en été, quand les rues se remplissaient de personnes qui savaient pertinemment ce que signifiait l'hiver, qui avaient traversé des jours sans fin où les rues étaient inhospitalières. Le ciel luisait d'un bleu violacé. Avait-il jamais vraiment pris le temps d'admirer ce spectacle ? Il adorait le crépuscule. À cet instant précis, il adorait tout. Il contemplait le monde, et le nombre de crépuscules qui l'attendaient allumait en lui un enthousiasme sans borne. Il voulait profiter au maximum de chacun de ces crépuscules. Il voulait ne les passer qu'en compagnie des personnes qu'il aimait. Il voulait filer à la colonie de vacances, à cet instant précis, cueillir ses enfants dans leurs lits et leur demander pardon pour tous ces crépuscules gâchés. Il voulait se saisir de l'un et de l'autre et les faire tourner dans ses bras. Il voulait leur dire que s'ils rataient un crépuscule, il ne fallait pas s'inquiéter, il en viendrait toujours un autre. Il voulait leur montrer que c'était ainsi qu'il était en réalité, qu'il n'était pas le sale con cafardeux auquel ils avaient eu droit dernièrement, qu'il n'était pas cet individu qui avait cessé de croire aux mille possibilités de la vie, à l'enthousiasme et aux surprises. Il se rappellerait ce moment et il redeviendrait lui-même. Pauvre Toby de tous les autres univers-blocs. Pauvre Toby qui cherchait encore à comprendre. Le Toby de cet univers-ci, lui, savait. Le Toby de cet univers-ci n'en revenait pas de sa chance, la chance incroyable d'avoir tous ces crépuscules devant lui, et tous les mauvais crépuscules derrière.

* * *

Le lendemain matin, il se réveilla la panique au ventre. C'était en partie dû à l'étrangeté de se réveiller dans le lit de Nahid, où il n'avait jamais dormi avant cette nuit : leurs parties de jambes en l'air s'étaient jusqu'à présent cantonnées au plancher et à un coin de la table basse du salon. C'était aussi en partie dû au fait que c'était sa première nuit complète chez une femme. Mais sa terreur était également d'ordre parental, c'était la conscience profonde et récurrente d'être à présent le seul et unique responsable de ses enfants, et d'être si loin d'eux. Il sentit une odeur de café.

La nuit passée lui revint soudain en mémoire.

« J'ai une surprise pour toi », avait-elle dit.

Elle s'était assise à califourchon sur lui et s'était mise à verser toutes sortes d'huiles parfumées sur son dos, le massant dans des mouvements circulaires qui parfois le chatouillaient, lui faisant répéter des mots en français, se penchant pour embrasser son cou quand il y parvenait, et pour lui mordre l'oreille quand il échouait. Cela dura une heure, et quand ce fut fini, il se rendit compte qu'à aucun moment il ne s'était réellement détendu. Il n'avait cessé de se demander ce qu'elle tirait de tout cela. Il avait la sensation que jamais personne n'avait fait quoi que ce soit pour son seul plaisir à lui, et à présent que ça arrivait, il avait presque du mal à comprendre que cela puisse arriver.

Toby quitta le lit de Nahid et la trouva à sa table, lisant le *Daily News* en buvant son café dans une petite tasse de porcelaine. Il vit alors le visage de Nahid pour la première fois, à la lumière du soleil matinal, sans maquillage.

« Quel âge as-tu ? lui demanda-t-il.

— On ne demande pas ça à une dame.

— Désolé, fit-il. Et tu pèses combien ? »

Elle éclata de rire.

« Allons prendre le petit déjeuner dehors, proposa-t-il.

— Je peux te le préparer ici.

— J'ai envie de sortir avec toi. »

Elle tourna la tête, haussa son sourcil gauche et le regarda du coin de l'œil, comme si elle hésitait à prendre une décision. « Je ne peux pas sortir dans la rue avec toi, dit-elle. Je vais t'expliquer ».

Son mari ne voulait pas qu'ils divorcent. Il l'aimait : ils avaient traversé tant d'épreuves ensemble. Il disait ne rien vouloir changer à leur arrangement. Elle lui dit qu'elle ignorait que leur mariage était un « arrangement ». Il était si beau et si aimable et d'un caractère si doux qu'elle ne ressentait aucune haine envers lui. Elle ne souffrait que du rejet. Peu importait qu'elle sache à présent pourquoi il la rejetait : le fait que quelque chose en elle le rebutait n'en finissait pas de la miner.

Mais ce n'était pas parce qu'une partie de lui l'aimait toujours qu'il la voulait à ses côtés. Non, c'était parce qu'il était avocat d'une chaîne d'info conservatrice, que le renouvellement de son contrat était à l'étude, et que son patron avait envoyé un mémo sur la nécessité pour chaque employé d'observer « les valeurs pieuses et positives » de la compagnie. Son divorce serait problématique. Il lui demanda si elle voulait bien rester mariée jusqu'au terme de la négociation de son contrat : si elle acceptait, il s'engageait à ce qu'elle n'ait plus à se soucier de ses finances jusqu'à la fin de ses jours. Après quoi il dirait à sa direction qu'il se convertissait au judaïsme, et qu'à ce titre il devait divorcer d'avec sa femme chrétienne. Elle ne comprenait pas qu'il puisse ainsi effacer leur vie commune, mais il se fichait qu'elle le comprenne ou pas. Il avait toujours été autoritaire et persuasif. Il l'avait bien persuadée de se faire injecter des hormones afin qu'il puisse avoir un bébé, sans jamais lui avoir demandé si elle aussi en voulait.

Elle s'était mise en colère. Elle avait refusé. Elle avait dit qu'ils n'avaient qu'à partir chacun de son côté. Il lui dit qu'il ne lui verserait de pension alimentaire qu'à condition qu'elle obéisse. Elle lui dit que son avocat arriverait à lui en arracher une, mais c'était faux. Son avocat lui avait précisé qu'elle avait une profession, un diplôme de comptabilité, et que le fait de n'avoir jamais travaillé ne supposait pas qu'elle en était incapable. Elle n'avait pas d'enfant à charge. Il lui faudrait passer à autre chose. Il lui faudrait refaire sa vie dans une ville moins onéreuse. À quarante-cinq ans, il lui faudrait vivre une vie de jeune diplômée, et espérer trouver sa place dans une économie fondée sur les emplois précaires et les petits boulots.

Il la tenait à sa merci. Il acceptait de payer le loyer si elle restait dans l'appartement, si elle ne disait à personne qu'ils s'étaient séparés, si elle acceptait de remettre le divorce à janvier, si elle promettait de ne jamais paraître en public avec un homme et de ne jamais faire quoi que ce soit que la hiérarchie de la chaîne aurait pu considérer comme non chrétien. Il fallait se méfier des « médias gauchistes » qui faisaient leurs délices de ce genre de choses. Pire que tout – oui, pire que tout –, elle devait l'accompagner à des événements et des dîners, comme avant. Elle devait lui tenir la main. Elle devait recevoir ses instructions de l'assistant même qu'elle avait surpris ce jour fatal se faire fellationner par son mari.

Toby l'écoutait. Il aimait la façon qu'elle avait de regarder ses mains tandis qu'elle parlait. Il aimait la façon dont elle entrouvrait la bouche et la façon dont ses sourcils se rejoignaient quand elle écoutait. D'autres auraient trouvé ça idéal, une femme magnifique qu'on pouvait venir baiser et qui ne demandait même pas à partager un petit déjeuner. Mais lui, lui aspirait à être avec une personne. Il ne voulait pas juste faire un saut, et repartir après. Il n'était pas Seth.

« Je ne sais pas, dit Toby. C'est super sympa, tout ça, mais je t'aime vraiment bien. J'aimerais mieux te connaître.

— Moi aussi je t'aime vraiment bien. Mais si quelqu'un me voyait dans la rue… » Elle se leva et alla poser sa tasse dans la cuisine. Elle portait un peignoir en soie. « Très franchement, c'est déjà assez humiliant de te raconter tout ça. Je ne l'ai jamais dit à personne. »

Elle avait couché avec quelques hommes depuis leur séparation, expliqua-t-elle. Avant tout cela, elle n'avait jamais connu d'autre homme que son mari. Ses parents ne lui avaient jamais parlé de sexe. Et à présent, ils ne lui parlaient plus du tout. Sa sœur la considérait comme une païenne depuis sa conversion. Elle aurait été trop gênée de parler de sexe avec ses amies, et en outre, il lui était interdit de révéler à qui que ce soit ce qui lui arrivait. Résultat : ses amies se faisaient de plus en plus rares. Alors elle se rendait chez des hommes et couchait avec eux, rien qu'une fois, puis les bloquait sur son appli et sur son téléphone. Elle ne supportait pas le contact de leur peau sur la sienne. C'était trop intime ; c'était trop tendre. Les hommes qui désirent vraiment une femme caressent la totalité de son corps, pas uniquement les zones érogènes, méthodiquement, l'une après l'autre, dans le seul but de passer pour quelqu'un qui la désirerait vraiment. Ils lui caressaient les hanches et le visage. Ils lui caressaient les genoux et la plante des pieds. Ils caressaient le duvet du creux de ses reins. Leurs caresses s'attardaient. Lui coupaient le souffle. Sa douceur et sa vulnérabilité n'étaient plus un obstacle. C'était le cœur même de la relation sexuelle. Et toute cette intimité était de trop pour elle.

Mais à présent, avec Toby, elle commençait à s'y faire. Ils étaient dans son espace à elle, et son corps n'était plus parcouru de spasmes lorsqu'il le touchait. À son rythme, elle apprenait à être bien dans son corps en présence d'un homme qui la désirait. Et elle rattrapait son retard.

« La vie a fait que je me retrouve coincée, dit-elle. Je l'accepte. Je n'essaye plus de changer le cours des choses. Je fais du yoga. Je rentre chez moi, et je couche avec toi. Je ne peux rien demander de plus. C'est dur à comprendre, pour un homme. »

Au bout d'un moment, Toby rentra prendre une douche chez lui. Il devait faire mille degrés, et la puissance de sa climatisation n'excédait pas celle d'un bâillement de chat. Il écouta un podcast sur les neurosciences en se rendant à l'hôpital, mais il n'arrivait pas à se concentrer. Quand il entra dans son bureau, deux e-mails qu'on avait fait écrire à ses enfants apparurent simultanément dans sa boîte de réception. Celui de Solly était relativement conséquent. Il y racontait qu'il aimait bien le moniteur responsable de sa chambrée, qu'il n'avait pas perdu LF (abréviation de Lapin Furtif, au cas où quelqu'un aurait lu par-dessus son épaule), que Max s'était trouvé d'autres amis mais qu'il comprenait, qu'il y avait un garçon qui s'appelait Akiva qu'il aimait bien, et qu'Hannah faisait semblant de ne pas le voir quand ils se croisaient. L'e-mail d'Hannah se résumait à ces seuls mots, « on se voit à la journée visite ». Il fixa cet e-mail comme si son regard avait la faculté de le faire grossir, jusqu'à ce que l'écran se verrouille sur l'affichage de la date et de l'heure.

Soudain il se rappela que c'était aujourd'hui que la participation de Rachel aux frais des enfants devait être directement versée sur son compte en banque. Toby avait été tellement occupé à gérer les gamins, puis à se demander où Rachel avait bien pu passer, qu'il n'avait pas encore affronté la grosse question sous-jacente à tout cela. L'argent avait-il disparu, lui aussi ? Putain, et si l'argent avait disparu lui aussi ?

Il s'assit à son bureau. Il tenait à être bien assis, le dos bien droit, pour découvrir ce qu'il en était. Il voulait affronter cela comme un homme. Il dut s'y prendre à deux fois pour se connecter à son compte en banque. Il finit par taper correctement son code, observa la roue tourner sans fin tandis que les informations relatives à son compte étaient collectées, merci de patienter. Tu vas t'en sortir, lui disait son cerveau. Tu vas t'en sortir quoi qu'il arrive. Mais son cerveau lui avait dit beaucoup de choses au fil des années. Son cerveau n'était pas très digne de confiance. Toby avait besoin de cet argent. Il savait que son mépris de l'argent n'était que de façade. En réalité, il avait besoin de cet argent, et il voulait l'avoir.

Oh, et puis merde, à quoi bon dans le fond. Autant tout laisser tomber et aller de l'avant. Partir sans laisser d'adresse. Acheter une maison dans un coin comme, je ne sais pas, l'Illinois, le Kentucky, la Caroline du Sud, ou peut-être un coin plus hospitalier pour les juifs, comme Philadelphie. Il avait entendu dire que Nashville avait besoin de spécialistes, mais il n'avait pas envie de vivre dans le Sud. Peut-être s'installerait-il dans le New Jersey. Non, c'était trop proche. Si elle décidait de faire son retour dans la vie des enfants, elle n'aurait aucun mal à décrocher un droit de visite régulier. Tu peux toujours courir, espèce de salope. Tu as fait ton choix. Et si un jour tu te décides à te repentir pour de vrai, il faudra que tu quittes cette ville que tu adores pour prouver que tu adores encore plus tes enfants. L'exil sera ta pénitence, jusqu'à la fin de tes jours.

Une petite fenêtre apparut sur l'écran : *Le délai de votre demande est dépassé. Merci de vous reconnecter ultérieurement.* « PUTAIN DE MERDE ! » hurla-t-il. Derrière les parois de verre de son bureau, une aide-soignante penchée sur son chariot leva la tête.

Toby recomposa son code. La roue tourna, encore, et encore, et encore. Il avait mal partout. Ses enfants lui manquaient tellement qu'il avait mal partout. C'était une vraie torture. C'était ça que tu voulais, Rachel ? Tu voulais te réveiller sans personne à côté de toi ?

La roue se décida enfin à cesser de tourner, et la somme apparut : 7 500 dollars de plus que la veille. Il n'éprouva même pas une once de soulagement. Il se détestait tellement que c'en était presque insupportable. Il inspira profondément, fixa la somme, puis regarda par la fenêtre. La façon dont la lumière entrait dans son bureau le matin, le fait qu'il ne pouvait échapper à l'assaut aveuglant du soleil, le déprimait systématiquement. Il avait grandi à Los Angeles, où tout le monde se vantait de toutes ces heures d'ensoleillement, comme si le soleil était une invention californienne. Pour lui, la quasi-absence de gratte-ciel ne signifiait qu'une chose : avoir mal aux yeux à chaque aube et à chaque crépuscule. Et à présent, les rayons qui frappaient son bureau en Inox et les murs de verre le rendaient maussade.

Il fallait qu'il sorte d'ici. Il irait déjeuner. Il n'était que dix heures trente, mais qui décide de l'heure du déjeuner ? Il quitta l'hôpital et marcha pour se retrouver devant le muséum d'Histoire naturelle, comme si le manque de son fils l'avait guidé jusqu'ici. Il y avait une nouvelle exposition sur les couleurs, centrée sur un truc du nom de Vantablack, un matériau créé en labo, censé être du noir le plus parfait qui ait jamais existé. Il absorbait quatre-vingt-dix-neuf virgule six pour cent de la lumière. L'article qu'il avait lu à ce sujet dans le *Times* racontait que les personnes qui le contemplaient avaient l'impression de devenir cinglées. Grâce à son coupe-file d'abonné, il entra dans l'exposition sans faire la queue. L'échantillon de matériau noir était entouré de papier aluminium afin que le spectateur comprenne mieux ce qu'il avait sous les yeux. Toby se campa devant et contempla le noir jusqu'à ce qu'il ait l'impression de tomber. Il resta là une heure entière.

* * *

Le problème n'était pas qu'il n'avait pas totalement renoncé à penser à Rachel. C'était de ne plus savoir quelle place il occupait dans cette histoire qui le faisait paniquer. Avant, il comprenait les règles du jeu, il savait qu'il était l'objet de prédilection du mépris et du manque de considération de Rachel. Mais à présent, que représentait-il à ses yeux ? Que représentaient les enfants ? Elle n'était même plus dans une relation d'opposition. Elle était absente, purement et simplement. Comment s'y prend-on, avec l'absence ? Comment l'appréhende-t-on ?

La panique l'étreignait régulièrement. Il ne mangeait plus (mais mangeait-il vraiment avant ça ?). Il se demandait si les enfants finiraient par croiser leur mère dans la rue. Il se demandait si ses enfants deviendraient des parias quand les mères de leurs camarades de classe finiraient par comprendre que Rachel avait définitivement quitté son port d'attache pour se perdre au large, si loin que tout pardon était à présent impossible.

Le lendemain, mardi, Toby réalisa une échographie sur une jeune étudiante en droit. Son foie ne présentait aucune cicatrice : la prochaine visite de contrôle aurait lieu en octobre. Octobre lui parut alors si près. La *bat mitsvah* d'Hannah approchait à grands pas. Les invitations auraient dû partir la semaine passée, mais ce n'était pas à lui que cette tâche incombait, c'était à Rachel. Elle avait chargé Simone de tout gérer : le traiteur, le DJ, les animateurs, les petits cadeaux pour les invités, le lieu. La seule responsabilité de Toby consistait à s'assurer qu'Hannah connaissait son texte. Devait-il tout annuler ? Comment maintenir la *bat mitsvah* d'une gamine tout juste abandonnée par sa mère ? Et plus important encore : comment faisait-on pour annuler une *bat mitsvah* ?

Lorsqu'il sortit de l'hôpital après ses heures de service, le reste de la journée l'attendait, étendu mollement devant lui. Il ne voulait pas consulter Hr. Il aurait voulu recevoir un message de Nahid lui disant qu'elle passerait le voir pour dîner avec lui. Il ne supporterait pas une soirée de plus tout seul. Il ne pouvait pas l'expliquer et il ne pouvait pas en parler. Il essaya de voir sur son téléphone quels films étaient à l'affiche, mais la page refusait de se charger. Il décida malgré tout de prendre la direction de Greenwich. Il irait voir un film. Les gens normaux allaient au cinéma quand leurs enfants n'étaient pas là.

Il était encore à Lenox Hill lorsqu'il remarqua une grande animalerie qui organisait une journée spéciale adoption. Il entra, tâcha de s'adapter à l'odeur qui régnait, et son regard tomba aussitôt sur un teckel miniature et borgne, à poil ras.

« Je peux le caresser ? » demanda-t-il à l'un des vendeurs.

Celui-ci lui mit le chien dans les bras. L'animal tremblait. Il avait la taille d'un nourrisson. Toby le tint comme si c'en était un, et lui gratta le ventre. Toute la dureté et la colère qui s'étaient calcifiées en Toby durant cette semaine se mirent à fondre. Un chien ! Avoir un chien à la maison ! Cela faisait très longtemps que les enfants voulaient avoir un chien, mais c'était interdit au Golden. Toby avait oublié qu'il avait choisi son nouvel immeuble parce que les petits animaux de compagnie y étaient autorisés. Un chien, c'était tout ce qui manquait pour arranger les choses. Un animal fidèle, qui ressouderait les liens de la famille et remplacerait ce qu'Hannah et Solly avaient perdu. Toby releva la tête.

« Je peux l'adopter ? »

Quatre-vingt-dix trop longues minutes plus tard, il ressortit avec deux kilos de croquettes pour chien, deux laisses, une gamelle pour l'eau, une pour la nourriture, sept jouets à mâcher, et le teckel de trois kilos et demi, à qui il avait dû donner un nom en remplissant les formulaires d'adoption : Bubbles. Quand Hannah était en CP, elle avait voulu un chihuahua qu'elle aurait appelé Bubbles. Rachel s'y était opposée catégoriquement. Pas le temps pour le promener, avait-elle cinglé. Et puis qui nettoierait derrière le chien ? Qui remplacerait les meubles abîmés ?

Toby rentra chez lui avec Bubbles, se demandant si la toute petite taille du chien faisait paraître son maître plus grand ou plus petit. Il fit entrer l'animal dans le hall de son immeuble, où deux adolescentes glapirent d'un air attendri. Il se surprit à envisager d'appeler Joanie pour lui demander quelques conseils : il se rappelait qu'elle avait dit que sa sœur était vétérinaire. Il fallait vraiment qu'il arrête de chercher des raisons d'appeler Joanie.

En ouvrant la porte de son appartement, il déclara : « Et voilà, mon petit père. C'est chez toi, maintenant. » Il n'aurait su dire pourquoi, mais il passa les dix minutes qui suivirent à serrer le chien dans ses bras en pleurant dans ses poils.

* * *

Il rêvait qu'il nageait en Israël, quelque part au nord où il y avait des chutes d'eau. Il rêvait qu'il se tenait sous une cascade qui le frappait de plein fouet sans l'assommer ni le noyer. Puis il se réveilla et s'aperçut que son chien était en train de lui pisser sur la tête.

« Non, Bubbles, non ! » cria-t-il, avant de le prendre dans ses bras, d'emprunter l'ascenseur et de sortir de l'immeuble. Bubbles fit sa crotte mais Toby avait oublié d'emporter un sac plastique, et une trentenaire qui allait travailler cracha un « Sale porc ! » au visage de Toby, qui, recouvert d'urine, cherchait frénétiquement du regard quelque chose qui lui aurait permis de ramasser la merde. Ce n'était pas ce qu'il s'était imaginé. Il s'était imaginé en train de promener le chien dans les rues de l'Upper East Side, et ç'aurait été comme s'il émanait de lui une sorte de phéromone irrésistible, comme des chemtrails, qui forcerait les femmes à l'interrompre dans sa balade pour caresser le chien et lui faire les yeux doux.

Il eut juste le temps de rentrer chez lui et de faire couler un bain lorsque son téléphone sonna. Il consulta l'écran : un numéro du nord-ouest de l'État de New York. La colonie de vacances. Il eut aussitôt la gorge sèche.

« Allô oui ?

— Monsieur Fleishman, désolé de vous déranger si tôt dans la journée. »

Un frisson lui parcourut le dos. « Tout va bien ?

— Vos enfants sont en bonne santé. Mais il y a eu un incident. Je vais devoir vous demander de venir chercher Hannah.

— Pourquoi ? Qu'est-ce qui est arrivé ?

— Je préférerais en discuter avec vous de vive voix.

— Bordel de merde, dites-moi ce qui s'est passé. »

Le directeur observa une courte pause. « Un comportement déplacé. D'ordre sexuel. Je vous en dirai plus à votre arrivée. »

Un comportement sexuel déplacé. « Hannah va bien ? Il lui est arrivé quelque chose ?

— Elle va bien. Elle est ici, dans le bureau, avec moi. Elle n'est pas blessée. »

Il ferma le robinet de la baignoire et fixa Bubbles pendant une longue minute, comprenant enfin pourquoi tout le monde n'adoptait pas de chien. Il appela Seth.

« Salut mec, fit Seth. Pourquoi tu m'appelles à l'aube ?

— Il est huit heures. J'ai besoin d'un petit service. »

Il lui expliqua que quelque chose était arrivé à Hannah et qu'il avait besoin de faire garder le chien qu'il venait d'adopter. Il était désolé, mais il n'avait personne d'autre à qui demander cette faveur.

« Il se trouve justement que Vanessa et moi avons décidé de prendre notre journée.

— Je laisse la clef au concierge. C'est vraiment gentil, mon vieux. Je ne sais pas comment te remercier.

— T'inquiète pas. Les enfants sont super résilients.

— Pas autant qu'on le croie. Pourquoi tout le monde dit ça, maintenant ?

— Moi par exemple, mes parents ont divorcé et je vais bien. »

Pourquoi les avait-il envoyés en colonie ? Ses enfants avaient besoin de lui, et lui les envoyait dans la première colo qui acceptait de les prendre, juste pour pouvoir se taper tout Manhattan, ou du moins tout ce qui à Manhattan était à sa portée. Il avait l'impression d'être le dernier des minables. En s'engageant sur la Franklin D. Roosevelt Drive au volant de sa voiture de location (fini, les trucs de Rachel, ça suffit, plus jamais), il eut cette pensée : quiconque avait participé à ne serait-ce qu'une séance de thérapie de couple savait qu'au-delà de votre propre point de vue se trouvait un gouffre où bouillonnait un torrent de lave, et qu'au-delà de ce gouffre se trouvait le point de vue de votre époux ou de votre épouse. S'il trouvait le courage d'aborder la chose en véritable scientifique, se pourrait-il qu'il trouve des éléments concrets prouvant que Rachel avait des raisons valables de le rejeter ? Des éléments prouvant que Rachel avait raison de le détester à ce point ? Oui, à cet instant précis, pour la première fois, il s'en rendait compte. Il réussit enfin à traverser ce gouffre, et l'espace d'une minute à peine, il comprit qu'il était le même gros sale con, répugnant et égocentrique, qu'il n'avait jamais cessé d'être.

Mon Dieu, comme il se détestait. Il n'aurait pu se supporter une seconde de plus. Ne parvenant pas à activer le

Bluetooth de la voiture de location pour écouter son podcast sur les neurosciences, il se rabattit sur la bande FM, de la musique pop à fond, qui laissa place à de la country à mesure qu'il s'enfonçait dans l'État de New York, puis à du rock chrétien, tout lui allait, du moment qu'il n'entendait plus ses propres pensées.

Il se saisit de son portable et ordonna : « Appelle Rachel au travail. » Cinq sonneries. Il raccrocha. Quelle idée à la con lui était passée par la tête.

Deux heures plus tard, il passa le portail de la colonie de vacances et remonta la colline sablonneuse jusqu'au bâtiment administratif. Il n'était pas revenu depuis l'année dernière, lorsque Rachel et lui étaient allés voir Hannah, le jour des visites. Ils s'étaient engueulés tout du long, il ne se rappelait plus à quel sujet, et quand ils étaient enfin descendus de voiture, elle lui avait dit : « J'espère au moins que tu feras bonne figure. »

Le directeur, une poupée Ken vieillissante fournie avec son polo, sortit à la rencontre de Toby lorsqu'il le vit se garer. Il avait enfilé son masque « soucieux mais compatissant ».

« Que s'est-il passé ? »

Le directeur tira solennellement de sa poche un téléphone : celui d'Hannah. Puis il pinça les lèvres et plissa les yeux, essayant de trouver les mots. Enfin : « Il y a quelques heures, nous avons découvert qu'Hannah avait envoyé une photo intime à un garçon, à titre confidentiel, et que cette photo avait été largement diffusée au sein de la colonie.

— Montrez-la-moi.

— Je doute que vous vouliez vraiment la voir.

— Montrez-la-moi. »

Il tendit le téléphone à Toby. Celui-ci s'en saisit et vit ce qui semblait être une photo d'Hannah (mais c'était impossible), tout juste vêtue de son soutien-gorge, un de ses seins minuscules découvert au niveau du mamelon.

Elle avait un regard lascif, aguicheur, comme celui que sa mère lançait à Toby au tout début de leur mariage. Comme tous les regards qu'il voyait en photo depuis deux mois sur son appli de rencontres. C'était un selfie. Toby fut pris de nausée.

Quelques années auparavant, Rachel avait trouvé dans l'historique des recherches de son ordinateur le terme « sexe » (les enfants ne se communiquaient plus les informations essentielles, là était le véritable problème), et elle avait passé un violent savon à Hannah, en lui disant qu'elle allait devoir appeler la psychologue scolaire puisque apparemment, elle avait un très sérieux problème. Toby était rentré de l'hôpital à cet instant précis : Hannah avait les yeux ronds de terreur. Cette nuit-là, en la couchant, il l'avait réconfortée en lui promettant qu'il n'y avait aucun mal à être curieuse et qu'il n'appellerait jamais la psychologue scolaire. Plus tard, à la faveur de ce qui aurait dû être une conversation dépassionnée à huis clos et devint vite un concert de cris et de portes qui claquent, Toby lança à Rachel : « Mais qu'est-ce qui t'est passé par la tête ? Tu lui gueules dessus parce qu'elle s'intéresse au sexe ? Tu veux bousiller sa vie, ou quoi ? » Rachel ne s'abaissa même pas à répondre.

« Je sais que c'est dur, monsieur Fleishman », disait le directeur.

Toby releva la tête. « Elle a envoyé ça à quelqu'un ?

— À un jeune homme, qui l'a fait suivre à plusieurs de ses amis, qui l'ont fait suivre à d'autres. Conformément à notre règlement, l'envoi de contenus inappropriés est passible de sanctions immédiates. À ce titre, notre politique est celle de la tolérance zéro, et j'ai le regret de vous dire qu'Hannah doit rentrer chez elle. »

La propagation virtuellement infinie du mamelon de sa fille lui donnait le vertige. Il ne parvenait pas à se tirer de la tête cette expression, ce regard titillant, cette concupiscence amatrice. Savait-elle seulement ce que ça signifiait ? Singeait-elle quelqu'un qu'elle avait vu ? Qu'est-ce que Toby avait loupé ? N'était-elle plus son bébé ? Il avait consulté le téléphone d'Hannah avant son départ. Une semaine en colonie de vacances ne pouvait pas transformer quelqu'un aussi radicalement. (Pas vrai ?)

« Je veux la voir.

— Elle est à l'infirmerie. Par ici. »

Dans la salle d'attente garnie de quelques chaises, se trouvait un garçon de l'âge d'Hannah dont le visage lui était familier – peut-être un camarade d'école ? Non, non, autre chose. Tout à coup il se souvint : c'était le garçon qu'ils avaient croisé dans la rue, à New York, pour le plus grand embarras d'Hannah, et plus tard dans les Hamptons, quand Toby l'avait déposée devant ce café où des amies l'attendaient.

Toby s'immobilisa.

« C'est lui ?

— Monsieur Fleishman, nous ne pouvons vous dire de qui il s'agit. Nous avons appelé les parents du…

— Et lui aussi va devoir rentrer chez lui ? Lui aussi va se faire humilier devant tout le monde ?

— Nous avons appelé ses parents.

— Lui aussi va devoir rentrer chez lui ?

— Allons plutôt voir H…

— Je veux savoir si lui aussi devra rentrer chez lui. »

Le directeur afficha une expression défaite. « Non. Ses parents sont en Suisse et ce n'est pas lui qui a envoyé la photo.

— Mais il l'a distribuée, non ? » Toby se pencha et regarda le gamin droit dans les yeux. « Tu savais que la distribution de contenu pédopornographique est passible d'une très lourde peine de prison, quel que soit l'âge du coupable ? » Le garçon détourna le regard. Toby se pencha plus encore, pour se retrouver littéralement nez à nez avec lui. « Un jour, tu auras une profonde prise de conscience, et tu te rendras compte que tu n'es rien d'autre qu'une petite merde. Un jour, tu comprendras que tu es plus bas que tout. J'espère que tu souffriras. »

Le directeur lâcha un « Monsieur Fleishman… » et Toby recula, mais il savait que s'il soutenait plus intensément ce regard, oui, voilà, le petit rictus suffisant du gamin qui se croit tout permis. Quelle idée avait-il eue d'élever ses enfants parmi ces gens ? Il avait négligé quelque chose de crucial dans la vie, le fait de s'assurer que les enfants comprennent les valeurs qu'on leur inculquait. Vous pouviez les leur expliquer autant de fois que vous vouliez, cela ne pesait pas lourd à côté de la façon dont vous décidiez d'employer votre temps et vos ressources. Vous pouvez toujours détester l'Upper East Side. Vous pouvez toujours détester l'appartement à cinq millions de dollars. Vous pouvez toujours détester l'école privée, qui coûtait près de 40 000 dollars par an et par enfant en primaire, les enfants n'en sauraient jamais rien, parce que dans les faits, vous avez consenti à ce choix. Vous l'avez accepté. Vous ne leur avez jamais parlé de vos astérisques à vous, vous ne leur avez jamais expliqué que secrètement, en votre for intérieur, et en dépit des apparences, vous êtes bien meilleur que le monde auquel vous appartenez. Vous pensiez que vous pourriez en faire partie juste un petit peu. Vous pensiez pouvoir en tirer ce qu'il y avait de bon et laisser de côté le mauvais, mais cela aussi, ça nécessite un travail de chaque instant. Vous emmenez vos enfants à un concert en croyant qu'ils vont vous entendre murmurer du fond de la salle que tout cela, ce n'est pas pour eux. Vous ne pouvez rien exiger d'eux. Vous ne pouvez pas vous attendre qu'ils n'utilisent pas leur téléphone, offert seulement une semaine auparavant (*une semaine*), pour partager une photo de leur poitrine à peine naissante, sous ce soutien-gorge que leur mère n'a acheté que parce que ça devenait gênant d'être la seule fille de sa classe de sixième qui n'en portait pas.

Toby se ressaisit et entra dans le bureau de l'infirmière. Hannah était assise sur une chaise pliante, les bras en travers du ventre, le visage bouffi par les larmes.

« Vous pouvez nous accorder un instant, seul à seul ? demanda Toby. Et est-ce qu'il est vraiment nécessaire de le faire patienter juste devant ce bureau ? »

Le directeur sortit en fermant la porte. Toby s'accroupit face à sa fille. Hannah évitait son regard

« Hannah, Hannah. » Tout était sa faute à lui.

Rien.

« Je t'avais dit que ces téléphones pouvaient t'amener à prendre des décisions d'adulte. Je t'avais dit que rien ne t'obligeait à les prendre. »

Hannah tournait toujours la tête. « C'est lui qui m'a demandé de lui envoyer. C'est pas moi qui ai eu l'idée. »

Toby posa les mains sur les épaules d'Hannah. « Cela n'a plus d'importance, maintenant. »

Elle s'écarta. « Je veux voir maman. Où est maman ? »

Toby haussa les épaules. « Je suis ici, moi. Je suis désolé. »

Elle pleura un moment, et quand elle fut un peu calmée, Toby se leva en lui disant qu'il revenait tout de suite, qu'il allait chercher Solly.

Derrière la porte de l'infirmerie, le directeur faisait les cent pas. « Où est mon fils ? » demanda Toby.

Le directeur lui fit traverser la colonie, une enfilade de bâtiments récents imitant l'ancien. Les dortoirs ressemblaient à des cabanes en bois, mais c'était tout sauf des cabanes en bois. La génération qui envoyait ses enfants en colonie afin de développer leur instinct de survie dans des conditions à peine moins confortables que le reste de l'année, était morte et enterrée depuis longtemps.

Ils arrivèrent devant un dortoir dont la porte était estampillée CHIPMUNKS, et y pénétrèrent. Douze garçons de neuf ans lisaient et discutaient dans leur lit. L'odeur qui régnait était répugnante, un brouet de douze puanteurs différentes de chaussettes sales et des miasmes divers de douze préados.

« Papa ! » Solly vit son père avant que Toby aperçoive son fils. Il se jeta dans ses bras, manquant de le renverser.

Toby enfonça son nez dans les cheveux de Solly. Ça sentait fort le sébum et c'était tout poisseux, mais derrière tout cela, il subsistait une dominante que son odorat interprétait comme un prolongement biologique de lui-même.

« Qu'est-ce que tu fais ici ?

— Je ramène ta sœur à la maison. Tu viens avec nous ? »

Solly était perdu. « J'ai fait quelque chose de mal ?

— Non, non. Je me dis que le mieux serait qu'on se retrouve tous ensemble, en famille.

— Papa, je m'amuse tellement ici. C'est vraiment super. Tu avais raison. Maman avait raison.

— Tu reviendras l'année prochaine. Promis juré.

— Maman est à la maison ? »

Toby fouilla la pièce du regard, à la recherche de la valise de Solly. « On va faire ton sac. »

Le directeur regarda Toby traîner derrière lui les valises de ses deux enfants. « Solly passait vraiment un excellent moment, remarqua-t-il. Rien ne l'oblige à partir. En fait, monsieur Fleishman, je vous recommande vraiment de... »

Toby ouvrit le coffre pour charger les valises, et ce ne fut qu'après l'avoir refermé qu'il se retourna vers le directeur.

« Au fait, c'est *docteur* Fleishman. »

* * *

Hannah ne voulait pas s'asseoir devant. Elle voulait s'asseoir sur la banquette arrière, avec Solly, et finit par poser sa tête sur les cuisses de son frère, que Toby vit endosser cette responsabilité fraternelle comme un petit adulte, caressant les cheveux de sa sœur et fixant le paysage d'un air grave. Va te faire foutre, Rachel.

La chaleur était loin d'être aussi invivable qu'à New York. Les arbres étaient verts, les frondaisons denses. Il se dit que pour le week-end de *Labor Day*, il les emmènerait peut-être à Lake Placid ou à Saratoga. Au bout d'une heure de trajet, ils s'arrêtèrent à une aire de repos et passèrent tous aux toilettes, hébétés, abattus comme s'ils revenaient de la guerre.

« On va s'asseoir une minute avant de reprendre la route », déclara Toby. Ils prirent place à la table de pique-nique la plus proche. « Il faut que je vous parle de quelque chose. »

Hannah se figea. « De quoi ?

— C'est à propos de votre mère. »

Les traits de Solly se brouillèrent aussitôt et sa voix atteignit des aigus à peine tenables. « Elle est morte, c'est ça ? Je le savais. Je savais qu'elle était morte.

— La ferme, Solly ! hurla Hannah.

— Arrêtez, tous les deux, dit Toby. Elle n'est pas morte. Elle va bien. Mais je crois qu'elle a de gros problèmes avec ce qu'elle ressent. J'aurais dû vous le dire plus tôt. »

Hannah écarquilla les yeux. « Elle est dans un hôpital psychiatrique ?

— Non, répondit Toby. Mais je pense qu'elle n'en peut plus, et ça l'affecte énormément. Dans son travail, dans ses obligations. Elle… Je ne sais pas trop comment vous expliquer ça. Elle est en train de faire une pause. Elle veut prendre du recul, s'isoler un peu.

— Pourquoi elle s'isole de nous aussi ? » demanda Hannah.

La tension et l'angoisse faisaient vibrer la cervelle de Toby. Il aurait dû consulter une thérapeute. Il aurait dû appeler la psychologue scolaire. Il aurait dû appeler Carla, sa psy. Et le voilà qui improvisait comme il pouvait, aggravant encore les traumatismes que ses enfants garde-raient à vie.

« Il arrive parfois que les gens aient des problèmes si gros que même un divorce ne suffit pas à les résoudre, reprit-il. Votre mère vous aime plus que tout. » Il n'avait dit ces mots que pour les rassurer, mais en les prononçant, il eut la conviction que c'était vrai. C'était nécessairement vrai. Comment pouvait-il en être autrement ? Comment ne pas aimer ces deux gamins ? Comment ne pas se sentir bénie de les avoir pour enfants ? « Pour votre mère, ça n'a pas été facile de vous avoir. Les deux accouchements ont été compliqués. Ça l'a pas mal perturbée, et je ne sais même pas si elle s'en est complètement remise. Je ne sais même pas si elle a trouvé un moyen de concilier sa vie professionnelle et sa vie de famille. Elle ne m'a jamais rien expliqué de ce qui se passait en elle, ce qui signifie que tout ce que je pourrais vous dire ne représente que mon avis, mon point de vue. »

Solly fut le premier à retrouver la parole. « Est-ce qu'elle reviendra ? Elle est allée où ?

— Je vais être honnête avec vous. Je ne sais pas où elle se trouve. Tout ce que je sais, c'est qu'elle est en sécurité. Elle est en sécurité et en bonne santé. J'ignore ce qu'elle compte faire, mais je le lui ai demandé et elle ne m'a pas encore répondu. J'en ai assez de vous mentir. Je sais que ça fait mal, mais je devais vous dire tout ça. »

Il se souvint de ce jour de mai où Rachel et lui avaient informé les enfants qu'ils divorçaient. Cette discussion se déroulait quasiment de la même façon.

« On habitera où ? demanda Hannah, comme elle l'avait fait des mois auparavant.

— Chez moi, comme c'est déjà le cas. Seulement main-tenant, vous n'aurez qu'une maison.

— Tout ça c'est parce qu'elle te déteste, dit Hannah. Elle ne supporte pas d'être près de toi.

— Peut-être bien », fit Toby. Il préférait cela à l'autre possibilité. « Je suis désolé qu'on n'ait pas réussi à divorcer simplement, normalement, comme les autres gens. Mais nous sommes la famille Fleishman. Nous sommes différents des autres gens. »

Ils pleurèrent longtemps. À un moment, Solly s'assit sur les genoux de Toby et pleura dans son cou, tandis qu'Hannah errait autour de la table de pique-nique. Ils posèrent des questions d'ordre logistique, suivant la hiérarchie de leurs besoins. Qui viendrait aux réunions parents-profs, aux concerts et aux récitals ? Il leur rappela qu'il n'en avait jamais raté un seul. Que feraient-ils pour la fête des Mères ? On avait le temps de voir venir. Ils posèrent des questions auxquelles il était impossible de répondre. Il s'efforça de leur épargner un trop-plein d'informations, et d'éviter tout mensonge. Il avait l'impression de se faire écorcher vif. Il espérait que, où qu'elle se trouve, Rachel aussi souffrait. Il aurait voulu qu'elle ne connaisse plus jamais le moindre instant de paix.

« Je tiens à vous dire autre chose, c'est très important. Quoi qu'il arrive, je ne vous abandonnerai jamais. Pas un jour. Pas même une heure.

— Ça veut dire que tu n'iras plus jamais à un de tes *rendez-vous* ? demanda Hannah.

— Ça m'arrivera. Mais je rentrerai toujours à la maison. Vous irez à l'école et vous rentrerez à la maison, vous aussi. On dormira toujours sous le même toit. Ça vous va ? »

Au bout d'une heure, ils regagnèrent la voiture. À l'instant où, toutes les ceintures dûment bouclées, Toby redémarra, les deux enfants se remirent à pleurer, pour s'arrêter, puis recommencer, et Hannah demanda s'il leur avait menti à propos de Rachel et si en vérité elle était morte, et Solly n'en pleura que plus fort encore, jusqu'à ce qu'ils n'aient plus une larme à verser, et qu'il ne leur reste plus qu'à regarder le paysage.

Une autre heure s'écoula, et ils arrivèrent chez eux. Il était déjà dix-neuf heures, il s'agissait de dîner. Ils montèrent dans l'ascenseur, chacun d'eux s'appuyant avec lassitude à l'une des parois de la cabine.

Une pensée traversa l'esprit d'Hannah. « Je pourrais récupérer mes affaires qui sont restées dans l'autre appartement ?

— Oui. Tu me diras ce que tu veux, et j'irai le chercher.

— Parfait. Je ne veux pas y retourner. »

En sortant de l'ascenseur, ils entendirent un aboiement. Plus ils s'approchaient de la porte, plus l'aboiement gagnait en précision et en décibels. Solly et Hannah se regardèrent, et l'espace d'une minute, l'appréhension et la tristesse laissèrent place sur le visage d'Hannah à quelque chose qui ressemblait assez à de la lumière et à de la joie. Comment pouvait-elle être à la fois ces deux personnes ? se demanda Toby. La chose qui l'émerveillait le plus depuis qu'il était père, c'était la simplicité des enfants. Cette simplicité qui s'estompait à mesure qu'ils grandissaient. Il n'était pas facile de subir l'humiliation générale quelques heures auparavant, avant d'apprendre qu'on venait de se faire abandonner par sa mère, puis soudain, d'un instant à l'autre, se retrouver à genoux, désarmée et libérée par ce petit chiot qui était à présent le sien. Pendant quelques années encore, Hannah serait ballottée entre ces deux personnalités, et c'était là la pire épreuve qu'ils auraient à traverser. La pire épreuve pour elle, qui se verrait déchirer entre innocence et maturité, et la pire épreuve pour Toby, qui verrait son innocence disparaître à petit feu, jusqu'à ce qu'il n'en reste plus rien.

Seth et Vanessa étaient plantés au milieu du salon. Toby leur fit signe d'approcher.

« Les enfants, je vous présente mon vieil ami Seth et ma nouvelle amie Vanessa », déclara-t-il. Vanessa s'agenouilla pour caresser le chien avec eux.

« Ton papa n'avait pas exagéré, tu es vraiment très mignon, dit-elle à Solly. Et toi… » Elle dévisagea Hannah. « Tu es aussi jolie que sur tes photos. J'ai toujours rêvé d'avoir les cheveux lisses. »

Hannah fut d'emblée conquise. « Mais vous *avez* les cheveux lisses.

— Oh non, rétorqua Vanessa. Je dois les travailler tous les matins au sèche-cheveux pendant une heure.

— C'est vrai, confirma Seth. Quand elle se réveille, elle ressemble à Méduse. » Vanessa lui donna une tape pour rire.

Hannah se mit à gratter le chien derrière les oreilles. « Tu l'as appelé Bubbles, pas vrai ? demanda-t-elle à Toby.

— Tu me connais trop bien.

— Je trouvais que c'était une chouette idée quand j'étais genre en CP.

— Et comme je n'en ai pas entendu de meilleure depuis… »

Bubbles lécha la joue empourprée d'Hannah.

« Il a perdu un œil ? demanda Solly.

— Beurk », fit Hannah.

Solly fondit en larmes. « Je l'aime encore plus fort que s'il en avait deux.

— Allez, une malédiction pour la colonie, dit Seth. Qu'une épidémie pustuleuse s'abatte sur la colo, très vite éclipsée par une invasion de termites, de sorte que lorsque les bâtiments s'écrouleront, les victimes seront les seules à connaître leur chance, et emporteront leur secret dans leur tombe. »

Toby n'arriva pas à sourire.

Seth poursuivit : « Que les enfants du directeur meurent de salmonellose, transmise par les œufs destinés à leur gâteau d'anniversaire, restés trop longtemps au soleil. »

La mère de Toby lui avait dit des années auparavant que dans la vie, tout le mal qui nous arrivait s'avérait toujours être une bénédiction. Les voies de Dieu demeuraient impénétrables au commun des mortels. Toby s'était alors morfondu à propos de sa taille ou de son poids – non, c'était à cause de sa taille. Il était en CM2, et il avait découvert que les trois filles les plus méchantes de sa classe l'avaient élu garçon ayant le moins de chance d'avoir un jour une amoureuse. C'était tout à fait idiot, il le savait. Mais il n'en souffrait pas moins. Sa mère lui avait dit qu'un jour elles ravaleraient leurs paroles, quand il serait devenu un riche et brillant docteur, et que Dieu ne nous imposait que ce qu'on était en mesure de supporter. Cela n'avait pas réconforté Toby. Jamais l'adage « Dieu ne nous impose que ce que nous sommes en mesure de supporter » ne le rassura par la suite. Qu'est-ce que ça voulait dire au juste, « supporter » ? Ne pas se suicider ? Toby fut soudain pris du besoin impérieux de quitter l'appartement, s'engouffrer dans l'ascenseur, appuyer frénétiquement sur le bouton du rez-de-chaussée, sortir de cet immeuble, traverser le parc aussi vite qu'il le pouvait jusqu'à l'immeuble de Nahid et plonger son visage entre ses seins sublimes et sombrer dans l'océan de privation sensorielle qu'était son corps. Il considéra ses enfants. Il se passerait pas mal de temps avant qu'il ait de nouveau le loisir de faire tout cela.

Vanessa et Seth restèrent dîner, des spaghettis préparés par Vanessa elle-même tandis que Toby vidait les valises des enfants, lançait machine sur machine tout en essayant (en vain) de joindre la pédopsy qu'ils avaient consultée en mai afin de déterminer la meilleure façon d'annoncer leur divorce aux gamins. Il les coucha de bonne heure, puis sortit de sa poche le téléphone d'Hannah. Il parcourut son profil Facebook et son profil Instagram. Il effaça les selfies qu'elle avait faits. Il trouva une appli qui permettait à Hannah d'avoir deux comptes sur la même interface, autrement dit d'avoir une page Instagram de façade, très chaste, et une autre où elle postait des photos d'elle maquillée à outrance, se moquait d'une camarade de classe, demandait dans quelle tenue elle était la plus « sexy ».

Il effaça les messages de ce garçon (il s'appelait Zach), qui ressemblaient comme des petits cousins (et c'était dérangeant) à ceux que Toby lui-même échangeait avec toutes ces femmes sur Hr. Certains échanges lui coupèrent le souffle. Il ignorait où Hannah avait pu apprendre à s'exprimer de la sorte. Elle n'était même pas encore réglée.

Grandir, c'était vraiment dégueulasse, songea-t-il. Il y avait des prisonniers, des pertes humaines, des dommages collatéraux. Oui, grandir, c'était *répugnant*. Cela éveillait en lui un dégoût si profond qu'aucun chirurgien n'aurait pu l'en débarrasser.

* * *

« Je ne retournerai pas au 92nd Street Y », déclara Hannah le lendemain matin en sortant de sa chambre. Solly dormait encore. Elle avait les yeux gonflés au point d'être quasi clos, et Toby avait l'impression d'avoir couru un marathon. Il décida de prendre un jour d'arrêt en plus, ce dont il avertit Bartuck par e-mail, faute d'avoir le courage de le lui dire au téléphone. Il n'avait pas encore trouvé une place en centre de loisirs pour Solly, et il ne savait pas quoi faire d'Hannah.

« Je peux rester toute seule à la maison, dit-elle.

— Ah, fit Toby.

— Je peux aller chez papi et mamie à LA ?

— Je préfère que tu restes le plus près possible de la maison. Et puis Bubbles a besoin de toi.

— Et pourquoi pas à la colonie Braverman ? J'ai des copines qui y sont.

— Hors de question que tu repartes où que ce soit.

— Tu peux pas me renvoyer encore au 92nd Street Y !

— Je crois que c'est ce qu'il y a de mieux.

— C'est lui qui aurait dû être renvoyé, pas moi.

— Il faut que tu comprennes que les garçons font des choses stupides uniquement pour s'impressionner les uns les autres. Ils ne réfléchissent pas à ce qu'ils font. Mais plus important encore, il faut que tu fasses très attention à qui tu accordes ta confiance dans la vie. Tu ne peux pas donner ton cœur, ou ton amitié, ou ton corps à quelqu'un qui n'en prendra pas soin.

— Arrête.

— Hé, j'aurais adoré avoir cette conversation avec toi dans trois ans, mais que veux-tu. » Toby s'assit à table avec sa fille.

* * *

Il traîna ses enfants au 92nd Street Y, en les laissant tenir la laisse de Bubbles à tour de rôle.

« Je te déteste, dit Hannah quand ils n'étaient plus qu'à un pâté de maisons du centre.

— C'est toi que ça regarde. Tu peux toujours venir passer ta journée à l'hôpital, avec moi.

— Non merci. J'ai même plus de téléphone, maintenant.

— Tu pourrais, je ne sais pas, moi, lire un livre par exemple ? Tu te souviens de ce que c'est ? Tu te rappelles que tu dois encore réviser pour ta *bat mitsvah* ?

— Je ne fêterai pas ma *bat mitsvah* si maman n'est pas là.

— Bien sûr que si. »

Au 92nd Street Y, Toby discuta avec le directeur, bien plus sympathique que son homologue de la colonie, qui hocha la tête avec empathie tandis que Toby lui balançait toute l'histoire de l'abandon de ses enfants.

« Ça ne doit pas être facile pour vous. Quel cauchemar. »

Toby prit sur lui. Ça faisait un bien fou de révéler enfin aux gens avec quel monstre il avait été marié. Il n'avait plus à s'inquiéter de la réputation de cette conne, plus à se soucier de donner aussi sa version de l'histoire à elle, le plus fidèlement possible. Il n'avait plus à se poser de questions lourdes de sens quant à son rôle dans tout cela. Il n'avait plus qu'à exposer les faits. Ça fait près de trois semaines qu'elle n'a plus contacté ses enfants. C'est une putain de cinglée. Plus besoin d'embellir les choses.

Il s'assit sur les marches d'une maison de grès rouge sur la 91ᵉ Rue. Il ne faisait pas encore trop chaud, et il voulait que le chien reste dehors le plus longtemps possible. Il m'appela.

« Tu as l'air crevé, dit-il.

— Je suis juste allongée dans mon hamac. »

Il me raconta ce qui était arrivé aux gamins.

« Je n'ai jamais aimé Rachel, commentai-je. Je te l'avais déjà dit ?

— Tu l'as évoqué, oui. »

Il écrivit un autre e-mail à Bartuck pour lui expliquer qu'il était vraiment désolé, mais qu'il n'avait pas d'autre choix que de prendre sa journée. Et c'était vrai. Il ne s'était pas encore trouvé de garde-chien. Et il devait s'occuper de ses stores et de sa climatisation. Il appela ses parents. Il appela sa sœur. Il appela sa cousine Cherry, du Queens, qui pleura quand il lui raconta ce qui se passait, et qui lui dit qu'elle voulait prendre les enfants pour le week-end.

« Je ne pense pas qu'on en soit encore là. Je crois qu'il vaut mieux qu'ils restent avec moi.

— Alors on peut peut-être vous rendre visite ? Vous inviter à dîner au resto ?

— Ce serait génial. »

Il se délectait de leur compassion et de leur soutien à toutes et tous, qui validaient de fait la réponse à la question tacite inhérente à tout divorce, même ceux dont l'annonce

Facebook a été coécrite par les deux ex-époux, à savoir :
À qui la faute ? Eh bien maintenant vous savez, bande de
cons.

Son téléphone émit un sifflement de train. Ce n'était
pas l'hôpital. C'était un message de Nahid.

Est-ce qu'un dîner chez moi pourrait t'intéresser ?

Que répondre à ça ? Il était jusque-là déterminé à ne pas
aller plus loin avec elle. Il était résolu à affirmer sa dignité
et son amour-propre en répondant : « Non, désolé, j'ai
vraiment besoin d'être avec une femme qui accepte d'être
vue en public en ma compagnie. J'en ai beaucoup bavé,
tu sais, et ça m'a beaucoup fragilisé. »

Mais peut-être était-ce mieux ainsi ? Peut-être que c'était
l'idéal. Peut-être n'était-il capable que de vivre ce genre
de relations. Dans l'état actuel des choses, il ne pouvait
être un compagnon. Il avait sur les bras une ex-épouse
qui s'était volatilisée, deux enfants qu'il devait surveiller
de près, et une interne qui, il en était de plus en plus
convaincu, représentait une potentielle conquête. Il avait
besoin de quelqu'un, et il ne souhaitait plus retourner sur
Hr. L'appli lui évoquait à présent l'histoire de Sodome et
Gomorrhe. Avant que tout le monde se change en statue
de sel, avant que les deux villes soient détruites, ses habi-
tants ne se comportaient pas autrement que lui sur Hr. Ce
qui faisait que non, plus d'appli dans l'immédiat. Fini les
« ouvrons l'appli pour ce soir ». Une relation axée sur le
sexe et teintée de romantisme avec une femme prisonnière
de sa tour, ce n'était pas très conventionnel, mais qu'est-ce
que le respect des conventions lui avait amené, en fin de
compte ? Il était fragile, mais elle aussi. Elle aussi avait
besoin d'un confident. Et il pouvait encore sentir sur sa
peau de fugaces bouffées de son odeur à elle, malgré les
douches qu'il avait prises depuis leur dernier rendez-vous.

Il répondit :

OK pour le dîner.

Il faut que tu déjeunes avant

Je vais déjeuner avec un ami

Chez moi ce soir

* * *

Seth portait un costume. Il venait de passer un entretien d'embauche, mais c'était pour un poste dans une start-up créée par des femmes, et quand il rejoignit Toby pour le déjeuner, il était en boucle sur toutes ces conneries politiquement correctes qu'il ne supportait pas.

« Elles voulaient savoir dans quelle mesure je pensais pouvoir contribuer à l'intersectionnalité de l'entreprise, raconta-t-il alors que Toby s'asseyait. Et puis d'abord ça veut dire quoi ? Intersectionnalité entre quoi et quoi ? L'argent et l'argent ? Ça, je sais faire.

— Peut-être que ce n'est pas la boîte qu'il te faut. »

Seth fixa brièvement un point à moyenne distance, puis changea abruptement de sujet : « Je vais la demander en mariage. » Il prononça ces mots les yeux fermés, comme s'il répétait ses répliques pour une pièce. Il les rouvrit. « Je connais ce type qui a une mine en Iakoutie, une mine de diamants, ce n'est pas très propre mais ce sont les plus beaux diamants qui existent. On n'a même pas le droit de les vendre ici. » Il haussa les mains. « Quelle impression elle t'a faite ? »

Toby ne savait pas quoi répondre. « Elle est adorable. Elle est *jeune*. Comment tu arrives à supporter tout ça ?

352

— C'est bien le mot. Elle est *adorable*. » Seth avait posé ses mains sur la table. Ses ongles étaient rongés bien au-delà du bord du doigt. Cela avait-il toujours été le cas ? Toby ne parvenait pas à s'en souvenir.

« Tu veux vraiment te marier ? » Toby avait du mal à imaginer que quiconque puisse ne serait-ce qu'envisager le mariage comme une bonne idée après avoir assisté à son été, après tout ce que Rachel lui avait fait subir, après tout ce que Toby et moi avions raconté à Seth sur le mariage. En fait, Toby s'attendait plutôt à être à l'origine de la ruine de un ou deux mariages irréprochables jusque-là.

« Pas vraiment. Mais arrivé à un certain âge, quand on n'est toujours pas marié, on finit par avoir l'impression de ne pas avoir sa place dans ce monde. Le monde exige que tu fondes une famille, sans quoi tu deviens l'ami célibataire de service, toujours là pour faire la fête, mais qui n'a rien de vraiment important dans la vie. »

Sans doute injustement, Toby fut choqué par la pertinence de la perception que Seth avait de lui-même. « Quand mes parents mourront, où est-ce que j'irai pour Thanksgiving ?

— Je suis sûr que Libby t'invitera », répondit Toby. Il n'avait même pas réfléchi à ce qu'il ferait pendant ces vacances. « Et je peux toujours cuisiner.

— Non, j'ai plein d'invitations. Mais elles sont toutes motivées par le fait que je sois encore désirable et disponible, tu vois ? Ce n'est pas la même chose que de faire vraiment partie d'un tout. Je ne reçois jamais d'invitations inconditionnelles. »

Seth avait raison. Le monde savait quoi faire d'un divorcé. Son statut ne soulevait aucune question dérangeante. Mais on s'interrogeait à propos des hommes qui ne s'étaient jamais mariés, les soupçons abondaient, et on se demandait quel genre de monstre il fallait être pour gagner grassement sa vie dans la finance et ne jamais avoir épousé personne.

Toby s'efforça d'accueillir cette annonce avec enthousiasme. Quel soulagement cela avait été pour Toby de retourner dans l'orbite de Seth et de le retrouver tel qu'il l'avait laissé, ou quasi : un gros obsédé auquel il ne manquait presque pas un cheveu. Le célibat de Seth avait quelque chose de pur, d'éternel : il adorait faire la fête, il adorait les femmes, il adorait le sexe. Alors que Toby était en plein processus de séparation, cela avait représenté à ses yeux la chose la plus stable au monde, l'ancre la plus solide à laquelle il pouvait s'accrocher. Mais il comprenait à présent qu'il avait méprisé ce que ressentait Seth. Et pas que récemment. Peut-être depuis le tout début de leur amitié. Seth était une vraie personne. Il n'était pas qu'un personnage qui attendait, figé dans le passé, que Toby soit de nouveau prêt à traîner avec lui. Il avait eu plusieurs opportunités, bien évidemment. Mais la vérité était qu'il n'était toujours pas parvenu à se libérer de son éducation. Ses parents avaient longtemps redouté qu'il n'épouse pas une orthodoxe ; à présent, ils redoutaient qu'il n'épouse pas même une juive. Lui redoutait que ce soit le cas, et qu'une forme d'inertie familiale le fasse basculer d'une existence riche et indépendante à la vie misérable de ses parents, rongée par la crainte de Dieu. Ça le terrorisait.

Après la fac, le grand truc de Seth, c'était d'organiser des fêtes thématiques dans son loft de Williamsburg. Il y avait des fêtes Super Bowl (où il s'appliquait du *eye black*), des chasses aux œufs de Pâques (où il se déguisait en lapin), des fêtes costumées thème sitcom (Seth en Greg Brady, de *Brady Bunch*). Il organisa une fête *seventies* à l'occasion de laquelle il tâcha de convaincre ses convives de participer à une *key party*, se fit faire une coupe à la Jackson Five et porta une chemise pelle à tarte. Son charisme, son magnétisme et son énergie étaient tels qu'il faillit arriver à ses fins. Une bonne moitié des femmes présentes laissèrent leurs clefs dans le saladier, même si les regards noirs de l'autre moitié les poussèrent plus tard à les reprendre. Toby les vit récupérer leurs clefs, à moitié profondément déçu, à moitié profondément soulagé. Seth se réveilla le lendemain matin en compagnie de deux femmes qu'il n'avait jamais vues.

Par la suite, ses fêtes prirent une autre dimension. Il ne parla plus que de ses « clubs ». Il y avait un club Art et un club Ciné et un club Musique et aussi un club Scientifique ; il y eut même un Sex-Club, où il anticipa les problèmes rencontrés avec la *key party* en invitant un psychologue conjugal (« Ne dites pas que c'est moi qui vous l'ai dit, mais en gros, c'est lui qui a sauvé le couple Clinton ! ») à parler du retour souhaitable de l'amour libre, ce qui ne manqua pas d'émoustiller tout le monde. Pour le club Ciné, la prof « la plus décorée, la plus récompensée, la plus vénérée » de la New York University (« Dans cinq ans grand max, elle sera nommée doyenne de la fac ») vint discuter de l'influence de la politique économique de Reagan sur des films des années 1980 tels que *Robocop* ou *Vidéodrome*. Dans le cadre du club Musique, un critique classique de l'hebdomadaire *The Observer* (« Lauréat du Pulitzer ») intervint sur la question « Les juifs peuvent-ils écouter du Wagner ? ». Chaque club avait ses « membres attitrés », termes par lesquels Seth désignait ses listes d'invités. On pouvait être membre attitré de plusieurs clubs. Toby, par exemple, fut invité à tous les clubs. En gros, les amis de sexe masculin de Seth pouvaient participer à plusieurs clubs. En revanche, quand il dressait ses listes, il veillait scrupuleusement à compartimenter les différentes femmes avec qui il couchait simultanément, ainsi que leurs amies.

Le club préféré de Toby était le club Scientifique, et tout particulièrement l'un de ses avatars, le club de Physique. Seth faisait venir un chercheur lauréat du prestigieux prix Fulbright (« Il l'a remporté l'année où la compétition était la plus rude ») pour discuter de la théorie des cordes, ou de l'effet Doppler ou du théorème d'Ehrenfest. Tous les anciens des plus fameuses facs privées du Nord-Est lui posaient des questions, accueillaient ses réponses par des pincements de lèvres et des hochements pensifs, et lorsque le flot modéré mais constant d'alcool et d'herbe qui circulait durant ces conférences informelles atteignait un certain taux dans le système sanguin des participants, la soirée se transformait en carnaval de la drague discrète et brouillonne.

Toby se fiança alors à Rachel, et celle-ci trouva toujours quelque chose à faire à deux les soirs où se tenaient ces clubs. Toby se mit à décliner les invitations, mais Seth insistait sans cesse, il faut que tu viennes, il faut que tu viennes. Rachel réitérait ses excuses, ils avaient toujours un dîner avec ses collègues de bureau, ou avec des voisins (Toby avait-il donné son accord pour ces dîners, ou Rachel les inventait-elle ?). Il y eut finalement une soirée à laquelle ils ne purent échapper, un club prévu si longtemps à l'avance que Rachel, au pied du mur, ne put décemment pas invoquer un énième empêchement. Elle accepta donc d'accompagner Toby, mais traîna tellement chez eux qu'ils arrivèrent en retard, à une heure où les beaux discours avaient cédé la place aux lumières tamisées, à la danse et aux baisers lascifs qui, bien évidemment, ne suscitèrent pas l'approbation de Rachel. « Ouh là, dit-elle. C'est un vrai club échangiste, en fait.

— C'est un club de *physique*, répondit Toby. Du moins ça l'était avant qu'on arrive avec deux heures de retard. »

Les apercevant sur le pas de la porte, Seth se précipita à leur rencontre. « Vous voilà !

— Enfin. Quoi de neuf, mon pote ? Tu te souviens de Rachel ?

— Ça fait longtemps, dit Rachel.

— C'est sûr. » Il l'embrassa sur la joue. « Écoute, ça commence à se tasser un peu, ici. Il faut que je relance la machine. » Il s'éloigna pour enfiler un masque africain qui traînait sur une table, et s'adressa à tous ses convives : « Je suis le dieu de la copulation ! Vénérez-moi !

— Tu vois ? fit Toby. Toujours prêt à mettre de l'ambiance. »

Rachel observa Seth en train de parcourir la pièce à la queue leu leu avec plusieurs jeunes femmes. « Seth est dépressif chronique, ou c'est juste ce soir ? »

Toby avait pris cela pour une vacherie de plus, parce qu'elle détestait ses amis – « Je ne les déteste pas, c'est juste que je ne comprends pas pourquoi tu les aimes autant ! Explique-moi ! » –, mais à présent qu'il repensait à cette soirée, tout lui paraissait clair. Seth le cachait en étant toujours le type le plus saoul de la pièce, le plus porté sur le sexe. Il faisait semblant de s'éclater constamment, acceptait de devenir l'incarnation du Ça des autres, la personnification de leur amusement, le type vers qui ils se tournaient quand leur existence conventionnelle et parfaitement épanouissante connaissait un raté. Toby ne s'était jamais plaint du charisme de Seth, de sa stature, de son charme, mais à présent tout était clair : Seth n'avait rien d'autre dans la vie. Il n'avait pas d'amis. Il n'avait personne de véritablement proche. Toby l'avait laissé tomber, je l'avais laissé tomber, et personne ne nous avait remplacés. Il y avait même fort à parier qu'à l'époque où nous étions proches, Toby et moi n'avions pas été de très bons amis. Pourquoi Toby n'avait pas compris cela plus tôt ? Lui qui répétait qu'il fallait écouter son patient ?

« Tu en as parlé à Vanessa ? demanda Toby dans ce restaurant avec Seth.

— Je ne veux pas qu'elle s'inquiète. Je trouverai un nouveau boulot en un rien de temps. Mon ancien boss m'a appelé ce matin pour me dire qu'il avait une piste pour une boîte et qu'il nous replacerait tous.

— En tant qu'ex-époux, je trouve que c'est la pire façon de commencer un mariage, fit remarquer Toby. Si tu mens déjà alors que les enjeux sont nuls, je n'aime autant pas savoir comment tu réagiras dans cinq ans quand elle prendra du poids ou qu'elle fera une fausse couche.

— Mais je l'aime. Je l'aime vraiment. Elle est douce et gentille. Et puis c'est maintenant ou jamais. J'en sais rien. Je ne sais pas comment ça marche. On se marie parce qu'on a envie de se marier, ou on épouse la personne qu'on aime au moment où on se dit que c'est maintenant qu'on doit se marier ?

— Ce n'est pas à moi que tu dois poser la question. Je me suis planté. Tu es absolument sûr qu'elle dira oui ?

— Je *crois* qu'elle dira oui », fit Seth. Son ton paraissait de plus en plus agacé. « T'as encore d'autres questions du genre à me poser ? Enfin quoi, on est comme qui dirait amoureux, c'est quelqu'un de formidable, ce n'est pas une excellente raison de la demander en mariage ? Tu ne sembles pas être très heureux de ce qui m'arrive. Moi j'ai toujours été heureux pour toi. »

La serveuse vint enfin prendre leurs commandes. Toby demanda une soupe aux légumes mais sans riz, et quand elle l'informa que le riz était mélangé avant, il se rabattit sur une salade Cobb sans jaune d'œuf ni roquefort ni bacon. (« Vous auriez des glaçons light pour mon ami ? » plaisanta Seth. La serveuse en fut toute décontenancée, ce qui fit rire Seth, ce qui la décontenança encore plus. Elle décida de ne pas chercher plus loin, et s'éloigna.)

« Je suis super heureux pour toi, mon vieux, dit Toby. Je suis désolé, c'est juste que... je ne suis pas tout à fait à un moment de ma vie que la communauté psychiatrique qualifierait de stable et d'épanouissant. Allez, je vais te faire une bénédiction : Que l'utérus de Vanessa soit plus que fertile et qu'il accueille un nombre illimité de bébés de la finance, et que ceux-ci profitent pleinement d'un marché haussier. » Seth afficha un petit sourire. « Que la dot de ta promise inclue toutes sortes de variétés de cannabinoïdes vapotables, et une bonne mesure d'ecstasy, et qu'elle demeure à jamais trop décalquée pour remarquer avec quelle facilité ton regard s'égarera en direction de ses bien plus jeunes cousines.

— Faut qu'on fête ça, déclara Seth. Elle fait quoi, Libby ?

— Elle est à Disney World. Elle m'a envoyé une photo du *Vol de Peter Pan*.

— J'ai du mal à me l'imaginer là-dedans. Le bonheur général l'a toujours fait fuir.

— À mon avis, toutes les personnes qui se trouvent à Disney World en même temps qu'elle devraient avoir droit à un remboursement. »

Avant qu'ils se quittent, Seth dit à Toby : « J'ai du mal à imaginer que ça a été aussi terrible pour toi. Je l'ai toujours bien aimée, Rachel. Je la trouvais canon et sympa. Et vous aviez l'air heureux. Et puis comme ça, du jour au lendemain, vous l'êtes plus du tout ? » Même avec ses meilleurs amis, Toby ne se sentait jamais concerné par les questions sur son divorce.

« Naaan. » Mais il y répondait quand même. « C'est comme la chute de Rome : ça s'est fait lentement, jusqu'au moment où tout s'est écroulé d'un coup. »

Seth hocha la tête pour lui signifier sa compassion, et Toby n'avait qu'une question à l'esprit : Tu n'as donc rien entendu ?

* * *

Toby appela sa psy, Carla, qu'il avait cessé de consulter avec régularité quand les applis de rencontre avaient commencé à monopoliser son attention et son temps libre, mais on était en août, et elle était sur cette île où disparaissent chaque été l'ensemble des professionnels de la santé mentale. La psychologue scolaire, partie faire du camping en famille pendant deux semaines dans les monts Adirondacks, était encore plus inutile que d'habitude. Il appela le service de psychologie de l'hôpital, mais tous les psys de l'enfance et de l'adolescence étaient en congés jusqu'au mois de septembre. C'était ce qui arrivait quand un domaine entier de la médecine était aussi déconsidéré. Les psys imposaient leurs propres règles, l'une d'elles étant que personne n'avait le droit de faire une dépression en août, une autre que cette année c'était l'Europe, bordel, et qu'ils avaient le droit de prendre un mois entier de congés si ça leur chantait.

Peut-être que les thérapeutes spécialisés dans les couples, eux, ne partaient pas en vacances. Toby se demanda si le conseiller que Rachel et lui avaient failli empoisonner à mort avec leur vitriol était disponible. Il pouvait toujours l'appeler pour l'informer de l'état actuel de ses anciens patients. Comment s'appelait-il déjà ? Docteur Joe ? Oui, ça remontait à deux ans en arrière, Toby avait supplié Rachel d'aller voir quelqu'un ensemble, et tout naturellement, elle avait pris ça pour une attaque personnelle. Et puis, un beau jour, sans crier gare, elle avait dit oui. À l'époque, Toby était encore convaincu que si Rachel arrivait à voir sa colère et son fiel en face, par l'entremise d'une tierce personne neutre, elle pourrait se faire aider, ils pourraient dépasser cette épreuve. Mais il se disait aussi déjà que c'était peut-être leur dernière chance avant de constater que ce n'était pas quelque chose qu'on réparait.

C'était toujours le même tralala. Elle disait : « J'ai l'impression d'être châtiée parce que je gagne bien ma vie. » Puis : « J'ai l'impression de devoir toujours passer ma réussite sous silence, qu'il adore les avantages que nous vaut cet argent, mais m'en veut d'être celle qui le gagne. » Et aussi : « Je lui parle très gentiment. Lui crie et jette des trucs quand il est en colère, et moi je fais de mon mieux pour rester calme. Je le fais pour les enfants. J'aimerais bien que lui aussi fasse cet effort. » Les accusations et les mensonges de Rachel l'atteignaient physiquement. Mais était-ce véritablement des mensonges ? Ou était-elle vraiment convaincue de tout cela ? Malgré tous ses efforts, Toby ne tarda pas à comprendre que dans une thérapie de couple, l'avantage était toujours à la personne la plus capable de garder son sang-froid. Il aurait voulu pleurer, crier, tendre le poing vers elle et la forcer à l'écouter. Dans leurs échanges, au cours desquels Toby s'acharnait à réfuter chacune de ses demi-phrases même s'il savait que c'était précisément ce qu'il ne fallait pas faire, il sentait la situation lui échapper inéluctablement. Docteur Joe déchaussait ses lunettes et de la base de la paume, se frottait un œil, sans parvenir à dissimuler son extrême fatigue.

« Regarde un peu, Rachel ! voulait lui dire Toby. On a réussi à briser un thérapeute spécialiste des couples ! Ça va mal à ce point entre nous ! Laisse-moi te quitter ! »

* * *

Toby avait épousé Rachel pour de nombreuses raisons, l'une des principales étant qu'elle n'était pas folle. Elle était jolie, elle était gentille (à l'époque), elle était intelligente (croyait-il), et elle aussi l'aimait. Mais plus important encore, elle n'était pas folle. Il jurait que dans sa bouche, « folle » n'était pas une insulte, et il insistait sur ce point parce qu'il m'avait traitée de folle à quelques reprises. Oui, il admirait mon excentricité et mon imprévisibilité toutes personnelles. Mais c'était là des traits avec lesquels il n'aurait pu cohabiter au quotidien. Il adorait participer à des dîners où étaient conviés une majorité de gens timbrés. Mais il ne voulait pas vivre avec quelqu'un de cinglé. Tout ça pour se retrouver dans cette situation.

Peut-être aurait-il dû revoir sa position sur la folie. Il s'imaginait alors que les femmes qui étaient folles exprimaient constamment leur manque de rationalité. Rachel était d'un caractère difficile, aux opinions bien trempées, mais son discours se tenait toujours, et il lui en était infiniment reconnaissant. Et à présent, il se demandait si elle ne s'était pas contenue ces années durant, de sorte que lorsque la digue avait fini par céder, sa folie avait tout emporté. La loi de l'attraction des contraires pouvait tout expliquer. Il était le si parfait contraire d'un fou, il était si mesuré et rationnel (selon lui-même), qu'il était logique qu'il finisse avec quelqu'un de fou à lier. Pour quelle autre raison aurait-elle pu disparaître de la sorte ?

Il y a longtemps (ça remonte à la première fois où je m'étais mis en tête d'écrire de la fiction), j'ai écrit une nouvelle qui a fini dans un recueil. Trois des auteurs, dont moi, avaient été conviés à lire leur texte à la librairie Barnes & Noble de l'Upper West Side. Toby était venu. Il me glissa qu'il craignait que personne d'autre ne vienne pour moi, et, en l'occurrence, effectivement, personne d'autre n'avait fait le déplacement.

À la fin de la lecture, Toby me proposa d'aller boire un verre. J'habitais Greenwich Village à l'époque, un studio de rêve sur Bleecker Street. Nous prîmes la direction de la bouche de métro, mais arrivés à sa hauteur, poursuivîmes notre chemin. Je nous guidai sur la 64e Rue et me réfugiai sous un porche pour allumer un joint. Je couchais alors avec un correcteur du magazine – et tentais d'être sa petite amie – qui laissait constamment de l'herbe chez moi, et pour la première fois de ma vie, je m'étais mise à fumer régulièrement.

« Mon Dieu, Elizabeth, fit Toby.

— C'est mon plaisir, Tobe. » Nous reprîmes notre chemin, sans rien dire durant une minute.

« Elle est bien, ton histoire, dit Toby. J'ai toujours pensé que tu étais mon amie la plus drôle et la plus intelligente. Et aussi que tu ne réaliserais jamais ton plein potentiel.

— Sympa, répliquai-je.

— Non, c'est juste pour te dire que je suis super fier de toi. Je suis sûr qu'un jour tu feras quelque chose d'énorme. »

Je sortis une cigarette de mon paquet. Il me fit signe de lui en passer une, et prit mon pull passé dans la sangle de mon sac à main pour se l'enrouler autour de la tête, tel un Bédouin.

« C'est pour qu'elle ne sente pas l'odeur du tabac sur toi ? demandai-je.

— Puisses-tu ne jamais trouver grâce aux yeux d'un homme », psalmodia-t-il en imitant la Mendiante de Jérusalem.

Nous nous arrêtâmes de marcher.

« Parce que je suis complètement cinglée ? demandai-je.

— Quoi ?

— Parce que je suis complètement cinglée, répétai-je.

— Wow, t'oublies jamais rien, toi, hein ? J'étais saoul. C'était il y a dix ans. Ce n'était pas ce que je voulais dire.

— Alors qu'est-ce que tu voulais dire ?

— Que je ne pouvais gérer tes hauts et tes bas. Que je ne pouvais pas les assumer.

— Tu n'as jamais eu à les assumer, ni à assumer quoi que ce soit venant de moi. On est juste des amis, et c'était déjà le cas à l'époque. »

Toby garda le silence.

« Je suis ravie que tu aies trouvé quelqu'un de si stable, Toby, repris-je. Je suis ravie que tu aies obtenu tout ce que tu désirais. Tu as une nana qui est au tout début d'une carrière prometteuse, tu as un super boulot et un grand appart. C'est vraiment génial. Je suis heureuse pour toi. Mais un jour tu te rendras compte que tu étais tellement obnubilé par ton allergie à la folie que sans t'en apercevoir, tu t'es enlisé dans quelque chose de chiant, de prévisible, de con et d'insidieux. »

Je hélai un taxi et lui dis au revoir de la main. Il redoutait tellement de finir avec une folle qu'il avait fini avec quelqu'un de cruel et incapable d'amour. De retour chez lui, malgré tous ses efforts, Rachel sentit l'odeur de tabac, mais seulement après s'être aperçue qu'il tenait un pull pour femmes qui ne lui appartenait pas. Elle ne lui demanda pas à qui était ce pull, ni avec qui il avait fumé cette cigarette.

Le lendemain, ils apprirent que Rachel était enceinte.

* * *

Toby s'avisa soudain qu'il était quatre heures et se précipita jusqu'au hall d'accueil du 92nd Street Y pour aller chercher ses gamins. Il était le seul homme parmi toutes ces mères aux lunettes de soleil surdimensionnées qui conversaient à bâtons rompus par groupes de trois ou quatre avec leurs débardeurs où l'on lisait COURS TOUJOURS et *NÉANMOINS, ELLE TRANSPIRA*. Leurs enfants ne tardèrent pas à dévaler les marches dans un concert de requêtes et d'exigences, et au milieu se trouvaient Hannah et Solly, qui semblaient sortir d'une cérémonie mortuaire. Ses pauvres enfants. Toby leur fit un petit coucou de la main. Solly, l'apercevant enfin, se précipita dans ses bras et le serra pendant vingt bonnes secondes. Hannah ne lui accorda même pas un regard.

Ils parcoururent deux blocs en silence, Solly serrant fermement la main de son père. Toby s'adressa alors à sa fille : « Je sais que tu n'as pas envie de passer tes journées au centre. Mais je ne vois pas ce que je pourrais faire d'autre.

— Tout le monde sait pourquoi je me suis fait virer de la colo », lâcha Hannah.

Bubbles avait fait deux crottes en leur absence : une sur le lit de Toby et une sur le carrelage de la salle de bains. « Au moins ça en fait une dans la salle de bains, papa, dit

Solly. On va pas devoir le rendre, hein ? » Bubbles avait quelque chose de profondément pathétique, de déchirant. Il tremblait constamment. Toby avait cherché à savoir s'il avait froid, mais il ressortait du forum vétérinaire qu'il avait trouvé en ligne que les teckels avaient une nette tendance à l'anxiété. Bienvenue dans notre famille, mon petit père, songea Toby.

Après dîner, Toby en était à sa quatrième victoire consécutive au Uno face à Solly lorsqu'il reçut un appel de l'hôpital. C'était Clay. Karen Cooper avait perdu connaissance alors qu'elle était en train de parler à ses enfants. Elle était au scan.

« AVC, pronostiqua Clay. Activité cérébrale minimale. »

Toby se frotta les yeux. « M. Cooper a été prévenu ?

— Le docteur Lintz s'en est chargé. »

Toby se tira les lobes d'oreille. Il n'aurait pas dû prendre une journée de plus. Il était à quelques jours d'une promotion et il ne voulait fournir aucun prétexte pour qu'on la lui refuse. En outre, il était le médecin de Karen Cooper, et c'était son devoir à lui d'informer la famille de son état. Il avait des ennuis, mais il devait se montrer responsable. Il leur avait redonné espoir. Et à présent, il allait devoir le leur reprendre.

Il demanda à Hannah et Solly si ça ne les gênait pas de rester seuls à la maison pendant une heure, tout au plus. « J'ai une patiente qui est en train de mourir. Je dois parler à sa famille.

— Pourquoi tu n'as pas réussi à la sauver ? demanda Solly.

— Ça ne dépend pas toujours que de moi. »

Toby se coiffa et quitta son appartement, mais alors qu'il attendait l'ascenseur (l'immeuble comptait cent cinquante logements et seulement deux ascenseurs), Solly sortit sur le palier en l'appelant.

« Qu'est-ce qu'il y a ? demanda Toby.

— On veut t'accompagner. »

Les portes de l'ascenseur s'ouvrirent. Il les laissa se refermer. « D'accord, mais dépêchez-vous. Et prenez des livres. »

Quand il arriva à l'hôpital, le lit de Karen était encore vide, mais David Cooper était dans sa chambre. « Qu'est-ce que ça signifie ? demanda-t-il, les mains sur la tête. Je croyais que l'opération s'était bien passée ? »

Toby demanda à Clay d'aller chercher un verre d'eau pour M. Cooper, mais celui-ci l'en dispensa d'un geste. « Comment ç'a pu arriver ? Je croyais qu'elle était guérie ? »

Toby lui reconfirma que l'opération avait été couronnée de succès. L'encéphalopathie avait cessé dès lors que le foie avait été extrait. La greffe avait bien pris. Mais ils pensaient que Karen avait fait un AVC hémorragique – très grave –, ce qui pouvait arriver après n'importe quelle intervention chirurgicale. C'était une hémorragie du cerveau. Le pur fruit du hasard. L'une des nombreuses choses que la médecine ne pouvait prévoir. Elle allait passer un scan pour confirmation. Mais ils n'avaient pas vraiment besoin de ça pour savoir à quoi s'en tenir. Elle n'avait répondu à aucun test que le médecin de garde lui avait fait passer.

« Je suis vraiment désolé, dit Toby. Nous n'en savons pas plus pour l'instant. Mais ça ne se présente pas bien.

— Quand est-ce qu'on en saura plus ?

— D'ici à quelques heures. Je vous recommande de rentrer chez vous et de dîner avec vos enfants. Je vous appellerai dès que nous aurons du nouveau. »

David considéra le lit vide. « Je ne peux pas la laisser seule ici.

— Vous ne la laissez pas seule, vous la laissez à nos soins. »

David avait besoin de temps pour digérer toutes ces choses qu'il refusait encore de croire. Toby savait de collègues médecins dont les patients étaient plus pauvres, que les personnes qui avaient moins de chance dans la vie acceptaient plus naturellement ce genre de choses. Pas les riches. Les patients riches n'arrivaient pas à croire que l'argent ne soit d'aucun secours, que leurs postes et leurs cartes de membre de clubs privés et leur statut social ne soient d'aucun secours. Ils n'arrivaient pas à croire que personne ne viendrait les sauver. Et pourtant personne ne venait les sauver.

Suivant la suggestion de Toby, David quitta la chambre, et Toby consulta ses confrères en radiologie. Le pronostic était confirmé : c'était bien un AVC hémorragique. Le service de chirurgie lui signifia qu'il n'y avait rien à faire. La pauvre femme. Elle avait repris connaissance. Elle s'était remise à parler. Tout portait à croire qu'elle avait surmonté cette terrible épreuve. L'équipe soignante avait fait preuve de la plus grande vigilance. Survivre à une maladie rare pour se faire emporter par quelque chose d'aussi banal qu'un AVC postopératoire... ça ressemblait à une blague sinistre. Toby enfila le couloir, et en se tournant vers la porte de la cage d'escalier, il aperçut David dans le hall du service, en train de parler à Amy, l'amie de Karen. David l'informa de ce qui était arrivé, puis la serra dans ses bras. Il prit l'ascenseur, et Amy, seule, fixa son téléphone portable, sans trop savoir quoi faire. Elle releva les yeux et aperçut Toby.

« Docteur Fleishman, alors, c'est vrai ?

— Je suis désolé. C'est un horrible concours de circonstances.

— Elle va mourir ? demanda Amy.

— Je l'ignore. On est en train de lui faire passer toute une batterie d'examens. Ça ne se présente pas bien. »

Amy éclata en sanglots. Toby la guida jusqu'à la salle réservée aux proches, mais avant qu'ils y soient entrés, elle se tourna vers lui.

« Elle était très malheureuse, déclara Amy. Ça faisait très longtemps qu'elle était malheureuse, mais les gamins, bla bla bla, vous savez ce que c'est.

— Tout à fait.

— Elle allait quitter David. »

Toby secoua la tête. « Comment ?

— Il la trompe sans arrêt. Il restreint son accès à l'argent du foyer. Il lui verse une pension. Vous vous rendez compte ? Et en échange elle doit élever les gamins, tenir la maison et veiller au bien-être de ses amis à la con pendant leurs soirées poker. Elle était *avocate*. »

Toby s'assit, abasourdi, et prit conscience que son plus gros problème dans la vie, c'était de se laisser encore abasourdir par des faits qui révélaient une vérité presque toujours vérifiée, à savoir que les apparences étaient trompeuses.

Toby faillit dire « Mais ils avaient l'air de s'aimer », puis se rappela qu'il n'avait jamais vu Karen Cooper en pleine possession de ses moyens. À la place, il remarqua : « M. Cooper semblait particulièrement dévoué.

— Bien sûr. Vous avez déjà été marié ?

— Je... oui. » Amy attendit. « Je suis en pleine procédure de divorce. »

Elle éclata d'un rire incrédule. « Et maintenant elle va mourir. Putain, j'arrive pas à croire qu'elle va mourir, *maintenant*. Vous savez, tout le monde va penser que c'est une grande tragédie qu'une chose pareille soit arrivée à une femme encore jeune. Alors que la vraie tragédie, c'est qu'elle allait enfin pouvoir lui échapper. »

* * *

Cette putain de chaleur était insupportable. Toby ouvrit toutes les fenêtres de son appartement : le concierge n'avait toujours pas reçu la pièce magique qu'il fallait remplacer dans le climatiseur, pièce introuvable dans tout Manhattan et qu'il fallait obligatoirement commander. À peine vêtu d'un boxer, il s'allongea sur son lit, et envisagea d'ouvrir son appli. Hannah entra dans sa chambre pour se plaindre que Solly occupait la salle de bains depuis déjà une heure. Toby alla voir de quoi il retournait, et trouva Solly étendu par terre parce que le carrelage était froid.

À vingt et une heures, on sonna à la porte. Toby alla ouvrir en se disant que c'était peut-être le concierge, mais il s'agissait d'un homme coiffé d'un casque de moto.

« Tobin Fleishman ? »

L'homme lui tendit une enveloppe marron où figurait l'adresse de l'expéditeur, un cabinet d'avocats. En l'ouvrant, Toby découvrit un acte de divorce de l'État de New York, avec deux petits Post-it jaunes indiquant l'endroit où il devait apposer sa signature afin de mettre un terme définitif à son mariage. Il ne put réprimer un rire. Comme si son mariage n'était pas déjà mort et enterré.

Si Carla n'était pas partie en vacances, il lui aurait parlé de ses fantasmes de vengeance. L'un d'eux consistait à refuser de signer les documents et à les renvoyer à Rachel, aux bons soins de Sam Rothberg, à la même adresse que son épouse Miriam Rothberg. Toby n'arrivait pas à écarter ces scénarios de son esprit. Il faisait si chaud que même ces revanches imaginaires étaient mollassonnes. Le monde entier était devenu un cloaque.

« Je souhaite vraiment que nous soyons le genre de personnes capables de déjeuner ensemble après signature des documents de divorce », lui avait dit Rachel lorsqu'ils avaient quitté le cabinet d'avocats où ils avaient soumis la liste de leurs avoirs, deux mois auparavant. « Je souhaite qu'on en sorte tous les deux grandis.

— Tu suis un nouveau cours de yoga ? avait-il demandé.

— Ton hostilité et tes sarcasmes sont tellement mesquins, comme toujours, avait-elle rétorqué. Tu ne devrais pas exprimer cette colère. Ça ne te va pas. » Il s'éloigna, mais elle le rattrapa. « Un jour, et j'espère que ce sera très bientôt, pour ton bien, et tout particulièrement celui des enfants, tu prendras pleinement conscience de la colère que tu as en toi. Quand tu cesseras d'être autant en colère, tout ton univers s'illuminera. Tes problèmes seront résolus.

— Non, c'est quand j'en aurai fini avec toi que tous mes problèmes seront résolus.

— Tu vois ?

— Le vrai problème, c'est que je n'en aurai jamais fini avec toi, avait poursuivi Toby. Tant que nous serons vivants, tu seras toujours le parent dysfonctionnel de mes enfants. Mes enfants n'auront jamais la mère aimante et attentionnée qu'ils méritent.

— Comment tu peux me dire une chose pareille ? Pourquoi est-ce que tu continues à vouloir me punir, alors que ma seule faute a été de faire ce que je devais faire ?

— Rien ne t'y obligeait. Ce n'était pas un devoir. C'était ton *désir*.

— Tu sais, si j'avais été un homme…

— Oh, va te faire foutre avec tes "si j'avais été un homme". Franchement. Si tu avais été un homme, tu aurais été un père merdique. »

Toby s'endormit, les documents posés sur l'oreiller à côté de lui. Il rêva qu'il baisait Rachel. Il était incapable de replacer l'instant dans leur chronologie intime : s'agissait-il des miraculeux débuts, des années « pour l'hygiène » post-partum, ou de l'ère plus récente du sexe sous le coup de la colère ?

« Pourquoi est-ce qu'on est en train de faire ça ? » ne cessait-il de demander dans son rêve.

Elle ne répondait pas.

« Je t'ai défendue ! lui criait-il. Je t'ai défendue ! »

Elle se contentait de le regarder curieusement, finit par fermer les yeux, et cria.

* * *

Il se réveilla en proie à une certaine excitation, et resta allongé un moment sur le dos, le corps recouvert d'une fine couche de sueur, les yeux au plafond, accablé par le poids de son érection. Le rêve avait un goût de souvenir, même s'il était absolument certain de ne lui avoir jamais crié dessus pendant l'amour, et presque aussi sûr qu'elle non plus n'avait jamais hurlé de la sorte. Le décor qui s'approchait le plus de son rêve était celui des vacances qu'ils avaient passées à Santa Cruz, tout de suite après leur mariage. Ce n'était pas leur lune de miel. Celle-ci eut lieu à Hawaï, un an plus tard, lorsque Rachel put prendre un congé et que Toby put aménager ses gardes. Mais juste après leur mariage, dès le lendemain matin, afin de ne pas passer une minute de plus au sein de la famille de Toby, ils quittèrent Los Angeles en prenant plein nord, jusqu'à un motel de Santa Cruz, puisqu'à cette époque elle n'avait encore aucun problème à descendre dans un motel.

Les lieux donnaient directement sur l'océan, leur terrasse était un bout de béton en équilibre au bord d'une falaise gigantesque, au pied de laquelle s'étendait la plage. Leur chambre sentait le vieux et le renfermé, les draps semblaient avoir passé un siècle dans une armoire avec de la naphtaline certainement pas parfum cèdre.

Tous les jours, ils se promenaient dans le village et se moquaient des hippies. Ils visitèrent le Mystery Spot, où Toby l'éblouit avec ses histoires d'aimants qui devaient forcément être fausses. (« À ce qu'il paraît, lui murmura-t-il en passant devant un rocher magnétique, cet aimant naturel n'agit que sur les personnes ayant perdu leur virginité avant leur quatorzième anniversaire. » Dans de grands mouvements théâtraux, elle fit semblant d'être attirée malgré elle par le rocher. On les pria de bien vouloir sortir au bout de dix minutes.)

Au coucher du soleil, ils regardaient les surfeurs en contrebas, une bonne centaine chaque jour, tandis que leur motel essayait de passer pour un hôtel en proposant de la vinasse aigre et des fromages dégueulasses à l'heure de l'apéro. Pourquoi le tout jeune couple Fleishman se montrait si cynique ? Parce que tous deux adoraient ça.

« Il me semble tellement évident que l'océan a tout sauf envie qu'on surfe sur lui, avait-elle déclaré. S'il en avait vraiment envie, il présenterait des vagues plus longues, plus pérennes.

— Je crois que c'est tout l'enjeu de cette discipline », avait-il répondu. Ils se trouvaient sur la banquette de leur balcon, elle assise et lui étendu, les jambes en travers de ses cuisses à elle.

« Et qu'est-ce que ça leur apporte ? Regarde-les un peu. Ils grimpent sur leur planche, et ils en tombent aussi sec. C'est tellement triste. Même ceux qui arrivent à parcourir un demi-mètre, qu'est-ce que ça leur apporte ?

— Ils font ça pour le simple plaisir de le faire.

— Je n'arrive pas à m'imaginer faire quoi que ce soit pour le simple plaisir de le faire.

— Euh, la nuit passée me semble avoir été une exception à la règle.

— Mais même ça. Même dans ces cas-là, on fait toujours l'amour avec son mari pour solidifier quelque chose. Même le sexe n'est pas un truc qu'on fait pour le simple plaisir de le faire. On fait l'amour pour prouver quelque chose, ou pour construire une intimité.

— Pas moi. Je le fais parce que je t'aime. »

Elle réfléchit un instant, caressant du bout des doigts les poils des jambes de Toby, dans un sens, puis dans l'autre. « Tu as vraiment des super mollets, dit-elle.

— Je t'interdis de m'objectifier, fit-il.

372

— Ils sont vraiment, je ne sais pas, virils. Ils m'excitent.

— Tu penses pouvoir trouver un prétexte annexe pour réintégrer cette chambre avec moi ?

— Je trouverai bien quelque chose. »

L'espace de quelques minutes, allongé là sur son lit, toujours dans les brumes de son rêve, il oublia ce qui leur était arrivé. L'espace de quelques minutes, il oublia le merdier dont ils étaient responsables. Il n'aimait pas se souvenir des mauvais moments, mais il n'aimait pas non plus se remémorer ce genre de moments. Ce qu'il aimait, c'était déterminer au sein de chaque souvenir, même les bons, l'instant où elle lui disait clairement qui elle était. S'il parvenait à tous les trouver, rien de tout cela ne lui arriverait jamais plus. Il se branla vite fait, mal fait, puis quitta son lit et passa l'heure qui suivit à se maudire d'avoir baissé la garde au point de rêver d'elle.

* * *

Cherry, la cousine de Toby, sa préférée quand ils étaient jeunes, habitait New York, contrairement à tous ses autres cousins et cousines. Les deux ou trois fois où ils leur rendirent visite, avant que le père de Toby décide de couper les ponts avec la mère de Cherry, Toby lui dit que, quand il serait grand, il voudrait avoir la même vie qu'elle. Il voulait prendre le métro et manger des bretzels achetés à un carrefour et voir des amoureux s'embrasser en pleine rue tard le soir. Cherry était de sept ans son aînée, et lorsque Toby emménagea à New York pour son entrée en fac, elle était déjà prof. Elle fut le premier membre de sa famille à qui il présenta Rachel. Rachel se montra gentille avec elle, ou peut-être ne fut-ce qu'une impression. Quand Toby l'avait appelée pour l'informer de son divorce, Cherry avait au moins eu la gentillesse de faire semblant d'être triste pour lui.

Cherry l'appela ce jour-là pour lui demander s'il avait besoin de passer une soirée rien qu'à lui, sans les gamins. Toby réfléchit un instant. Mon ancienne camarade de chambre, Sonia, avait fixé la date de sa fête annuelle au lendemain soir, un samedi, et j'avais invité Toby et Seth, qui ne s'était plus rendu à une fête de Sonia depuis son vingt-troisième anniversaire. « Demain soir, ça t'irait ? demanda Toby. Je dois me rendre à une fête et je préférerais te laisser les gamins, plutôt qu'à une baby-sitter... »

Le lendemain soir, Cherry passa avec ses deux filles ados pour emmener les enfants au restaurant. « On te les ramène en un seul morceau, fit Cherry. Promis.

— À quelle heure tu veux que je rentre ? demanda Toby.

— Tu vas où, papa ? » Solly semblait paniquer.

« À une fête d'anniversaire. Je rentrerai dans la nuit.

— Ne t'inquiète pas, répondit Cherry. Profite autant que tu veux. On va sortir dîner, après quoi on rentrera ici et on regardera la télé jusqu'à ton retour. Amuse-toi. Pour de vrai. Promets-moi de t'amuser. »

À leur départ, Toby hésita longuement entre deux chemises quasi identiques. Quelqu'un sonna à la porte. C'était Seth.

« Mise en condition ! » s'exclama-t-il. Il tenait un pack de bières.

« Trop de sucres, mon vieux. Je crois qu'il me reste de la vodka au congélateur. Et une bouteille de rosé pétillant au frigo.

— Du rosé pétillant ? Non mais sérieusement...

— Il date d'un rendez-vous il y a un mois. » Toby réfléchit un instant. « Euh, finalement, je préfère ne rien te raconter.

— Trop tard.

— J'ai fait sa connaissance sur Hr, on a commencé par des sextos, comme toujours, et puis on a décidé de se voir. Donc on se retrouve dans un bar un peu nul sur la Deuxième Avenue, on boit quelques verres, on passe un super moment, on se marre énormément, et sur le trajet jusque chez moi elle insiste pour acheter deux bouteilles de rosé pétillant. De quel droit j'aurais pu l'en empêcher ?

— Exactement.

— On arrive chez moi, et elle fait un strip-tease complètement hallucinant, morte de rire du début jusqu'à la fin.

— Super excitant.

— On passe dans la chambre et je suis trop saoul. Incapable de bander. Ça me stresse comme pas possible, et elle me sort le speech du c'est pas grave, ça arrive à tout le monde.

— Tu n'avais pas de vitamine V ?

— Du Viagra ? Non ! J'ai que quarante et un ans.

— J'en ai toujours sur moi.

— Parce que ça t'arrive, ce genre de chose ?

— Nan. C'est comme la plume de Dumbo. En avoir sur toi, c'est la garantie que ça n'arrivera jamais.

— Maintenant je sais.

— Tu aurais dû continuer de la voir, fit Seth. Il n'y a que les vraies âmes charitables pour sortir ce genre de speech.

— C'était peut-être la malédiction de la Mendiante qui se réalisait.

— Laquelle ? "Puisses-tu te faire *lap-dancer* par une avocate vicieuse rotant les bulles de son rosé pétillant à l'instant même où ta bite cessera de fonctionner ?" Je m'en souvenais plus, de celle-là. »

Toby se regarda dans la glace, ajusta son col, et suivit Seth dehors.

* * *

375

Je le dis et je le redis : la vie est un processus au cours duquel on rencontre des gens dont on se débarrasse lorsqu'ils ne nous sont plus utiles. La seule exception à cette règle, ce sont les amis qu'on se fait à la fac.

Adam et moi arrivâmes à la fête de Sonia dans un tout nouveau bar aux alentours de vingt-trois heures. Nous avions eu tout juste le temps d'atterrir après trois jours passés à Disney World, de ramener les enfants à la maison où les attendait la baby-sitter, avant de repartir pour Manhattan. Notre vol avait été retardé de quatre heures. Durant tout le trajet en voiture, Adam ne cessa de se plaindre.

« Ses fêtes sont toujours nulles, disait-il. Je suis crevé. On ne peut pas se défiler, cette fois ? »

Mais j'avais de nouveau vingt ans, et le fait de savoir que mes amis étaient tous réunis au même endroit sans moi m'était insupportable. La première personne que je vis en arrivant fut Jennifer Alkon – la Jennifer, celle du Musée d'Israël et de la récente quinte flush royale de Seth – en pleine conversation avec Danielle. La deuxième fut Seth, qui venait à notre rencontre.

« Est-ce bien l'homme qui a réussi à faire fondre le cœur de glace de Libby Epstein ? demanda-t-il. Seth Morris. » Adam ne parut pas se souvenir de son nom. « C'est un plaisir de faire enfin ta connaissance. »

Adam hocha la tête, sans trop savoir si c'était réellement un plaisir de faire sa connaissance. Je crois ne lui avoir jamais parlé de Seth. Et je ne pense pas lui avoir dit grand-chose des autres personnes invitées à cette soirée.

Toby finit par nous trouver. « Alors, c'était bien, Disney ? demanda-t-il. On y a emmené les gamins il y a quelques années de ça. »

Adam secoua la tête. « J'ai adoré. C'est un lieu incroyable. Tout le monde vous salue, appelle vos enfants par leur prénom. C'est propre. Sans risque. Libby a trouvé que c'était une usine à détruire les âmes. Je vous rapporte à boire ?

— Pourquoi ?

— Parce qu'elle déteste la joie. » Il souriait toujours, mais d'un sourire las. Il s'éloigna.

« Il te connaît vraiment bien, me dit Toby.

— Je me plains trop », rétorquai-je. Je m'affalai sur l'un des canapés, jambes écartées, m'adossant d'un air qui aurait pu paraître faussement exténué si ma fatigue avait eu quoi que ce soit de faux. Les gamins m'avaient usée. J'avais lu tous ces blogs idiots sur Disney, qui m'avaient bien fait comprendre que le déjeuner des personnages au Palais de Cristal était vite complet, et qu'il me fallait donc réserver une table dès onze heures du matin, mais aucun ne m'avait parlé de l'angoisse existentielle qui m'attendait dans ce restaurant. C'était comme si j'étais enfin confrontée à celle que j'étais, comme si ma présence parmi un énième groupe de femmes qui me ressemblaient comme deux gouttes d'eau ne pouvait laisser aucun doute sur le genre d'individu que j'étais devenu. Je ne pouvais supporter l'idée d'être cette mère de famille de banlieue cossue qui avec ses gamins passait sans arrêt des cris et des menaces à la contemplation sincère et profonde de leur joie. En observant ceux qui nous entouraient, les mères qui sermonnaient et les pères châtrés, je ne cessais de chercher ce qui me rendait meilleure qu'eux tous, pour retomber sans cesse sur la triste réalité, à savoir que la personne dans laquelle toutes et tous auraient pu se retrouver, leur dénominateur commun, n'était autre que moi.

Adam revint avec deux bières.

« Il y a un de ces boucans, ici ! s'écria-t-il.

— C'est un bar ! m'écriai-je à mon tour. Un bar de Manhattan un samedi soir ! Tu as déjà oublié ? ! »

Quelqu'un me passa une coupe de champagne. J'en bus une grosse gorgée. Il y avait tellement de bruit que j'étais obligée de crier, aussi racontai-je en hurlant mon expérience à Disney, et pourquoi rien ne m'avait plu. On avait pris des chambres Club Level, le niveau luxe, avec l'assistance d'un maître d'hôtel attitré pour organiser nos journées. Des victuailles et du divertissement sans fin, un hôtel inspiré directement de la fameuse promenade d'Atlantic City, sans les criminels et les prostituées. Des magiciens et des prestidigitateurs constamment en représentation. Des vacances dénuées de ce qui précisément les rend intéressantes – à savoir des personnes différentes de vous et des lieux que vous ne connaissez pas. Impossible pour moi d'y prendre plaisir.

« On avait des FastPass, poursuivis-je. On avait accès à n'importe quelle attraction en quelque chose comme quoi, six minutes. Mais quand tu t'engages dans cette file vide en passant devant toutes ces personnes qui attendent, tu te rends compte qu'en vérité ton FastPass, ce n'est rien d'autre qu'un coupe-file inégalitaire pour tous ceux qui n'ont pas pris de chambre en Club Level.

— Le truc avec ma femme, c'est qu'elle est aussi malheureuse quand elle fait la queue que quand elle passe devant, dit Adam. Elle est tout de même extraordinaire, vous ne trouvez pas ?

— Tu peux aussi obtenir un FastPass en arrivant très tôt le matin, fit remarquer Toby. Privilégier ceux qui arrivent tôt, ce n'est pas de l'élitisme.

— Bien sûr que si. Mais là n'est pas la question. Le truc, c'est que même quand l'injustice joue en ma faveur, je n'arrive pas à l'accepter. Je suis quelqu'un de profondément misérable, et je ne sais pas si ç'a toujours été le cas, ou si je le suis devenue.

— Vivement que je puisse emmener mes enfants à moi à Disney World, dit Seth. J'avais adoré quand j'étais gamin.

— J'ai entendu dire que le tarif senior était super intéressant », fit Toby.

Mais j'étais incapable de m'arrêter sur ma lancée. « Non. Seth. Ce n'est pas comme quand on était jeunes. La première chose que tu te dis quand tu arrives là-bas, c'est que les gens sont horribles, que les femmes ont toutes la même silhouette, et que tout le monde est complètement idiot. Les femmes portent des pantalons de yoga au lieu de pantalons normaux, elles hurlent toutes sur leurs enfants, et puis tout à coup tu te rends compte que *toi aussi* tu portes un pantalon de yoga.

— Je comprends pas, répliqua Seth. Qu'est-ce qui t'empêchait de porter un pantalon normal ? »

Nous bûmes et bûmes encore, jusqu'à ce qu'un noyau dur d'individus qui se souvenaient en détail de certaines soirées de fac forme un cercle informe sur les canapés pour évoquer ces épisodes en riant. Qui sait combien de temps passa ainsi avant qu'Adam s'approche des canapés, attire mon attention d'un geste de la main et m'indique sa montre ? « On a foot demain matin, et on a aussi une baby-sitter à raccompagner chez elle.

— Oooups, je lui avais dit qu'elle serait chez elle à minuit.

— On ferait mieux de se mettre en route.

— Je suis plutôt à fond, là, lui dis-je. Ça t'embête si je reste ?

— Reste. » Il avait l'air vidé.

« Rien qu'un tout petit peu. Je les vois jamais, tous ces gens. Je suis en train de revivre la gloire de ma jeunesse.

— Sa jeunesse a été glorieuse ! » clama bien fort Sonia, qui était très très saoule.

Adam me regarda droit dans les yeux.

« Je trouverai une voiture pour rentrer, dis-je. Ça va bien se passer.

— On peut juste discuter de ça une minute ?

— Allez, s'il te plaît, papa ! » lançai-je en riant, et voyant qu'il ne riait pas, je me levai en cabotinant, et nous allâmes parler dans un coin.

« Quand est-ce que ça va se finir, tout ça ? » demanda-t-il. J'éludai la vraie portée de sa question. « Ça va bien se passer, répondis-je. Je trouverai une voiture pour rentrer. » Je l'embrassai sur la bouche, et allai retrouver mes amis. J'attendis assez longtemps avant de me retourner vers le coin où je l'avais laissé pour constater qu'il était parti.

Vanessa envoya un message à Seth pour lui dire que *les choses ont dérapé de la meilleure des façons* à l'enterrement de vie de jeune fille auquel elle participait, et lui demander si ça l'embêtait qu'elle fasse l'impasse sur la fête de Sonia. Seth lui répondit, *oh allez*. Vanessa tapissa son écran d'émoji cœur. J'assistai à l'échange par-dessus son épaule. « Si moi je peux renvoyer mon mari à la maison, tu peux très bien passer une soirée sans ta petite amie.

— Est-ce qu'il t'a effleuré l'esprit que j'aime peut-être plus Vanessa que tu ne sembles aimer ton mari ?

— De quoi ? » hurlai-je par-dessus la musique, comme si je n'avais pas entendu, mais j'avais parfaitement entendu.

* * *

Nous discutâmes encore une heure malgré le vacarme. D'Israël, de la fac, de l'immobilier des années 1990 qui était juste paradisiaque, des dents de sagesse, des frais d'inscription à l'université, de Nirvana, et d'Adderall. Et puis en tournant la tête, nous vîmes une magnifique jeune femme aux cheveux d'or et aux grands yeux qui se dirigeait vers nous, sourire aux lèvres. Seth bondit du canapé. Vanessa rayonnait, au sens le plus littéral du terme, attirant l'attention de toutes et tous comme un aimant, et le cours de la conversation fut aussitôt détourné par la légèreté de sa vingtaine d'années. Tout ce qui sortait de sa bouche s'apparentait à une micro-autobiographie nourrie de coïncidences et de magie. « Il n'y a qu'à moi que ça arrive, ce genre de trucs ! » dit-elle en conclusion d'au moins deux de ses histoires. Toby et Seth la dévoraient du regard comme des chiens affamés. Je les observais en train de l'observer et me rendis soudain compte que j'étais trop saoule. « Il faut qu'on se trouve un resto. »

Il était deux heures du matin lorsque nous finîmes par en trouver un. J'étais tellement ivre que je n'essayai même pas de faire croire que je ne mangerais pas de pain, et Toby l'était assez pour décider de ne rien manger du tout sans se soucier de notre avis.

« Il y a des toilettes, ici ? » demanda Vanessa.

Quelqu'un désigna le fond du restaurant, le seul coin où des toilettes étaient susceptibles de se trouver.

« Elle a l'air d'être très gentille, dis-je à Seth.

— Elizabeth. » Mais rien n'aurait pu m'arrêter, pas même Toby.

« Tu vas l'épouser ? »

Seth fut surpris. « Tu lui as dit ? demanda-t-il à Toby.

— Bien sûr qu'il me l'a dit. Je n'ai rien contre le mariage, Seth. J'aime mon mari. À mon avis, tu n'as pas encore compris que le plus important dans le mariage, ce n'est pas vraiment la personne qu'on épouse. »

Il me regarda dans le blanc des yeux. Mais rien n'aurait pu m'arrêter, pas même moi.

« Tu as entendu parler de la pyramide des besoins de Maslow ? Tout le monde est poussé par le besoin d'avoir de quoi manger et de quoi s'abriter. Ce n'est qu'une fois qu'on a un accès virtuellement illimité à la nourriture qu'on peut se demander ce qu'on préfère manger, et en quelles quantités. Ce n'est qu'une fois qu'on est en mesure de s'abriter quelque part qu'on peut se demander où on aimerait vivre, et comment on aimerait décorer ce lieu. Et si l'amour, et consécutivement le mariage, était également un impératif ? Et si nous cherchions à nous assurer que nous méritons l'amour et l'engagement inconditionnels de quelqu'un d'autre, et que la seule façon d'y parvenir était de trouver quelqu'un qui serait prêt à nous épouser, quelqu'un qui nous signifierait : "Oui, tu es celle ou celui que j'aimerai exclusivement. Tu en es digne" ? Et ce n'est qu'une fois marié qu'on peut se demander si on avait réellement envie de se marier ou pas. Le seul problème c'est qu'au moment où on comprend qu'on a un accès virtuellement illimité à l'amour, on est déjà marié, et que ce n'est qu'au prix d'une cruauté et de tracasseries administratives sans nom qu'on pourrait annuler cette union, juste parce qu'on ignorait qu'on n'en voulait pas avant d'en jouir.

— Il faut être vraiment complètement saoul pour parler de la pyramide de Maslow », dit Seth.

J'ignorai sa remarque. C'était donc cette personne que Seth allait épouser. Mais il y avait autre chose qu'il ne savait pas, lui expliquai-je, quelque chose qu'il apprendrait vite : une épouse n'est ni une super petite copine, ni une petite copine permanente. C'est quelque chose de totalement différent. C'est quelque chose qu'on construit à deux, et dont l'époux est un élément constitutif. Sans l'époux, pas d'épouse. La détester, s'en prendre à elle, ou parler à ses amis des problèmes qu'on rencontre avec elle, c'est comme détester son propre index. C'est comme détester son propre index même s'il est déjà nécrosé. On est toujours intimement lié à son index. Quand on considère son épouse, on n'est pas vraiment face à une personne qu'on déteste. On est face à une personne qui nous renvoie nos propres infirmités et notre propre laideur. On déteste sa propre création. On se déteste soi-même.

« Regarde Vanessa, continuai-je. Elle est tellement heureuse d'être avec toi, elle est en adoration. Elle aime toutes tes fringues, tous tes amis. J'étais comme ça, moi aussi. Rachel aussi, pas vrai, Toby ?

— Très brièvement, sans doute. Mais c'était sûrement de pure façade. Je crois qu'au bout d'un moment, elle n'a plus été capable de faire semblant. »

Seth posa sa cuiller et s'adossa à la banquette, sans me quitter des yeux une fraction de seconde.

« Allez, Elizabeth, dit Toby.

— Je ne suis pas folle, répliquai-je. Je suis juste accablée.

— Mais Adam t'aime, fit Toby. Il ne t'accable pas.

— Bien sûr que si. Pas volontairement, mais ça ne change rien. Ce n'est pas spécifiquement à cause de lui. Les gamins m'accablent, eux aussi. Tout ça m'accable. C'est dur de supporter tout ça quand on se souvient encore de l'époque où on était vive et légère. »

Vanessa revint s'asseoir. « Désolée, Tamara vient de m'appeler. Elle voulait savoir si ça vous disait qu'on la retrouve. » Elle considéra alors la tablée. « Pourquoi vous faites tous cette tête ? »

Je la regardai pendant un bref instant, aussi fugace que dangereux. J'aurais voulu toucher son corps et me rappeler ce que ça faisait d'être comme ça. J'aurais dévoré son cœur et bu son sang si j'avais pu. Mais elle aussi finirait par en passer par là.

« Je dois y aller, dit soudain Toby. Ma cousine garde mes enfants, elle m'attend. »

Il se leva, et je fis de même. J'avais le sentiment que si je le laissais partir seul, plus jamais il ne m'adresserait la parole. Il faisait aussi chaud qu'à midi. Je l'accompagnai jusque chez lui, mais au pied de son immeuble, je le suivis dans le hall, sans un mot. Cherry et ses filles étaient sur le canapé, devant une série d'HBO qui mettait en scène un agent sportif. Cherry s'était endormie. « Réveille-toi, maman », lui dit l'aînée. Cherry regarda autour d'elle, déconcertée, puis nous aperçut, Toby et moi.

« Libby ! C'est bien toi ?

— Cherry ! » Embrassades.

« Tu n'as pas changé, me dit-elle. Je ne savais pas que tu avais divorcé.

— Oh, je n'ai pas divorcé. Toujours dans le New Jersey, deux enfants. Et mon mari. »

Cherry me lança un drôle de regard avant de se retourner vers ses filles. « C'est Libby, une amie de Toby », leur fit-elle.

Cherry traîna encore une minute, ne s'expliquant pas ce que je faisais ici, mais je m'en foutais. Avec un sourire mi-chaleureux mi-professionnel, elle me dit : « Ça fait vraiment plaisir de te revoir. Tu es en état de rentrer chez toi ? » comme si elle était la maîtresse de maison.

« Ça ira », répondis-je.

Cherry envoya un regard à Toby, mais celui-ci était occupé à sortir son portefeuille et son téléphone de ses poches. Elle prit congé.

* * *

Vingt minutes plus tard, j'étais assise à la fenêtre de la chambre de Toby, à fumer un joint que Seth m'avait filé plus tôt, puis une cigarette tirée du paquet que j'avais acheté à un moment de la soirée dont je n'arrivais plus à me souvenir. Toby était assis sur son lit.

« Il doit être trois heures du mat'. Tu seras pas trop crevée demain ? demanda-t-il.

— Si, répondis-je. Mais on attend très peu de moi. Il fait tellement chaud, ici, Toby. Pourquoi est-ce qu'il fait toujours aussi chaud ? J'ai l'impression que le béton va fondre. »

Qu'est-ce que je foutais là ? Je me souvins d'une soirée, durant notre année en Israël, en plein Pourim : je m'étais fait jeter par un connard du nom d'Avi et Seth ne s'était pas encore remis de son histoire avec Jennifer Alkon. Nous étions tous les trois bourrés, comme tous les étudiants à Jérusalem. Nous allâmes voir la Mendiante, puis le Mur, près duquel Seth remarqua Betheny, la meilleure amie de

Jennifer Alkon, une fille terne et mal fagotée, qui l'invita à boire un verre, et chez qui il finit la nuit. Toby et moi poursuivîmes notre chemin, incapables de quitter le quartier sans repasser devant la Mendiante. On était saouls, obnubilés par la nécessité absolue de l'éviter, ce qui ne nous empêcha pas de tomber dessus. On voulait tous les deux s'entendre dire quelque chose de vrai et de profond sur nos petites personnes. Elle ne se souvenait pas de nous – elle ne se souvenait jamais de nous – et, arrivés à sa hauteur, nous nous rendîmes compte que nous n'avions pas un sou. Elle se mit à quémander, et Toby commit l'erreur de la regarder dans les yeux et de lui dire en hébreu qu'il était désolé mais qu'il ne lui restait plus un shekel. Bien évidemment, la réaction de la Mendiante fut tout sauf raisonnable. Elle le bombarda de malédictions : « Que tes enfants ne connaissent jamais la profondeur de l'amour que tu leur portes. Que tes enfants ne grandissent jamais. » Elle me pointa alors du doigt : « Que l'amour et le désir de ta femme pourrissent comme tes testicules. »

Je lui hurlai en hébreu : « Je ne suis pas sa femme ! »

Me tirant par le bras, Toby m'emmena à l'écart. Nous nous mîmes à courir et finîmes par nous cacher derrière un mur, complètement ivres, riant aux éclats, et nous restâmes ainsi, accroupis, comme le soir de notre rencontre, nez à nez, et soudainement, Toby me parut parfait. Il n'avait cessé d'être là, juste sous mon nez, tout ce temps. Littéralement sous mon nez, parce qu'il ne dépassait pas mes narines. Pourquoi aspirer à quelque chose de difficile, alors que je pouvais avoir quelque chose de simple ? Pourquoi ne pas céder aux Toby de ce monde, à Toby en personne, qui se trouvait juste là, devant moi ? Durant ces quelques mois en Israël, j'avais eu le cœur brisé par un garçon qui, qu'il en ait conscience ou non, était bel et bien gay, et par des bourrins avec qui j'étais sortie uniquement parce que j'avais perdu du poids et que j'étais enfin visible aux yeux des bourrins. Mon vœu le plus cher avait toujours été d'être normale, mais peut-être que la normalité n'était pas ce qui me convenait. Peut-être que Toby était ce qui me convenait. Je me penchai pour l'embrasser. Il me repoussa. « Hors de question que je profite d'une fille saoule », dit-il. Le lendemain, il s'excusa pour la veille, mais je fis semblant de ne me souvenir de rien.

Dans sa chambre, les fenêtres ouvertes, je tendis les jambes vers son lit, et m'y allongeai. Je posai la tête sur l'oreiller qui se trouvait à côté du sien et me mis sur le flanc afin de lui faire face. Je fermai les yeux pour éviter ses questions, et quand je les rouvris, Toby dormait. Regardez un peu à quoi peut ressembler une amitié après tant d'années. Toutes les peines auxquelles une amitié peut survivre. C'était un vrai miracle. Un vrai miracle de voir tout ce que deux personnes pouvaient surmonter. Un vrai miracle que de voir l'autre traverser tant d'épreuves et de souffrances, et d'éprouver encore de l'amour à son endroit. Je contemplai son visage. Je n'y voyais aucun signe de vieillissement, alors que le mien me sautait aux yeux. De mon point de vue, il était tel qu'il avait été des années auparavant, tandis que moi, j'avais pourri sur pied. J'effleurai ses paupières du bout des doigts.

* * *

Peu après l'aube, nous fûmes réveillés par un bruit. Les pleurs de Solly. Toby accourut : il avait de nouveau fait pipi au lit. « Ne t'inquiète pas, on va juste changer tes draps. » Mais Solly ne parvenait pas à se calmer. « Je reviens tout de suite. Je vais chercher une serviette. »

Toby se précipita dans sa chambre et me secoua. « Il faut que tu y ailles », dit-il. Je me redressai, ne me rappelant pas immédiatement où je me trouvais, puis enfilai mes chaussures et sortis sur la pointe de pieds. Il était huit heures du matin. Dans la rue, il y avait des joggeurs et des pères avec des poussettes qui gratifiaient leur compagne de leur grasse matinée hebdomadaire. Il y avait des bagels et des cafés. Des gérants de supérette qui ouvraient leur commerce. Tout le monde semblait au mieux : tout le monde semblait suffisamment satisfait, ou suffisamment occupé. Un homme lisait le *Times* en traversant. La sauvagerie de leur complaisance m'arracha un hochement de tête. Adam m'avait envoyé un message à deux heures du matin, puis plus rien. Je ne savais pas quoi lui dire. Je décidai de marcher quelques minutes, qui devinrent bien plus que quelques minutes, et trois heures passèrent ainsi.

À ce moment-là, Toby m'envoya un message pour me dire qu'il était désolé, mais je ne consultai pas le message, parce que j'étais avec Rachel.

RACHEL FLEISHMAN A DES ENNUIS

TROISIÈME PARTIE

RACHEL FLEISHMAN A DES ENNUIS

L'heure de la revanche avait sonné. Si l'on considérait la vie de Toby selon des critères atypiques qui ne prenaient en compte ni l'existence de Rachel, ni sa disparition depuis trois semaines, ni l'histoire de leur mariage, ni le fait que derrière un masque allègre, Solly s'effondrait intérieurement et faisait pipi au lit, ni la gravité d'Hannah et les heures de plus en plus indues auxquelles elle s'endormait, ni la concrétisation de ce drame familial en un état permanent, on pouvait conclure que tout allait bien pour Toby. Ses enfants étaient en bonne santé. Il avait de l'argent sur ses comptes. Il allait être promu aujourd'hui même. Il se tapait une femme magnifique. L'heure de la revanche avait enfin sonné.

Enfin. C'était aujourd'hui que tout allait changer. Il sortit de sa penderie une chemise blanche et une cravate bleu marine. Il n'avait plus porté de cravate depuis Dieu sait quand. Il se regarda la nouer dans la glace de la salle de bains, et il réfléchit à la notion d'ambition.

« On n'est pas obligé de se laisser entièrement dévorer par l'ambition, Rachel, dit-il au miroir. Les gens véritablement bons n'ont pas besoin d'être ambitieux. Le succès finit toujours par les trouver. Tu vois ? La compétence et le talent sont toujours récompensés quand on est compétent et talentueux. »

On pouvait être sincère et sérieux et y arriver – sans doute sans connaître d'ascension fulgurante, mais on pouvait y arriver. Inutile d'éliminer toute concurrence. Inutile d'écraser ses subalternes. Il n'y a qu'à bien bosser, sans faire de vagues. Le système valorise et récompense encore le travail bien fait. Toby éprouvait une telle fierté, une telle émotion à l'idée de sa propre rédemption sociale, que durant une bonne minute, il n'aurait rien voulu changer dans sa vie. Rien du tout. Pas même un tout petit peu.

Il réveilla ses enfants, mais Hannah refusa de quitter son lit. « Par pitié, m'oblige pas à y retourner, dit-elle sous ses draps.

— Je ne peux pas me permettre d'arriver en retard aujourd'hui. C'est un jour important pour moi.

— Pourquoi ? Parce que ta patiente est en train de mourir ?

— Parce que, eh bien, je ne vous l'avais pas dit, mais... » Hannah sortit la tête de sous ses draps. « ... aujourd'hui, on va me nommer directeur de mon service. »

Toby vit sa fille lutter un instant puis laisser son visage s'illuminer. « Tu vas devenir le boss ?

— Je vais devenir l'*un* des boss. »

Au petit déjeuner, elle dit à Solly : « Aujourd'hui papa va devenir le boss.

— *Un* des boss. Pas *le* boss. Mais c'est parfait parce que *le* boss ne voit jamais de patients. Moi je continuerai à les voir. » Toby ne s'était jamais senti aussi grand, aussi important de toute sa vie.

« J'ai mal au ventre comme l'autre jour, fit Solly.

— La journée sera longue, dit Toby à Hannah. Si vous n'allez pas au 92nd Street Y, vous devrez la passer dans la salle de conférences sans vous plaindre.

— Ouais ! » s'écrièrent-ils tous deux.

À l'hôpital, il les installa dans ce qu'il considérait à présent comme *leur* salle de conférences, et fit sa ronde avec

392

ses internes. Il vit trois patients, et songea à chaque fois, Cette personne a de la chance de m'avoir comme médecin. La compétence ! L'expertise ! C'était ça, Toby. C'était ça, le docteur Fleishman.

Il mettait un dossier à jour sur l'ordinateur de l'accueil quand son téléphone sonna. C'était le moment tant attendu. Il dit à ses internes de faire une pause et se rendit au bureau de Bartuck.

« Vous êtes allé voir votre patiente ? demanda celui-ci, avant de lui signifier de s'asseoir d'un mouvement du menton.

— David Cooper espère toujours un miracle.

— Elle est en état de mort cérébrale. Le miracle n'est pas advenu.

— Tout à fait. Nous avons cru bon de lui laisser un jour supplémentaire pour accepter les choses.

— L'expérience hospitalière est toujours considérée plus douloureuse par les familles qu'on fait lanterner. Ne l'oubliez pas. » Bartuck croisa les doigts et posa ses mains sur son bureau. Il plissa les yeux. « Je vais le dire tout de go, parce qu'il n'existe pas de bonne façon de l'annoncer.

— Inutile, je lui ai déjà parlé. Je crois que Marco lui a déjà parlé, aussi. Il faut juste lui laisser encore un peu de temps.

— Ce n'est pas de ça que je parle. C'est de votre poste. » La seconde de silence parut s'allonger indéfiniment. Toby perdit le contrôle de ses paupières qui se mirent à cligner n'importe comment. Il avait soudain froid. Les mots de Bartuck lui parvinrent, mais dans le désordre. « Quelqu'un le poste pour pris d'autre avons nous. »

Toby assista à sa propre prise de conscience de ce qui était en train de lui arriver. Sa bouche s'entrouvrit.

« Désolé, Toby je suis.

— Quoi ? Qui ?

393

— D'extérieur engager quelqu'un redynamiser on a l'effectif préféré pour.

— Vous engagez quelqu'un de l'extérieur pour être mon supérieur ?

— Nouveau chef le oui de service. »

Toby regarda par la fenêtre du bureau de Bartuck. On pouvait voir le parc s'étendre jusqu'à l'East Side. Il avait de nouveau oublié de rappeler le concierge à propos de la tache au plafond. Il secoua la tête. « Je croyais que la décision était entérinée.

— Personne ne doute de vos compétences, répondit Bartuck. Mais on a considéré que vous n'étiez pas prêt à consacrer assez de temps à ce nouveau poste.

— Assez de temps ? Je suis resté sur le cas Cooper jour et nuit. Comment aurais-je pu y consacrer plus de temps ?

— Combien de jours avez-vous pris ces trois dernières semaines ?

— Alors c'est ça ? Je n'aurai jamais de promotion ici ? Ça fait quatorze ans que je travaille dans cet hôpital. J'ai juste eu deux semaines de passage à vide.

— Vous êtes un excellent docteur, reprit Bartuck. Tout le monde est d'accord pour le dire. Mais certaines voix ont émis des réserves, en avançant que vous sembliez ne pas vous intéresser à la recherche, que votre bourse d'études n'avait eu que peu de retombées, que vous comptiez vos heures pour en faire le moins possible... » Le reste n'avait aucune importance. Phillipa s'était opposée à la promotion de Toby. Phillipa, qui elle ne comptait ses heures que pour s'assurer qu'elle en faisait plus que tous les autres ! « Je ne dis pas que ça n'arrivera jamais. Si vous vous décidez à faire un peu plus acte de présence, toutes les portes vous restent ouvertes.

— Phillipa est restée neuf ans à ce poste, monsieur. Je ne peux pas attendre neuf ans de plus une éventuelle promotion. »

Bartuck se leva, contourna son bureau et s'assit dessus. « Il va sans dire que nous comptons sur votre présence parmi nous, ce soir même, pour fêter l'arrivée du docteur Schwartz. »

Toby hocha la tête. « Bien sûr, monsieur. » Il eut le sentiment que s'il avait été le genre de type capable de claquer la porte de ce bureau à cet instant, il aurait été le genre de type qui aurait décroché le job. « Schwartz ?

— Aaron Schwartz. »

Ce connard d'Aaron Schwartz. Son nouveau supérieur. « On est de la même promo.

— Parfait. Pouvoir se reposer sur quelqu'un qui connaît le service aussi bien que vous, ça ne peut que l'aider. »

Toby hocha de nouveau la tête, se leva, et sortit.

* * *

Toby resta vingt-cinq minutes dans une cabine des toilettes, la tête entre les jambes, à écouter une séance de roulage de pelles-sexe oral entre deux médecins de l'hôpital, ainsi que le malheureux accident gastro-intestinal d'une personne âgée.

Il avait foutu sa vie en l'air. Il avait tout fait de travers. Il sortit enfin de la cabine et se lava les mains. Sur le séchoir électrique il lut la phrase SENTEZ LA PUISSANCE, une flèche indiquant l'endroit où on était censé mettre ses mains. Il se regarda dans la glace. Il n'était qu'une sale petite merde pitoyable. Sentez la puissance. *Quelle* puissance ? C'était Rachel qui avait raison. Putain, Rachel avait raison. Toby crut qu'il allait s'effondrer sous le coup de la tristesse et du sentiment d'injustice qui le possédaient, qu'il n'en supporterait pas une seconde de plus. Clay, soucieux de profiter de sa première pause en vingt-quatre heures pour dormir un peu, ce pauvre Clay le trouverait là, et appellerait aussitôt des infirmières afin de juguler les hémorragies, là, là encore, ces plaies qui perforaient son cœur, ses poumons, ses canaux lacrymaux.

Mais ils n'arriveraient pas à le sauver. Un jour, tout cela ne serait plus qu'un court épisode de cet univers-bloc, qui contenait déjà tellement de saloperies, alors une de plus, une de moins, quelle importance ?

Il n'avait pas réintégré son bureau depuis une minute que Joanie passa la tête dans l'entrebâillement de la porte. Joanie. *Joanie.* « On vient de transférer un patient des urgences en salle de scan. Ils aimeraient avoir votre avis dans une vingtaine de minutes.

— Très bien. Veuillez entrer, je vous prie. »

Elle s'assit face à lui.

« Comment ça va, Joanie ?

— Vous voulez dire, ici, à l'hôpital ?

— Oui, en général.

— Super bien. J'ai énormément appris. Je n'arrive pas à croire que j'ai vu une patiente atteinte de la maladie de Wilson. C'est tellement dommage qu'elle soit sur le point de mourir.

— Oui. » Il se leva, contourna son bureau et s'assit dessus. « Vous savez, je crois que vous avez un véritable talent. »

Elle eut un sourire nerveux. « Vous avez une mauvaise nouvelle à m'annoncer ? »

Elle était si gentille, si unique. Elle l'*aimait bien*, uniquement pour ce qu'il était. Elle l'appréciait et le respectait. C'était ce à quoi il aspirait. Il voulait ce dont Seth jouissait déjà. Ce dont je jouissais moi-même. Non, il voulait quelque chose d'encore mieux que ce nous avions tous les deux, et de plus spécifique. Oui, il était enfin en mesure de définir précisément le genre de femmes qu'il désirait : une femme simple, discrète, qui l'aimerait comme lui l'aimerait. Il voulait quelqu'un qui le soutiendrait. Il voulait être le numéro un du couple, pour changer.

« Je me demandais…, fit-il. Ça vous dirait de venir dîner avec moi et les enfants, ce soir ? »

Elle releva les yeux, perdue. « Je… de quoi ? Vous voulez que je vous les garde ?

— Non, on serait tous ensemble. Je me disais que vu que vous n'êtes pas de garde ce soir, on pourrait tous aller dîner dans ce restaurant italien dont on raffole. »

Pourquoi avait-il attendu tout ce temps ? Il avait fait preuve d'un tel cynisme à l'endroit de Bartuck et de tous ces mecs qui se mettaient en couple avec une de leurs subalternes. Mais très franchement, que pouvait-on faire d'autre ? Continuer à baiser les premières venues jusqu'à la fin des temps ? Écarter ce qui de toute évidence constituait une superbe opportunité et une solution délicate à un problème épineux ?

Les enfants adoreraient Joanie. Elle exercerait une influence apaisante sur Hannah : elle la guérirait du poison du conformisme et de l'ambition que Rachel lui avait inoculé. Avec ses fringues démodées et ses inclinations bizarres pour le vintage, elle était la mieux placée pour montrer à une toute jeune fille ce que c'était que d'être bien dans sa peau. Et puis Solly. Solly aurait une deuxième personne dans sa vie capable d'apprécier ses centres d'intérêt et de l'accepter comme la merveille farfelue qu'il était. Quelqu'un d'autre avec qui parler de l'Univers – oui, quelqu'un qui avait aussi étudié la physique, Rachel. Quelqu'un d'autre qui comprendrait que ce qui rendait Solly différent des autres enfants était précisément ce qui le rendait génial.

Ce serait peut-être inconfortable à l'hôpital, certainement, mais cette relation ne serait pas tout à fait comme les autres. Il prendrait pour compagne quelqu'un qui était son égal, un tout petit cran en dessous. Pas une subalterne, pas une infirmière, pas quelqu'un qui réserverait des tables au restaurant pour lui – non, une égale. En vérité, il ferait exactement comme Rachel avait fait : il trouverait quelqu'un de son niveau, qui l'appréciait et ne souhaitait pas qu'il change. Ça n'avait pas marché entre Rachel et lui. Bien avant qu'elle disparaisse, ça ne marchait pas. Ç'avait bien marché, jadis, mais ce n'était plus le cas depuis long-temps. Tous deux étaient à présent pleinement adultes, ce qui signifiait qu'ils savaient ce qu'ils voulaient et ce dont ils avaient besoin. Il voulait être avec quelqu'un pour qui ce qu'il faisait était aussi incroyable et transcendant qu'à ses propres yeux. Joanie. Joanie ! *Joanie*.

Pourquoi ces parois étaient-elles en verre ? Il aurait dû être en mesure de se pencher vers elle, prendre son visage entre ses mains et lui dire : « Tu es celle que j'attendais depuis tout ce temps. »

Au lieu de ça, il resta à sa place et lui dit : « Joanie. Vous aviez raison, je traverse une mauvaise passe. Je sais que pour vous aussi, ça n'a pas dû être facile. Mais peut-être qu'on ne devrait pas passer un jour de plus... Ce que j'essaye de vous dire, c'est que vous aviez raison sur toute la ligne, depuis le début, et que je ne sais pas comment j'ai fait pour ne pas m'en apercevoir... » Il laissa sa phrase en suspens, parce que ses propres paroles le touchaient autant qu'elles le terrifiaient. Oui, songea-t-il. Tout cela était si juste, si vrai.

Elle le regarda une seconde dans les yeux. « Euh, non, merci. » Elle se leva. « Mais c'est gentil d'y avoir pensé. » Elle recula d'un pas. « Je vais aller voir cette consultation, OK ? » Elle n'attendit pas sa réponse.

Merde.

Il regarda à travers le mur de verre de son bureau et sur-prit Gilda en train de le dévisager. Il n'irait pas à la petite fête en l'honneur d'Aaron Schwartz. Il aurait été ridicule de penser qu'il s'y rendrait. Il devait ramener ses enfants à la maison. Et s'ils voulaient le persécuter parce qu'il était père de famille, il ne cesserait pas pour autant de l'être.

Il entra dans la salle de conférences. « Rangez vos affaires, dit-il aux enfants. On rentre à la maison.

— Pour fêter ça ? demanda Solly.

— La fête n'est plus à l'ordre du jour. On va manger des pâtes. »

* * *

« Toby, dit Marco le lendemain.

— Marco, répondit Toby.

— Tu as fait la connaissance du nouveau chef ?

— Je le connais de la fac.

— Il a l'air plutôt sympa. Je ne vois pas trop pourquoi ils sont allés chercher quelqu'un à l'extérieur. »

Toby faillit prendre cela pour un compliment, mais il comprit que Marco parlait de lui-même. Marco ne se serait jamais pris un tel camouflet, mais lui non plus n'était pas un élément facile à promouvoir. Il était aussi froid que son scalpel, et n'avait pas son pareil pour harceler sexuellement ses internes.

Toby se rendit dans la chambre de Karen Cooper. Ses internes s'y trouvaient déjà. Il fixa sa patiente afin de ne pas voir Joanie, ou plutôt, de ne pas voir quel regard elle faisait peser sur lui. Il ne savait pas s'il devait lui présenter des excuses, ou simplement attendre le coup de fil de la DRH. David tenait la main de Karen dans la sienne, les yeux rivés sur son visage immobile. Il ne reverrait plus jamais les paupières de sa femme se rouvrir. Toby l'observa, incapable de trouver la moindre cohérence dans tout cela. David Cooper était-il un sale enfoiré, ou aimait-il sincèrement son épouse ? Avait-il eu une aventure avec l'amie de celle-ci, qui avait précipité la mort de leur couple ? Sommes-nous tous victimes et coupables, tous autant que nous sommes ?

Il fit sortir David de la chambre pour lui parler. L'usage voulait qu'on ne discute pas de la mort imminente d'un patient en présence du patient inconscient. C'était considéré comme indélicat, allez savoir pourquoi.

« Ça arrive parfois, on ne peut rien y faire », déclara Toby.

Dans un sens, David Cooper avait eu de la chance. Il avait pu lui parler une dernière fois. Il avait été préparé à cette mort. Mais Toby ne dirait rien de tout ça. Il allait lui dire que ce qui arrivait était profondément injuste. Mais qu'est-ce que les David Cooper de cette planète connaissaient de l'injustice ? Comme si tous les David Cooper de la Terre aspiraient à faire partie d'un système juste. Cela n'avait aucune importance. Parce que rien au monde n'était juste. Son fils pissait dans son lit et sa fille n'avait plus de figure maternelle sur laquelle s'appuyer et qui aurait pu lui épargner l'humiliation publique si elle ne s'était pas embarquée dans une odyssée du cul avec Sam Rothberg. Ce sac à merde de Sam Rothberg, qui portait des pantalons Adidas en Nylon avec des bandes sur les côtés tous les dimanches, et qui faisait un nombre incalculable de paris sur un nombre incalculable de matches du championnat NCAA de basket. Et c'était juste, tout ça ? Était-il juste que Toby se soit laissé enculer, avec le sourire, durant toutes ces séances de médiation, dans l'espoir d'avoir quelque chose de positif et d'amiable à présenter à leurs enfants, pour que finalement, juste avant que tout soit définitivement réglé, elle commette la pire chose qu'elle aurait pu commettre, quelque chose de tellement moche que la longue liste des choses horribles qu'elle avait faites par le passé ne s'en approchait même pas de loin ? C'était juste, *ça* ? Quand bien même ça l'aurait été, en jugeant des péchés de Toby à l'aune de ses châtiments, on en aurait conclu à un traitement abusif. Qu'avait-il fait de si mal sinon d'être un époux dévoué ? Qu'avait-il fait de si mal si ce n'est d'essayer ? Si ce n'est d'aimer ? Si ce n'est de rentrer à l'heure à la maison ? Si ce n'est de s'imaginer que sa femme le soutiendrait autant que lui la soutiendrait ? Si ce n'est de casser quelques verres et peut-être dire des choses qu'il aurait dû taire ?

Il n'en pouvait plus d'essayer de déterminer ce qui avait tout fait basculer, la microcause qui avait poussé Rachel à couper les ponts. Elle l'avait abandonné. Elle avait été cruelle envers lui. Elle lui avait refusé tout amour, tout respect, toute dignité. Elle l'avait rabaissé jusqu'à en faire quelqu'un qui, au moindre geste d'affection d'autrui, se désintégrait presque dans le soupçon, puis dans le chagrin. Elle avait été cruelle envers leurs enfants – leurs enfants ! Elle les avait abandonnés ! Elle savait mieux que personne ce que c'était de ne pas avoir de parents, et pourtant, elle les avait abandonnés !

Et ce fut là qu'il s'en rendit compte : oui, il était en colère. Bon sang ce qu'il était en colère. Durant toute leur relation, Rachel lui avait régulièrement reproché sa colère, accusations qu'il avait systématiquement écartées, pour une raison qui à présent lui échappait. Quel mérite y avait-il à prétendre ne pas être en colère ? Quel mal y avait-il à être en colère ? Pourquoi censurer cette émotion humaine parmi tant d'autres ? Oui, il était tellement en colère qu'il en avait les jambes qui tremblaient. Il était en colère, et il ne comprenait plus l'avantage qu'il y avait à le nier. Il était en colère et il voulait le hurler au visage de David Cooper, puis à celui de Joanie et de Clay et de Logan, puis à celui de Bartuck, puis à celui de Seth et au mien, et là, fort de toute l'énergie qu'il aurait emmagasinée, trouver Rachel et décharger sa colère sur elle jusqu'à ce qu'elle cesse d'exister, qu'elle ait l'espace de quelques secondes la satisfaction d'avoir raison, et que la colère de Toby soit la dernière chose qu'elle verrait de ce monde avant de s'évaporer. Ça sonnait à ses oreilles comme une cloche – non, ça retentissait comme une sirène. Il l'entendait distinctement. Il l'entendait vraiment. Sa colère produisait un *son* et c'était celui d'une sirène.

En vérité, le son provenait de la chambre de Karen Cooper. Une infirmière s'y précipita. Toby et David lui emboîtèrent le pas. Karen Cooper venait de faire une embolie pulmonaire, son électrocardiogramme était plat. Le chariot de réanimation apparut, Logan et Clay firent de leur mieux. Au bout de quelques minutes, Toby fit signe à Clay de donner l'heure du décès.

Ses internes se tournèrent insensiblement vers la porte, mais d'un geste, il les empêcha de sortir. Il était important de rester aux moments les plus difficiles de ce métier. Toby s'était longtemps demandé comment il pouvait prétendre être un bon docteur alors qu'il ne parvenait toujours pas à s'expliquer la mort, alors que la mort le déstabilisait toujours autant. Mais à un moment donné, durant ces cinq dernières années, à force de réfléchir à la vie et à la mort, il en était venu à se dire que la terreur que la mort ne cessait de lui inspirer était précisément ce qui différenciait le bon du mauvais docteur. Nous ne sommes pas censés comprendre les fins. Nous ne sommes pas censés comprendre la mort. Le principe même de la mort, c'est de demeurer incompréhensible. L'assistante sociale du service entra dans la chambre, et Toby suivit le Cooper survivant dans une salle prévue à cet effet où il lui exprima ses plus sincères condoléances.

* * *

Le dernier appartement où j'ai vécu à Manhattan, avant d'emménager dans le New Jersey, se trouvait dans l'Upper East Side. Adam et moi venions de nous marier et il possédait un grand appart sur la 79ᵉ Rue, tandis que je louais mon studio à Greenwich Village, ce studio minuscule, humide, moisi et parfait. Les samedis matin, Adam allait jouer au racquetball, et j'allais dans ce café à bagels de la 70e Rue qui servait du très bon café, et où je commandais un bagel aux graines de pavot beurré que je mangeais toute seule. Ce dimanche matin, en sortant de chez Toby, j'y retournai, avec sur le dos les mêmes fringues que la veille, et m'installai en terrasse pour boire mon café, manger mon bagel et fumer des cigarettes. Avais-je jamais été aussi heureuse ? C'était ce que je me demandais. C'était ce que je me demandais malgré le nœud que j'avais dans le ventre et le picotement dans le fond de mon nez qui me pressaient de répondre à la question de savoir ce que je pouvais bien foutre à Manhattan un dimanche matin avec les mêmes fringues que la veille.

Et c'est là que je l'aperçus.

Elle était assise à une autre table en terrasse, à côté de moi. Ça faisait des années que je ne l'avais plus revue, elle avait un peu changé, mais c'était bien elle, avec la même couleur de cheveux, la même sveltesse, et elle aussi mangeait un bagel.

Je me figeai, mais il était déjà trop tard. Elle m'aperçut à son tour et plissa les yeux. Je lui adressai un vague salut de la main, ne sachant pas trop quelle position adopter. Que fait-on quand on tombe sur le fantôme qui est l'objet même de votre obsession estivale ? Pas le genre de truc auquel on peut vraiment se préparer.

« Libby ? esquissa-t-elle en s'approchant.

— Rachel, répondis-je. Salut.

— Ça fait tellement longtemps, dit-elle. On ne s'est pas revues depuis la naissance d'Hannah, je crois ? » On aurait dit qu'elle essayait de résoudre de tête une équation.

De près, elle paraissait différente. Plus âgée que la dernière fois que je l'avais vue, mais également moins soignée de sa personne. Elle portait un bas de survêtement qui flottait à l'entrejambe et un débardeur où l'on pouvait lire J'PEUX PAS J'AI YOGA.

Son rouge à lèvres ne contribuait qu'à rehausser les croissants violets sous ses yeux. Elle avait une drôle de coupe de cheveux, vaguement garçonne, complètement ébouriffée, mais qui coiffée lui aurait donné un air peu flatteur de matrone. Elle avait essayé de dissimuler les rides de ses yeux et de sa bouche sous du fond de teint, mais celui-ci s'amalgamait dans les sillons, et comme elle ne l'avait pas estompé, son visage donnait l'impression d'un masque multicolore.

« Tout va bien ? » demandai-je.

Elle ferma les yeux. « Ça va. » Puis les rouvrit. « Et toi, quoi de neuf ? Qu'est-ce qui t'amène ici ?

— J'ai… j'ai passé la nuit à Manhattan. J'allais justement rentrer. » Ne sachant pas quoi lui dire, je lui demandai : « Rachel, qu'est-ce qui se passe ?

— Comment ça ?

— Je suis… en contact avec Toby. Il s'inquiète pour toi. Pour vos enfants. » Je ne pus finir ma phrase.

Elle parut décontenancée. « Tu as vu mes enfants ? Je ne savais pas que Toby et toi vous parliez encore. »

Je repensai à Solly en train d'appeler son père, le matin même. « Ouais. C'est pas la grande forme, de leur côté. » Elle regardait au loin, par-dessus mon épaule droite. Je me retournai pour voir ce qu'elle fixait. Rien. Je reportai mon attention sur elle. Elle semblait sous médoc. « Tu veux qu'on aille quelque part ?

— Je voulais aller à un cours de SoulCycle mais je me suis trompée de jour.

— Tu veux un café ? » Je posai les yeux sur son bagel. Il était intact : elle n'y avait pas touché. Zéro graine, zéro beurre, rien du tout. Il n'était même pas coupé en deux. Elle tenait juste son bagel géant dans la main, manifestement sans la moindre intention de le manger.

404

Je finis par lui dire : « Rachel. Qu'est-ce qui s'est passé ? Tu es sûre que tu vas bien ? Je peux appeler Toby ? »

Elle me regarda, les yeux plissés. Secoua la tête pour tenter de se concentrer. « N'appelle pas Toby. Il ne faut pas que tu l'appelles.

— Pourquoi pas ? Quelqu'un d'autre, alors ? Un ami, une amie ?

— Je n'ai pas d'amis.

— Bien sûr que tu en as. » Mais peut-être n'en avait-elle pas. Qu'est-ce que j'en savais ?

Rachel fixa son bagel. De temps en temps, un bruit de la rue la faisait sursauter, elle regardait autour d'elle pour voir ce dont il s'agissait, puis me regardait comme si elle s'attendait à ce que je convienne avec elle que tout ce vacarme était bien le signe que quelque chose n'allait pas.

« Mes enfants vont bien ? s'enquit-elle. Je n'arrête pas de me dire qu'il faut que je les appelle.

— Tu n'arrêtes pas de te dire qu'il faut que tu les appelles ? Tu étais censée les prendre il y a trois semaines. Ils pensent que tu les as abandonnés. »

Elle regarda de nouveau par-dessus mon épaule, mais cette fois, je ne me retournai pas. Je continuai de la dévisager. Elle semblait si émaciée. Il fallait que j'appelle quelqu'un.

« Toby connaît les raisons de mon absence. Il peut raconter ce qu'il veut, il sait.

— Non. Je peux te garantir qu'il ne comprend pas. »

Son regard glissa vers les autres clients du café. À chaque battement de paupières, elle gardait les yeux fermés deux bonnes secondes.

Et c'est là qu'elle me raconta ce qui lui était arrivé.

* * *

Sam Rothberg avait un neveu qui voulait se lancer dans une carrière d'acteur sur Broadway, raison pour laquelle il avait invité Rachel à dîner avec eux : ça remontait peut-être à deux ans, elle était encore avec Toby. Bien sûr, avait-elle répondu. Elle disait toujours oui. Elle se mettait systématiquement au service des Sam Rothberg de ce monde, au service de tout parent d'élèves qui en avait besoin. Au sein de cette catégorie, Miriam Rothberg était ce qui se rapprochait le plus d'une héritière de sang royal. Miriam Rothberg n'avait même pas à siéger au conseil des parents d'élèves. Avec son argent, elle finançait à peu près toutes les initiatives scolaires, ce qui lui valait d'être consultée par l'ensemble des comités. Son pouvoir était tel qu'elle avait réussi à totalement supprimer les devoirs à la maison pour les primaires – totalement ! supprimés ! – après avoir « encouragé » le directeur, anémique et angoissé chronique, à consulter un document de trois cents pages rédigé par un docteur en éducation du Barnard College qu'elle avait spécialement engagé pour étudier le rapport coûts-avantages des devoirs à la maison.

À l'époque où Hannah entra en maternelle, Rachel avait déjà remporté un bon nombre de victoires sur la vie. Elle avait survécu à une éducation sans père ni mère, s'était épanouie malgré l'apathie de sa grand-mère, avait donné naissance à deux enfants (dans les pires conditions pour la première), avait épousé un homme doux et aimable à un âge raisonnable où les chances de procréer étaient encore de son côté, et avait abandonné la plus ancienne et la plus grosse agence artistique de New York (en emportant ses plus gros clients) pour créer la sienne, la même, en mieux. On parlait d'elle dans la presse entrepreneuriale, et elle avait même fait l'objet d'un portrait dans un magazine féminin qu'elle lisait quand elle était plus jeune. Elle représentait une source de premier plan pour plusieurs journalistes renommés, et avait reçu de nombreux prix récompensant des entreprises fondées et dirigées par des femmes. Elle avait découvert Alejandra Lopez – *Alejandra Lopez*. Elle avait contribué à transformer le one-woman-show *Presidentrix* en un véritable spectacle de Broadway qui ne dépendait plus que de la santé et de la stabilité d'une seule femme. Elle avait traîné rien moins que Matt Klein en personne jusque dans une cité pour qu'il assiste à la version originelle du spectacle, et après qu'il eut traité Alejandra de « moulin à paroles dénué de tout talent », Rachel avait décidé de la représenter elle-même. Son agence choyait et défendait une écurie d'artistes dont vous avez forcément entendu parler. Mais dès la fin de la première année scolaire d'Hannah, ce que Rachel considérait sincèrement comme sa plus grande réussite, c'était d'être parvenue à convaincre Miriam Rothberg de s'essayer au Pilates dans le club que Rachel fréquentait, tout près de ses bureaux.

« Et puis c'est tellement complet, comme exercice physique », lui dit Rachel lorsqu'elles allèrent s'acheter des smoothies à la fin du cours d'essai.

Miriam abonda joyeusement dans son sens, et chargea son majordome – *son majordome* – de contacter l'assistante de Rachel pour l'inscrire à un cours privé hebdomadaire. Rachel s'y rendait comme si c'était son véritable boulot. Miriam Rothberg avait la main sur toutes les levées de fonds, tous les rendez-vous entre gamins, toutes les chances d'acceptation sociale des enfants de Rachel. Sam Rothberg et elle avaient des jumeaux de l'âge d'Hannah et un garçon de l'âge de Solly, Jack, qui était loin d'être aussi intelligent et curieux que son Solly et dont les yeux étaient beaucoup trop rapprochés, mais qui était pourtant promis à un plus bel avenir du simple fait d'avoir les parents qu'il avait. Ils avaient un quatrième enfant, une fille, fruit d'une sélection des meilleurs spermatozoïdes Y de Sam qui leur avait coûté un bras. Ils s'étaient acheté une fille ! Ils contrôlaient le sexe de leurs enfants !

Miriam était menue, petite, désorganisée et un peu bête, et c'était l'une des rares femmes véritablement libres que Rachel ait jamais croisées. Elle ne portait aucun fardeau. Elle était convaincue du contraire – sa fortune, sa responsabilité sociale, ses enfants qu'une armée de personnes extérieures à la famille éduquait –, mais quand on naît riche, on ne peut jamais vraiment savoir ce qu'est un fardeau, ce que c'est que de survivre, même si l'on est sûr du contraire. Quand on *devient* riche, en revanche, on n'oublie jamais le bas de l'échelle sociale, et on sait à quel point il est facile d'y retomber. Miriam ignorait ce que c'était de survivre ; elle ignorait ce que c'était qu'un fardeau. Elle ignorait même le fardeau que représentait la gestion de l'impressionnant personnel qui travaillait pour elle. Son majordome et sa cheffe de cabinet – *sa cheffe de cabinet* – supervisaient les dizaines de personnes que Sam et elle employaient : les domestiques, assistants personnels et nounous qui les suivaient dans leurs voyages, les domestiques, gardiens et jardiniers de leurs quatre résidences secondaires – pardon, au temps pour moi : de leurs trois résidences et de leur *villa*.

Tout cela conférait à Miriam une liberté qui lui permettait de consacrer son existence à avoir un avis sur tout, et un avis qui pesait lourdement dans la balance : ce que l'école devait faire pour la levée de fonds de l'hiver (à part lui demander un chèque), ce que les enfants devaient faire après l'école (et est-ce que ça dirait à Hannah de se joindre au cours particulier de mandarin, parce que ce serait encore mieux si les enfants pouvaient réviser leur chinois entre eux à l'heure du déjeuner, à l'école ?), qui se présenterait à la mairie de New York. Oui, elle finançait aussi des candidats à la mairie. Sa fortune lui permettait de se piquer de féminisme alors qu'elle n'avait jamais fait les frais de la domination masculine telle qu'elle s'exprime dans la vie de tous les jours : les Matt Klein qu'on ne manquait pas de croiser, les rêves revus au rabais, la façon dont les gens étaient soit stupéfiés soit faussement stupéfiés par votre réussite, les excès pontifiants du *girl power*, les « c'est elle, la patronne » du mari qui ne lâche ces mots que parce que les deux époux savent pertinemment qui est le patron, et qu'il ne s'agit pas de madame. Miriam avait simplement *entendu parler* d'inégalité des sexes. Comment aurait-elle pu en faire l'expérience ? Elle ne travaillait pas. Tout ce qu'elle faisait dans la vie, c'était donner de l'argent et se dépenser, donner de l'argent et se dépenser, donner de l'argent et se dépenser. Quand elle contribuait financière-ment à une cause féministe, ce n'était en réalité qu'à cause de *rumeurs* qu'elle avait entendues au sujet du patriarcat.

Mais elle était libre de le faire. Elle pouvait choisir ses centres d'intérêt comme ça lui chantait. Miriam Rothberg était en mesure de réfléchir posément, de lire des livres, de se demander pour qui elle voterait et d'être sexuellement disponible pour son mari parce que l'argent permet tout cela. L'argent vous permet d'avoir une deuxième vie en parallèle de votre vie normale, et entre ces deux vies, tous vos objectifs sont atteints et tous ceux qui vous entourent sont satisfaits. Ça doit être sympa, pensait Rachel.

« Je ne sais pas comment tu fais, Rachel », lui dit un jour Miriam alors qu'elles dégustaient des superaliments après l'école. Roxanne et Cyndi émirent des « mmmh ». « À courir constamment comme ça, à droite et à gauche. J'ai déjà du mal rien qu'avec les gamins ! » Comme si Miriam s'occupait de ses enfants. Le truc, c'est que Rachel, elle, s'occupait des siens. Pas tout le temps : Mona l'aidait. Et Toby aussi, Dieu merci Toby tenait vraiment à par-ticiper activement à l'éducation des enfants. Mais Rachel s'impliquait dans leur vie d'une façon qui resterait toujours étrangère à Miriam. Rachel et Mona se contactaient dix fois par jour. Rachel prenait toutes les décisions. Il ne se passait pas une minute sans qu'elle sache où étaient ses gamins.

Un jour (Solly et Jack avaient alors trois ans), Rachel s'absenta de son travail à cause d'un SMS de Miriam, dans lequel elle lui proposait d'accorder une pause d'une heure aux nounous pour accompagner les petits à un cours d'éveil musical. Rachel dut annuler un entretien – elle était censée rencontrer une potentielle assistante – et répondit d'un enthousiaste « OK ! », comme si ce n'était pas la première fois de sa vie qu'elle avait envisagé de donner une heure de pause à une nounou. Elle avait besoin d'une nouvelle assistante, mais elle avait compris que pour rester dans l'orbite de Miriam, il fallait rester disponible, et aux yeux de Rachel, rendre service à ces mères d'élèves sans jamais rien leur demander constituait un fantastique investissement à long terme. Aussi se rendit-elle à l'atelier, tombant sur Miriam juste au moment où celle-ci s'apprêtait à entrer dans le bâtiment. À leur arrivée, Solly et Jack accoururent à leur rencontre. Avec le même empressement et la même joie, comme si leurs mères respectives s'impliquaient autant l'une que l'autre dans leur rôle de mère. Comme si la dévotion maternelle dont faisait preuve Miriam équivalait à un pourcentage ne serait-ce que raisonnable de celui de Rachel. Comme si Rachel n'avait pas passé des nuits à se renseigner sur les activités périscolaires existantes, comme si elle n'épluchait pas les recettes de Mona afin de savoir précisément ce qu'elle leur donnait à manger, comme si elle ne s'enquérait pas des quartiers dans lesquels Mona les promenait. Comme si Rachel n'était pas contrainte de faire certains choix, comme de ne pratiquer d'activité sportive que lorsque cela contribuait à l'avancement social de ses enfants, et de faire une croix sur le seul type d'exercice physique qu'elle aimait (le running). Il n'y avait qu'à les regarder, ces deux petits garçons : il n'y avait aucune différence, les liens qui les unissaient à leur mère étaient aussi forts. Rachel était furieuse. Elle tapa dans ses mains et tambourina et secoua les cymbalettes selon les instructions bien niaises de l'animateur, et dans sa tête tournait toujours la même question, à quoi bon se plier à toutes ces conneries si à la fin, Jack Rothberg aimait autant Miriam Rothberg que Solly l'aimait, elle. Elle n'avait pas encore compris que l'amour filial était semblable à l'amour paternel et maternel : c'était quelque chose de profondément indulgent, de profondément pérenne, et d'un peu tordu.

Durant toute son enfance et toute son adolescence, Rachel n'avait eu droit qu'au pain dur de la résignation et à l'eau glaciale du ressentiment. Sa grand-mère ne l'avait jamais aimée, mais ce n'était pas si grave parce qu'elle n'avait jamais aimé personne. C'était une personne froide mais très attachée au sens du devoir, et c'était déjà ça de gagné. Elle pensait que le sens du devoir, c'était la même chose que l'amour, alors qu'il s'agissait de deux droites parallèles. Deux films complètement différents. Il était impossible d'interpréter un acte motivé par le sens du devoir comme une preuve d'amour ou d'admiration, ou comme un geste de réconfort. Le sens du devoir, c'était le plus petit dénominateur commun de l'ensemble des individus ayant des enfants à leur charge : à l'orphelinat, les nonnes aussi appliquaient ce principe. Rachel comprenait qu'il était assez injuste que sa grand-mère ait à élever sa petite-fille après avoir élevé sa fille. Il était injuste qu'elle ait perdu sa fille.

La froideur de sa grand-mère contaminait le moindre aspect de leur vie quotidienne. La maison était chichement décorée, remplie de courants d'air. Elle donnait à manger à Rachel la télévision allumée, par peur que Rachel ait la curieuse idée de lui raconter sa journée. Pendant des années elle porta les mêmes vêtements fonctionnels, un « chemisier » et un « pantalon » quasi identiques à ceux de la veille. Elle ne mettait jamais de bijoux, ne riait jamais.

Dépenser beaucoup d'argent, c'était exprimer une émotion, et la grand-mère de Rachel évitait autant que possible d'exprimer la moindre émotion. Celle qu'elle avait le plus de mal à dompter était la colère : la paresse de Rachel la mettait en colère, ses questions la mettaient en colère, son étourderie, sa puérilité, son affectivité, son humanité, ce besoin qu'elle avait d'être nourrie trois fois par jour. Elle se mettait en colère quand Rachel exprimait l'envie de faire du basket-ball, ou de rejoindre le groupe des pom-pom girls, ou d'auditionner pour la pièce de l'école. Elle était si souvent en colère et cette colère était si terrifiante que Rachel cessa d'exiger un semblant d'enfance normale et apprit à se contenter de ce qui sous le toit de sa grand-mère passait pour de l'amour, à savoir l'absence de manifestations d'animosité et de hargne.

Quand bien même Rachel se serait-elle plainte, sa grand-mère n'aurait rien compris. Elle l'attendait tous les jours chez elle quand Rachel rentrait de l'école. Elle préparait tous les repas. « Tu as toujours eu des chaussures aux pieds », se plaisait-elle à lui rappeler. Elle l'avait envoyée dans une école privée, ce qui avait largement entamé ses économies, malgré l'aide financière qui leur avait été accordée. Une école huppée, catholique alors qu'elles étaient juives, où se pressaient des enfants de diplomates en poste à Washington, et d'autres gens comme il faut. Sa grand-mère pensait qu'une instruction de premier ordre compenserait tout ce dont Rachel avait manqué dans sa courte vie. Vous voyez, ce n'était pas vraiment un *monstre*. C'était plutôt qu'elle ne savait pas comment être *humaine*.

Mais Rachel n'en était pas moins malheureuse. Elle habitait Mount Washington, là où vivait la classe moyenne juive, mais tous ses camarades de classe étaient des non-juifs riches qui habitaient Ruxton, Green Spring Valley, ou – authentique – une île privée non loin d'Annapolis. Après les cours, ils montaient à bord de voitures noires ou anthracite conduites par des chauffeurs travaillant pour eux depuis qu'ils étaient bébés. Les avantages dont elle entendait parler lui ouvrirent de tout nouveaux horizons quant à ce qu'il était possible de convoiter en termes de fortune et de privilège. Les filles de sa classe portaient des prénoms tels que Clancy, ou Devon, ou Atterleigh, ou Westerleigh, ou Bonneleigh, ou Plum, ou Poppy ou Catherine. Ou Catherine, ou Catherine, ou Catherine, ou Catherine. Elles partaient faire du ski à Aspen une semaine avant le début des vacances de Noël. Elles partaient en safari, en Afrique. Elles visitaient des îles privées aux Fidji, ou descendaient le Nil en croisière privée, ou bénéficiaient d'un tour privé des îles Galápagos, ou descendaient dans un palais privé à Venise, ou dans une *forêt privée* au Brésil. Elles allaient au concert et à l'opéra, prenaient des cours de français en plus de ceux de l'école puis partaient en voyage en France et devenaient sophistiquées et distinguées comme Rachel ne le serait jamais, parce que quand la sophistication n'est pas notre langue maternelle, on est condamné à toujours garder un accent.

En cinquième, Catherine H., une fille timide qui n'avait pas beaucoup d'amies, demanda à Rachel si ça lui dirait de prendre des cours de tennis. Rachel savait qu'il n'aurait servi à rien de demander à sa grand-mère. Parce qu'il n'y aurait pas eu que les cours de tennis. Il y aurait aussi eu les tenues et le matériel, il aurait fallu la déposer et revenir la chercher. Il y aurait eu les tournois et les entraînements et le chaos qu'aurait engendré toute nouvelle activité dans l'agenda de la semaine. Rachel répondit à Catherine que c'était impossible, mais Catherine ne parvenait pas à comprendre pourquoi.

« Ça ne te dit pas de faire du tennis ? lui demanda-t-elle.

— Honnêtement ? répondit Rachel. Ça m'a l'air plutôt chiant. »

Mais c'était tout l'inverse. Ç'avait l'air super marrant, et ç'avait tout du genre d'activités qui lui aurait permis d'avoir un groupe de vraies amies qu'elle pourrait appeler et chez qui elle pourrait aller et dont elle pourrait apprendre les moindres secrets. Rachel passait tout son temps devant la télé afin de savoir comment imiter le plus fidèlement possible une personne normale le jour où elle en aurait enfin l'occasion, et il y avait une série sur le câble où deux copines discutaient parfois en se coiffant l'une l'autre, ou pendant que l'une d'elles était aux toilettes. Ça la hantait constamment, cette histoire de coiffure et de toilettes. L'effet que ça devait faire d'être coiffée par quelqu'un. L'effet que ça devait faire de se sentir totalement libre en présence de quelqu'un. Les filles qui faisaient du tennis avaient tout l'air de se coiffer les unes les autres et d'uriner les unes devant les autres. Catherine H. finit par s'inscrire au tennis et se rapprocha de celles qui en faisaient déjà. Elle partit même en stage de tennis, plusieurs jours, où elles devaient sans doute se coiffer les unes les autres tous les soirs, et où les toilettes n'avaient peut-être même pas de portes. Un jour, durant ce fameux camp, elle appela Rachel. Elles n'étaient pas amies, mais Rachel se sentait si seule cet été qu'elle ne se douta de rien. Catherine H. lui dit qu'elle avait un nouveau petit ami, Trey, et est-ce que ça lui dirait de parler avec son petit copain ? Rachel répondit que oui, bien sûr. Le petit ami lui parla pendant cinq minutes et puis au détour d'une phrase, lui fit : « On a entendu dire que tu aimais sucer des bites… », et elle entendit des gloussements derrière lui. Il fallut une bonne minute à Rachel pour comprendre ce dont il retournait, mais ils avaient alors déjà raccroché, et elle se retrouva seule, les yeux rivés au combiné qu'elle tenait toujours à la main.

Elle ne voulait plus être différente des autres. Elle était encore en cinquième lorsqu'elle se mit à voler des vêtements de luxe à l'étalage. Sa grand-mère ne l'emmenait qu'au Woodies de White Marsh, un grand magasin merdique dans lequel aucune de ses camarades de classe n'aurait osé mettre les pieds. Elle se rendit toute seule au Nordstrom du Columbia Mall avec les 60 dollars qu'elle avait mis de côté en aidant une mère au foyer durant l'été. L'uniforme scolaire consistait en une jupe écossaise fournie par l'école et une chemise blanche. On pouvait acheter la chemise à l'école, mais la majorité des filles achetaient des chemises pour hommes Ralph Lauren, avec le petit logo de la marque sur la poitrine. Elles déboutonnaient leurs chemises ou les achetaient une taille en dessous afin de laisser paraître un bout de lingerie extrêmement agressif au niveau du sternum. Si seulement elle pouvait faire ça, elle aussi. Si seulement elle pouvait leur ressembler.

Mais la chemise coûtait 90 dollars. Elle en essaya une. Ça lui allait à merveille. On aurait dit l'une d'elles. Elle ne pouvait repartir sans cette chemise. Elle savait que d'autres filles volaient. Elles en parlaient souvent. Elles étaient toutes riches, ce qui rendait la chose bizarre, pathologique même. Mais Rachel, elle, avait besoin de voler cette chemise. Parce que pour elle, c'était tout bonnement une question de survie. Ce jour-là, elle sortit simplement du magasin avec la chemise. Dans les boutiques vraiment huppées, les chemises ne portaient pas d'antivols qui faisaient sonner les portails, parce que 90 dollars, ce n'était rien. Elle piqua un soutien-gorge push up à dentelle noire sur l'étiquette duquel on voyait une femme caresser son propre visage, en pleine extase, comme si le simple fait de porter ce soutien-gorge avait cet effet. Elle alla à l'école le lendemain avec sa chemise, son soutien-gorge en dessous, mais cela ne l'aida en rien. Il était trop tard pour rattraper le temps perdu. Bien trop tard. Sa sentence avait été prononcée, et elle était irrévocable. Il lui faudrait prendre son mal en patience jusqu'à la fac, où elle pourrait repartir de zéro. Et c'est ce qu'elle fit.

Et puis elle rencontra Toby. Enfin, un homme qui l'aimait, et qui la choisit, elle. Sa façon de la regarder, l'impression qu'il lui donnait d'être casée, d'avoir enfin sa place dans ce monde. Elle fit la connaissance de sa famille, dans la maison où il avait grandi, elle vit le chaos et la stabilité qui y régnaient, et elle sut que cet homme avait tout cela en lui, et qu'elle aussi pouvait avoir tout cela en elle. Ils se marièrent.

Elle débuta au service courrier d'Alfooz & Lichtenstein, la plus ancienne et la plus grande des agences artistiques new-yorkaises, et décrocha un poste où elle put canaliser son énergie bouillonnante au profit de sa réussite socio-professionnelle. Son supérieur lui fit des avances, et sa première grossesse lui valut de ne pas devenir associée. Ce n'était là qu'un des nombreux aspects horribles de la grossesse. Juste avant de tomber enceinte, on est une personne. À l'instant où on devient l'incubatrice d'une autre forme de vie, on se voit réduite aux parties qui nous constituent. Les insultes furent grandes, mais elles furent aussi subtiles. Tout au long de sa grossesse, on lui dit qu'elle était *chou*. On lui dit qu'elle était *rayonnante*.

Ses subalternes la gratifièrent d'une *baby shower* et réduisirent son bureau austère et froid, tout en verre et en métal, à un fatras de cotillons et de serpentins pastel dont elle retrouva régulièrement des bouts pendant les semaines qui suivirent. Ce n'était pas une fête, se dit-elle durant les réjouissances. C'était un aperçu de son avenir. Elle songea au regard qu'elle-même portait sur les mères et sur la maternité. Toutes les mères qu'elle connaissait lui semblaient amputées de toute réelle importance, comme si ce n'était pas des personnes sérieuses. Pourquoi n'avait-elle pas compris plus tôt qu'elle s'apprêtait à rejoindre un club d'individus qu'elle supportait à peine ? Dans toute l'histoire de l'humanité, quelle femme s'était jamais affranchie de la malédiction de la maternité, qui vous transforme en quelque chose de doux et de ridicule ? Avant ça, on ne la considérait déjà pas comme quelqu'un de parfait. Cela, elle le savait. Mais elle allait devoir à présent se battre pour être simplement considérée comme quelqu'un de normal.

Et c'est alors qu'un homme avait déchiré son intimité pour s'en prendre à la seule et unique raison de son existence.

Toby reprit le travail six semaines après la naissance d'Hannah, mais pas Rachel. Six semaines après sa naissance, elle attendait que Mona prenne Hannah pour sa promenade, puis elle allait dans le salon, où à onze heures du matin un rayon de soleil transperçait la fenêtre : elle s'asseyait alors dans le faisceau chaleureux, d'abord à genoux, puis elle se prosternait comme une musulmane en pleine prière, elle restait dans cette position, et elle pleurait. Comment était-ce possible ? se demandait-elle. Comment est-ce que le fait tout simple de donner la vie à un enfant pouvait à ce point détruire une personne ? Est-ce que toutes les naissances de l'histoire de l'humanité avaient dévasté de la sorte toutes les mères de l'histoire de l'humanité ? Était-ce un secret bien caché, ou était-ce elle qui n'avait rien écouté ? Sous couvert de tous les conseils vains et cruels dont l'avaient gratifié les femmes qui l'avaient vue en fin de grossesse, et qui pour la plupart l'encourageaient à faire le plein de sommeil et à profiter de chaque petit moment parce que le temps passait si vite, avaient-elles en réalité voulu lui enjoindre de s'accrocher à sa dignité d'être humain ?

Les autres femmes inscrites à son cours de yoga prénatal continuaient d'alimenter une chaîne d'e-mails, et dans leurs messages, Rachel cherchait des indices qui lui auraient permis de croire qu'elles aussi étaient terrifiées, tristes, brisées et amputées, mais aucune ne l'était. Vous pouvez lui faire confiance : aucune, tout simplement. Elles rigolaient de leur fatigue, et puis c'était une vraie tragédie que l'une d'elles ait été obligée d'accoucher sous péridurale, et c'était une vraie tragédie qu'une autre ne produise pas assez de lait maternel pour son bébé et qu'elle soit obligée de compléter l'apport avec du lait en poudre. Rachel avait envie de leur répondre qu'elle n'arrivait plus à se regarder dans une glace. Elle avait envie que l'une d'elles comprenne à quel point elle se sentait minuscule. Elle avait envie que l'une d'entre elles lui dise si c'était là la personne qu'elle était en vérité, si la véritable Rachel s'était soudain révélée au reste du monde, ce jour-là, à l'hôpital, ou si simplement, elle finirait un jour par rebondir. « Rebondir », ça faisait partie du vocabulaire qu'elle comprenait : leurs vagins devaient rebondir, leurs seins devaient rebondir, est-ce que leur ventre rebondirait un jour ? Au prix de quelques menus ajustements, ces femmes se réadapteraient à la vie. Elles finiraient par se reconnaître elles-mêmes. Mais qu'en était-il de Rachel ? Rachel finirait-elle par rebondir ? À ses yeux, cette acception du verbe « rebondir » n'avait d'autre fonction que de la railler. Il n'y avait pas de bondissement à attendre. Pas de « re » non plus.

Aussi rejoignit-elle ce putain de groupe de victimes de viol où les personnes réunies racontaient comment on les avait menacées avec un couteau ou un pistolet, et comment un soir un petit copain était devenu violent et dangereux, et comment elles s'étaient réveillées un matin sans savoir où elles étaient ni comment elles avaient atterri là ni où était passée leur culotte, pour apprendre plus tard qu'elles étaient tombées enceintes ou qu'elles avaient attrapé une MST. Rachel restait assise là, avec son bébé, et quand venait son tour de parler, elle se mettait à pleurer. Elle ne pleurait pas bien sagement. Elle meuglait et on la laissait faire. On la laissait faire pendant cinq bonnes minutes, puis toutes s'approchaient d'elle, s'accroupissaient devant elle, lui tapotaient les épaules, les genoux, jusqu'à ce que ses sanglots cessent.

Un jour, à la fin d'une séance du groupe à l'hôpital, elle se retrouva dans le même ascenseur que Romalino, qui ne la reconnut pas. Quatre étages seule à seul. Quatre étages pour lui dire : REGARDE, REGARDE CE QUE TU AS FAIT À QUELQU'UN QUI ALLAIT PARFAITEMENT BIEN. TU M'AS RAVAGÉE. Mais elle en fut incapable. Au lieu de ça, elle lui tourna le dos, face à l'une des parois, comme une cinglée, recroquevillée au-dessus d'Hannah, et son cœur battait à tout rompre, et même après qu'il fut sorti elle n'arriva pas à se regarder dans la glace de l'ascenseur parce qu'elle était une putain de lâche. Elle n'était pas ce qu'elle avait cru être. Elle était exactement ce pour quoi Matt Klein l'avait prise. Elle était ce pour quoi ce médecin l'avait prise. Elle n'était rien. Elle n'était qu'une femme. Ce fut là son introduction à la maternité.

Elle écoutait les femmes parler de leur viol. L'une d'elles ne se souvenait même pas de l'acte en soi. Elle s'était réveillée un jour, des preuves du viol tout autour d'elle, mais sans le moindre souvenir des faits. Un policier lui avait dit qu'il lui serait difficile de porter plainte si elle ne se souvenait de rien. Cette question obséda Rachel : se serait-elle souciée de ce que Romalino lui avait fait si on l'en avait simplement informée après coup, si elle avait été inconsciente durant l'acte ? Elle n'en savait rien. Cette femme semblait aussi meurtrie que les autres, mais Rachel était d'avis qu'à sa place, elle aurait eu moins de mal à gérer la situation. C'étaient les souvenirs qui la dérangeaient, ne pas pouvoir se coucher sur le dos sans que tout lui revienne, et par conséquent ne plus jamais se coucher sur le dos. Elle dormait à présent sur le côté, ou en position semi-assise, ou pas du tout.

À la fin de sa quatrième séance avec le groupe de parole, l'une des femmes lui proposa d'aller boire un café, poussant

Rachel à ouvrir les yeux sur la tromperie qu'elle perpétrait. Qu'adviendrait-il si elles finissaient par apprendre la vérité ? Si Rachel se démasquait elle-même, et que dans des cris, ces femmes se retournaient toutes contre elle, elle qui singeait leur souffrance ? Elle répondit qu'elle était désolée, mais non, elle ne pouvait pas, on l'attendait quelque part, et elle ne revint plus jamais. Elle n'avait pas été violée. Son bébé était en bonne santé. Elle avait eu un accouchement difficile. Toby avait raison. *Elle n'avait pas été violée.* Reprends-toi, Fleishman.

Et puis il y avait cette autre chose qui la travaillait, le fait qu'elle ne pouvait penser à ces victimes sans se demander ce qu'elle avait d'autre en commun avec elles. Elles non plus ne savaient pas si elles étaient des cibles-nées, ou si cela leur était arrivé comme ça, du seul fait qu'elles existaient. Il y avait tant de façons d'être une femme, mais on n'en restait pas moins une femme, c'est-à-dire, en clair : une cible. Qu'est-ce qui avait poussé Romalino à croire qu'elle était le genre de personnes qui accepterait de se faire traiter de la sorte ? Était-ce pour la même raison qu'elle n'avait pas mis un coup de poing à Matt Klein quand il avait posé les mains sur elle ? (« Attends, attends, il a posé les mains sur toi ? Je croyais que c'était juste des mots ? » « Je n'ai pas envie de parler de ça maintenant. »)

Il lui fallait déterminer la nature de cette chose et l'éliminer en elle, or tout ce qui lui arriverait en continuant de fréquenter ces femmes, ç'aurait été de leur ressembler chaque fois un peu plus, pas de s'en démarquer. Et elle n'était pas une victime comme toutes ces femmes. Elle était la puissance. Elle était ce qui traumatisait. Plus jamais elle ne permettrait qu'on la prenne pour ce qui se laissait traumatiser.

La semaine suivante, au lieu de se rendre au groupe de parole, elle alla à Central Park avec Hannah, dans l'aire de jeux à hauteur de la 72e Rue. Elle s'assit sur un banc.

Son regard glissa en direction des autres bancs. Sur l'un d'eux, des nounous s'occupaient de gamins en discutant. Sur un autre se trouvaient quelques mamans, dont trois faisaient partie de son groupe de yoga prénatal. Elle alla à leur rencontre, heureuse de les voir, et heureuse qu'elles la voient occupée à une tâche aussi normale que de se promener au parc avec son bébé dans sa poussette. Mais elle surprit l'une d'elles lui jeter un coup d'œil et murmurer quelque chose aux autres avant d'afficher un large sourire et lui lancer un « *Rachel !* ». Elle n'y avait même pas pensé. Elles étaient toutes restées en contact. Elles continuaient de se voir. Leurs gamins étaient sûrement tous copains. Rachel était une fois de plus exclue. La prise de conscience fut brutale : avoir un enfant, c'était accepter d'endurer à nouveau sa propre enfance. Pourquoi est-ce que personne ne l'avait prévenue ?

Eh bien, si c'était comme ça, cette fois elle s'y prendrait mieux. Son arrivisme, ainsi que l'appelait Toby, n'avait rien à voir avec elle ou avec son enfance : c'était de ses gamins qu'il s'agissait. Quand on grandissait comme Rachel avait grandi, qu'on aime être seul ou pas, la solitude devenait une seconde nature, la condition par défaut. Ce qui signifiait qu'elle n'avait pas envie de se faire des *amies*. Elle n'aimait ni Miriam, ni Roxanne, ni Cyndi, et celles-ci n'étaient pas les amies qu'elle voulait avoir. *Toby* était l'ami qu'elle voulait avoir. *Toby* était son ami pour la vie. Toby était la personne avec qui elle pouvait être seule. Quand on s'est vue rejetée toute son enfance pour des raisons impossibles à déterminer alors, on a de grandes chances d'interpréter tout ce qui peut nous arriver par la suite comme d'énièmes marques de rejet. Miriam l'aimait bien, mais pourquoi ne l'invitait-elle jamais à ce salon de massage de Great Jones Street ? Roxanne l'invitait à dîner le soir où les gamins passaient la nuit chez elle, mais elle lui racontait alors qu'elle avait passé la journée à faire du shopping avec Cyndi, et ce n'était pas que Rachel voulait faire du shopping avec ces deux-là, c'était simplement qu'elle voulait être *invitée*. Elle voulait se sentir partie intégrante de leurs vies. Elle voulait qu'elles ne les considèrent plus, ses enfants et elle, comme de simples *options*. Toby ne comprenait pas en quoi ça la gênait, ni quelle importance ça pouvait avoir. Comment aurait-il pu comprendre ? Il avait une sœur, des parents, une mère à qui il attribuait la responsabilité de son peu d'estime de lui-même, sans jamais prendre en considération le fait que la personne à qui il confiait tout ça aurait été prête à tuer pour avoir une mère, même mauvaise. Il avait tous ces amis de fac qui ne l'avaient pas lâché. Il avait Seth. Il m'avait, moi. Il avait toutes ces personnes qui l'avaient vu au bout du rouleau, pitoyable et pathétique, et qui pourtant n'avaient jamais cessé de l'aimer.

L'autre problème était difficile à formuler avec des mots. Toby avait un bon boulot. Il adorait son bon boulot. Il était bon dans ce bon boulot qu'il faisait. Très bien. Mais l'existence qu'ils avaient convenu de mener exigeait beaucoup plus que ce que le bon boulot de Toby pouvait leur offrir. Très bien. Elle n'y avait pas pensé du temps où ils sortaient ensemble. Au début de leur relation, elle s'était dit qu'elle avait eu de la chance de tomber amoureuse de quelqu'un d'altruiste et d'intelligent qui voulait aider les personnes malades. Mais ils étaient tombés d'accord sur les valeurs qu'ils cultiveraient. Une nuit, chuchotant sous les draps de son lit minuscule dans cette résidence estudiantine, Rachel avait tout raconté à Toby, son bahut, Catherine H., le tennis, le coup de fil. Elle lui avait dit qu'elle voulait absolument épargner cela à ses enfants. « Je ne permettrai jamais que ça leur arrive », avait-il répondu. Il parlait de soutien affectif. Elle, de soutien financier. Peut-être qu'en réalité, ils n'étaient pas du tout tombés d'accord.

Pendant des années, elle s'efforça de le tirer vers le haut, de l'encourager à en vouloir davantage, mais ce n'était tout simplement pas dans sa nature. Ç'aurait été sympa de gagner plus, disait-il, mais ce qu'elle lui demandait de faire, c'était un tout autre boulot que celui qu'il faisait, à savoir « guérir ceux qui en avaient le plus besoin » (durant ces conversations, Rachel devait continuellement veiller à ménager ce sentiment de supériorité qu'il tirait de son supposé sacerdoce). Pas vraiment, répondait-elle. Tout ce qui s'éloigne du boulot que je fais me paraît immoral et répugnant, répliquait-il. Soit, disait-elle. Elle aussi aurait adoré ne faire que des choses géniales et honnêtes. Mais avant de s'occuper du monde, il s'agissait de garantir bonheur et confort à leurs enfants.

« On pourrait déménager », avait-il proposé.

Mais où d'autre aurait-elle pu faire ce qu'elle faisait ? Bien sûr, avec le seul salaire de Toby, ils auraient pu vivre comme des rois dans la Pennsylvanie profonde, mais ç'aurait revenu à signer l'arrêt de mort de Rachel.

« Je ne t'ai jamais menti sur qui j'étais », avait-il dit.

C'était une de ses petites phrases préférées, comme si personne n'était censé évoluer, changer et demander à l'autre de faire des concessions, de grandir et de se développer.

Au bout d'un moment, elle se fit une raison. C'était à elle que revenait la tâche de compléter leurs revenus à hauteur de l'existence qu'ils avaient convenu de mener. Lui aussi se fit une raison. Il faisait mine de n'accorder aucune importance à l'argent, mais il fallait le voir au volant de leur voiture. Il fallait le voir dans leur club, avec cette piscine sur le toit, dominant la ville tout entière, au sens propre comme au figuré. Toby aménagea donc son emploi du temps pour rentrer un peu plus tôt et prendre le relais de Mona, la baby-sitter. Il se mit en retrait pour permettre à Rachel de se lancer dans son gros projet. Et si elle s'y lança à corps perdu, ce ne fut pas par pure bravoure, mais à quarante pour cent parce qu'elle n'avait pas le choix, et à soixante pour cent parce que retravailler avec Matt Klein aurait été un échec dont elle ne se serait jamais relevée.

Elle monta donc sa propre boîte, et Toby joua ostensiblement le rôle de celui qui se met en retrait, mais en vérité, il n'en fut rien. Il rentrait tous les jours à l'heure, c'est vrai. Il préparait le dîner quand Mona ne s'en chargeait pas. Mais il continua d'exiger de Rachel les mêmes choses qu'auparavant, sans lui laisser la place d'être crevée, stressée ou juste occupée. Il adorait faire de longues balades. Même quand ils étaient horriblement en retard, il tenait absolument à marcher. Traverser le parc, traverser la ville, même. Elle essaya et essaya sans relâche de lui faire comprendre que le temps se divisait en unités incompressibles. Malgré son amour inconsidéré pour la physique, il ne parvenait pas à se rentrer ça dans le crâne : si tu insistes pour consacrer une tranche horaire à rejoindre à pied un resto qui se trouve à trente-cinq blocs plutôt que de me laisser finir cet e-mail dans le taxi qui nous y conduira, je devrais finir cet e-mail à la table du resto. L'e-mail n'est pas une option. C'est la *seule* possibilité.

« Certains diraient que ça peut attendre », objectait-il.

Mais il ne se rendait pas compte du *volume* et du *nombre* de choses à faire. Il n'arrivait pas à comprendre qu'elle devait réagir à ce stupide émoji yeux au ciel de Roxanne en réponse à un truc que Cyndi avait conclu d'un LOL, ou qu'elle devait confirmer à Cyndi l'heure à laquelle elle déposerait Hannah chez elle, ou qu'elle devait dire à Miriam de réserver leur cinq mai pour l'anniversaire de Solly parce qu'elle fixait toujours son agenda des mois à l'avance et que l'absence de Jack à l'anniversaire de Solly aurait été un vrai désastre susceptible de remettre en question l'amitié des deux enfants et celle de leurs mères. Toby n'avait jamais pleinement conscience de ce qu'il ne voyait pas. S'il ne lisait pas l'échange de SMS avec Mona, c'est qu'il n'avait pas eu lieu. S'il n'assistait pas à cette conversation absolument dégradante avec Miriam, il ne comprenait pas le sacrifice auquel Rachel avait consenti. S'il était profondément endormi durant ces longues heures nocturnes qu'elle avait consacrées au choix de la maternelle en fonction des philosophies d'une multitude d'établissements, c'est que ça n'était pas arrivé. Toutes les contributions de Rachel semblaient tomber du ciel, comme par magie, ou passaient pour un prolongement inconscient et naturel de sa condition féminine. Il avait considéré comme un crime de guerre l'envie qu'avait eue Rachel de passer un jour de plus à Paris à l'occasion d'un déplacement professionnel. Elle devait assister à la cérémonie des Tony Awards, il n'avait pas compris qu'elle se déroulerait le même soir que le gala annuel à l'hôpital, et elle passait pour quelqu'un d'horrible parce qu'elle préférait se rendre aux Tony, où trois de ses clients seraient nominés. Il ne voyait pas à quel point le volume de choses à traiter l'asphyxiait.

Toby avait des consultations avec ses patients. Il avait des opérations. Autant de blocs de temps qui, une fois écoulés, n'avaient plus d'incidence sur son planning. Rien ni personne n'exigeait de lui qu'il soit à deux endroits différents au même moment. Tout ce qui lui était demandé, c'était de faire ce qu'il avait à faire dans des créneaux strictement délimités, sans interférence extérieure ni contretemps. Il n'avait jamais eu à surveiller son téléphone sous la table parce qu'il attendait les réponses de plusieurs sociétés de production sur un scénario, ou parce qu'un acteur qu'il représentait s'apprêtait à faire son coming-out et qu'il avait besoin d'une chargée de com spécialisée dans la gestion de crise pour préparer cela. Bien sûr, Toby avait des urgences, mais il avait aussi dix personnes derrière lui prêtes à le remplacer en un clin d'œil en cas d'impondérable, tout un groupe d'individus qu'il avait formés à réagir comme lui s'il ne pouvait être présent.

Oui. Elle travaillait jour et nuit, oui. Tous les jours, elle respectait les deadlines et désamorçait des conflits. Elle eut dix, puis vingt, puis cinquante, puis cent personnes sous ses ordres. Elle représentait plus de deux cents acteurs, auteurs, producteurs et réalisateurs. *Presidentrix* était pressenti pour une adaptation au cinéma, et oui, oui, elle entendait bien ne pas passer par un agent spécialisé dans le septième art. Elle était parfaitement capable de s'en occuper elle-même. Un point c'est tout. Fini les missions externalisées. Fini les partenariats synergiques. Super Duper Creative proposait à présent l'intégralité des prestations de représentation artistique. Elle se développait, se développait encore, sans qu'il semble exister de limites à son expansion. C'était l'opposé de la parentalité, et même (mais il fallait garder cela pour soi), une compensation nécessaire à la maternité. C'était une forme d'accomplissement sans commune mesure avec le fait d'être parent. Hannah et Solly grandissaient, et Rachel se rongeait les sangs en se demandant s'ils avaient trop d'activités extrascolaires, ou pas assez. S'ils devaient prendre des cours d'allemand, comme les enfants Leffer. Une nuit, lorsqu'elle eut fermé l'œil pour se retrouver au milieu du champ de mines hallucinatoires du sommeil préparadoxal, sa mère défunte lui était apparue pour lui demander : « Pourquoi est-ce que Solly ne sait toujours pas coder ? » Cette question résonna à ses oreilles pendant des jours. Il fallait une semaine ou deux pour signer un contrat d'acteur, après quoi, c'était fini. Pour Hannah et Solly, elle ne pourrait crier victoire qu'au tout dernier instant de son existence, à condition que rien de mal ne soit arrivé entre-temps.

Elle rentrait tous les soirs à la maison – pas tous les soirs à la même heure, mais presque tout le temps avant qu'ils s'endorment – même si le boulot de la journée n'était pas terminé, et elle le terminait dans la cuisine même si ça relevait du quasi impossible. Hannah voulait parler du fait qu'elle n'avait toujours pas de téléphone et Solly voulait faire une partie de Uno et Toby voulait qu'elle le contemple amoureusement tout en écoutant ses histoires de diagnostics hépatologiques qui n'en finissaient pas, mais qui n'en finissaient pas. Elle en savait tellement sur cet organe répugnant qu'elle aurait pu diagnostiquer sans l'aide de personne au moins quatre ou cinq pathologies, des rares comme des plus fréquentes. Voilà comment les choses se déroulaient, soir après soir :

ELLE : *C'est moi, je suis rentrée !*

LUI : *Tu ne devineras jamais ce qui s'est passé aujourd'hui et à quel point je me suis fait baiser/mépriser/rabaisser.*

ELLE : *Tu vas pouvoir tout me raconter ! Laisse-moi juste faire un petit bisou aux enfants et répondre à ces messages, parce que j'ai une première ce soir...*

LUI : *Tu n'en as rien à faire, de moi.*

ELLE : *Hein ? Comment tu peux me dire ça ?*

LUI : *Écoute-toi un peu. Tu n'es pas vraiment là. Pas vraiment dans ton rôle de mère.*

ELLE : *Tu ne m'as pas entendue quand je t'ai dit que j'avais une première ? Tu ne m'as pas entendue quand je t'ai dit que je voulais faire un bisou aux enfants ?*

LUI : *Je n'en peux plus, de ta colère.*

Il lui était impossible d'exprimer la moindre opinion sans qu'il l'accuse d'être en colère. Chaque jour, c'était une nouvelle insulte. Elle se levait le matin, quittait l'appartement avec Toby et les enfants, et juste avant qu'elle les quitte tous les trois en prenant la direction opposée à l'école, elle entendait le gardien clamer que Toby était un vrai héros, lui qui accompagnait ses propres enfants à l'école. Elle croisait une prof de l'école qui ne manquait pas de lui dire : « C'est incroyable, votre mari les accompagne tous les matins. » Elle aurait voulu lui dire : « Et c'est pas incroyable, que je rembourse toute seule le prêt immobilier ? C'est pas incroyable que mes enfants aient un emploi du temps plus complexe que celui du président et que, à la fin de l'école primaire, ils seront déjà préparés à trois ou quatre choix de carrières parmi les plus prestigieuses ? C'est pas incroyable l'exemple que je leur donne ? » Les profs disaient d'elle que c'était une mère active, et ç'avait quelque chose d'insultant même si c'était vrai. Peut-être parce que les mères actives étaient rares dans cette école. Peut-être parce que ça revenait à mettre un astérisque au bout de son nom pour expliquer en bas de page tous ses manquements en tant que mère.

Les Rothberg les avaient invités pour le réveillon dans leur maison au nord de l'État de New York, et alors que Sam Rothberg et Toby avaient emmené les garçons au bowling, la fille de Miriam s'était approchée d'elle à quatre pattes, et Miriam avait lâché : « Sans rire, ça ne s'arrête jamais. » Rachel avait acquiescé de tout cœur — C'est sûr, ça semble ne jamais s'arrêter — mais elle avait ajouté : « Tu as de la chance d'avoir encore un bébé. Je regrette de ne pas en avoir eu un troisième. » Miriam lui avait demandé pourquoi ils n'en avaient pas eu, et Rachel avait répondu : « Sans doute parce que je travaille trop », pour couper court à cette conversation qu'elle préférait éviter. Elle ne voulait pas en venir au moment où il faudrait évoquer le refus de Toby d'avoir un troisième enfant parce qu'il savait que ce serait à lui de s'en occuper et qu'elle ne voulait pas être jugée responsable de la vie imparfaite de Toby jusqu'à la fin de ses jours.

Mais Miriam n'eut pas la réaction qui convenait. Elle ne hocha pas la tête avec un sourire en tâchant de comprendre, comme Rachel s'efforçait de hocher la tête et de sourire et de comprendre les problèmes que Miriam rencontrait dans son existence profondément dénuée de tout problème. Au lieu de ça, Miriam lui dit : « Tu sais, nous aussi on *travaille*. »

Rachel fut désarçonnée.

Miriam et Roxanne échangèrent un regard. Elles avaient déjà parlé de ça entre elles. « Ça ne veut pas dire pour autant que tu travailles plus que nous, poursuivit Miriam.

— Non, non, bien sûr », fit Rachel, aussitôt furieuse contre elle-même de s'être censurée. La seule chose au monde plus offensante que Miriam ne travaillant pas, c'était Miriam convaincue qu'elle travaillait. Mais Miriam ne saurait jamais ce qu'était un vrai succès. Elle ne saurait jamais ce qu'était la réussite. Elle ne saurait jamais ce que c'était de créer quelque chose de ses mains à partir de rien. Elle ne viendrait jamais à bout d'un problème apparemment insoluble, elle n'assisterait jamais à un spectacle où trois de ses clients chantaient en chœur en se disant : eux aussi, ce sont mes enfants.

La semaine précédente, elle avait dîné avec Sam Rothberg et son neveu qu'elle avait conseillé, en lui disant à quel prof de théâtre s'adresser de sa part, et de la recontacter quand le professeur estimerait le moment venu. Après le dîner, Sam l'avait remerciée et l'avait raccompagnée jusque chez elle. Il avait insisté pour la raccompagner jusqu'à sa porte, ce qu'elle avait trouvé bizarre, mais Sam Rothberg s'était toujours montré très gentil avec elle. Il lui avait dit que son entreprise avait besoin d'un médecin pour un nouveau poste, extraordinairement bien payé. Il voulait savoir si c'était susceptible d'intéresser Toby. Rachel répondit qu'elle n'en savait rien. Autant lui demander !

Elle laissa Sam Rothberg toucher deux mots de cette offre à Toby durant le week-end du réveillon, et Toby péta un plomb. Ils essayèrent une thérapie de couple par la suite, mais il ne voulait rien entendre. Il ne voulait qu'exposer son point de vue – elle ne pensait qu'à travailler et elle les négligeait, lui et les enfants. Il n'arrivait même pas à entendre ce qu'elle lui répondait alors, à savoir qu'elle adorait son travail. Que oui, peut-être devait-elle lever un peu le pied, mais elle ne savait pas comment s'y prendre. Elle n'arrivait pas à se fier aux personnes qu'elle engageait. S'il l'avait écoutée, il aurait compris. Elle avait besoin d'aide pour trouver une solution.

Si elle avait été un homme, songeait-elle, son époux aurait accepté avec gratitude les fruits de son labeur. Il l'aurait laissée souffler un coup à son retour au bercail, avant de l'assommer en lui exposant toutes les raisons pour lesquelles sa vie était atroce, les autres qui lui manquaient de respect, Aaron Schwartz le chouchou de la maîtresse, et Phillipa London qui était toujours aussi méchante avec lui.

Toby aimait tellement son boulot. En tout cas c'était ce qu'il disait. Mais il avait fini par oublier que tout ce que Rachel faisait était précisément ce qui lui permettait de faire son boulot comme il l'entendait. Il avait oublié que leurs carrières étaient symbiotiques, et de son point de vue, c'était leurs malheurs respectifs qui l'étaient : le succès de Rachel était la raison de son échec à lui. Non que sa vie professionnelle fût un échec, mais il n'en demeurait pas moins qu'il aurait pu aller beaucoup plus loin. Dans le fond, inconsciemment sans doute, il l'avait choisie parce qu'il savait qu'avec elle, il ne serait jamais dans l'obligation de faire quoi que ce soit uniquement pour l'argent. Et peut-être que dans le fond, inconsciemment sans doute, elle l'avait choisi parce qu'elle savait qu'avec un compagnon dénué de cette envie, de cette soif, elle aurait le droit d'être l'animal qu'elle avait toujours été.

Pourtant, il ne cessait de lui dire : « Tu es toujours en colère. » Et il arriva un moment où elle finit par l'admettre, après toutes ces séances de thérapie où Toby et le thérapeute ne cachaient rien de leur indignation face à son agacement manifeste à l'idée de se retrouver encore et encore assise dans cette pièce. Comme si le fait de suivre une thérapie de couple était un motif de réjouissance ! Comme s'il fallait se féliciter du temps et de l'argent qu'on consacrait ainsi non pour améliorer les choses, mais pour qu'elles redeviennent supportables. Elle était frappée par cette ironie, le fait que ce soit la thérapie elle-même et non ce qui en ressortait, qui l'avait amenée à prendre conscience de sa colère. Pourtant, après toutes ces accusations, Toby ne s'était jamais intéressé aux *raisons* de sa colère. Il lui en voulait d'être ainsi, point barre. La colère était un jardin qu'elle cultivait, un jardin envahi d'une mauvaise herbe toxique dont elle ne parvenait pas à endiguer la progression. Toby ne comprenait pas que lui aussi cultivait ce jardin. Il ne comprenait pas qu'ils avaient été deux à y planter des graines.

Au passage de la quarantaine, elle décida d'arrêter de faire comme si tout cela ne la mettait pas en colère. Elle n'avait pas envie de faire la vie noire à ses enfants, mais elle voyait bien l'énergie qu'elle gaspillait à faire semblant d'aimer Toby autant qu'elle l'avait aimé jadis. Ça, elle l'avait aimé. Adoré, même. Mon Dieu, ce qu'elle l'avait aimé. Il avait été la première personne de sa vie à la ravir, à la réconforter, à l'apaiser, à l'ancrer à quelque chose. Il était intelligent, son amertume était douce, raisonnable, et vraiment très drôle. Il était honnête, envers elle comme envers lui-même. En tout cas, c'est ce qu'elle avait cru. Il sentait si bon, une odeur de savon, une odeur purement américaine. Et à présent il n'avait plus qu'une chose en tête, suivre une thérapie de couple. Et elle avait accepté. Il voulait crier et jeter des trucs par terre en dehors des séances, puis retourner s'asseoir dans le cabinet du thérapeute et agir de façon raisonnable. C'était quelque chose qu'elle aurait aimé qu'on lui explique : si on était capable d'être raisonnable, pourquoi ne pas l'être en toutes circonstances, plutôt que de suivre une thérapie de couple ?

Et puis un jour, Toby a évoqué le divorce. Ça l'a chamboulée. Elle savait qu'ils avaient une vision différente des choses : elle essayait simplement de survivre, et lui essayait d'avoir la vie de couple marié la plus merveilleuse. Mais le divorce, c'était tout autre chose. Et puis il remit la question sur le tapis. Rachel le supplia d'écouter et d'essayer avec elle d'arranger les choses. Elle lui demandait d'envisager que leurs problèmes étaient en grande partie dus au fait qu'ils traversaient une mauvaise passe dans leur existence, avec des enfants encore jeunes, une toute nouvelle entreprise sur laquelle il fallait encore veiller de près, et puis elle savait que l'échec de sa bourse d'études l'avait beaucoup affecté, mais ils arriveraient à surpasser tout cela. « Tu n'as même pas envie de suivre cette thérapie, lui dit-il. Et puis arrête de parler constamment de ma bourse. »

Elle refusa d'envisager le divorce. Elle le refusa l'été dernier, moment où Hannah quitta leur table, dans un restaurant de Bridgehampton, parce qu'elle en avait assez de leurs disputes. Elle le refusa lorsqu'ils se disputèrent en rentrant chez eux en taxi, après que Toby eut bu un verre de trop à un dîner avec un réalisateur qu'elle essayait de débaucher. Et elle le refusa lorsqu'il piqua sa colère chez Rothberg à cause de la proposition professionnelle qui lui avait été faite. De toute sa vie, Rachel n'avait jamais cru qu'elle méritait d'être heureuse. Jamais elle n'avait envisagé, ne serait-ce qu'une fois, qu'il pouvait y avoir mieux ailleurs. C'était leur couple, leur mariage, leur famille. C'était leur chose à eux, leur propriété, c'était leur œuvre à eux. S'il y avait bien une chose qu'elle avait apprise de sa grand-mère, c'était que la vie n'était pas toujours telle qu'on l'aurait voulue, et que les responsabilités avaient leur importance.

« Je n'ai pas envie de vivre comme ça, lui dit-il.

— Toby, répondit-elle en se massant les tempes. Est-ce que tu arrives à comprendre que je n'ai même pas le temps de divorcer ? »

Non, il ne le comprenait pas. Tout ce qu'il comprenait, c'était qu'elle refusait de lui donner ce qu'il voulait, et qu'une fois de plus le monde se retournait contre lui, soit parce qu'il s'était habitué à ce qu'elle acquiesce à tout, soit parce que ce qu'il désirait profondément était d'avoir bobonne à la maison et qu'il ne parvenait pas à se l'avouer. Ou parce qu'il s'était lancé dans la médecine à une époque où les docteurs étaient encore respectés. Ou parce qu'il sentait bien que beaucoup d'autres s'en étaient mieux sortis. Ou parce qu'il croyait que les gens qui dépassaient un mètre soixante-cinq baisaient plus souvent. Ou parce que ses amis étaient trop bohèmes, ce qui lui permettait de se croire plus responsable, plus comme il faut, plus vertueux qu'il ne l'était en vérité. Ou peut-être parce que secrètement, il restait profondément blessé par le non-renouvellement de sa bourse, et par le fait que ses recherches étaient largement considérées comme une perte de temps et d'argent, en somme un désastre, et qu'il savait qu'exprimer son regret et non sa colère à ce sujet l'obligerait à se poser de vraies questions quant à ses talents et ses compétences profondes.

En janvier, peu après les vacances, Sam Rothberg était passé au bureau de Rachel avec un bouquet de fleurs. Elle ne l'attendait pas. Il tenait à la remercier d'avoir aidé son neveu et à s'excuser pour les tensions qu'il avait pu susciter entre Toby et elle à l'occasion de ce week-end à Saratoga. Lorsqu'il lui remit le bouquet, elle éclata en sanglots. Sam Rothberg lui proposa d'aller dîner, lui disant qu'apparemment, elle avait besoin de se confier à quelqu'un. C'était vrai. Rachel lui raconta tout ce que Miriam n'avait su voir, la rancœur que son ambition et sa réussite alimentaient chez Toby, le fait que tous les soirs c'était une nouvelle dispute, et en même temps toujours la même.

« Allez, fit Sam Rothberg d'un ton charmeur. Tu me fais marcher.

— À propos de quoi ?

— C'est sexy, l'ambition, dit-il. Si j'avais un motif de plainte… » Son regard s'égara au loin. « Je ne devrais pas dire ça. » Puis il la regarda droit dans les yeux. « Le fait est que ça ne me dérangerait pas que Miriam en ait un tout petit peu.

— Comment ça ? » Rachel adorait le tour que ça prenait. « Elle est toujours occupée à quelque chose !

— Être constamment occupée à dépenser de l'argent, ce n'est pas la même chose que de créer quelque chose. » Il se pencha en avant et haussa les sourcils, comme pour poser une question. « Je mentirais si je disais que tout ce que tu as réalisé ne me semble pas sexy en soi. »

Sam Rothberg lui expliqua que son ambition et sa réussite ne faisaient qu'accroître le désir qu'il avait pour elle. Il était marié à une héritière fainéante. Il adorait l'ingéniosité de Rachel, son dynamisme. En un rien de temps, ils se retrouvèrent dans un petit restaurant de Brooklyn éclairé à la bougie, où personne de leur connaissance ne pourrait les croiser.

Rachel était stupéfiée, c'est le moins qu'on puisse dire. Ce recoin mystérieux de ses entrailles qui se serrait à chaque victoire fut saisi d'une profonde convulsion de triomphe. Non qu'elle voulût tromper Toby, ou trahir cette pauvre Miriam. Mais ne pas souhaiter une victoire, ce n'est en rien l'effacer.

Au cours du dîner, il lui jeta ce regard – trop intense, trop doux, trop intime – qui signifie qu'un homme a envie de vous. Elle était un peu rouillée, mais elle n'était pas aveugle. Elle en eut le souffle littéralement coupé.

Mais elle était mariée. Qu'est-ce qu'elle fichait là ? Cela dit, elle était mariée à un homme qui lui demandait de divorcer. Soudainement, elle se vit comme de l'extérieur. Elle se vit en train de dîner avec Sam. Elle était encore jeune. Elle était en pleine forme. Elle était encore jolie. Elle vit que cette femme jeune, jolie et en forme était désirée par cet homme, et ce désir l'excita. Ce désir rendait chacun de ses gestes plus intense, comme si quelqu'un la couvait du regard. C'était bien le cas, et ça faisait si longtemps que ça ne lui était pas arrivé.

L'une des raisons qui la poussaient à refuser le divorce était sa conviction que, pour une célibataire de plus de quarante ans, le monde ne représentait qu'un vaste abysse de néant. Toby serait désiré, il n'aurait aucun mal à baiser, et elle deviendrait cet archétype de matrone qui de temps à autre, à la limite, se tape son cousin divorcé, chauve et souffrant de mycoses des ongles chroniques. Ce n'était même pas une question d'âge. C'était surtout la nouvelle donne en matière de drague qui voulait cela. Simone, son assistante, avait vingt-neuf ans, et elle ne faisait de rencontres que par le biais d'applis, via ordinateur et téléphone. Ce qu'on attendait à présent d'une femme, c'était qu'elle se pointe, et haletante de désir, à quatre pattes par terre, qu'elle supplie qu'on lui donne ce qu'elle méritait. Et après coup, qu'elle décoche un simple clin d'œil, qu'elle glousse et disparaisse dans le décor, en faisant comme si tout était pour le mieux, comme si ce n'était rien d'autre qu'un besoin physique, et pas la peine de s'obliger à la rappeler. Rachel n'aurait pu supporter cela.

Mais Sam Rothberg était là, face à elle, et elle sentait la chaleur de son regard, l'agressivité de sa volonté, comme s'il avait jeté son dévolu sur elle et qu'elle ne pouvait rien y faire. Ses orteils se recroquevillèrent dans ses chaussures. Elle avait le souffle court et du mal à déglutir. Ça faisait si longtemps qu'elle n'avait eu envie de baiser quelqu'un à ce point. Si longtemps qu'elle n'avait eu envie de baiser quelqu'un tout court.

Ils prirent la voiture de Sam Rothberg pour retourner au travail de Rachel. Elle lui fit passer la porte des locaux, devant le bureau de Simone, jusqu'au sien. Super Duper Creative se trouvait au trente-deuxième étage : Rachel se tint devant la baie vitrée de son bureau, stupéfaite par cette ville incommensurablement sexy, et toutes ces lumières, ces reflets et… regardez, c'est elle ! Regardez, c'est lui ! Lui, agenouillé devant elle. Lui, la poussant contre le verre. Lui, en train de la soulever. Et eux, en train de jouir ensemble, le son de Ah : la révélation ! Ah ! Voilà ce que j'aurais dû faire depuis tout ce temps ! Voilà *qui* j'aurais dû *me* faire depuis tout ce temps !

Après ça, ils restèrent étendus sur le canapé de cuir, elle sur lui.

« Alors c'est ton bureau, dit-il.

— Tout à fait, répondit-elle, le nez dans les poils de sa poitrine.

— Tu es sûr que personne ne viendra ? »

Elle éclata de rire. « Tu attends quelqu'un ? »

Elle remit sa jupe mais pas ses bas, ni sa petite culotte. Elle jeta tout ça dans une poubelle publique, dehors. Sam Rothberg insista pour que son chauffeur la dépose. Elle refusa, préférant marcher.

Ils se retrouvaient le soir, en semaine, dans des hôtels. Ils se faisaient monter à manger et baisaient par terre, sur le lit, sous la douche. Leur relation semblait vouée au statut de simple aventure, mais un jour, Sam exprima son souhait d'être avec Rachel pour toujours.

« Je ne suis heureux que quand je suis avec toi, lâcha-t-il, nu, entre deux sushis. J'aimerais bien qu'on en parle. »

Rachel réfléchit longuement. Voilà un type qui la désirait vraiment. Un type fort, intelligent, ambitieux, qui collectionnait les succès, et qui ne considérerait pas tous les traits qu'elle avait en commun avec lui comme autant de remises en question de sa petite personne. Plus ils passaient de temps ensemble, plus Rachel prenait conscience que les critiques de Toby à son endroit l'avaient peu à peu imprégnée, par tous les pores de sa peau, jusqu'à se confondre avec les critiques qu'elle s'adressait à elle-même. Et si elle se libérait de ce fardeau-là ?

« Comment on pourrait s'y prendre ? » demanda-t-elle comme s'il ne s'agissait que d'un simple rêve, alors qu'en réalité elle était incapable d'envisager quoi que ce soit sans planification.

« Eh bien, on vivrait ensemble, voilà tout, répondit-il. On leur dirait à tous d'aller se faire foutre. C'est la vie, quoi. »

Elle s'imagina les conséquences. Ça ferait scandale à l'école. Ils devraient mettre leurs enfants dans d'autres établissements. À moins que ce ne soit inutile, et que les enfants s'en trouvent très bien. Enfin quoi, c'était des choses qui arrivaient, non ? Elle ne connaissait personne à qui c'était arrivé de la sorte, mais ça arrivait. Forcément. Elle s'imagina aller chercher ses enfants à l'école, et apercevoir Miriam, Roxanne et Cyndi dans un coin, en train de lui jeter des regards vénéneux, et elle frémit à cette image.

Le film d'Alejandra, après huit versions différentes du scénario et trois réalisateurs pressentis, avait enfin reçu le feu vert et le tournage allait pouvoir débuter : pour son plus grand bonheur, Rachel venait de recevoir une montagne de fric. Elle envisagea de s'en servir pour acquérir un nouvel étage dans l'immeuble, mais s'interrompit presque aussitôt. Dernièrement, elle faisait l'aller-retour

New York-Los Angeles une fois par semaine. Un an auparavant, c'était une fois par mois. Ses clients s'intéressaient davantage à Hollywood, le nouveau marché des platesformes de streaming constituait un eldorado où à peu près tout acteur et tout scénariste étaient susceptibles de trouver leur place. Elle adorait LA. Elle ne dormait jamais aussi bien que lorsqu'elle était là-bas. Tout tournait autour de la santé et du bien-être : on pouvait se faire des jus avec n'importe quel fruit ou légume, il y avait des cours de yoga vingt-quatre heures sur vingt-quatre. Et puis les gens étaient *si peu pressés*. Là-bas, le temps semblait s'étirer. Et si elle ouvrait un bureau à LA ? Et si elle ouvrait un bureau à LA et apprenait enfin à se fier à son équipe et à ne plus se presser ?

« Et si j'ouvrais un bureau à LA ? » demanda-t-elle à Sam, au Waldorf, ou dans une des suites privatives de son entreprise à lui, ou alors cette fois où ils étaient allés dans la maison de Saratoga, dans le lit de Miriam, un étage au-dessus de l'endroit précis où elle avait fait semblant d'abonder dans le sens de Miriam quand celle-ci avait dit que toutes les mères de famille travaillaient.

« Et si moi aussi j'allais travailler là-bas ? » fit Sam. Sa boîte pharmaceutique se trouvait dans le New Jersey, et ses trajets quotidiens le déprimaient. Les labos où étaient conçus les traitements contre le cancer se trouvaient à Manhattan Beach, et il était question d'une création de poste de superviseur.

Rachel songea à cette extraction complète du monde auquel elle appartenait. Qu'elle aille se faire foutre, Cyndi Leffer. Pareil pour Roxanne Hertz. Pareil pour Miriam Rothberg, mais plus fort encore. Toby aussi pouvait déménager, s'il le voulait. De toute façon il avait horreur de New York, il était originaire de LA, et puis il avait toujours dit que ce serait bien que les gamins soient plus proches de sa famille.

Elle voyait ça d'ici. Elle se voyait déjà monter à bord de l'avion avec ses enfants. Elle se voyait en pleine séance de yoga, elle se voyait engager un coach en méditation qui lui apprendrait à faire confiance aux gens avec qui elle travaillait. Elle rentrerait du boulot tous les jours à l'heure. Elle ferait plus attention à ses enfants. Forte de tous ses succès, elle n'aurait plus qu'à continuer sur sa lancée. Elle repasserait ses clients les moins importants à certains des agents qui se trouvaient sous ses ordres. Elle ne se garderait que les plus gros. Elle aménagerait son temps.

Une nuit d'hiver, dans leur maison d'East Hampton, elle se tourna vers Toby et lui accorda enfin le divorce. Ils en informèrent les enfants juste avant que Toby déménage. Elle resta à la maison avec les gamins pendant les semaines qui suivirent, afin que la transition soit plus douce. La première semaine, Solly dormit avec elle toutes les nuits. Elle emmenait Hannah faire du yoga avec elle après le centre de loisirs.

La nuit, quand les deux enfants dormaient, elle se sentait libre. Elle n'avait plus à rendre compte de ses actes à qui que ce soit. Elle regardait des émissions de téléréalité en sous-vêtements, se mettait des patchs antipoints noirs sur le menton, se curait le nez et laissait la vaisselle sale dans l'évier, ce que plus personne ne pouvait interpréter comme une exhortation *de facto* à la faire à sa place. On est censé se sentir malheureux et dévasté après un divorce. Ce n'était pas le cas de Rachel. D'emblée, elle mit de côté tout sentiment d'échec. Elle avait assez donné. Elle avait quelqu'un dans sa vie qui l'aimait pour ce qu'elle était, pas pour ce qu'il espérait qu'elle devienne. Elle avait quelqu'un qui la comprenait. Elle avait pitié de toutes celles et ceux qui restaient fidèles à la vie qu'ils s'étaient bâtie, uniquement parce qu'ils se l'étaient bâtie. Elle avait deux enfants – Hannah, chaleureuse, spirituelle et courageuse, et Solly, sincère, malin, curieux. Elle pouvait enfin leur accorder toute son attention sans avoir à s'inquiéter de l'ego de son mari.

Et puis, après que Todd Leffer lui eut raconté qu'un soir, il avait aperçu Toby en compagnie d'une autre femme, Rachel s'était dit que l'heure était venue de tout lui raconter. Elle était dans son bureau, tout le monde était rentré chez soi. Elle appela Toby et lui dit qu'elle voulait lui parler de quelque chose d'important.

« Quoi encore ? » avait-il fait.

Elle l'informa qu'elle avait l'intention d'ouvrir un bureau à Los Angeles.

« Mais tu te fous de moi ? » avait-il répliqué.

Il garda le silence tandis qu'elle s'efforçait de lui expliquer en quoi c'était une décision positive à tous égards, en évitant l'humiliation d'avouer qu'elle ne supportait plus la pression des profs et des parents d'élèves de l'école. Elle ne pouvait lui dire qu'elle était enfin prête à vivre sa vie comme elle l'entendait et, par l'exemple, enseigner à ses enfants la confiance en soi, et n'était-ce pas d'excellentes nouvelles, tout ça ? Toby pourrait enfin changer d'air, professionnellement, il se rapprocherait de sa famille, et les enfants pourraient apprendre à mieux connaître…

« Ne me vends pas cela comme si tu étais mon agente », la coupa-t-il. Elle se rendit compte alors qu'il avait peut-être bu. Il y avait du bruit dans le fond. Il n'était pas chez lui. Merde.

« Si le moment est mal choisi…, fit-elle.

— Même maintenant, tu vas continuer à pourrir chaque moment de ma putain d'existence ? »

Elle lui présenta ses excuses. Elle n'avait pas voulu le déranger. Le simple fait de l'imaginer avec une autre femme l'attristait. Quelque chose en elle n'acceptait toujours pas que son mariage se soit soldé par un échec. Quelque chose en elle ne supportait pas de ne plus avoir Toby. Soit, elle aimait sa liberté. Soit, le divorce était la seule décision responsable. Elle avait toujours cru que les divorces avaient pour origine la haine, mais sa colère à elle ne reposait pas sur ce sentiment. Sa colère venait de sa déception à l'idée que la personne qu'elle aimait la comprenait si peu. Toby et elle étaient si différents, pourtant ils avaient mûri ensemble. Il avait été son premier grand amour.

« Tu passes ton temps à t'excuser, dit-il. Il ne fallait pas trop m'en demander : élever les enfants et t'apprendre à devenir un être humain, c'était au-dessus de mes forces. Va en Californie si tu veux. Mais tu ne partiras pas avec les gosses. Vas-y si ça te chante. De toute façon, ils ne remarqueront même pas ton absence. »

Et il lui raccrocha au nez.

Cette nuit-là, Sam lui envoya un message pour lui dire qu'il avait réussi à obtenir deux places pour Kripalu à la dernière minute, et qu'ils pourraient y passer le week-end s'ils partaient de bonne heure le lendemain. Elle n'arrivait pas à accepter la cruauté dont Toby faisait preuve à présent. Elle n'en ferma pas l'œil de la nuit. Les événements se précipitaient, et elle n'avait que très peu dormi ces derniers temps. Au début, c'était par pur plaisir, la joie de regarder des conneries à la télévision jusqu'à pas d'heure sans encourir de procès d'intention. Et puis peu à peu, elle s'était rendu compte qu'elle n'avait pas envie d'aller se coucher. Ou plutôt qu'elle en était incapable. Elle ne savait plus comment s'endormir. Le sommeil semblait à portée de main mais lui échappait sans cesse, comme le faux lapin qu'on utilise pour les courses de lévriers.

Elle fit son sac pour Kripalu. Elle attendit une heure relativement décente pour déposer les enfants chez Toby, assez tôt cependant pour que Toby soit encore endormi : elle ne voulait pas le voir. Sam passa la prendre une heure plus tard. Ils roulèrent jusque dans le Massachusetts en silence. Elle s'efforça de ne pas pleurer, mais elle était si fatiguée, et elle pleurait quand elle était fatiguée. « T'es un peu chiante, là », observa Sam. Elle lui lança un regard. Il avait dit cela pour rire, non ? Elle était trop exténuée pour faire la part des choses.

Arrivés à Kripalu, ils firent l'amour, mais elle s'en rendit à peine compte. Puis ils remirent ça deux autres fois, en l'espace de vingt minutes. Toby avait beau avoir une forme de jeune homme, il avait tout de même besoin d'une petite période de récupération. Ils s'inscrivirent à plusieurs séances de massage et à divers ateliers, Rachel choisissant en plus un cours particulier de méditation par la respiration. Un homme aux cheveux longs et rouges, sans sourcils, la guida en lui disant que lorsque sa respiration se bloquait, au niveau de ses poumons ou de sa trachée, elle devait localiser l'emplacement précis, et crier à partir de ce point.

« Crier ? demanda-t-elle.

— Faites-moi confiance », répondit l'homme.

Elle respira des pieds à la tête, et sa respiration parut se bloquer absolument partout dans son corps. Au début, elle n'émit que des gémissements, puis ce fut de vrais cris. Et encore des cris. Au début, ses cris étaient aigus et faibles, mais à mesure que le type lui indiquait avec ses mains d'où ses cris devaient provenir, dans le fond de la gorge, puis au niveau du sternum et du plexus solaire, elle se mit à émettre des sons de plus en plus puissants, gutturaux et dégueulasses. Il y eut un cri pour Toby. Il y en eut un pour Hannah, qui avait attrapé la même maladie dont elle était affligée, ce besoin d'amour et d'acceptation. Il y en eut un pour Solly, qui croyait que le monde l'autoriserait à être lui-même. Il y eut un cri, le plus gros de tous, pour Rachel elle-même, pour tout ce qu'elle avait dû endurer dans la vie – pour son absence totale de chance, pour le fait que personne ne l'avait jamais aimée. Oui, c'était là le fond du problème. Personne ne l'avait jamais aimée. Ni ses parents, ni sa grand-mère, ni même Toby, pas vraiment en tout cas.

Elle n'en était qu'à la première moitié de la séance. Elle hoquetait dans ses sanglots. À la fin, elle réserva toutes les séances encore disponibles pour le lendemain.

Elle retrouva Sam au dîner. Elle avait hâte de lui parler de son étrange après-midi, mais il ne décolla pas de son téléphone, apparemment agacé par Rachel.

« Qu'est-ce qui ne va pas ? demanda-t-elle.

— Ce qui ne va pas, c'est que je croyais qu'on s'amuserait un peu, répondit-il. Je pensais que tu serais plus disponible. Je ne m'étais pas imaginé que tu préférerais opter pour une séance de trois heures de hurlements plutôt que de, je ne sais pas, passer du temps avec moi. »

Elle essaya de lui expliquer à quoi ressemblaient ces séances, à quel point elles étaient cathartiques, à quel point elle se sentait transformée. « Personne ne m'a jamais aimée, confia-t-elle. J'ai pris conscience que tout ce qui ne va pas chez moi a pour origine le fait que personne ne m'ait jamais aimée. »

Il ne releva pas même les yeux de son téléphone. Ça ne l'intéressait absolument pas. Quand elle lui parlait de son boulot, il lui disait que ça l'excitait. Mais ce qu'elle lisait à présent dans son regard ressemblait à du mépris. Cela la terrifia. Elle quitta la table et se réfugia dans leur chambre.

Sam l'y suivit et la saisit par la taille. Il se frotta brièvement contre elle, puis la fit se pencher par-dessus le lit et baissa son legging. La séance de cris l'avait épuisée, mais elle ne voulait pas le décevoir. Quand il eut fini, il s'étala sur le lit et s'endormit. Elle resta assise. Incapable de trouver le sommeil. Elle le regarda, et sans qu'elle s'explique pourquoi, ses ronflements lui parurent de mauvais augure. Elle tenta de le réveiller en le secouant, mais rien à faire, et tout à coup elle se souvint qu'il prenait des somnifères.

Elle se leva et traversa la pièce sur la pointe des pieds, jusqu'à la trousse de toilette de Sam. Elle y trouva un flacon de Viagra (oh) et un autre de zolpidem. Elle prit ce

443

dernier et alla s'asseoir sur la cuvette des WC. Elle fixait le flacon, si lourd de conséquences. Elle avait le sentiment que si elle en prenait, elle cesserait de se noyer. Et si elle faisait partie de ces personnes qui tuaient sous l'empire du zolpidem ? Elle le posa sur le bord du lavabo et alla s'allonger.

Elle dut s'endormir à un moment ou à un autre, mais elle aurait juré le contraire. Sam se réveilla à six heures, comme toujours, la queue déjà raide, ses mains farfouillant entre les cuisses de Rachel. Elle lui dit qu'elle n'avait pas fermé l'œil de la nuit. Il lui rétorqua : « Tu sais, je ne prends pas souvent de vacances. » (Ce qui était faux. Miriam et lui étaient allés à Madrid, à Lisbonne et en Afrique, pour ne parler que de ces dix-huit derniers mois. Ce qu'il voulait dire, c'était qu'il ne prenait pas souvent de vacances sans Miriam.)

S'il était bien une chose dans laquelle Rachel avait toujours excellé, c'était la déduction. L'introspection. L'aptitude à considérer les réactions d'autrui et à s'autoriser à penser qu'elles aboutissaient à quelque chose. Elle avait développé ce talent durant toutes ces années à observer le monde sans la moindre interaction. Elle repensa à ce que Toby lui avait dit la veille au soir. Elle pensa à Sam, ici et maintenant.

Et elle pensa à ses enfants.

Pas à Solly, parce que Solly l'aimait. Solly dessinait les traits de son visage du bout de ses doigts, enfonçait son nez dans son cou et s'accrochait à la couture de son pantalon quand ils marchaient ensemble. Il lui demandait si ce qu'il portait lui plaisait, et comment c'était d'être un adulte. Il ne la jugeait pas, mais il était encore jeune. Non, c'était Hannah qui lui venait à l'esprit quand elle tentait d'évaluer son existence dans sa globalité. Jadis, Hannah la suppliait d'être représentante des parents d'élèves, ou de participer au service du déjeuner, mais comment aurait-elle pu s'acquitter de telles tâches ne serait-ce qu'un jour ? Elle ne pouvait pas accompagner la classe durant leur excursion à Washington. Elle ne pouvait pas même préparer son pique-nique pour une sortie scolaire. « Je ne fais pas ce genre de choses, expliquait-elle à Hannah. Mais je m'assure toujours que ce soit fait. » « J'aurais bien aimé que tu le fasses », répondait Hannah. Rachel ne lui demandait pas où était la différence, parce qu'elle le savait parfaitement. Il faut bien se rappeler que Rachel n'avait pas eu de mère.

Elle repensa à quelque chose que Toby lui avait dit un jour pour la réconforter. Rachel lui avait confié que ça l'attristait de passer pour le mouton noir de l'école uniquement parce qu'elle était une mère active. Et Toby, mû par les meilleures intentions (sans doute), avait répondu : « Ils ne peuvent pas penser autrement. Ils ont tellement d'argent qu'ils n'arrivent pas à comprendre ta situation. » Elle lui avait lancé un regard terrible, mais il n'avait pas mesuré la portée de ses propos, qui ne faisaient qu'appuyer leur point de vue, à savoir que travailler, c'était faire preuve de cruauté à l'égard de ses enfants.

Sa compréhension totale de sa situation se fit jour par couches successives. Évidemment, Sam avait espéré qu'elle reste à ses yeux une femme alpha fantasmée, un plan cul marrant et charismatique dénué de toute émotion. Évidemment, il n'avait pas la moindre intention de se mettre en couple avec elle, parce que avec une femme aussi ambitieuse, il passerait pour quoi, en tant qu'homme ? Et évidemment, son mariage était destiné à l'échec, parce que quelle femme au monde aurait l'idée de se comporter de la sorte ? Et évidemment, les gens la traitaient ainsi pour lui faire comprendre quelle était sa vraie place dans le monde : la place d'une femme, tout simplement. Et les femmes sont par essence viles. Le genre masculin cachait au monde leurs véritables sentiments sous des degrés divers de politesse, mais il est impossible d'être constamment poli. Raison pour laquelle ce médecin l'avait brutalisée. Raison pour laquelle ces hommes avaient violé ces femmes. Et raison pour laquelle Sam ne pouvait supporter qu'elle soit capable d'autre chose que de se pencher en avant et d'encaisser.

Peut-être n'avait-elle aucune valeur. C'était ce que tout le monde lui disait. Peut-être était-ce là le plus important. Comme je l'ai dit, elle s'y connaissait, en déduction.

Elle trouva Sam qui venait de sortir d'une séance de réflexologie, assis sous un arbre, en train de pianoter sur son téléphone. Il leva les yeux, agacé par cette interruption, et encore plus agacé de constater que Rachel pleurait.

« Quoi encore ? » demanda-t-il.

Elle pleurait trop pour pouvoir lui répondre, et elle avait honte de ses sanglots.

Ils retournèrent dans leur chambre, et il se mit à faire son sac. « C'était une erreur, lui dit-il. Tu t'en rends bien compte, non ? »

Bien sûr, qu'elle s'en rendait compte. Que s'était-elle imaginé ? Elle ne pouvait prendre la place de Miriam Rothberg. Elle n'aurait pas pu se fondre dans ce genre d'existence. Elle était ce qu'elle était. Et ce qu'elle était, c'était un type de femme inacceptable : inacceptable pour un homme tel que Toby, qui ne pouvait lui pardonner sa réussite. Inacceptable pour Sam, qui même s'il prétendait aimer sa force et son caractère, était incapable de les incorporer à sa propre existence : il n'avait pas la trempe nécessaire pour vivre avec une personne dont les obligations étaient aussi importantes et non négociables que les siennes.

C'était donc officiel. Elle était une personne inacceptable, illégitime. Sa réussite la rendait toxique. Ses faiblesses la rendaient toxique. Personne ne pouvait la désirer. Son mari l'avait rejetée. Et à présent, son amant aussi. Peut-être Toby avait-il raison. Les enfants ne se rendraient peut-être même pas compte de son absence. Mais à présent, elle n'avait nulle part où aller.

Aussi resta-t-elle à Kripalu. Elle ne trouvait toujours pas le sommeil, mais se dit que cela (ses sentiments, son insomnie) devait faire partie du processus initié par son nouveau travail de méditation par la respiration. Elle passait ses nuits allongée, le corps pétri de tensions, et à un moment donné, elle décida de ne plus se soucier de son incapacité à dormir. Elle retourna voir l'expert des cris. Elle hurla encore plus. Elle fit du yoga. Elle appela Simone pour lui dire qu'elle resterait quelques jours de plus à Kripalu, et pas besoin de me contacter, et merci de transférer les urgences des clients à Ben, Hal ou Rhonda durant ces quelques jours, et surtout de ne répondre à aucune question de Toby. Simone l'appela plus tard pour lui poser une question, et elle lui hurla que non, NON ! elle ne voulait vraiment plus qu'elle la dérange.

« Toby a dit que c'était à vous de garder les enfants.

— Encore un mot et tu perds ton boulot », fit Rachel. Puis, d'un ton plus doux : « Je traverse une passe un peu difficile, Simone. Ça fait des années que je n'ai pas pris de congés. De vrais congés. Est-ce que tu penses pouvoir protéger mes arrières, le temps que je me refasse une santé ?

— D'accord, mais Rhonda est un peu inquiète parce que l'un des producteurs…

— Je n'ai pas l'impression que tu m'aies vraiment écoutée, Simone. Depuis combien de temps tu es mon assistante ?

— Quatre ans.

— C'est maintenant que tu peux prouver si tu peux aspirer à mieux, ou pas. »

Mais les e-mails ne cessaient de lui parvenir. Les messages aussi. Où était-elle passée ? Est-ce qu'elle pouvait demander à un client de présider telle rencontre ? Est-ce qu'elle pouvait jeter un coup d'œil à ce scénario ? À ce contrat ?

À cet e-mail ? Est-ce qu'elle pouvait faire un retour sur ceci, sur cela ? Un retour, un retour, un retour. Le temps était un éternel retour. Le monde entier voulait opérer un grand retour sur lui-même pour se dévorer lui-même.

Elle tomba sur un prospectus pour une retraite en silence, et s'y inscrivit. Dans le silence, elle se rejoua toutes les disputes qu'elle avait eues avec Toby. Elle passa d'autres nuits sans sommeil, poussant un « hmm » guttural de temps à autre afin de s'assurer que sa voix serait encore opérationnelle quand elle en aurait de nouveau besoin. Le flacon de zolpidem de Sam reposait sur la petite étagère de la salle de bains, mais elle n'osait pas y toucher.

Elle était si fatiguée. Allongée sur le lit, elle fixait le plafond. Elle était tantôt terrorisée par le temps qui filait, tantôt furieuse qu'il ne s'écoule pas plus vite. Au moins quand le jour revenait, le fait d'être éveillée était à nouveau normal. Au beau milieu de la nuit, elle se redressa soudain : elle venait de comprendre que c'était à cause de son téléphone qu'elle n'arrivait plus à dormir. Il était éteint depuis deux ou trois jours, mais peut-être s'était-elle si bien adaptée à cet outil qu'elle sentait qu'il la réclamait. Le téléphone s'emplissait, s'emplissait et n'était jamais plein. C'était comme le buisson ardent, en feu mais sans combustion, et pourtant en feu.

Il lui fallait tuer son téléphone. C'était son seul espoir de retrouver le sommeil. Aussi au beau milieu de la nuit elle longea la route terreuse sur plus d'un kilomètre et enterra vivant son téléphone. Puis elle retourna dans sa chambre, sûre et certaine qu'elle dormirait, et bien évidemment, il n'en fut rien.

La retraite s'acheva, mais elle ne partit pas. Elle reprit les séances de cri, et elle hurla les disputes avec Toby dont elle ne s'était pas encore occupée. Elle cria toutes les façons dont elle se sentait rabaissée. Elle était vidée. Elle était défaite. Elle était fin prête à rentrer chez elle. Elle avait quelques jours de retard, mais elle expliquerait tout à Toby. Elle lui demanderait pardon. Elle comprenait à présent qu'elle était destinée à rester seule. Elle lui dirait qu'elle comprenait à présent qu'elle était inacceptable.

Elle partit dans les bois à la recherche de son téléphone, mais ne le retrouva pas. Il faisait nuit noire quand elle l'avait enterré, et elle n'avait laissé aucune marque distinctive dans la terre. Avait-elle parcouru un kilomètre ? Un demi-kilomètre ? Cent mètres ? Elle n'en savait rien. Le téléphone était perdu pour de bon.

Elle utilisa le téléphone de la réception pour appeler Simone et lui dire de lui envoyer un chauffeur.

« Toby a de nouveau essayé de...

— Je ne veux pas que tu me transmettes de messages ! hurla Rachel. Je ne veux pas entendre parler de lui, et je ne veux pas savoir si tu lui as dit quoi que ce soit à mon sujet. »

Une voiture arriva et la ramena chez elle, au bout d'un trajet de plusieurs heures. Assise sur la banquette arrière, elle regardait par la fenêtre. Combien de temps était-elle partie ? Un jour ? Une semaine ? Arrivée dans son appartement, elle se planta au milieu du salon, sans savoir quoi faire. Elle n'avait mangé que des conneries végétariennes ces derniers jours. Elle avait envie de protéines animales. Elle appela le resto chinois. Elle était sur le point de faire sa commande habituelle, ses crevettes sauce homard, mais elle se remémora soudainement sa camarade de chambre d'Hunter College qui souffrait d'un trouble du comportement alimentaire, consistant entre autres à trouver n'importe quel prétexte pour manger des pâtes, quelle que soit l'heure. Lorsqu'elles mangeaient chinois, cette camarade s'efforçait de commander du poulet aux légumes, mais il lui arrivait de lâcher un « J'abandonne », pour finalement demander un lo mein au bœuf. Rachel, elle, ne cédait pas. Elle n'était pas du genre à dire « J'abandonne ». Jamais elle ne le serait. Mais le lo mein sentait si bon, et semblait remplir sa camarade de chambre d'une incroyable sensation de bien-être. « Ahhhh ! », faisait-elle lorsque les nouilles accomplissaient une fois de plus leur miracle et submergeaient son organisme de sérotonine.

Aussi Rachel décida-t-elle de commander du lo mein parce que merde. Merde à tout. Merde à son corps et merde à son âme. Elle abandonnait ! Elle allait manger du lo mein au bœuf. Puis elle dormirait. Elle regarda l'appartement. On aurait dit un écran vert, comme si elle était elle-même un objet de *motion-capture* dans son film à effets spéciaux rien qu'à elle. Elle tourna la tête et elle entendit un froissement. Elle fit quelques pas et elle entendit un écho. Elle s'assit et elle entendit un fracas. Tout se passait près d'elle. Rien ne lui arrivait à elle.

On sonna à la porte alors qu'elle était encore en train de déterminer comment rester dans cet appartement. Elle donna un pourboire au livreur et se mit à manger, assise par terre sous un tableau beige que sa consultante artistique avait choisi pour elle. Pourquoi avait-elle aimé cette peinture ? Qu'est-ce qu'elle représentait ? Est-ce qu'elle ne venait pas de bouger ?

Elle recracha sa bouchée de lo mein dans la boîte en carton. C'était répugnant. Quelle idée de commander des spaghettis à un resto chinois ? Peut-être n'était-ce que la fatigue. Elle abandonna la boîte dans le frigo et décida de s'allonger. Mais en approchant de son lit, l'enjeu lui parut trop grave. Elle savait que si elle ne parvenait pas à s'endormir, ici et maintenant, elle ne trouverait plus jamais le sommeil.

Elle sentait qu'il lui fallait appeler les enfants, mais elle n'était pas rassurée. Comment aurait-elle pu les appeler alors qu'elle n'avait pas dormi ? Pour une raison qui lui échappait, cela lui paraissait dangereux. Elle quitta l'appartement. Elle se rendit dans un magasin d'alimentation santé-bien-être sur la Troisième Avenue, où une vieille hippie lui parla de toutes les infusions qui l'aideraient à retrouver le sommeil. Il y en avait six sortes différentes, et elle les acheta toutes. Elle les ramena à l'appartement, les essaya toutes, mais tout ce qu'elles lui valurent, ce furent d'incessants allers-retours aux toilettes.

Ça ne marchait pas. Elle se mit à paniquer. Les murs de l'appartement semblaient inspirer, expirer, inspirer, expirer. Il fallait qu'elle sorte de là. Elle devait modifier elle-même le cours de ses émotions. Personne n'avait jamais rien fait pour Rachel Fleishman. Elle devait toujours tout faire elle-même. Aussi alla-t-elle au grand magasin Bergdorf où elle vola une paire de boucles d'oreilles or et jade : elle les essaya et sortit avec sans payer, mais l'adrénaline n'eut aucun effet sur elle. À son retour, le gardien la salua d'un « Madame Fleishman ! Vous êtes sortie il n'y a pas une minute ! » Elle se figea comme une criminelle prise sur le fait. Mais elle n'était pas une criminelle. Elle était ici chez elle.

Elle essaya de regarder la télévision dans le petit salon. Il y avait un marathon *Génération pub* sur Lifetime. Elle essaya de comprendre comment tous ces couples arrivaient à tenir, comment toutes ces personnes faisaient pour être aussi simples, droites et bonnes. Quand s'était-elle dévoyée ? Qu'y avait-il de si mauvais en elle ?

Puis ce fut de nouveau le matin, sans qu'elle ait remarqué le passage de la nuit. Elle se leva brusquement du canapé, impulsion inconsciente orchestrée par son système nerveux. Il fallait qu'elle sorte de là. Bon Dieu, il fallait vraiment qu'elle sorte de là.

Du téléphone fixe, elle appela Simone pour lui demander de lui réserver une voiture pour Baltimore. Elle devait aller quelque part où elle savait qu'elle dormirait. Elle n'avait jamais connu la moindre insomnie à Baltimore. C'était l'occasion de rendre une petite visite à sa grand-mère, qu'elle n'avait pas revue depuis plus de six mois. Ça allait bien se passer. C'était quelque chose de tout à fait normal.

Cinq heures plus tard, elle se retrouva au pied de son ancienne maison. Sa grand-mère était à présent vieille, mais pour autant, les années ne l'avaient pas rendue sentimentale. Rien n'aurait pu la rendre sentimentale, cette connasse. Elle ouvrit sa porte et regarda par-dessus l'épaule de Rachel pour voir qui l'avait emmenée ici.

« C'est un service de voiturier », dit Rachel. Elle était si crevée que les poches sous ses yeux étaient violettes.

« Je ne t'attendais pas, fit sa grand-mère.

— Surprise ! » répliqua Rachel avant de lui passer devant.

Puis elle dit à sa grand-mère qu'elle était à Baltimore pour affaires et qu'elle n'avait pas voulu réserver de chambre d'hôtel. Elle voulait rattraper un peu de sommeil ici, si ça ne posait pas de problème ?

Sa grand-mère regarda la porte, comme si le fait de pousser Rachel à la regarder elle aussi la conduirait à se retrouver de l'autre côté. « Je n'ai rien préparé. Je n'ai rien à te donner à manger.

— Aucun souci, je veux simplement dormir. La journée a été longue et bien chargée. Tout un tas de réunions. »

Elle monta à l'étage, passant devant le sofa en chintz et les vieux meubles en bois, elle s'étendit sur son lit d'adolescente et ce fut atroce. Cette putain de maison était en carton-pâte. La vie de sa grand-mère était si minuscule. Mais c'était pourtant son lit à elle, celui qui lui avait donné tant de délicieuses nuits de sommeil. Elle en avait déjà l'eau à la bouche. Elle se déshabilla et se glissa sous les draps.

À un moment, elle se retrouva en plein rêve. Dans ce rêve, elle essayait de déterminer quel jour on était. Et puis elle comprit qu'elle n'était pas vraiment endormie. On ne planifie pas ses journées dans ses rêves. Elle se redressa et observa son vieux miroir, derrière lequel il s'en trouvait un autre, créant ainsi un effet de miroir infini. Sa grand-mère avait fait disparaître toute trace de Rachel – le poster Bon Jovi, les photos de classe. Sa grand-mère ne l'aimait pas. C'était un lieu à éviter. Sa grand-mère était profondément mauvaise. Ce lit était merdique au possible quand on était habitué à dormir sur un matelas en plumes de licorne du Sri Lanka.

Elle appela Simone du téléphone Princess de sa chambre d'ado et lui demanda de lui envoyer une autre voiture, cette fois pour l'aéroport, et aussi de lui acheter un billet pour Los Angeles. Dans l'avion, à chaque battement de paupières, elle accédait à une forme de quasi-sommeil nauséeux, qui n'était pas tout à fait du sommeil. Son voisin s'endormit instantanément et ses ronflements l'empêchèrent de faire de même, ce qui était sans doute pour le mieux étant donné qu'elle désirait arriver à destination complètement exténuée.

Le bâtiment principal du complexe hôtelier était niché dans une zone boisée tout près de Sunset Boulevard. « Madame Fleishman, la salua le réceptionniste VIP. Pas de bagages, aujourd'hui ? » On l'emmena jusqu'à sa villa. Ah, songea-t-elle. Voilà ce que je cherchais. Des milliers d'oreillers à disposition. L'odeur des lieux eut un effet pavlovien sur son subconscient. Quand elle se rendait à LA pour le boulot, elle n'était pas censée en tirer le moindre plaisir parce que ses enfants étaient censés lui manquer horriblement. Et ils lui manquaient, vraiment. Mais cet endroit, putain. Cet endroit. Sa villa donnait sur une piscine. Le lendemain matin, elle y ferait quelques longueurs, quand elle se sentirait à nouveau normale.

Mais elle fut prise d'une soudaine inquiétude. Et si dans son sommeil, elle faisait une crise de somnambulisme, sortait de la villa et se noyait dans la piscine ? Comment pouvait-elle fermer l'œil alors que sa fin était si proche ? La situation était plus que périlleuse. Elle dodelinait de la tête, se réveillait en sursaut, encore et encore, et eut bientôt les nerfs à fleur de peau, les yeux exorbités, le souffle court, comme étouffée par la terreur.

Elle était allongée sur son lit d'hôtel, entourée par tout le luxe imaginable. Elle alla sur Sunset Boulevard et trouva un dispensaire de cannabis. Elle acheta deux pâtes de fruit qui à en croire le vendeur l'apaiseraient, et elle passa les trois heures qui suivirent à faire les cent pas dans sa chambre.

Enfin, aux alentours de minuit, elle mangea les deux pâtes de fruit et alla s'asseoir au bord de la piscine, jusqu'à ce que quelqu'un vienne lui demander si elle voulait boire quelque chose, et comme elle était trop maligne pour mélanger alcool et cannabis, elle commanda un cheese-burger, une salade Cobb, trois smoothies et une soupe à l'oignon à la française. Elle mangea tout ça méthodiquement – ça faisait des années qu'elle ne s'était pas défoncée au THC – et quand elle en eut fini, elle s'aperçut que son estomac était sur le point d'exploser alors que sa bouche en demandait encore, et sa honte était si grande qu'elle retourna dans sa chambre et s'allongea sur le canapé.

Qu'est-ce qu'elle fichait ici ? À cinq heures du matin, elle partit pour l'aéroport.

« Vous nous quittez déjà ? » lui demanda le réception-niste alors qu'elle passait le seuil. À travers le pare-brise arrière de la voiture, Los Angeles avait un air sinistre, comme un lieu maudit. Les édifices semblaient respirer. Les palmiers n'étaient là que pour la duper. Elle ne pou-vait vivre ici. Elle ne pourrait plus même revenir ici, ne serait-ce que pour un simple déplacement. Elle trouva un stylo et un bout de papier au fond de son sac à main et écrivit une note à sa propre intention : NE T'INSTALLE PAS À LOS ANGELES.

Elle ne se souvenait plus comment elle était montée à bord de l'avion, mais il y avait un putain de bébé en classe business, complètement cinglé quand on sait que la business est destinée aux femmes et aux hommes d'affaires, et que les bébés ne sont pas dans les affaires. Elle envoya un regard mauvais à la mère en se rendant aux toilettes, puis elle regarda son reflet dans la glace et se rendit compte qu'elle avait une tête de sorcière. Elle imita la lionne et feula face au miroir.

Elle arriva enfin chez elle, au Golden. Son appartement était si gigantesque, si vide, qu'elle avait l'impression d'être un fantôme. Il fallait qu'elle mange quelque chose. Elle appela le resto chinois. Elle était sur le point de faire sa commande habituelle, ses crevettes sauce homard, mais elle se remémora soudainement sa camarade de chambre d'Hunter College qui souffrait d'un trouble du comportement alimentaire, consistant entre autres à trouver n'importe quel prétexte pour manger des pâtes, quelle que soit l'heure. Lorsqu'elles mangeaient chinois, cette camarade s'efforçait de commander du poulet aux légumes, mais il lui arrivait de lâcher un « J'abandonne », pour finalement demander un lo mein au bœuf. Rachel, elle, ne cédait pas. Elle n'était pas du genre à dire « J'abandonne ». Jamais elle ne le serait. Mais le lo mein sentait si bon, et semblait remplir sa camarade de chambre d'une incroyable sensation de bien-être. « Ahhhh », faisait-elle lorsque les nouilles accomplissaient une fois de plus leur miracle et submergeaient son organisme de sérotonine.

Aussi Rachel décida-t-elle de commander du lo mein parce que merde. Merde à tout. Merde à son corps et merde à son âme. Elle abandonnait ! Elle allait manger du lo mein au bœuf. Puis elle dormirait. On sonna à la porte et elle donna un pourboire au livreur et se mit à manger, assise sur un tapis qu'elle avait acheté récemment ; ses fibres la piquaient à travers sa petite culotte et elle était incapable de se rappeler pourquoi elle l'avait acheté.

Elle recracha sa bouchée de lo mein dans la boîte en carton. C'était répugnant. Quelle idée de commander des spaghettis à un resto chinois ? Peut-être n'était-ce que la fatigue. Elle abandonna la boîte dans le frigo.

Elle sentait qu'il lui fallait appeler les enfants, mais elle n'était pas rassurée. Comment aurait-elle pu les appeler alors qu'elle n'avait pas dormi ? Pour une raison qui lui échappait, cela lui paraissait dangereux. Ça faisait déjà une semaine. Ou deux. Ou peut-être quatre jours à peine, elle n'en savait rien. Tout ce qu'elle savait, c'était que ses enfants lui manquaient et qu'elle ne pourrait les voir qu'après avoir dormi quelques heures. Elle se banda les yeux à l'aide d'une paire de collants. Peut-être était-ce une question d'obscurité. Il ne faisait jamais assez sombre. Elle avait acheté cet appartement à cause de sa luminosité, et à présent, tout ce qu'elle désirait, c'était l'obscurité.

Putain, se dit-elle. On était vendredi. On était vendredi et il était quinze heures. Elle devait se trouver à SoulCycle d'ici à une heure. Ça n'avait pas marché avec Sam. De toute évidence, elle ne pouvait s'installer à Los Angeles parce que quelqu'un lui conseillait de ne pas le faire sur ce bout de papier qui se trouvait à présent au fond de son sac. Elle devait préserver son statut au sein de sa communauté. Elle devait paraître normale une heure durant pour ensuite rentrer chez elle et partir en sucette doucement mais sûrement, avec l'assurance que ses amies seraient encore là quand elle irait mieux.

Elle mit la main sur sa tenue de sport, l'enfila et partit, mais arrivée à SoulCycle elle se rendit compte que son vélo n'avait pas été réservé, qu'il n'était pas seize heures et qu'en outre on n'était pas vendredi, mais mercredi.

« Tout va bien ? » lui demanda la fille à la réception. Rachel considéra les autres femmes, avec leurs cheveux lissés au fer, leur Botox et leur faux bronzage. Pourquoi devaient-elles ressembler à ça ? C'était exagéré. On demandait beaucoup trop à toutes ces femmes.

Elle sortit et marcha jusqu'à l'avenue suivante où elle trouva un salon de coiffure Supercuts. Elle attendit son tour derrière une famille. Son vrai problème, elle s'en rendait compte à présent, c'était le temps qu'elle mettait chaque jour à se faire belle. Ça la bouffait littéralement. Elle s'installa sur le fauteuil, une coiffeuse portoricaine lui demanda « On rafraîchit ça ? » et Rachel répondit : « Non, non. On y va carrément. Je veux ressembler à Tilda Swinton.

— C'est qui, lui ?

— Ce n'est pas un "lui". Vous avez un téléphone ? Faites une recherche. » Dans la glace qui lui faisait face, elle fixa la femme assise sur un fauteuil qui se faisait toucher les cheveux chaque fois que la coiffeuse touchait ceux de Rachel. Incroyable, pensait-elle.

En sortant, elle eut la sensation de pouvoir de nouveau respirer. Une nouvelle coupe ! Pourquoi s'était-elle accrochée à sa coupe comme s'il s'agissait de sa religion ? Comme s'il était important de ne jamais en changer ? Elle se sentait si légère qu'elle aurait pu s'envoler. Elle s'arrêta sur la Deuxième Avenue pour réfléchir à ce qu'elle allait faire à présent. Elle aperçut une femme, une chaise de plage attachée dans le dos, en train de marcher plein ouest. Le parc. Elle se souvint alors de ces gens à Central Park qui dormaient en survêtement, ces gens dont Toby et elle avaient jadis l'habitude de se moquer. Et si ces gens savaient quelque chose qu'elle ignorait ? Elle rentra chez elle et fouilla dans ses effets personnels à la recherche d'un bas de jogging, sachant pertinemment qu'elle n'en possédait aucun.

Elle ressortit pour aller au Gap et, profitant d'un instant où personne ne regardait dans sa direction, vola un pantalon de survêtement, en mémoire du bon vieux temps. Elle ne passa même pas par une cabine d'essayage. Elle enleva simplement son legging dans un coin du magasin, le fourra dans son sac à main et enfila le pantalon neuf.

Un bas de survêt ! Alors ça, c'était quand même quelque chose. Elle qui les avait si longtemps dédaignés, s'était-elle jamais autorisée à en découvrir toutes les qualités ? Cette étreinte chaleureuse des deux jambes quand vous marchiez. Cette friction qui vous ralentissait. La fonction même du legging, c'était de faciliter le mouvement. Quelqu'un avait-il jamais considéré que cette sensation – l'impression de se mouvoir dans de la glaise – était peut-être plus agréable ?

Elle déambula dans le parc, se délectant de cette étreinte chaleureuse de ses deux jambes. N'empêche, il faisait tellement chaud. Depuis combien de temps faisait-il si chaud ? Est-ce que cette canicule cesserait un jour ?

Au moins le parc fournissait un contexte à cette chaleur. Rachel s'étendit, juste là, sur la pelouse. Elle cacha ses yeux derrière son avant-bras. Pourquoi toute cette indignation passée ? C'était délicieux. Il faisait chaud, le soleil brillait. Ça allait peut-être marcher. Elle se mit à sombrer, de plus en plus profondément. Elle y était presque, pas de doute. Elle était tout près...

« Rachel. Fleishman. »

Elle écarta son bras de ses yeux et vit Cyndi et Miriam qui la dominaient de toute leur taille, et riaient.

« On était sûres que c'était toi, fit Cyndi.

— Quelqu'un a séché le cours de Pilates », dit Miriam. Elle avait un smoothie à la main. Puis, la regardant plus attentivement : « Qu'est-ce qui est arrivé à tes cheveux ? »

Cyndi éclata de rire. « C'est Roberto qui t'a fait ça ? »

Rachel se redressa en s'appuyant sur ses coudes. « C'est juste que. » Elle porta la main à ses cheveux. Elle ne savait pas comment finir sa phrase.

« Tu veux venir à Soul avec nous ? C'est Beyoncé *vs* Rihanna.

— Oh oui, j'y passerai. Bientôt. »

Miriam et Cyndi échangèrent un regard. « Ça va comme tu veux, Rachel ? demanda Miriam.

— Ah, oui, bien sûr. Je prends un peu de temps pour moi. »

« Un peu de temps pour moi », ça, elles comprenaient. Elles baragouinèrent quelque chose, prétextant être en retard, et se dirigèrent vers la sortie du parc.

Rachel rentra chez elle. Elle s'aperçut qu'il lui fallait manger quelque chose. Elle appela le resto chinois. Elle était sur le point de faire sa commande habituelle, ses crevettes sauce homard, mais elle se remémora soudainement sa camarade de chambre d'Hunter College qui souffrait d'un trouble du comportement alimentaire, consistant entre autres à trouver n'importe quel prétexte pour manger des pâtes, quelle que soit l'heure. Lorsqu'elles mangeaient chinois, cette camarade s'efforçait de commander du poulet aux légumes, mais il lui arrivait de lâcher un « J'abandonne », pour finalement demander un lo mein au bœuf. Rachel, elle, ne cédait pas. Elle n'était pas du genre à dire « J'abandonne ». Jamais elle ne le serait. Mais le lo mein sentait si bon, et semblait remplir sa camarade de chambre d'une incroyable sensation de bien-être. « Ahhhh », faisait-elle lorsque les nouilles accomplissaient une fois de plus leur miracle et submergeaient son organisme de sérotonine.

Aussi Rachel décida-t-elle de commander du lo mein parce que merde. Merde à tout. Merde à son corps et merde à son âme. Elle abandonnait ! Elle allait manger du lo mein au bœuf. Puis elle dormirait. On sonna à la porte et elle donna un pourboire au livreur et se mit à manger, assise à sa grande table à dîner suédoise dont la moindre trace d'humidité suffisait à tacher le bois.

Elle recracha sa bouchée de lo mein dans la boîte en carton. C'était répugnant. Quelle idée de commander des spaghettis à un resto chinois ? Peut-être n'était-ce que la fatigue. Elle abandonna la boîte dans le frigo et décida de s'allonger. Mais en approchant de son lit, l'enjeu lui parut trop grave. Elle savait que si elle ne parvenait pas à s'endormir, ici et maintenant, elle ne trouverait plus jamais le sommeil.

Dix jours passèrent ainsi. Sans qu'elle en ait pleinement conscience. Elle ne se souvenait plus de ces journées, pas vraiment. Cette période lui avait laissé l'impression d'une seule et même journée. Si vous arrêtez de regarder un marathon *Incorrigible Cory* au beau milieu de l'après-midi quand il fait jour, et que, lorsque vous jetez à nouveau un coup d'œil par la fenêtre, il fait toujours jour, est-ce que ça veut dire que vous avez loupé la nuit ? Ça faisait quand même douze heures en tout : est-ce que vous aviez vraiment loupé la nuit ? Juste comme ça ?

Le matin où je la croisai, elle avait cessé d'essayer de dormir à quatre heures et était sortie se promener. Sans même s'en rendre compte, elle s'était retrouvée bien loin de chez elle, tout près de l'appartement d'Alejandra Lopez. Elle releva les yeux, c'était bien sa fenêtre, et elle se dit, je pourrais peut-être lui faire coucou. Elle avait été injoignable ces derniers jours. Rien de tel qu'une attention personnelle.

Oui. C'était peut-être ça, le problème. Elle n'avait pas l'habitude de ne pas travailler. Peut-être que si elle travaillait un petit peu, elle retrouverait le sommeil. Elle s'avança vers le hall, mais se dit soudain qu'elle ne pouvait passer à l'improviste les mains vides. Elle se rendit dans une petite épicerie toute proche, et regarda ce qu'il s'y trouvait. Rien ne correspondait vraiment à l'occasion, aussi acheta-t-elle un sandwich à la dinde et un bidon d'eau de cinq litres. Alejandra avait un jour commandé un sandwich à la dinde, à un déjeuner, Rachel s'en souvenait. Un bon agent, ça se rappelait toujours ce genre de choses. Elle retourna au pied de l'immeuble. Le gardien étant occupé, elle traversa le hall en lui adressant un coucou de la main. Elle emprunta l'ascenseur et sonna à la porte.

La femme d'Alejandra, Sofia, lui ouvrit. Sofia était l'archétype de la WASP de l'Upper West Side qui avait cessé de travailler afin de s'occuper de leurs trois filles. Elle toisa brièvement Rachel.

« Alex ! » s'écria-t-elle en tournant légèrement la tête. Puis s'adressant à Rachel : « Tout va bien ?

— Bien sûr », répondit-elle. Gros sourire. « J'avais un rendez-vous dans le coin et puis ça faisait un bail. Je n'ai pas vu les filles depuis une éternité.

— Il est six heures du matin. »

Elle n'avait pas réalisé. Alejandra arriva en pyjama. Elle avait le cou épais, les chevilles épaisses, la taille épaisse et le regard le plus rêveur qui soit. Elle ne se maquillait jamais, mais elle semblait constamment avoir un trait d'eyeliner sur ses paupières supérieures. « Je passais dans le quartier.

— Rachel. Wow, tu t'es coupé les cheveux. »

Rachel tendit le sandwich à la dinde. C'était un bon début. Pas de quoi s'inquiéter, franchement. Les retrouvailles se passaient au mieux.

« Je ne t'attendais pas, dit Alejandra.

— Il n'y a jamais de mauvais moment pour rendre visite à ma cliente préférée ! » Elle n'avait jamais rendu visite à un client chez lui sans s'annoncer. Pas une fois.

« Ça fait des semaines que je suis sans nouvelles, fit Alejandra.

— Oh, je ne voulais pas t'embêter.

— Je trouve ça très agressif de ta part. »

Rachel était perdue. « Comment ça ? Je sais que j'aurais dû t'appeler mais je n'étais pas à New York ces derniers jours et j'ai perdu mon téléphone. Je peux repasser plus tard. Ou jamais ? On pourrait déjeuner ensemble. »

461

Alejandra et Sofia échangèrent un regard. Sofia envoya les gamines dans la pièce d'à côté et Alejandra fit asseoir Rachel sur le canapé, à côté d'elle, avant de lui demander si elle allait bien.

« Bien sûr que je vais bien.

— On a eu une semaine vraiment pourrie, fit Alejandra.

— Je suis désolée de l'apprendre. »

Alejandra la dévisageait. « Tu n'es vraiment au courant de rien du tout ? »

Rachel se creusa les méninges. Elle n'aurait pas dû venir. Elle ne s'était pas préparée. Elle sourit.

« Je n'étais pas à New York, dit-elle. J'ai eu une urgence familiale. »

Alejandra s'adossa au canapé sans quitter Rachel des yeux.

« C'est fichu pour l'adaptation ciné. Tu es au courant ? » Le contrat d'adaptation d'Alejandra était tombé à l'eau cette semaine, ce que Rachel ne pouvait bien évidemment pas ignorer puisqu'elle avait dit à Simone que Hal devait s'en charger. Simone avait redirigé Alejandra vers Rhonda, mais Rhonda avait voulu jouer à celle qui pisse le plus loin avec la boîte de production et Alejandra avait appris un beau matin que sa pièce ne serait finalement pas adaptée au cinéma. Une fois de plus.

Rachel ferma les yeux. « Je peux arranger ça.

— Tu n'as pas à le faire. »

Elle rouvrit les yeux. « Pourquoi ?

— Parce que tu ne peux pas.

— Tu peux me croire, j'ai arrangé des trucs bien pires.

— Non, tu ne *peux pas*. Tu n'es plus mon agente. »

Rachel cligna des yeux, et durant ce fugace battement, comme elle en avait presque pris l'habitude, elle eut la sensation de tomber. « Quoi ? Alejandra. » Sa question lui échappa, même si elle connaissait déjà la réponse, et qu'elle aurait préféré ne pas l'entendre. « Qui ?

— Je travaille avec Matt Klein. Je pense que Matt est tout simplement plus à même de m'aider. Je te suis vraiment reconnaissante pour tout ce que tu as fait. Je ne serais rien sans toi.

— Ça ressemble assez peu à de la reconnaissance, tout ça, Alex. »

Alejandra la regarda d'un air inquiet. « Tu veux que j'appelle Simone ?

— Matt Klein est un serpent. »

Mais il n'y avait rien d'autre à dire. Rachel ne devait pas s'abaisser à son niveau. Elle devait gérer la situation en professionnelle. C'était comme ça, point à la ligne. Elle partit.

À présent c'était officiel. Elle n'avait personne dans la vie. Après douze ans de labeur, elle prenait une semaine de congé. Bon d'accord, plutôt deux semaines, voire trois, mais le fait était qu'elle avait *déconnecté*. N'était-ce pas ce que Roxanne faisait toujours ? « On part pour [insérer ici un nom d'île privée] et on va *déconnecter*. » Bien entendu, elle n'en faisait rien. Elle publiait sur Instagram des photos d'elle un chapeau débile sur la tête, en bikini, avec les abdos contractés autant que possible. Rachel, elle, avait vraiment déconnecté. Elle avait assassiné son téléphone de sang-froid ! Et voilà ce qu'elle recevait en récompense. Elle avait enfin tout laissé sortir. Elle avait hurlé. Elle avait levé le pied un bref instant. Mais ce n'était pas permis. C'était inacceptable. Elle était inacceptable.

Elle prit un taxi. Regarda l'heure. Il était huit heures du matin, et si ses estimations étaient justes, on était dimanche. Elle eut une idée.

Le groupe des victimes de viol de l'hôpital de Toby se réunissait à présent au rez-de-chaussée, ce qui était aussi bien puisque cela lui permettrait de sortir aussi vite qu'elle était entrée, sans que les collègues de Toby aient à la contempler bouche bée. Elle arriva avec quinze minutes de retard. Le groupe s'interrompit pour lui souhaiter la bienvenue.

Quelqu'un venait de finir de parler. Celle qui dirigeait la séance regarda Rachel.

« Il semblerait que nous ayons une nouvelle participante, remarqua-t-elle.

— Je m'appelle Rachel, dit-elle à l'ensemble du groupe.

— Je m'appelle Glynnis, répondit l'autre. Je suis stagiaire, je remplace notre médiatrice habituelle, qui est partie en vacances. » Exact, se souvint Rachel. Le fameux mois d'août. En août, impossible de devenir cinglée parce que tout ce qu'on peut trouver durant ce mois, ce sont des stagiaires. « Voulez-vous partager votre expérience ? »

Le fait de s'asseoir entraîna un réflexe pavlovien, et elle éclata en sanglots. Ça faisait un bien fou. Ça faisait des siècles qu'elle n'avait pas pleuré, la dernière fois remontait au moment où elle avait vu Sam quitter Kripalu, soit cinq jours auparavant, ou douze semaines, elle n'en était plus très sûre.

Du temps où elle avait fréquenté ce groupe, après la naissance d'Hannah, Rachel ne s'était jamais exprimée. C'était peut-être là qu'était le problème. Peut-être qu'elle ne s'était pas laissé assez de place pour guérir, justement parce qu'elle n'avait pas assez participé. Peut-être que ce que Toby lui avait dit à propos de sa façon d'assumer son rôle de mère était juste, peut-être qu'il ne suffisait pas d'être simplement présente. Participer, c'était le seul moyen de donner du sens, et de prendre sens. Oui. *Oui.*

Cette fois-ci, elle se jetterait à l'eau, décida-t-elle. Elle se mit à parler. Elle leur parla de la naissance d'Hannah, de toutes ces séances auxquelles elle avait assisté, au sein de ce même groupe. Elle leur parla de sa vie de couple, de femme mariée. Elle leur parla de sa société, de Sam Rothberg, et des séances de cris. Elle leur parla d'Alejandra, sans toutefois la nommer. Elle leur parla de Toby et de ses enfants.

Elle leur parla de sa conviction profonde de n'avoir nulle part où aller, de n'avoir personne qui l'aime – la certitude qu'elle avait d'être fondamentalement inacceptable. Elle parla, et parla encore. À son sens, de toute sa vie, personne ne l'avait jamais laissée parler autant.

Elle finit hors d'haleine. Elle inspira profondément par le nez, sans éprouver ce que son spécialiste des cris surnommait des hoquets. Elle avait de gros ennuis. Elle n'avait pas revu ses enfants depuis quoi au fait ? Ça se comptait en semaines ? En jours ? Elle avait perdu sa plus grosse cliente. Mais elle allait s'en sortir.

Glynnis reprit enfin la parole. « Ceci est un groupe pour les victimes de viol, dit-elle lentement.

— Oui, fit Rachel.

— Avez-vous été victime de viol ? » demanda Glynnis.

Cette question confondit Rachel. « Eh bien, techniquement non, pas dans le sens où…

— Ceci est un groupe de parole de victimes de viol, répéta Glynnis. Je suis au regret de vous demander de sortir. »

Vous voyez ? Inacceptable.

Elle prit un taxi pour se rendre dans l'Upper East Side. Elle arriva devant la porte de l'appartement de Toby : elle sortit la clef, mais fut incapable de se résoudre à s'en servir. Elle retourna chez elle à pied. Elle n'arriva même pas à entrer dans le hall. Elle se dit qu'elle pourrait s'acheter un bagel et aller au Met, voir les nouvelles expos. Elle se dit également qu'elle pourrait peut-être réussir à se convaincre de prendre un Tylenol Nuit, mais il était encore tôt, il lui fallait attendre la fin de la journée.

« Je crois que tu as besoin d'aide, intervins-je. Tu devrais vraiment me laisser appeler Toby.

— Toby ne veut plus entendre parler de moi.

— Mais si, je te le jure.

— Il ne faut pas qu'il me voie dans cet état. Il me prendrait les enfants. C'est ce qu'il fait toujours : il prend tout. »

Je lui proposai de la raccompagner chez elle. Elle ne répondit ni oui ni non. Nous arrivâmes au pied de son immeuble, montâmes, et je la guidai jusqu'à sa chambre. Elle s'allongea sur son lit, sur le côté, et je lui caressai les cheveux pendant un bon moment. Je me levai pour aller chercher de l'eau, mais elle me retint. « J'ai besoin que tu montes la garde pour moi », dit-elle. Je restai assise sur le bord du lit jusqu'à ce qu'enfin, enfin, elle s'endorme.

* * *

Après que j'eus quitté son appartement ce dimanche matin, Toby avait emmené les enfants au muséum d'Histoire naturelle. Il voulait revoir le Vantablack. Il devenait accro à la désorientation.

« Je vois pas ce que ça a de si fou », commenta Hannah. Mais Solly était en larmes.

Après la visite, ils prirent le bus pour pouvoir promener Bubbles. Hannah n'émit aucune objection, contrairement à son habitude quand il s'agissait de prendre le bus. Soit parce qu'elle ne vit personne de sa connaissance, ce qui l'aurait grandement embarrassée, soit parce qu'elle comprit que son père n'en pouvait plus. Les enfants regardèrent à nouveau *La Folle Journée de Ferris Bueller*. Toby n'avait pas réfléchi à ce qu'il ferait pour le dîner. C'était à cela que ressemblerait sa vie pendant les dix années à venir. Travail, dîner, *Ferris Bueller*. OK.

« On peut regarder *Plumes de cheval* ? » demanda Solly, et l'estomac de Toby se noua parce que les Marx Brothers évoquèrent en lui le souvenir de Joanie, avec à la fois un pincement au cœur et une vague crainte de la DRH.

Il dit à Solly de lire un peu avant qu'il vienne le border. Il espérait que Solly s'endorme seul, mais comme il était encore éveillé, Toby lui lut la suite de *Bilbo le Hobbit*, qu'ils avaient débuté avant que Solly parte en colonie. Il lisait de façon automatique, sans rien chercher à comprendre, sans y mettre le ton, de sorte qu'il lui fallait reprendre des phrases entières quand Solly lui posait des questions qu'il ne comprenait pas.

« Tu sais quoi, je suis un peu fatigué, finit par dire Toby. On peut lire ça demain ? »

Il demanda aussi à Hannah de lire au lit. Elle avait alors adopté une posture de résistance, mais il ne céderait pas. « J'ai eu une journée très difficile. » Elle hocha la tête avec un air apparemment compatissant. Peut-être était-ce une bonne chose qu'Hannah soit à présent sous sa garde exclusive, à lui. Peut-être pourrait-il en faire quelqu'un de bien.

Toby s'étendit sur son lit et fixa le plafond pourri et taché. Au muséum, ils avaient assisté à une séance du planétarium où était passé en revue tout ce que les scientifiques ignoraient encore de l'Univers. La voix qui résonnait sous le dôme leur parla de matière noire, une substance dont personne ne savait rien mais qui semblait fixer chaque objet stellaire à sa place par une sorte de rythme qui les liait tous. On peut voir les objets célestes, mais on ne peut pas voir la matière noire. La matière noire est un mystère, pourtant tout dépend d'elle : on ne la voit pas, mais c'est elle qui met tout en mouvement.

« C'était quoi, ton moment préféré, papa ? demanda Solly quand ils sortirent.

— J'ai bien aimé l'idée que quand on est dans l'espace, on a l'impression d'être au centre de l'Univers. Ça me parle beaucoup.

— Moi ce que j'ai préféré, fit Solly, c'est qu'on ne peut même pas voir le truc le plus important de tout l'Univers. C'est complètement fou quand tu y penses.

— Et toi, Hannah, qu'est-ce qui t'a plu ?

— Le moment où ça s'est fini.

— Allez, dit Toby.

— J'ai pas aimé le passage sur la matière noire. Ça me semble vraiment bête de dire que quelque chose existe forcément parce que tout semble réagir en fonction d'un truc. C'est vraiment idiot de donner juste un nom à ce machin en espérant très fort qu'il existe.

— Mais peut-être que les corps célestes se comportent d'une façon que nous ne comprenons pas encore. Peut-être que rien ne les fait réagir si ce n'est eux-mêmes. »

* * *

Ce même dimanche, j'appelai Toby après avoir raccompagné Rachel chez elle, mais je tombai directement sur sa boîte vocale : il était alors au muséum. Quand il me rappela, j'étais allongée dans mon hamac, défoncée.

Il écouta tout mon récit, sagement, en silence. Je regrettais d'être sous cannabis.

« C'est tout ? demanda-t-il quand j'eus fini.

— Elle a fait genre une vraie dépression nerveuse, quoi. »

De nouveau, silence de sa part.

« Il faut que tu fasses quelque chose pour elle, Toby. »

Silence encore. Puis il finit par lâcher : « Je n'ai plus rien à voir avec elle. »

* * *

Toby passa voir Nahid chez elle, et à son arrivée, quelque chose lui parut différent.

« Toby », dit-elle. Elle l'embrassa longuement. Avait-elle changé de coiffure ?

« J'ai une idée, fit-elle. On va déjeuner.

— Je commande quoi ? » demanda-t-il. Peut-être était-elle plus maquillée que d'habitude ?

« Non, je veux dire, déjeuner dehors. Dans un restaurant. J'en ai assez de tout ça. Je veux vivre ma vie. » Elle sourit, sondant le regard de Toby à la recherche d'un signe de joie à ce cadeau de l'existence.

Ah. Voilà ce qui avait changé. Elle était vêtue de véritables habits. Des vêtements spécialement conçus et choisis pour sortir. Jean, bottines talons hauts, chemise en jean sans manches et gros bijoux en or.

« Tu es sûre ? » demanda-t-il.

Pour la première fois, ils marchèrent côte à côte dans la rue. Elle le dépassait de deux centimètres et demi. Il ne s'en était pas rendu compte jusque-là. Elle marchait lentement. Lorsque son immeuble ne fut plus en vue, elle lui prit délicatement la main. Ils allèrent au restaurant thaïlandais où ils avaient commandé un soir. Il était treize heures, et la salle était pleine. Ils mangèrent en terrasse, au vu et su de tous.

« Tu as décidé de faire médecine quand tu étais petit ? »

Il lui répondit, tout en songeant, alors ça, pour une question débile, c'est une question débile. Ça ressemblait à un rendez-vous amoureux en 1992. Du blabla inconséquent. Des politesses. C'était comme s'ils étaient redevenus des inconnus.

Il l'observa en train de lire le menu. Il eut presque envie de le lui expliquer. Il devait faire un effort conscient pour se rappeler que ce n'était pas la première fois qu'elle sortait. Son front était barré de trois plis horizontaux qu'il n'avait jamais remarqués auparavant. Peut-être que l'éclairage de sa chambre n'était pas le meilleur qui soit. Ou peut-être que justement, c'était le meilleur qui soit pour ce genre de choses. En regardant bien attentivement, on remarquait qu'elle avait deux centimètres de cheveux blancs aux tempes. Elle prétendait avoir quarante-cinq ans. Elle en avait peut-être quarante-huit. Presque cinquante.

Il lui demanda si elle avait déjà travaillé dans sa vie. Elle répondit que non, et que ça tombait bien, parce que ça ne l'avait jamais intéressée. Elle avait un diplôme de compta, c'était ennuyeux au possible. Elle adorait les métiers de la mode, mais il semblait très difficile de se faire une place dans ce domaine. Il ne savait pas quoi répondre à tout cela.

« Est-ce que tu as des centres d'intérêt ? Des hobbies ? »

Elle éclata de rire. « Bien sûr que j'ai des centres d'intérêt. Je lis beaucoup. J'ai des hobbies. J'ai suivi un cours de dessin l'année dernière au Met. C'était sur les ombres, vraiment intéressant. J'ai envisagé aussi de m'inscrire à un cours de peinture. »

Il fut dans l'incapacité de trouver une question qui n'aurait pas été absolument condescendante, mais très franchement, c'était son état d'esprit. Il se sentait profondément condescendant.

« Voilà une étape de franchie, dit-elle.

— Quelle impression ça fait ? demanda-t-il.

— Ça fiche un peu la frousse. Mais ça fait du bien. »

Elle fit glisser son bras sur la table pour saisir sa main. Il serra la sienne. Il n'avait jamais remarqué à quel point ses bras étaient poilus. Des poils noirs et épais qui frisaient au poignet, comme chez un homme.

Il essaya de la regarder à nouveau dans les yeux, mais tout à coup, sa présence lui fut insupportable. Qu'est-ce qu'il fichait là ? Qu'est-ce qu'il lui avait trouvé de si incroyable ? Elle parlait encore, un babillage insipide sur des foutaises superficielles : Paris, les cours de danse qu'elle avait envie de suivre. Il hocha la tête en mangeant, et observa le silence jusqu'à la fin du repas. Elle aussi finit par se taire, sous le coup d'une toute nouvelle timidité, d'une toute nouvelle confusion, sentant qu'elle l'agaçait. Il s'en voulut un peu, mais parfois, la lumière du jour a cet effet-là. Elle vous révèle ce que vous n'arriviez pas à voir dans l'obscurité.

En tout cas ce fut ce qu'il se dit au moment des au revoir. Ils restèrent plantés sur le trottoir, face à face, il lui serra la main, sortit son téléphone et fit semblant d'avoir une urgence à l'hôpital. Il marcha d'un pas vif dans la direction opposée à l'immeuble de Nahid, et ne ralentit qu'après avoir dépassé le coin de la rue.

* * *

« Mais qu'est-ce qui s'est passé, alors ? » demandai-je à Toby au téléphone. J'adorais l'histoire de Nahid, cette prisonnière qui tentait de retrouver sa liberté en baisant secrètement et au hasard des hommes dans son appartement. C'était comme un conte de fées cochon.

« Elle n'était pas celle que je croyais, tout simplement, répondit-il.

— C'est-à-dire ?

— Elle est normale, juste normale. »

Le train qui me conduisait à New York s'apprêtait à entrer dans un tunnel. « Faut que je te laisse, lui dis-je.

— OK, on se rappelle.

— As-tu déjà envisagé la possibilité que tu sois un peu un gros connard ? »

Mais il n'entendit pas cette phrase. Le lendemain de ma rencontre inopinée avec Rachel, j'étais retournée à New York pour l'emmener chez un docteur. Celui-ci avait dit qu'elle allait bien, mais qu'elle souffrait de déshydratation et d'une extrême fatigue. Il la mit sous perfusion, puis la renvoya chez elle avec des antidépresseurs et des somnifères.

« C'est tout ? demandai-je au docteur.

— Eh bien, de toute évidence, il faudrait qu'elle consulte un bon psychothérapeute, répondit-il. Mais à part ça, elle est en bonne santé. »

Je la raccompagnai chez elle, et une fois de plus, l'installai dans son lit. Sur son ordinateur s'étalaient des listes d'annonces immobilières sur Los Angeles.

On sonna à la porte. Une jeune femme à l'air las – il s'agissait de Simone, son assistante – entra dans l'appartement, les bras chargés de dossiers et de chemises.

« Vous devez signer tout ça, déclara Simone. Et nous devons fixer votre emploi du temps de la semaine à venir. »

Rachel se leva pour chercher son stylo porte-bonheur.

« Comment ça se passe, sans elle ? demandai-je.

— Un vrai désastre. J'ai presque réussi à convaincre tout le monde qu'elle avait eu une urgence familiale et qu'on ne pouvait décemment pas la déranger.

— Mais ça n'avait rien d'une urgence familiale.

— Peut-être, mais c'est la seule excuse pardonnable.

— J'espère qu'elle sait à quel point vous êtes loyale envers elle.

— À mon avis, ce n'est pas comme ça qu'elle appréhende la valeur d'autrui, répliqua Simone. Selon moi, elle ne s'intéresse jamais qu'à ce qu'elle a sous les yeux. »

Simone repartit avec les documents signés. Rachel me demanda si je pouvais rester encore un peu. Elle allait reprendre le travail, me dit-elle. Ses vacances avaient assez duré. Il lui fallait reprendre contact avec tous ses clients, et plus que tout, il lui fallait une bonne semaine de sommeil afin de pouvoir réintégrer son univers et limiter la casse. Elle avait lu l'article de *Variety* où il était question du retour d'Alejandra chez Alfooz. Elle ne tolérerait pas qu'une telle chose se répète. « Je vais remettre de l'ordre dans tout ce bordel, et là, j'appellerai les gamins. » Elle ne voulait rien savoir d'eux. Elle ne voulait pas savoir où ils étaient, ni ce qu'ils faisaient. « Pas avant que je me sois remise. » Elle me demanda si je pouvais rester le temps de sa sieste. « J'arrive à dormir quand tu montes la garde pour moi », expliqua-t-elle. Je posai la main sur son pied.

Juste avant de s'endormir, elle murmura : « Je t'ai toujours bien aimée. »

* * *

Je passai le reste de la semaine à faire des allers-retours entre le New Jersey et New York, où j'allais au cinéma. Il y avait une rétrospective Diane Keaton au Film Forum. Le guichetier me dit que j'étais la fan de Diane Keaton la plus inconditionnelle qu'il ait jamais vue. Après, j'allais voir Rachel, qui restait à présent chez elle, avec une infirmière-dame de compagnie qu'elle et moi avions engagée afin de rester près d'elle durant son sommeil. Rachel n'arrêtait pas de répéter qu'elle appellerait les enfants si seulement elle arrivait à dormir encore quelques heures de plus.

Je regardais *Baby Boom* quand je reçus un message de Seth. Il voulait nous inviter, Toby et moi, chez lui, samedi soir. C'était important, spécifiait-il.

Le samedi, Adam exprima son souhait de rester à la maison avec les enfants. « Ils ont passé beaucoup de temps avec la baby-sitter, cette semaine. » Venant de lui, c'était ce qui s'approchait le plus d'une plainte à mon endroit. Toby me demanda si ça me disait qu'on y aille ensemble, et je passai le prendre en taxi. Cela faisait des jours que nous ne nous étions pas parlé.

« Tu ne dis rien, fit Toby.

— Je suis crevée, rien de plus. »

Cela l'agaça. « Pourquoi es-tu sans cesse aussi mécontente ? »

Je haussai les épaules. « Je suis juste crevée, vraiment. »

Seth habitait toujours Williamsburg, dans le même loft, qui valait à présent vingt millions de fois plus que ce qu'il avait déboursé en 1999. L'intérieur avait tout du supplément « Maison et jardin » de *Wired*, si ce supplément avait existé. Les fauteuils et canapés étaient tous en cuir d'époque (très précisément, les années 1980), et les tables avaient été importées du Danemark et de Suède. Il y avait un coin sieste et détente, avec des nattes et des poufs en velours. Il y avait à présent des poutres au plafond, contrairement à la dernière fois où j'avais mis les pieds ici. Les œuvres d'art de Seth avaient toutes été achetées à des galeries : la *Victoire de Samothrace* recréée avec des déchets ; une peinture représentant le reflet d'une sirène du défilé de Coney Island dans un miroir déformant de fête foraine. Deux nouvelles chambres et une deuxième salle de bains avaient été aménagées. Les stores automatiques s'adaptaient d'eux-mêmes aux conditions météorologiques.

La foule de convives était hétéroclite : en plus des amis que Seth s'était faits dans la finance et la banque, il y avait ses parents et ses sœurs. Tout le monde était un peu endimanché, trop habillé, à vingt pour cent je dirais. On se serait cru à une bar mitzvah.

« La télé était là-bas, avant, non ? remarquai-je. Je m'en souviens encore. »

Seth nous trouva. Il portait un costume. « Heeeeeeeeeeeeey », fit-il. Il semblait nerveux.

« Oh mon Dieu, dit Toby.

— Quoi ? demanda Seth.

— Tu vas lui demander sa main, c'est ça ? En présence de toutes ces personnes ? T'es vraiment un enfoiré. »

Je regardai tout autour de moi. Il avait vu juste. Les costards. Les parents de Seth. Il avait raison. C'était une surprise-party de demande en mariage.

J'aperçus Vanessa dans un coin de la pièce, en train d'accueillir des invités. « Elle est déjà au courant ?

— Pas encore. Des conseils ?

— On t'a déjà donné tous les conseils qu'on avait à te donner, répondit Toby. Et on est très heureux que tu les aies tous ignorés. »

Seth nous serra le bras avant de lâcher un « C'est parti ». Des cuillers firent alors tinter des verres.

« Pourrais-je avoir votre attention ? » demanda Seth. Il attendit que le silence se fasse. « J'ai organisé pas mal de fêtes au fil des ans, commença-t-il. Cet appartement a tout vu et tout connu, des soirées en toge aux cours de maths. En réfléchissant au thème de cette soirée, je me suis vite rendu compte que je voulais simplement la dédier à la femme incroyable avec qui je partage ma vie. Toutes les conférences données ici dans le cadre du club Art ou du club de Physique, certains s'en souviendront, avaient pour fonction de célébrer quelque chose que nous ne comprenions pas. Aujourd'hui, nous sommes réunis pour fêter quelque chose que je ne comprends toujours pas : l'amour.

— Tu pleures ? » me demanda Toby.

Je regardais Vanessa manger Seth des yeux, son visage baigné de confusion, encore plus adorable que d'habitude, et ses dents, aussi régulières que des touches de piano, se dévoilant de plus en plus à mesure qu'elle comprenait. Seth – le merveilleux Seth, dont les mains avaient glissé, à un moment ou à un autre, sur les corps de toutes les femmes présentes dans cette pièce – mit un genou à terre, comme un con. « Vanessa, veux-tu passer le reste de tes jours à m'aider à comprendre toutes ces autres choses que je ne comprends pas ? » Elle cacha sa bouche de ses mains, et il lui en prit une. Elle opina de la tête et il lui mit la bague au doigt. Les applaudissements tonnèrent furieusement lorsqu'ils s'embrassèrent.

Seth nous rejoignit après les accolades avec ses parents et ses amis, les petits cris de joie et les bouteilles de champagne débouchées. « Vous pensez que j'ai fait une connerie ? demanda-t-il.

— Le mariage, ça me rappelle toujours cette vieille formule à propos de la démocratie, lui répondis-je. C'est la pire forme de gouvernement, à l'exception de toutes les autres.

— On te fait une petite malédiction pour te porter chance ? proposa Toby.

— Vous savez, fit Seth, tout ce que la Mendiante a dit était vrai. Elle a dit que tu étais quelqu'un de bon, Toby. Elle a dit que Libby ne serait jamais heureuse. » Par pure convenance (après tout, c'était sa petite fête de demande en mariage), ni Toby ni moi ne lui rappelâmes ce que la Mendiante lui avait dit, à savoir qu'il ne connaîtrait jamais véritablement l'amour.

« Elle a dit que tu rendrais le monde meilleur, lançai-je à Toby.

— La seule fois où j'avais de l'argent pour elle. »

* * *

Toutes les grandes personnes finirent par partir, et il ne resta plus que Toby et moi. Nous étions assis par terre, comme en Israël tant d'années en arrière, mais nous ne cessions de changer de position parce que aucune ne convenait plus à nos membres et nos articulations. Nous sentions alors chaque jour qui s'était écoulé depuis.

« En fait je suis juste paumée, dis-je. Je suis désolée. Je crois qu'il faut que je réfléchisse sérieusement à ce que je veux faire de ma vie.

— Tu as chez toi quelqu'un qui t'aime, fit Toby. J'aurais tué pour avoir quelqu'un qui m'aime, tu sais ? *Toi, tu es aimée de quelqu'un*, Elizabeth. Tu ne vois pas à quel point c'est précieux, et rare ? » Puis sans transition : « Et tu as du talent. Tu devrais écrire un bouquin.

— Peut-être bien. Peut-être que j'écrirai un livre sur nous.

— C'est-à-dire ?

— Sur tout ça. Ce que tu as vécu. Notre été.

— Ouais. Et comment ça finirait ? Rachel n'est toujours pas revenue. On ne connaît toujours pas la fin.

— Peut-être que c'est ça, la fin, dis-je.

— Mon Dieu, soupira-t-il. Par pitié, trouve autre chose. C'est nul, comme fin. Les demandes en mariage, ça fait toujours des fins foireuses.

— À moins que j'attende que Rachel mette de l'ordre dans sa vie et renoue avec les enfants, j'en sais trop rien. Qu'est-ce que ça changera, qu'elle revienne ? Une fois qu'on est parti, même si on revient, on ne peut jamais effacer son départ.

— C'est pas mal, ça. J'aime bien les fins nébuleuses. » Il avait refusé que je lui parle de Rachel et du temps que je passais avec elle.

« Ou alors je finirai le livre au moment précis où elle revient, fis-je. Je crois que je préfère ça.

— Elle revient et c'est tout ? demanda-t-il.

— Peut-être bien.

— Qu'est-ce qu'elle fait quand elle revient ? Qu'est-ce qu'elle dit ? Qu'est-ce qui se passe ?

— Je n'en sais rien. Elle réapparaît, c'est tout. Il pleuvra, et tu entendras la clef dans la serrure et les gonds qui grincent et tu te retourneras et tout à coup elle apparaîtra sur le seuil.

— Et puis ?

— Et puis le livre s'achèvera là.

— Mais qu'est-ce qui se passe après ?

— J'en sais rien », répondis-je. Je m'étais remise à pleurer. « Je n'ai pas d'imagination pour ce genre de choses. Mais j'en ai marre de l'attendre. »

Toby se pencha comme pour me dire quelque chose, et puis soudain ses lèvres se soudèrent aux miennes et nos bouches s'ouvrirent, chaudes, sèches. Nous restâmes assis là, bouche ouverte contre bouche ouverte, sans bouger, sans nous embrasser, comme si on se ranimait l'un l'autre, les yeux clos, nez à nez. Quand Toby finit par se reculer, j'avais encore la bouche ouverte et les yeux fermés.

« Tu es toujours toi, dit-il. Tu es toujours timbrée, ténébreuse et bienveillante. Je le vois bien. Tu n'as pas changé autant que tu le crois. » Je fermai la bouche, et sentis les larmes couler sur mes joues. Après un long moment, Toby déclara : « Que Dieu leur accorde le bonheur. »

Je rouvris les yeux. « Que Dieu afflige les enfants de leurs ennemis de troubles digestifs et de pores plus dilatés que la moyenne.

— Oui, dit-il. Que Dieu emplisse de pus et de bile le cœur de ceux qui les auront gratifiés de sommes en liquide supérieures à 18 dollars mais n'excédant pas les 360 dollars. »

Il se leva, tendit les mains et je les saisis. Il me hissa, et je continuai de me redresser même après avoir dépassé le sommet de son crâne, comme tant d'années auparavant.

Je lui demandai : « Tu crois que tu te remarieras un jour ? »

Il regarda Seth et Vanessa qui dansaient. « J'espère. » Il avait répondu dans l'instant, sans réfléchir. Il semblait le premier étonné de sa réponse.

Toby me dit qu'il me retrouverait dehors : il devait passer aux toilettes. Nous traverserions le pont de Williamsburg ensemble pour nous enfoncer dans Manhattan, comme au bon vieux temps. J'allai l'attendre dans la rue, trouvai un paquet de Camel au fond de mon sac à main et m'adossant à la façade de l'immeuble de Seth, allumai la dernière cigarette.

Je vis passer un couple, marchant blottis l'un contre l'autre, leurs têtes se touchant presque, comme sur la pochette de cet album de Bob Dylan. J'eus pitié d'eux. Je regardai la fille, qui ne devait pas voir plus de vingt-quatre ans : dans une poignée d'années, je le savais, elle ne serait plus que l'épouse d'un type. Elle serait pour son mari quelqu'un d'essentiellement colérique et aigri, une vraie mégère. Il se demanderait où était passée son adoration pour lui : il se demanderait où étaient passés ses sourires. Il se demanderait pourquoi elle n'éclatait plus jamais de rire ; pourquoi elle ne portait plus de lingerie ; pourquoi ses sous-vêtements, jadis garnis de dangereuses dentelles, étaient à présent en coton blanc ; pourquoi elle n'aimait plus la levrette ; pourquoi elle ne le chevauchait plus. La confidentialité sacrée du mariage – cette force qui l'empêchait de faire part de ses malheurs matrimoniaux à ses amis – finirait par céder. La forteresse dans laquelle ils gardaient leurs secrets se fissurerait, et il ferait jaillir de l'eau par ces lézardes en se confiant à ses amis. Il recevrait de leur part tant d'empathie, d'acquiescements et de compréhension qu'il en viendrait à se demander ce qu'il avait à gagner à rester avec quelqu'un de si amer, quelqu'un qui ne l'appréciait plus pour ce qu'il était, et la vie est trop courte, mon vieux, la vie est trop courte. Il divorcerait d'avec elle, et la raison d'être de tous ces divorces, c'était l'absence de pardon : elle ne lui pardonnerait pas d'être moins impressionné par les succès qu'elle arracherait à la vie qu'obnubilé par son insécurité à lui ; il lui en voudrait de briller si fort qu'il n'arriverait plus à voir son propre reflet dans la glace. Mais le divorce se fonde aussi sur l'oubli – le choix de ne plus se souvenir de ce qui a précédé le chaos, cet instant où l'on tombe amoureux, ce moment où on se sait plus importants ensemble que séparés. Le mariage a pour vocation de perpétuer le souvenir de ces instants. Leur mariage ne leur pardonnerait pas d'avoir vieilli, et ils ne pardonneraient pas à leur mariage d'avoir assisté à leur vieillissement. Ce type s'assiérait parmi ses amis, incapable de déterminer comment tout cela avait si mal tourné. Mais elle, elle saurait. Tout comme moi.

Quand Rachel et moi étions petites filles, cette société libérée qui avait failli ratifier l'Amendement sur l'égalité des droits nous avait aussi promis que nous pourrions faire ce que nous voulions. On nous avait dit que nous pourrions nous aussi connaître le succès, que nous avions quelque chose de spécial et d'unique et que nous réussirions dans tout ce que nous entreprendrions – mélange des derniers vestiges d'une éducation qui répétait aux filles qu'elles étaient uniques, et des premiers échos de la deuxième vague féministe. À l'époque, même si je n'étais encore qu'en sixième, je me rappelle avoir pensé que c'était bizarre que les professeurs et les parents aient le droit de dire ces choses, qu'ils le disent en présence des garçons et que ça ne semble pas déranger ces derniers. Déjà à l'époque, je savais que les garçons toléraient cela pour la simple et évidente raison que ce n'était pas vrai. C'était comme pour ces tee-shirts que toutes les amies de ma fille portaient à présent, ceux qui proclamaient DEMAIN SERA FÉMININ en grosses capitales. Le fait qu'elles les arborent en pleine rue, en plein jour. Si tout cela est toléré, c'est parce que tout le monde sait qu'il s'agit d'un mensonge qu'on dit aux filles afin de rendre supportable leur marginalisation. Tout le monde sait que ces filles finiront par être punies pour l'avenir qu'elles se seront choisi, alors on les laisse porter ce slogan stupide en attendant.

Rachel et moi, nous avons été élevées pour faire ce que nous voulions faire, et c'est ce que nous avons fait : nous avons réussi, et nous n'en avons fait secret à personne. Nous n'avions pas besoin de porter de tee-shirts blasonnés de formules apocryphes, parce que nous connaissions déjà le secret, à savoir : vous aurez beau réussir, vous aurez beau gagner plus et valoir plus, vous aurez beau dépasser toutes les attentes, rien autour de vous ne changera vraiment. Il vous faudra malgré tout marcher sur des œufs pour ménager la fragilité d'un homme, ce qui convient parfaitement à des femmes qui peuvent passer leur journée à faire du shopping et boire des Martini (c'est leur compensation :

ces femmes ont mené leurs négociations à part), mais qui est tout à fait intolérable pour toutes celles qui s'acharnent à bosser, à arracher le respect qu'on leur doit et à devenir la personne que *les autres* doivent ménager. Le fait que ces hommes puissent être aussi délicats, qu'ils aient autant de mal à se regarder dans une glace lorsqu'il s'agit de comprendre pourquoi leurs femmes ne débordent pas d'enthousiasme à l'idée de passer une soirée de plus à soigner leurs petits bobos d'ego en les soutenant, en leur tapotant le dos et en leur suçant la bite : c'était cela que nous trouvions intolérable.

Pour ma part, il y avait aussi autre chose : je vivais perpétuellement dans une brume de regret et d'ambivalence. Perdue dans ce brouillard, je ne savais quelle direction prendre, jusqu'à ce qu'un jour où j'écumais cette connerie de Facebook, activité passive qui me laissait tout le temps de réfléchir, je finisse par me demander : comment pourrais-je revenir à ce moment où ma vie n'était pas un flot continu d'obligations mais une série infinie de choix, chacun ayant pour but de m'enseigner quelque chose sur l'existence et le monde, et non de m'esquinter davantage ? À un moment donné que je ne me rappelais plus, j'avais pris toute ma liberté et toute mon indépendance, je les avais poussés sur la table de poker en direction d'Adam et je lui avais dit : « Tiens, prends mon pactole. Prends tout. Je n'en ai plus besoin. Je ne le regretterai jamais. »

J'étais sur le point de me déconnecter. Ça me déprimait trop de ne plus pouvoir fantasmer sur ce que devenaient les gens que j'avais connus, de constater encore et encore qu'ils avaient subi le même sort que moi, qu'eux aussi s'étaient empâtés, normalisés, banlieusardisés, et étaient devenus tout aussi chiants. J'étais à deux doigts d'effacer mon compte à la con, quand tout à coup une notification apparut sur mon icône de demande d'amis, et je vis qu'il s'agissait de Larry Feldman, mon premier petit copain, en quatrième.

Ce fut également ma première obsession. Une fête, le jeu de la bouteille, sept minutes au paradis, puis les lumières qui s'éteignent, et lui qui me palpe partout. Folle de désir pendant le restant de la soirée, et les semaines qui suivirent. La semaine, je le voyais passer devant ma classe quand il allait aux toilettes et je le traquais le reste de la journée comme un loup, sans jamais le retrouver. Les week-ends, il apparaissait aux fêtes où j'allais, ou au ciné, et mes paupières se fermaient à moitié, mon souffle se faisait court. Tout était si vite arrivé. Larry m'avait fastpassée vers l'âge adulte si rapidement que j'en concevais de la honte et de la peur. Avant que j'aie le temps de m'habituer aux baisers, sa main était déjà sur mon tee-shirt. Avant que j'aie le temps de m'habituer à ça, sa main passait déjà en dessous pour se poser sur mon soutif. Puis sous mon soutif. Puis sur mon jean. Puis il essaya de mettre sa main dans mon jean, mais cette année pour les filles, la mode était au legging sous le baggy. Impossible de s'y retrouver. Dans le minuscule laps de temps dont nous disposions avant qu'un parent frappe à la porte, il ne parvint pas à distinguer pantalon, legging et culotte, raison pour laquelle de retour chez moi je me noyai littéralement dans mes hormones.

Assise devant mon ordinateur, face à cette notification de demande d'amis, je sentis quelque chose revivre en moi, quelque chose qui n'y était pas auparavant, une sorte de démangeaison, une certaine intranquillité. Tout valait mieux que cette putain de banlieue cossue, avec tout cet espace libre, une salle de bains pour chaque membre de la famille. Je cliquai sur Accepter, et reçus presque immédiatement un nouveau message privé. J'étais ivre d'excitation. Je repensai à une amie du lycée qui avait récemment quitté son mari — totalement par surprise, à en croire celui-ci — pour son petit ami de fac, avec qui elle avait renoué contact sur Facebook. « J'ai l'impression d'être de nouveau moi-même », m'avait-elle confié. Je me demandai quelle impression ça pourrait me faire, d'être de nouveau moi-même.

J'ouvris le message.

LARRY : Je ne sais pas si tu te souviens de moi, mais on était au collège ensemble ? Genre en quatrième ?

Il voulait donc la jouer comme ça. Tu as caressé mon corps de vierge comme s'il t'appartenait, et tu me demandes si je m'en souviens.

MOI : Bien sûr que je me souviens de toi.

LARRY : Je pense très souvent à toi.

Wow. J'avais espéré un peu de sous-entendus, une conversation civilisée avec un léger fumet de bêtises d'ado. Lui allait droit au but.

MOI : Vraiment ? C'est bizarre.

LARRY : Je me rappelle la chaleur de ton roudoudou.

Je refermai brusquement mon ordinateur et ravalai un haut-le-cœur.

Plus tard dans l'après-midi, avant le retour de mes enfants, je rouvris mon portable du bout du doigt, comme s'il était atteint d'une maladie. Je consultai la page de Larry Feldman. Il avait une fille, apparemment. Il vivait toujours dans la même zone résidentielle de Long Island où mon père avait habité. Il semblait qu'il ne se soit jamais marié, mais c'était dur à dire. La plupart de ses photos étaient des selfies dans sa voiture, des autoportraits avec la bouche béante et le regard vague, comme s'il essayait de comprendre la technologie de son smartphone, qu'à son insu il aurait programmé pour publier automatiquement toutes ces photos sur Facebook, sans contrôle humain. Je le supprimai de ma liste d'amis, et me sentis soudainement dégoûtée par tout ça : les hommes, le vieillissement, l'humanité, et mes besoins dégueulasses.

J'étais encore dans cet état d'esprit quand mes enfants rentrèrent, quand Adam rentra, et j'étais toujours dans cet état d'esprit quand mon téléphone sonna plus tard dans la soirée. Je vis le nom de Toby Fleishman s'afficher sur l'écran, je décrochai et j'écoutai. Il s'excusa de ne pas m'avoir contactée tout ce temps. Il m'informa qu'il divorçait de Rachel. Il me dit que je lui manquais. Oui, pensai-je alors. Ça, c'est ma jeunesse, pas cette sous-merde de Larry. En quatrième, je n'étais pas qui je suis. À la fac, oui.

J'allai voir Toby. Et encore. Et encore. Puis Seth se joignit à nous. Et c'était si agréable de ne jamais avoir à expliquer qui j'étais ; si agréable d'être un poil supérieure à ce qu'ils s'étaient imaginé que je deviendrais. Je passais de plus en plus de temps avec eux, et chaque fois que je rentrais chez moi, j'étais un peu plus détachée qu'avant, un peu plus à la dérive. La nuit, Adam, toujours aussi passif et accommodant, me regardait me déshabiller en tentant de déterminer qui au juste allait partager son lit : son épouse, ou la créature en laquelle je m'étais transformée récemment.

Cet été-là, je traitai Adam comme un colocataire. Je rentrais tard. Je commandais de la bouffe chinoise pour le dîner, encore et encore. Il me fit remarquer un soir que je commandais beaucoup chinois, et en réponse, je commandai thaï. Le matin, j'essayais de le pousser à m'interroger afin de pouvoir lui dire que je ne savais plus comment vivre. Mon Dieu, j'avais envie de lui demander comment on pouvait vivre ainsi, en sachant qu'à une époque on n'avait à rendre compte à personne de nos faits et gestes ?

Comment avions-nous fait pour nous fixer cette trajectoire de vie ? Mais il n'aurait rien compris. Il avait la vie qu'il souhaitait. Moi aussi. Et pourtant. Et pourtant et pourtant et pourtant et pourtant et pourtant.

Qu'aurait-on pu faire d'autre ? Ne pas épouser cet homme qui vous comprenait, vous aimait et vous soutiendrait toujours, quoi qu'il arrive ? Ne pas avoir ces enfants que vous adoriez et qui donnaient à tous les dégâts collatéraux (votre temps, votre corps, votre légèreté, votre part d'ombre) leur réelle valeur ? Le temps n'arrête pas sa course, de toute façon. Vous ne redeviendrez jamais jeune. Le seul risque, c'est d'oublier que chaque moment est ce que vous pouvez espérer de mieux – que vous ne serez plus jamais aussi jeune que maintenant, à cet instant précis. Et à cet instant. Et à celui-ci. Et à celui-ci et à celui-ci et à celui-ci.

Et dans ces conditions, comment ne pas rejeter la faute sur son mariage ? Votre mariage devient si intimement lié à votre vie, en tant qu'un des rares attributs constants et immuables de chaque instant de votre existence, que la personne que vous avez épousée n'a plus son mot à dire. Vous lui prenez la main quand en marchant dans la rue vous éprouvez du bonheur, vous tournez la tête d'un air glacial pour regarder par la vitre de la voiture quand vous n'en éprouvez pas, et aucune de ces deux réactions n'a la moindre chose à voir avec le comportement de l'autre. C'est sur votre perception de vous-même qu'elles reposent, et vous commettez l'erreur de confondre la personne qui vous est le plus proche avec les circonstances dans lesquelles vous vous trouvez, et vous vous dites, peut-être que si j'excisais ce machin, je serais de nouveau moi-même. Mais vous n'êtes plus vous-même. Depuis longtemps déjà. Ce n'est pas sa faute à lui. C'est arrivé comme ça. Ça devait arriver comme ça.

Pourtant Toby avait raison. Quelqu'un m'aimait. J'étais aimée d'un homme qui ne me posait pas de questions. Je compris alors que même si la passivité était la première réponse d'Adam à potentiellement tout, la gentillesse était la deuxième. En ce sens, nous étions très différents. Tout ce qu'Adam avait jamais souhaité, c'était qu'on le prive de son indépendance. Tout ce qu'il souhaitait, c'était m'aimer en retour. Et moi, qu'est-ce que je désirais au juste ? Qu'est-ce qui était si supérieur à la stabilité et à l'amour de quelqu'un de bien qui me soutenait ? On tombe amoureux, on prend la décision de se marier, et si tout ce qui arrivait par la suite se résumait à essayer de se souvenir de cet instant unique ? On se voit changer, soi-même et l'autre, et le véritable boulot consiste à se rappeler constamment les raisons qui nous ont poussés à faire ce choix. Et qu'est-ce que ça a de si honorable, de vouer son existence à un moment qu'on doit sans cesse s'efforcer de se remémorer ?

C'était pourtant ça que j'avais voulu. Ou alors que j'avais voulu en grande partie. Ou alors que je voulais en toile de fond. Ou alors j'étais lasse. Ou alors la hiérarchie de mes besoins avait évolué jusqu'au point où la moindre remise en question de la nécessité d'un mariage stable ne pouvait qu'entraîner sa chute programmée. Ou alors j'étais tout simplement destinée à être malheureuse, quel que soit mon état civil. Ou alors le New Jersey était le lieu que les gens finissaient souvent par préférer à New York, et je devais me faire une raison. Ou alors je voulais juste assez d'indépendance et juste assez de temps à moi toute seule pour regarder ce que je voulais à la télévision sans être jugée. Ou alors je voulais que mon ventre ressemble moins à une carte topographique de Sarajevo. Ou alors je voulais comprendre comment mener une existence dont je n'étais pas la star, apprendre à me fondre dans le décor et n'être que ce dont mes enfants avaient besoin, seulement chaque fois que je m'en approchais, je sentais un gouffre sans fond s'ouvrir devant moi, et je me précipitais dans la direction opposée. Ou alors je voulais me sentir de nouveau au cœur du monde, avoir l'impression d'être importante. Ou alors n'importe qui d'autre que moi était capable d'écouter une chanson de U2 du temps de sa jeunesse et fumer une cigarette sans s'abîmer dans la nostalgie d'une époque révolue qui selon toute probabilité était tout aussi pourrie que le présent. Ou alors je faisais simplement ma crise de la quarantaine, peut-être pas si différente de celle de Rachel, et même nos crises existentielles se devaient d'être modestes – la sienne ayant pour enjeux une bonne nuit de sommeil et un homme qui ne se sentirait pas menacé du simple fait qu'elle existe, la mienne consistant à dissimuler mon malheur derrière ce qui semblait être de la compassion et de l'aide envers mon vieil ami, et qui n'était en réalité que de la négligence envers la famille que j'avais sciemment fondée.

Tu n'y peux rien, compris-je enfin. Même nos crises existentielles doivent être minimes et polies. Ce que j'avais fait était excusable ; ce que Rachel avait fait était inacceptable. Mais dans le fond nous étions confrontées au même état de fait : le monde rabaisse toutes les femmes à l'instant où elles ne sont plus disponibles sexuellement, et il n'y a qu'une chose à faire, l'accepter une bonne fois pour toutes, et grandir un peu.

Le problème avec Toby, songeai-je en fumant ma cigarette, c'était qu'il avait fini avec Rachel parce qu'il voulait une femme qui ne soit pas folle. C'était son énoncé de mission, qu'il n'avait de cesse de répéter. Il avait passé tout ce temps à fuir comme la peste les filles qui lui semblaient folles. Même moi. Même moi ! Durant le début de sa vie d'adulte, j'avais vu Toby rejeter quiconque n'était pas strictement conventionnel, et c'était ainsi qu'il avait épousé Rachel, qu'il avait crue normale. Et certes, si l'on s'en tenait à sa version, c'était la pire ex-femme qui soit (toutes les ex-femmes sont les pires qui soient, semble-t-il), mais c'était également une femme qui était tombée dans la folie. Peut-être à cause de l'insulte de l'enfantement. Peut-être à cause de l'injustice monstrueuse qui frappe le statut, la carrière et le corps de toute femme lorsqu'elle devient mère. Toutes ces choses ont de quoi vous rendre folle si vous êtes quelqu'un d'intelligent. Si vous êtes une femme intelligente, vous ne pouvez rester maîtresse de toutes vos facultés quand vous comprenez pleinement, comme n'importe quelle autre personne intelligente le ferait à votre place, les limitations que le monde impose aux femmes. Je ne l'ai pas supporté. Je ne voyais que trop clairement ce qui était en jeu, et je m'en suis détournée. Rachel, elle, fit le choix d'endurer. D'essayer. Et elle fut punie en conséquence.

Mais cela n'avait aucune importance. Ce n'était pas mon problème. Je compris cela dans une ample expiration de cette délicieuse nicotine, adossée à l'immeuble de Seth. Rien de tout cela n'était mon problème. Ma famille, c'était mon problème. Mes tourments, il me fallait les mettre de côté : ma famille devait se sentir en sécurité, et aimée. Ils étaient aimés. Ils étaient en sécurité avec moi. Qu'est-ce que je pouvais bien faire ici ? Appuyée à cette façade d'immeuble, à fumer en attendant mon ami ? Il était temps de rentrer à la maison.

Je pensai à Adam. À son visage. Ses mains. À la façon qu'il avait de se plonger dans un océan d'informations sur des sujets tout à fait idiots, comme un type bien particulier de mauvaise herbe, ou d'avion. Adam était le meilleur scénario possible au cœur d'un système dysfonctionnel par essence. Soudain, j'eus très chaud aux joues. Je jalousai l'été d'Adam. Je voulais passer chacune de mes minutes avec lui. Il n'était pas trop tard, non ? C'était cela que j'avais choisi. Je m'étais tenue sous une houppa et c'était cela que j'avais appelé de mes vœux, c'était cela ! J'étais aimée, ainsi que l'avait dit Toby. J'étais aimée. Et c'était toujours mon choix. La fissure que j'avais laissée s'ouvrir dans notre forteresse pouvait être comblée avant que les dégâts soient irrémédiables.

Raison pour laquelle je rentrerai chez moi et m'ancrerai à nouveau dans ma vie. Je me demanderai, sans entrer dans les détails, comment on peut se sentir si désespérément malheureuse quand on est si profondément heureuse. J'essaierai, à nouveau. Je m'assiérai aux côtés de mes enfants devant un programme télé inepte, je respirerai leur cuir chevelu et laisserai les hormones inhérentes à la maternité m'envahir. J'essaierai de faire la paix avec la banalité de ma vie. Ou peut-être qu'un jour je comprendrai que cette banalité est en réalité franchement extraordinaire. J'essaierai. Je me demanderai ce qu'il me manque pour être raisonnablement satisfaite. J'avouerai partager de petites joies avec les autres femmes de mon quartier, qui elles aussi ont la quarantaine et se sentent comme en exil de leur propre importance. J'essaierai d'être une bonne épouse pour Adam, et j'essaierai de ne pas alourdir les moments les plus pesants de la vie conjugale : ces moments où l'un des deux est de bonne humeur et que l'autre ne le remarque pas, ou ne se met pas au diapason, laissant le premier à sa solitude ; ces moments où l'un des deux fait semblant de ne pas vraiment comprendre ce que dit l'autre, le poussant à une correction et un formalisme indignes.

J'apprendrai peut-être à cuisiner. Ou je prendrai des cours de décoration de gâteaux. Je m'autoriserai à devenir un peu plus quelconque. Je ne me débattrai plus aussi fort contre cela. Qu'y aurait-il de mal à se ranger ? À quoi je m'accroche encore ainsi ? J'irai à la salle de gym à côté, et je m'inscrirai au cours de danse auquel se rendent toutes les mères de famille du coin, et nous danserons sur des chansons qui jadis, des années en arrière, nous ont brisé le cœur, et l'ont enflammé. Les chansons nous rappelleront que jadis nous avons été jeunes – que jadis, nous n'avions pas à débourser 20 dollars pour danser, qu'on n'avait même pas besoin d'explications et de conseils pour le faire. Jadis, nous savions comment danser, sans l'avoir jamais appris. À présent, nous canalisons toutes nos pulsions sexuelles, tous nos espoirs et tous nos remords dans un cha-cha-cha, ou dans un roulement de hanches qui jadis roulaient d'elles-mêmes. La prof nous passera des versions gonflées aux hormones de la soupe pop de nos années lycée ou fac, et nous éclaterons de rire. Mais ces chansons finiront par tisser un lien direct entre nous et notre jeunesse, et à la fin, quand la prof passera un dernier morceau d'Eagle-Eye Cherry ou de Sade, nous nous rendrons compte de la lenteur de nos corps, lestés et plombés, et nous comprendrons alors que comme nous, ils essayent de se souvenir de quelque chose, sans vraiment y parvenir.

Et Adam… Adam m'attendra à la maison. Même après tout ça, il m'attendra. Il m'observera attentivement afin de déterminer si je suis encore révoltée, je le verrai m'observer et la tristesse et le sentiment de culpabilité me sauteront à la gorge quand je repenserai à tout ce que je lui ai fait endurer – tout ce que je lui fais toujours endurer. Il me scrutera la nuit durant mon sommeil et priera pour que je sois définitivement tirée de la confusion et du chaos. Et je me rachèterai par de petits gestes : un excès de disponibilité sexuelle, des marques de gentillesse envers sa salope de sœur, un accord tacite pour regarder ensemble cette série de science-fiction qui l'intéresse depuis un petit bout de temps. Mais ce soir, je me glisserai entre mes draps sombres auprès de mon mari, et j'épouserai la forme de son corps aussi fidèlement qu'une seconde peau. Je murmurerai contre son dos, « Pardon d'être rentrée si tard ». Et lui, déjà réveillé ou tout juste tiré de son sommeil, chuchotera, « Tu finis toujours par rentrer ». Et à cet instant précis je l'aimerai si fort que je fondrai en larmes, je pleurerai pendant des heures, et il me caressera pour m'apaiser, sans rien comprendre, comme toujours.

Je n'ai pas su trouver ma place non plus, Rachel. J'ai essayé de faire mentir le sort. J'ai travaillé dans un magazine masculin, tâché de faire du boulot dont je pouvais être fière, pour apprendre en fin de compte qu'être une femme dans la rédaction d'un magazine masculin, c'est comme d'être une femme dans ce monde : accessoire dans le meilleur des cas, indésirable dans le pire, elle n'a pour fonction que de s'acquitter des tâches dont les hommes n'ont que faire. Je ne serai jamais Archer Sylvan, mais j'écrirai mon livre, et celui-ci aura quelque chose qu'Archer n'a jamais su produire, c'est-à-dire l'ensemble des versions de l'histoire, même celles qui font mal quand on les regarde en face – même celles que la colère nous pousse à ne pas vouloir entendre.

J'écrasai ma cigarette avant de l'avoir finie. Ça me donnait mal au cœur. Je ne devrais plus fumer. Je ne devrais pas fumer, et je ne devrais pas être ici. Ce n'était plus mon plaisir. Je hélai un taxi et lui dis de me ramener dans le New Jersey, là où j'habitais.

* * *

Assis par terre avec moi, Toby m'avait écoutée exposer mes projets, et s'était attendu à sentir la panique monter en lui, la même panique qui le mettait en nage ces dernières semaines lorsqu'il se penchait sur l'avenir. Mais cette fois, il n'en fut rien. S'habituait-il enfin à sa nouvelle situation ? Commençait-il vraiment à guérir ?

Et si c'était vraiment ça ? Et s'il était en mesure de penser à Rachel d'une façon radicalement différente ? Et s'il parvenait à s'extraire de la tête l'idée que sa vie était assujettie à celle de Rachel ? Et s'il rencontrait quelqu'un de gentil et qu'il se remariait ? Et si Rachel devenait un jour sa première épouse, et rien de plus ? Un jour, le crépuscule de ce mariage serait révolu et les fumées toxiques de leur tristesse se dissiperaient. Peut-être était-ce déjà le cas.

491

En sortant des toilettes, Toby aperçut Seth dans un coin discret du loft, en train de se faire écharper par Vanessa pour avoir fumé de l'herbe à leur fête de demande en mariage. Il les observa un moment, Vanessa s'efforçant de sauver les apparences avec son sourire figé et ses chuchotements acerbes, Seth sans voix, totalement déconcerté. Quand Toby finit par sortir, j'étais déjà partie, aussi décida-t-il de rentrer chez lui à pied, dans la chaleur de la nuit. Cependant, quand il arriva à Union Square, il se mit pleuvoir, et il finit le trajet en métro.

Il paya la baby-sitter, et une fois qu'elle fut partie, il resta au milieu de son salon pour caresser Bubbles une minute ou deux. Il se débarrassa de ses vêtements trempés et prit une douche afin que ses enfants ne sentent pas le cannabis sur lui à leur réveil. Comment pouvait-on avoir tant vécu et être aussi peu sûr de soi ? Comment pouvait-on savoir tant de choses et être toujours aussi abasourdi par la réalité ? Était-ce cela, l'illumination ? La compréhension profonde que la vie était un cancer qui métastasait si lentement qu'on n'avait conscience de sa mortalité que de façon vague, par intermittence ? La compréhension que la mort était juste assez lente et progressive pour qu'on s'y habitue ? Ou peut-être n'était-ce pas la définition de la vie. Peut-être était-ce simplement celle de l'âge mûr.

À cet instant, il se dit aussi que tout dans la vie se modifiait progressivement, que c'était pour cette raison qu'on avait du mal à percevoir les changements. Son divorce serait bientôt consommé. En fait, il signerait les documents cette nuit même. Il était né sans Rachel, il avait vécu sans elle. Il avait épousé Rachel et il avait survécu. Et à présent Rachel n'était plus là – peut-être pour toujours. S'il arrivait à s'imaginer cela, à s'imaginer qu'elle était comme montée au ciel pour n'être plus qu'un fantôme dont certaines personnes surprenaient parfois la brève apparition, il pourrait tourner la page. Il pourrait aller de l'avant.

Tout le monde ne suit pas les règles du jeu. Tout n'est pas toujours juste. L'ignorait-il encore ? Un jour, ses enfants comprendraient ; ses enfants grandiraient avec cette leçon de la vie, et les épreuves qu'ils traverseraient par la suite leur seraient moins douloureuses. Ce n'était pas rien. Lui serait un bon père. Il les protégerait jusqu'à son dernier souffle. C'était cela, le spanda, comprit-il alors. C'était ce qu'avait expliqué cette stupide prof de yoga. L'Univers était bel et bien en expansion et en contraction. Comme quoi, Toby ne savait pas tout. Il inspira, et il expira. C'était heureux, et c'était malheureux. C'était bien, et c'était mal.

La vague de chaleur à Manhattan touchait enfin à son terme. Il plut à verse pendant dix bonnes minutes. Toby se mettrait à la recherche d'un nouvel appartement dès le lendemain, un nouvel appartement où tout fonctionnerait. Il méritait de vivre dans un appartement où tout fonctionnait. Il regarda par la fenêtre. Il vit son reflet, et à travers, les fenêtres éclairées de l'immeuble voisin, une version transparente de lui-même, habitée par les lumières de la ville, les fenêtres, les gens à la fenêtre. Dans ces fenêtres, il y avait tout : l'espoir, la tristesse, la perte, le triomphe, le sexe, la trahison. Partout la douleur, et partout le sexe. Partout l'amour, et partout la mort. On pouvait mourir de solitude, mais on pouvait aussi mourir d'optimisme ; au bout du compte, l'optimisme était tout aussi dévastateur. Le temps continuerait sa course, mais Toby avait instillé un peu d'optimisme dans son univers-bloc. Il y resterait à jamais. Toby observa les gens qui bougeaient dans son corps fantomatique, et il eut l'impression d'avoir assez de place pour tous, de pouvoir tous les contenir et les garder, d'être leur hôte à tous. Il resta ainsi, plongé dans sa contemplation pendant un temps qu'il n'aurait su déterminer, et puis il entendit une clef dans la serrure et les gonds grincer, il se retourna et vit Rachel sur le seuil.

Photocomposition Nord Compo à Villeneuve-d'Ascq

Achevé d'imprimer en mars 2020
par CPI BRODARD & TAUPIN (72200 La Flèche)
pour le compte des Éditions Calmann-Lévy
21, rue du Montparnasse, 75006 Paris

PAPIER À BASE DE
FIBRES CERTIFIÉES

CALMANN
LEVY s'engage
pour l'environnement en réduisant
l'empreinte carbone de ses livres.
Celle de cet exemplaire est de :
750 g éq. CO$_2$
Rendez-vous sur
www.calmann-levy-durable.fr

N° d'éditeur : 3513586/01
N° d'imprimeur : 3037674
Dépôt légal : avril 2020
Imprimé en France.